BELGRAVIA

Du même auteur

Snobs, JC Lattès, 2007, nouvelle édition 2016.
Passé imparfait, Sonatine, 2014.

www.editions-jclattes.fr

Julian Fellowes

BELGRAVIA

Roman

Traduit de l'anglais (Royaume-Uni)
par Valérie Rosier et Carole Delporte

Conseillère éditoriale :
Imogen Edwards-Jones

Conseillère historique :
Lindy Woodhead

JC Lattès

Titre de l'édition originale :

JULIAN FELLOWES'S BELGRAVIA

Publiée par Weidenfeld & Nicolson, Grande-Bretagne.

Couverture : Didier Thimonier
Illustrations : © Bridgeman Images

À l'exception des personnalités historiques, tous les personnages de ce livre sont fictifs, et toute ressemblance avec une personne existante ou ayant existé est purement fortuite.

Imogen Edwards-Jones a apporté son expertise éditoriale lors de la rédaction de *Belgravia*.

Lindy Woodhead a apporté son expertise historique lors de la rédaction de *Belgravia*.

ISBN : 978-2-7096-5694-8

Première édition juin 2016.

À ma femme, Emma,
sans laquelle rien dans ma vie
ne serait tout à fait possible.

1

Le bal avant la bataille

Dans le passé, on est comme en pays étranger, dit-on. Les choses s'y font différemment. Sans doute est-ce vrai en ce qui concerne la morale, les mœurs, le rôle des femmes, le type de gouvernement, et bien d'autres aspects de notre vie quotidienne. Mais il existe aussi des similitudes. L'ambition, l'envie, la rage, la cupidité, la gentillesse, l'altruisme, et plus encore l'amour, ont toujours eu une influence déterminante sur nos choix, hier comme aujourd'hui. Voici l'histoire de personnages qui vécurent il y a deux siècles ; pourtant les désirs, rejets et passions qui les animèrent ressemblent pour beaucoup aux nôtres, tels que nous sommes, dans l'époque où nous vivons.

En juin 1815, Bruxelles paraissait en fête, entre les marchés en plein air où de nombreux badauds circulaient au milieu des éventaires bariolés, et les cabriolets roulant bon train dans les rues pour amener ces dames de la haute société aux derniers rendez-vous mondains, escortées de leurs charmantes progénitures. Qui se serait cru à la veille d'une guerre, dans la capitale d'un pays qui avait été arraché d'un royaume pour être annexé par un autre trois mois plus tôt ? Oui, qui aurait pu imaginer que Napoléon était déjà en marche et qu'il pouvait à tout moment établir son camp en bordure de la ville ?

Mais ces questions n'intéressaient guère Sophia Trenchard, tandis qu'elle fendait la foule d'un pas déjà fort décidé pour ses dix-huit ans. Comme toute jeune fille de bonne famille, en particulier en pays étranger, elle était accompagnée par sa femme de chambre, Jane Croft. Cette dernière avait quatre ans de plus que sa maîtresse ; pourtant, à les voir, c'était Sophia qui paraissait le mieux à même de protéger sa compagne d'éventuelles mauvaises rencontres. Elle était jolie, très jolie même, de ces beautés blondes aux yeux bleus typiquement anglaises, mais au pli déterminé de ses lèvres on voyait que cette jeune demoiselle avait le goût de l'aventure et qu'elle n'attendrait pas la permission de sa mère pour s'y lancer. Elle houspilla sa femme de chambre.

— Dépêche-toi un peu, Jane, sinon il sera déjà parti déjeuner et la journée sera gâchée.

Elle était à cette étape de la vie que chacun traverse peu ou prou, lorsque c'en est fini de l'enfance et qu'un sentiment de fausse maturité vous donne l'impression que tout est possible… jusqu'à ce que l'entrée dans l'âge adulte prouve qu'en définitive il n'en est rien.

— Je vais aussi vite que je peux, mademoiselle, mais c'est un vrai champ de bataille, ici, murmura Jane.

À cet instant, comme pour illustrer ses propos, un hussard la bouscula et continua son chemin sans s'excuser. Si elle n'avait pas la beauté de sa jeune maîtresse, Jane avait un visage avenant aux traits volontaires et au teint vif, qu'on aurait mieux vu à la campagne que dans les rues d'une ville. Elle aussi avait à sa façon un tempérament direct, qualité que Sophia appréciait.

Parvenues à destination, elles quittèrent la grand-rue pour entrer dans une cour qui avait dû être autrefois un marché aux bestiaux. Apparemment, l'armée l'avait réquisitionnée pour en faire un dépôt de ravitaillement. De gros chariots déchargeaient des caisses, des sacs, des cageots qu'on transportait aux entrepôts avoisinants, et c'étaient des va-et-vient continuels d'officiers appartenant à chaque régiment, qui discutaient par petits groupes sur un ton parfois assez vif. L'arrivée de cette belle jeune femme et de sa servante ne manqua pas de faire son effet et les conversations moururent sur les lèvres.

— Ne vous dérangez pas, déclara Sophia à la ronde. Je suis ici pour voir mon père, M. Trenchard.

Un jeune homme s'avança.

— Connaissez-vous le chemin, mademoiselle Trenchard ?

— Oui, je vous remercie.

Elle se dirigea vers ce qui semblait être la grande entrée du bâtiment principal et, suivie d'une Jane toute tremblante, monta l'escalier jusqu'au premier étage. Là encore, des officiers patientaient mais, passant outre, Sophia ouvrit la porte.

— Attends-moi là, signifia-t-elle à Jane qui demeura en arrière, assez contente des regards curieux qu'elle suscitait chez ces messieurs.

La pièce dans laquelle Sophia pénétra était vaste et lumineuse, avec un élégant bureau en acajou et d'autres meubles assortis, mais c'était un cadre convenant mieux aux rendez-vous d'affaires qu'aux mondanités, bref un lieu de travail, non de loisir. Dans un coin, un homme corpulent d'une quarantaine d'années admonestait un fringant officier en uniforme.

— Qui diable se permet de m'interrompre ! lança-t-il en faisant volte-face mais, découvrant sa fille, il changea aussitôt d'humeur et un sourire attendri éclaira son visage empourpré. Alors ? demanda-t-il sans ambages.

Comme Sophia considérait l'officier avec insistance, il comprit son inquiétude et se tourna vers ce dernier.

— Capitaine Cooper, je vous prie de bien vouloir m'excuser. Pouvez-vous nous laisser un moment ?

— Fort bien, Trenchard, mais…

— Trenchard ?

— Monsieur Trenchard. Mais la farine doit nous être livrée avant ce soir. Mon commandant m'a fait promettre de ne pas revenir sans cette assurance.

— Et moi, je vous promets de faire de mon mieux, capitaine.

L'officier dut ravaler son irritation, sachant qu'il n'obtiendrait rien de plus en insistant. Avec un petit salut, il se retira et le père se retrouva seul avec sa fille.

— Tu as réussi ? s'enquit-il aussitôt.

Un tel enthousiasme avait quelque chose d'attendrissant, chez cet homme d'affaires rondouillard au crâne dégarni, qui semblait soudain aussi excité qu'un enfant le soir de Noël.

Avec une lenteur calculée, Sophia ouvrit son réticule et en sortit délicatement des cartons blancs.

— J'en ai trois, annonça-t-elle, savourant sa victoire. Un pour toi, un pour maman et un pour moi.

Il les lui arracha presque des mains, avec l'avidité d'un homme privé d'eau et de nourriture depuis un mois. Les lettres imprimées en relief étaient simples et élégantes.

La Duchesse de Richmond

Sera chez elle

23 rue de la Blanchisserie

Jeudi 15 juin 1815

Bal à 22 heures *Voitures au petit matin*

Il contempla le carton.

— Je suppose que Lord Bellasis dînera sur place, commenta-t-il.

— La duchesse est sa tante. D'ailleurs il n'y aura pas de dîner à proprement parler. Juste pour la famille et les quelques personnes qui séjournent chez eux… Tu n'attendais pas qu'on t'y invite, tout de même ?

Il en rêvait, mais ne l'escomptait pas.

— Non, non. Je suis ravi.

— D'après Edmund, il y aura un grand souper peu après minuit.

— Tâche de ne l'appeler Edmund devant personne d'autre que moi, la corrigea-t-il, mais il avait retrouvé sa bonne humeur, sa déception momentanée balayée à l'idée de ce que leur réservait l'avenir. Tu dois aller prévenir ta mère, qu'elle ait le temps de se préparer.

Avec l'inconscience de la jeunesse et une confiance en soi que rien n'avait encore altérée, Sophia ne se doutait pas de l'incroyable prouesse qu'elle venait d'accomplir. Elle avait en outre l'esprit plus pratique que son père, encore tout ébloui par cette annonce.

— Il est trop tard pour de nouvelles tenues, déclara-t-elle.

— Mais pas trop tard pour tirer le meilleur parti de celles que nous avons.

— Maman ne voudra pas y aller.

— Elle ira, parce qu'elle le doit.

Sophia s'apprêtait à sortir quand une autre question lui vint à l'esprit :

— Quand lui dirons-nous ?

Pris au dépourvu, il se mit à triturer la chaîne en or de sa montre à gousset. Il y eut un moment de flottement. En apparence, rien n'avait changé, pourtant l'ambiance n'était plus la même et tout observateur aurait deviné que le sujet évoqué à mots couverts était bien plus grave que le choix des toilettes qu'ils porteraient au bal de la duchesse. C'était un secret, un secret partagé.

— Pas encore, répondit Trenchard d'un ton catégorique. Il faut respecter les convenances. Nous devrions lui laisser l'initiative. Rentre, maintenant. Et fais revenir l'autre abruti.

Une fois seul, James Trenchard resta étrangement pensif. En entendant des cris qui montaient de la rue, il s'avança jusqu'à la fenêtre. Un officier se disputait avec un fournisseur. Mais alors, la porte s'ouvrit sur le capitaine Cooper. Trenchard lui fit signe d'entrer. Les affaires reprenaient leur cours.

Sophia avait raison. Mme Trenchard ne souhaitait pas aller au bal.

— Si on nous a invités, c'est seulement parce que quelqu'un leur a fait faux bond.

— Et alors, quelle importance ?

— C'est idiot. Nous ne connaîtrons personne.

— Mais si, papa connaît du monde.

Par moments, Anne Trenchard trouvait son fils et sa fille passablement irritants. Ils ne connaissaient rien à la vie, ou si peu, malgré leurs grands airs. C'étaient des enfants gâtés auxquels leur père avait tout passé, en vertu de quoi ils prenaient leur bonne fortune comme allant de soi. Ils ne savaient rien du chemin que leurs parents avaient parcouru pour parvenir à leur position actuelle, tandis que leur mère se rappelait les efforts que chaque pas leur avait coûtés.

— Oui, il connaîtra quelques officiers qui viennent le voir sur son lieu de travail pour lui donner des ordres, répliqua-t-elle. Et eux seront étonnés de croiser à ce bal l'homme qui fournit leurs troupes en pain et en bière.

— J'espère que tu ne tiendras pas ce langage à Lord Bellasis, s'indigna Sophia.

Mme Trenchard se radoucit un peu et prit la main de sa fille dans les siennes.

— Ma chérie, attention à ne pas bâtir des châteaux en Espagne.

— Évidemment, tu doutes de la sincérité de ses intentions, rétorqua Sophia en se dégageant vivement.

— Au contraire, je suis sûre que Lord Bellasis est un homme d'honneur. Et quelqu'un de très agréable, assurément.

— Eh bien alors ?

— Mais c'est l'aîné d'un comte, mon enfant, avec toutes les responsabilités incombant à cette position. Il ne peut choisir son épouse seulement selon son cœur. Je ne suis pas en colère. Vous êtes tous deux de beaux jeunes gens et vous avez eu une amourette qui n'a nui à aucun d'entre vous. Jusqu'à présent, conclut-elle en appuyant à dessein sur ces derniers mots. Mais cela doit finir avant que des rumeurs commencent à circuler, Sophia, ou ce sera toi qui en souffriras, pas lui.

— Et le fait qu'il nous ait procuré des invitations au bal de sa tante ? Cela ne prouve rien ?

— Si, cela prouve que tu es une jeune fille charmante et qu'il a eu envie de te faire plaisir. À Londres, jamais il n'aurait pu les obtenir, mais ici, à Bruxelles et dans ce contexte de guerre, les règles habituelles ne s'appliquent pas.

Cette déclaration piqua Sophia au vif.

— Tu veux dire qu'en temps normal nous ne devrions pas pouvoir fréquenter les amis de la duchesse ?

À sa façon, Mme Trenchard avait autant de caractère que sa fille.

— C'est exactement ce que je veux dire, et tu sais que c'est la vérité.

— Papa ne serait pas de ton avis.

— Ton père a fait du chemin depuis ses débuts et, à force d'avancer, il ne voit plus les barrières naturelles qui l'empêcheront d'aller plus loin. Il a très bien réussi. C'est une chose dont tu peux être fière, et cela devrait nous suffire.

La porte s'ouvrit sur la femme de chambre de Mme Trenchard, qui lui apportait une robe pour la soirée.

— Suis-je venue trop tôt, madame ?

— Non, non, Ellis. Entrez. Nous en avons terminé, n'est-ce pas ?

— Si tu le dis, maman, répliqua Sophia avant de quitter la pièce d'un air de défi

Ellis s'activait en silence, mais Anne la sentait brûler de curiosité quant à l'objet de la dispute. Elle la laissa un moment sur sa faim et attendit que sa femme de chambre ait fini de dégrafer sa robe d'après-midi pour la laisser glisser de ses épaules.

— Nous sommes invités au bal de la duchesse de Richmond le quinze de ce mois, déclara-t-elle.

— Nan ! laissa échapper Mary Ellis, d'ordinaire réservée, mais elle se reprit vite. Dans ce cas, il va falloir songer sérieusement à votre toilette, madame, car il me faudra du temps pour la préparer.

— Et la robe en soie bleu nuit ? Je ne l'ai guère portée cette saison. Peut-être pourriez-vous trouver de la dentelle noire pour agrémenter l'encolure et les manches.

Anne Trenchard avait un esprit pratique, quoique non dénué de vanité. Elle avait gardé sa silhouette de jeune fille et, avec son profil dessiné et ses cheveux auburn, c'était sans conteste une belle femme. Elle le savait, mais était trop fine pour en rien laisser paraître.

— Et les bijoux, madame ?

— Je n'y ai pas réfléchi. Nous choisirons parmi ceux que j'ai déjà.

Elle s'était montrée ferme avec sa fille, mais ne le regrettait pas. Comme son père, Sophia vivait dans un rêve, et les rêves peuvent vous causer du tort, si l'on n'y prend garde. Presque malgré elle, Anne sourit. Elle avait dit que James avait fait du chemin, mais Sophia ne savait sûrement pas à quel point, ni d'où il était parti.

Accroupie à ses pieds, Ellis lui enfilait ses mules.

— C'est Lord Bellasis qui vous aura procuré les billets pour le bal, j'imagine ? lança-t-elle en relevant la tête vers sa maîtresse.

Contrariée, Anne ne daigna pas répondre. Pourquoi une servante devrait-elle s'étonner à haute voix qu'on les ait inclus dans une liste d'invités si prestigieuse ? Mais cette question prononcée à la légère la fit réfléchir à l'étrangeté de leur vie à Bruxelles. Comme les choses avaient changé pour eux depuis que James s'était attiré les faveurs du duc de Wellington en personne ! Car, en dépit des pénuries, de la férocité des combats, des campagnes dévastées, James parvenait toujours à faire surgir des provisions de nulle part, comme par miracle. D'où ce surnom de « Magicien » que le duc lui avait donné. Cependant ses succès n'avaient fait qu'attiser ses ambitions démesurées. Il voulait continuer à gravir l'échelle sociale jusqu'à des hauteurs inaccessibles. James Trenchard, fils d'un vendeur ambulant que le père d'Anne lui avait interdit d'épouser, trouvait tout naturel d'être reçu en grande pompe chez une duchesse. Ces ambitions, Anne les aurait taxées de ridicules, si elles n'avaient pas la troublante habitude de se réaliser.

Fille d'instituteur, Anne avait reçu une bien meilleure éducation que son mari et, quand ils s'étaient rencontrés, elle était d'un niveau social très supérieur au sien. À présent, il l'avait dépassée et de loin. Elle s'était souvent demandé combien de temps encore elle pourrait espérer le suivre dans sa fantastique ascension. Ne devrait-elle pas se retirer à la campagne, quand les enfants seraient devenus adultes, et le laisser continuer seul à l'assaut des sommets ?

Ellis s'était rendu compte au silence de sa maîtresse qu'elle avait trop parlé. Elle songea à dire quelque chose de flatteur pour rentrer dans ses bonnes grâces, puis décida de laisser passer l'orage en se tenant coite.

La porte s'ouvrit et James apparut.

— Alors elle te l'a dit ? Il nous les a obtenus.

— Merci, Ellis. Vous pourrez revenir dans un petit moment, dit Anne à sa femme de chambre, puis elle enfila son peignoir.

Une fois qu'Ellis se fut esquivée sans mot dire, James ne put retenir un sourire.

— Tu me grondes de vouloir m'élever au-dessus de ma condition, mais regarde-toi : tu t'es adaptée bien mieux que moi à notre nouveau train de vie. À te voir congédier ta femme de chambre, on croirait la duchesse elle-même.

— J'espère bien que non.

— Pourquoi ? Qu'as-tu contre elle ?

— Je n'ai rien contre elle, pour la bonne raison que je ne la connais pas, et toi non plus. C'est pourquoi nous n'allons pas nous imposer à cette pauvre femme en acceptant des invitations destinées à l'origine à des personnes de sa connaissance et de son rang.

— Tu ne penses pas ce que tu dis.

— Si, mais je sais que tu ne voudras pas m'écouter, répliqua-t-elle, consciente que rien ne saurait refroidir son sentiment de triomphe.

— Tu ne te rends pas compte de la chance que nous avons, Anne. Tu sais que le duc sera là ? Deux ducs, en fait. Mon commandant et le mari de notre hôtesse.

— Oui, j'imagine.

— Ainsi que des princes régnants…, reprit-il, mais il s'interrompit, tant son excitation était à son comble. James Trenchard, qui a débuté comme petit marchand des quatre-saisons à Covent Garden, s'apprête à danser avec des princesses ! se rengorgea-t-il.

— Tu n'en inviteras aucune à danser. Tu ne ferais que nous embarrasser tous les deux.

— Nous verrons.

— J'insiste. C'est déjà assez mal de ta part d'encourager Sophia dans ses illusions.

— Tu ne le crois pas, mais Bellasis est sincère. J'en suis certain.

— Tu n'es sûr de rien. Même s'il tient à ce qu'elle le pense sincère, il est hors de sa portée. Il n'est pas son propre maître, et rien de bon ne peut sortir de tout cela.

— C'est toi qui le dis, rétorqua James d'un air buté.

Entendant du bruit venant du dehors, Anne s'approcha de l'une des fenêtres de sa chambre, qui donnait sur une rue large et fréquentée. Une troupe de soldats en uniforme écarlate dont les galons dorés rutilaient au soleil défilait en dessous. Comme c'est étrange que nous discutions d'un bal, quand tout autour de nous parle de la bataille imminente, songea-t-elle.

Anne se retourna face à son mari. On aurait dit un petit garçon de quatre ans mis au coin. Il n'abandonnerait pas ses rêves aussi facilement.

— Parfaitement, je le dis, renchérit-elle. Et s'il arrive quelque chose de fâcheux à notre fille à cause de ces absurdités, je t'en tiendrai personnellement responsable.

— Très bien.

— Quant à exercer des pressions sur ce pauvre jeune homme pour qu'il mendie des invitations à sa tante... C'est plus humiliant que je ne saurais dire.

Mais James en avait assez.

— Tu ne vas pas tout gâcher. Je ne te laisserai pas faire.

— Je n'ai pas besoin de tout gâcher. Ça se fera tout seul.

Fin de la discussion. Il sortit de la pièce en coup de vent pour aller se changer en prévision du dîner et elle sonna Ellis. Anne n'était pas contente d'elle. Elle n'aimait pas se quereller avec son mari, pourtant quelque chose dans tout cet épisode l'atteignait profondément. Elle aimait sa vie. Ils étaient riches, ils avaient réussi, leur compagnie était recherchée dans le milieu des commerçants de Londres, mais James en voulait toujours plus. Il l'obligeait à s'introduire chez des gens où ils n'étaient ni aimés ni appréciés, à converser avec des hommes et des femmes qui les méprisaient en secret, quand ce n'était pas ouvertement, alors qu'ils auraient pu vivre dans une atmosphère de confort et de respect. Elle le regrettait, tout en sachant qu'elle ne pourrait arrêter son mari. Personne ne le pouvait. C'était dans sa nature.

On a tant écrit sur le bal de la duchesse de Richmond au fil des années qu'il s'est paré d'un faste et d'une splendeur dignes du couronnement d'une reine médiévale. Il a figuré dans toutes sortes d'œuvres de fiction et chaque tableau représentant cette soirée la montre toujours plus grandiose. Dans celui de Henry O'Neill datant de 1868, le bal se déroule dans l'immense salle d'un palais bordée d'imposantes colonnes de marbre, où se presse une foule d'invités éplorés et terrifiés, d'une beauté à faire pâlir d'envie les chanteurs de Drury Lane. Or, comme pour tant d'images voulant refléter des épisodes historiques, la réalité était bien différente.

Les Richmond étaient arrivés à Bruxelles en partie par souci d'économie, pour réduire leurs dépenses en passant quelques années à l'étranger, mais aussi pour montrer leur solidarité envers leur grand ami, le duc de Wellington, qui y avait établi son quartier général. Ancien militaire, Richmond avait la tâche d'organiser la défense de Bruxelles, au cas où le pire adviendrait et où l'ennemi envahirait la ville. Il avait accepté cette mission. Il savait que ce travail serait en grande partie d'ordre administratif, mais il devrait être fait, et il lui donnerait la satisfaction de participer à l'effort de guerre, au lieu de figurer parmi les spectateurs passifs dont la ville regorgeait déjà.

Les palais de Bruxelles étaient en nombre limité et déjà réservés. La famille finit donc par s'installer dans une maison naguère occupée par un carrossier à la mode. Elle était sise rue de la Blanchisserie, ce qui poussa Wellington à baptiser la nouvelle demeure des Richmond *The Wash House*, une plaisanterie que la duchesse appréciait moins que son mari. À gauche de la porte d'entrée, ce qui constituait autrefois la salle d'exposition du carrossier était une vaste structure ressemblant à une grange et accessible par un petit bureau où les clients discutaient garnitures de sièges et autres accessoires en option ; d'après les Mémoires de Lady Georgiana Lennox, la troisième fille des Richmond, ce bureau avait été transformé en « antichambre ». Quant à l'espace où les voitures étaient exposées à l'origine, il avait été tapissé d'un papier peint au motif de rosiers grimpants et jugé suffisamment vaste pour servir de salle de bal.

La duchesse de Richmond avait emmené toute sa famille avec elle sur le continent, et les jeunes filles en particulier avaient très envie de distractions. Ce fut ainsi qu'une réception fut programmée. Plus tôt cette année-là, Napoléon s'était échappé de l'île d'Elbe et, début juin, il quitta Paris pour venir provoquer les forces alliées. La duchesse demanda alors à Wellington s'il était toujours opportun de poursuivre ses projets de festivités, mais elle reçut de lui l'assurance qu'elle le pouvait, le devait même. Car le duc souhaitait que le bal ait lieu pour démontrer le proverbial flegme britannique ; preuve s'il en était encore besoin, les dames elles-mêmes, loin de se laisser troubler par l'idée que l'empereur français marchait sur la ville, refusaient d'annuler les réceptions prévues. C'était bien beau mais…

— J'espère que ce n'est pas une erreur, dit la duchesse pour la vingtième fois en une heure, tout en s'observant d'un œil critique dans le miroir.

Son reflet lui renvoya l'image rassurante d'une belle femme au début de sa maturité, vêtue de soie crème, et toujours capable de faire tourner les têtes. Ses diamants étaient magnifiques, même si certaines de ses amies se demandaient si les originaux n'avaient pas été remplacés par des répliques en strass, toujours par souci d'économie.

— Il est trop tard pour en discuter, répondit le duc de Richmond.

Lui-même n'appréciait qu'à moitié de se retrouver dans cette situation. N'étaient-ils pas venus à Bruxelles en une sorte de retraite, pour tenter d'échapper au monde ? Or voici qu'à leur grande surprise le monde les y avait accompagnés et que son épouse donnait une fête avec une liste d'invités aussi longue qu'à Londres, alors que la ville craignait à tout moment d'entendre le son des canons français résonner contre ses murs.

— Le dîner était excellent. Je serai incapable de faire honneur au souper, tout à l'heure, ajouta-t-il.

— Mais si, vous y ferez honneur.

— J'entends une voiture arriver. Nous devrions descendre.

Le duc était un homme sympathique, un père aimant et attentionné, adoré par ses enfants, et assez fort de caractère pour avoir convolé en justes noces avec l'une des filles de la tristement célèbre duchesse de Gordon, dont les frasques faisaient jaser toute l'Écosse depuis des années. À l'époque, beaucoup avaient trouvé qu'il s'était compliqué la vie à plaisir, et il en était conscient, mais au bout du compte il ne le regrettait pas. Certes, son épouse était dépensière, mais elle avait bon caractère, elle était belle, intelligente… Bref, il était content de l'avoir choisie.

Quelques personnes étaient déjà arrivées dans le petit salon baptisé antichambre par Georgiana, passage obligé pour accéder à la salle de bal. D'impressionnantes compositions florales de roses pâles et de lys blancs (dont on avait pris soin de couper les étamines pour éviter à ces dames de se tacher) garnies d'abondants feuillages conféraient aux appartements du carrossier un prestige dont ils manquaient à la lueur du jour. Les nombreux candélabres enveloppaient les réjouissances d'une lumière flatteuse et chatoyante. Edmund, vicomte Bellasis et neveu de la duchesse, s'entretenait avec Georgiana. Ils avancèrent ensemble pour rejoindre ses parents.

— Quels sont donc ces gens qu'Edmund vous a forcée à inviter ? s'enquit Georgiana en s'adressant à sa mère. Comment se fait-il que nous ne les connaissions pas ?

— Vous les connaîtrez, après cette soirée, intervint Lord Bellasis.

— Vous n'êtes pas très loquace, fit remarquer Georgiana à son cousin.

La duchesse nourrissait elle-même quelques soupçons. Elle lui avait donné les invitations sans réfléchir et regrettait déjà sa générosité.

— J'espère que votre mère ne va pas m'en vouloir, dit-elle, se doutant que sa sœur en serait en vérité très fâchée.

Comme à point nommé, la voix du chambellan résonna.

— M. et Mme James Trenchard. Mlle Sophia Trenchard.

— Vous avez invité le Magicien ? s'étonna le duc en regardant vers la porte. Le principal fournisseur de Wellington. Que fait-il là ?

Après un instant de stupeur, la duchesse se tourna vers son neveu d'un air sévère.

— Le fournisseur du duc de Wellington ? J'ai invité un épicier à mon bal ?

Mais Lord Bellasis ne se laissait pas si facilement démonter.

— Ma chère tante, vous avez invité l'un des aides les plus loyaux et les plus efficaces du duc dans sa lutte pour obtenir la victoire. J'aurais cru que tout dévoué patriote britannique serait fier de recevoir M. Trenchard dans sa maison.

— Vous m'avez piégée, Edmund. Et je n'aime pas qu'on me prenne pour une idiote.

Mais le jeune homme était déjà parti accueillir les nouveaux arrivants. La duchesse se tourna alors vers son mari, qui semblait plutôt amusé par son expression outrée.

— Ne me regardez pas avec ces yeux-là, ma chère. Ce n'est pas moi qui les ai invités, c'est vous. Et il faut reconnaître qu'elle a plutôt bon air.

En effet, Sophia était plus jolie que jamais. Mais ils n'eurent pas le temps de s'étendre sur le sujet, car les Trenchard étaient déjà devant eux. Anne parla la première.

— C'est si gentil à vous, madame la duchesse.

— Je vous en prie, madame. J'ai cru comprendre que vous aviez été très bons envers mon neveu.

— C'est toujours un plaisir et un honneur pour nous de recevoir Lord Bellasis.

Anne avait fait le bon choix. Elle avait de l'allure, dans la robe de soie bleue que Ellis avait su orner d'une dentelle très bien assortie. Certes, ses diamants n'auraient pu rivaliser avec les parures de ces dames, mais ils faisaient leur effet. Il se dégageait d'elle un maintien digne et posé, qui radoucit un peu leur hôtesse.

— Ce n'est pas facile pour ces jeunes hommes, d'être si loin de leurs foyers, dit-elle aimablement.

Quant à James, il était presque sûr que l'on devait s'adresser à la duchesse en lui donnant du « Votre Grâce ». Pourtant, personne n'avait semblé s'offusquer de la façon, étrange à ses yeux, dont son épouse s'était exprimée. Bref, il était en proie au doute et allait enfin prendre la parole quand Richmond le devança.

— Ça donc, n'est-ce pas là le Magicien en personne, lança-t-il d'un air jovial, sans paraître s'étonner le moins du monde de la présence d'un roturier en ces lieux. Vous rappelez-vous que nous avions prévu certaines dispositions, au cas où les réservistes seraient rappelés sous les drapeaux ?

— Je m'en souviens fort bien, Votre..., commença-t-il mais, ne trouvant pas le terme adéquat, il s'interrompit et dit simplement : duc.

Le mot provoqua une vague d'embarras qui les submergea tous. Mais, au soulagement de James, Anne le rassura d'un sourire et d'un hochement de tête et personne d'autre ne sembla perturbé. Elle prit le relais.

— Puis-je vous présenter ma fille, Sophia ?

Sophia fit une révérence à la duchesse qui la considéra avec un certain dédain. Certes, la fille était jolie et ne manquait pas de grâce, mais un bref coup d'œil au père suffisait pour que la chose soit définitivement exclue. Elle craignait que sa sœur n'ait vent de cette soirée et ne l'accuse d'avoir encouragé son neveu dans cette voie. Edmund ne pouvait être sérieux ? C'était un garçon raisonnable, qui ne leur avait jamais causé le moindre ennui.

— Mademoiselle Trenchard, me permettrez-vous de vous accompagner jusqu'à la salle de bal ? proposa Edmund en affichant un calme olympien.

Mais sa tante était bien trop experte en mondanités pour se laisser abuser par sa feinte indifférence. En fait, la duchesse sentit son cœur se serrer en voyant la jeune fille prendre avec désinvolture le bras que son neveu lui offrait et les deux jeunes gens s'éloigner en bavardant tout bas, comme s'ils s'appartenaient déjà l'un à l'autre.

À cet instant, un beau jeune homme fit une petite révérence à ses hôtes.

— Major Thomas Harris.

— Harris ! Je n'escomptais pas vous voir en ces lieux, s'exclama Edmund.

— Il faut bien se distraire un peu, répondit le jeune officier en souriant à Sophia, qui se mit à rire comme s'ils se sentaient tous parfaitement à l'aise entre gens du même monde.

Puis Edmund et elle se dirigèrent vers la salle de bal, sous l'œil inquiet de la duchesse. Elle devait bien admettre qu'ils formaient un beau couple : la beauté blonde de Sophia se trouvait rehaussée par celle d'Edmund, avec ses boucles brunes, son visage bien dessiné, sa bouche au pli dur et résolu, son menton creusé d'un sillon vertical. Elle croisa le regard de son mari. Ils avaient tous deux conscience que la situation leur échappait. Ou qu'elle leur avait déjà échappé.

— M. James et Lady Frances Wedderburn-Webster, annonça alors le chambellan.

Le duc s'avança pour les accueillir, ainsi que ceux qui suivaient.

— Lady Frances, vous êtes plus ravissante que jamais.

Surprenant l'air soucieux de son épouse qui suivait les jeunes amoureux du regard, il se pencha sur elle.

— Je lui parlerai plus tard. Il comprendra et reviendra à la raison. Il a toujours fait preuve de bon sens, jusqu'à présent.

Elle acquiesça. C'était la chose à faire. Régler la question plus tard, quand le bal serait fini et la fille partie. Il y eut du mouvement à la porte et la voix sonore du chambellan claironna :

— Son Altesse royale, le prince d'Orange.

Comme un jeune homme de belle prestance approchait, la duchesse lui fit une profonde révérence.

Quant au duc de Wellington, il arriva peu avant minuit et fit son entrée d'un air décontracté. À l'immense plaisir de James Trenchard, le duc parcourut la salle de bal du regard et, le repérant, le rejoignit à la vue de tous les présents.

— Le Magicien en personne ! Qu'est-ce qui vous amène ici ce soir ?

— Sa Grâce nous a invités.

— Vraiment ? Tant mieux, tant mieux. Et comment se passe cette soirée ?

— Fort bien, Votre Grâce. Mais l'avancée de Bonaparte agite tous les esprits. Elle donne lieu à de nombreuses discussions.

Wellington conserva son air serein.

— Cette charmante dame serait donc Mme Trenchard ? s'enquit-il, et Anne n'eut pas le cran de l'appeler « Duc », quand vint le moment de s'adresser à lui.

— Le calme de Votre Grâce est très rassurant, lui dit-elle.

— C'est voulu, répondit-il avec un petit rire de connivence, puis il se tourna vers un officier qui se trouvait non loin de là. Ponsonby, avez-vous déjà été en rapport avec le Magicien ?

— Certainement, Votre Grâce. J'ai passé beaucoup de temps à patienter devant la porte du bureau de M. Trenchard, afin de plaider ma cause et celle de mes hommes auprès de lui, répondit Ponsonby, mais son sourire montrait qu'il n'y avait pas d'acrimonie dans ses propos.

— Madame Trenchard, puis-je vous présenter Sir William Ponsonby ? Ponsonby, voici l'épouse du Magicien.

— J'espère qu'il est plus gentil avec vous qu'avec moi, ironisa Ponsonby en s'inclinant aimablement.

Anne lui sourit aussi, mais avant qu'elle puisse lui répondre, ils furent rejoints par Georgiana, la fille des Richmond.

— La salle bourdonne de rumeurs.

— On le dirait en effet, acquiesça Wellington avec componction.

— Mais sont-elles fondées ?

Georgiana était une jolie jeune fille au visage franc et ouvert, et son anxiété était manifestement sincère face à la menace qui planait sur eux tous. Pour la première fois, l'expression du duc se teinta de gravité.

— Je le crains, Lady Georgiana. Selon toute vraisemblance, nous nous mettrons en marche dès demain.

Consternée, Georgiana se retourna pour regarder les couples en train de danser. Presque tous les jeunes gens qui bavardaient gaiement avec leurs partenaires étaient en uniforme de parade. Combien d'entre eux survivraient aux prochains combats ?

— Quel lourd fardeau pèse sur vos épaules, commenta Anne Trenchard, qui observait aussi la piste de danse. Certains de ces jeunes hommes mourront dans les jours à venir et, même si nous devons gagner cette guerre, vous ne pourrez l'empêcher. Je ne vous envie pas.

Wellington fut agréablement surpris par la justesse de cette remarque, venant de l'épouse de son fournisseur, une femme dont il ne soupçonnait pas l'existence avant cette soirée. Il n'était pas donné à tout le monde de comprendre que tout n'était pas glorieux, dans la position qu'il occupait.

— Merci pour cette pensée, madame.

À cet instant, ils furent interrompus par une explosion sonore, et les danseurs s'écartèrent pour céder la place à une troupe d'une vingtaine de Gordon Highlanders jouant de la cornemuse. C'était la surprise prévue par la duchesse ; elle avait supplié leur officier supérieur de venir à sa fête, en invoquant son appartenance au clan Gordon. Puisque son défunt père avait monté la troupe vingt ans plus tôt, le commandant ne pouvait décemment refuser la requête de la duchesse. L'histoire ne dit pas s'il fut en vérité ravi ou non d'exhiber ses hommes à un bal à la veille d'une bataille qui déciderait du sort de l'Europe. En tout cas, ce concert réchauffa le cœur des Écossais présents et divertit fort leurs voisins anglais. Quant aux étrangers, dont le prince d'Orange, ils restèrent un moment ébahis par tant de puissance sonore. Mais quand les hommes se mirent à danser le quadrille écossais, la fougue passionnée des danseurs eut bientôt raison des plus sceptiques et elle embrasa toute l'assistance. Même les princes de la vieille Allemagne joignirent leurs acclamations à la frénésie ambiante. Anne se tourna vers son mari.

— C'est poignant de penser qu'ils iront au combat avant la fin du mois.

— La fin du mois ? repartit James avec un petit rire amer. Dis plutôt la fin de la semaine.

À cet instant, la porte s'ouvrit en grand sur un jeune officier qui surgit dans la salle de bal, les bottes crottées, et rejoignit aussitôt son commandant, le prince d'Orange. Il s'inclina devant lui en lui tendant une enveloppe, ce qui attira aussitôt l'attention de toute la société. Le prince se leva alors et traversa la salle pour rejoindre le duc. Il lui tendit le message, mais le duc le glissa dans une poche de son gilet sans même le lire, tandis que le chambellan annonçait le souper.

— Son sang-froid force l'admiration, fit remarquer Anne en souriant malgré ses appréhensions. Ce message est peut-être de très mauvais augure, pourtant il s'obstine à ne pas montrer le moindre signe d'inquiétude.

— Il n'est pas homme à se laisser facilement démonter, confirma James, mais il vit sa femme froncer les sourcils.

Parmi les convives qui avançaient vers la salle à manger, Sophia s'entretenait toujours avec le vicomte Bellasis. Anne s'efforça de dissimuler son impatience.

— Va dire à ta fille de souper avec nous, ou du moins de changer de compagnie, glissa-t-elle à l'oreille de James.

— Pas question. Vas-y toi, si tu y tiens.

Ce fut donc Anne qui rejoignit le jeune couple.

— Il ne faut pas laisser Sophia vous accaparer ainsi, Lord Bellasis. Vous devez avoir beaucoup d'amis dans la salle qui seraient ravis d'avoir de vos nouvelles.

Mais le jeune homme sourit.

— Ne craignez rien, madame Trenchard. Je suis là où j'ai envie d'être.

— Tout cela est fort bien, Vicomte, renchérit Anne d'un ton plus ferme, en frappant la paume de sa main de son éventail plié. Mais Sophia a une réputation à préserver, et vos assiduités risqueraient de lui nuire.

Il était vain d'espérer que Sophia resterait silencieuse.

— Maman, ne t'inquiète pas. J'aimerais que tu fasses confiance à ma faculté de jugement.

— Moi aussi, j'aimerais le pouvoir, répliqua Anne.

Avec son ambition et ses airs énamourés, sa folle de fille mettait sa patience à rude épreuve. Mais sentant sur eux les regards de ceux qui les entouraient, elle s'éloigna plutôt que d'être surprise en pleine dispute avec sa fille.

Contre les souhaits de son mari, elle choisit une table tranquille située à l'écart et prit place parmi quelques officiers et leurs épouses, tandis que la brillante société occupait le centre de la salle, objet de toutes les attentions. Wellington était assis entre Lady Georgiana Lennox et une ravissante créature en robe de soirée bleu nuit rebrodée de fil d'argent, dont le profond décolleté se parait de magnifiques diamants. Elle riait avec grâce en montrant des dents d'une blancheur éclatante et jetait au duc de petites œillades en battant des cils. Lady Georgiana semblait visiblement lassée de cette compétition inégale.

— Qui est la femme assise à droite du duc ? demanda Anne à son mari.

— Lady Frances Wedderburn-Webster.

— Ah, bien sûr. Elle est arrivée juste après nous. Elle a l'air très assurée de l'intérêt que lui porte le duc.

— Et elle a toutes les raisons de l'être, confirma James en lui faisant un petit clin d'œil.

Anne contempla la jeune beauté avec une curiosité accrue. Ce n'était pas la première fois qu'elle s'étonnait de voir combien la menace de la guerre, la proximité de la mort, semblaient donner à la vie un foisonnement de possibilités. Beaucoup de couples dans cette salle risquaient leur réputation et même leur bonheur futur en échange d'un peu de plaisir avant que l'appel aux armes les sépare. Il y eut du mouvement à l'entrée et elle vit le messager qui était arrivé plus tôt en bottes de cavalier toutes crottées aborder une nouvelle fois le prince d'Orange. Ils s'entretinrent un moment, puis le prince se leva pour rejoindre Wellington et s'inclina pour lui parler à l'oreille. Cette fois, ils attirèrent l'attention de toute l'assemblée et le brouhaha des conversations diminua. Alors Wellington se leva. Il conversa avec le duc de Richmond et tous deux s'apprêtaient à quitter la salle quand il s'arrêta, regarda autour de lui et vint droit à leur table, au grand émoi de ceux qui y étaient assis.

— Magicien, pouvez-vous nous accompagner ?

James bondit sur ses pieds et s'empressa de les suivre. Entre ces deux hommes de grande stature, on aurait dit un petit bouffon ventru accompagnant deux rois. Ce qu'il était d'ailleurs bel et bien, reconnut Anne en son for intérieur.

L'homme assis face à elle ne put cacher son admiration.

— Manifestement, votre mari jouit de toute la confiance du duc, madame.

— On le dirait en effet, répondit Anne, mais pour une fois elle se sentit fière de lui, un sentiment plutôt agréable.

Lorsqu'ils ouvrirent la porte du dressing du duc de Richmond, son valet de chambre, surpris, leva les yeux de la chemise de nuit qu'il préparait pour son maître et se retrouva face au commandant en chef des armées.

— Pouvons-nous disposer de la pièce un moment ? dit Wellington au domestique un peu secoue qui s'empressa de décamper, puis il s'adressa à son hôte : Avez-vous une bonne carte de la région ?

Richmond alla sortir un gros volume de la bibliothèque et l'ouvrit sur une carte détaillant Bruxelles et ses environs. Wellington laissa enfin libre cours à la rage qu'il avait pris soin de dissimuler dans la salle à manger.

— Sacredieu, Napoléon m'a bien eu ! Le prince d'Orange a reçu un second message, venant cette fois de Constant Rebecque. Bonaparte remonte la route qui va de Charleroi à Bruxelles et il se rapproche dangereusement. J'ai donné des ordres pour que l'armée se rassemble à Quatre-Bras, ajouta-t-il en se penchant sur la page. Mais nous ne l'arrêterons pas là.

— C'est encore possible. Il vous reste quelques heures avant le lever du jour, dit Richmond, sans trop y croire.

— Si je n'y parviens pas, je devrai l'affronter ici.

Tendant le cou, James vit que le duc indiquait du doigt un petit village nommé Waterloo. Pour lui, c'était complètement surréaliste de passer en l'espace d'un instant d'une table, où il soupait tranquillement, au dressing-room du duc de Richmond, seul avec son hôte et le commandant en chef des armées, au centre d'événements qui allaient bouleverser leur vie à tous. Wellington choisit ce moment pour s'adresser à lui.

— J'aurai besoin de votre aide, Magicien. Nous serons d'abord à Quatre-Bras, puis, presque à coup sûr, à... Waterloo, vérifia-t-il sur la carte. Drôle de nom décidément, pour entrer dans l'histoire.

— Si quelqu'un peut l'immortaliser, ce sera vous, Votre Grâce, déclara James.

Dans son esprit, user d'un peu de flatterie ne faisait jamais de mal. D'ailleurs Wellington était un soldat de métier, pas l'un de ces nobles incompétents, ce pour quoi James l'admirait.

— Mais avez-vous assez d'informations ?

— Ne vous inquiétez pas de ça, le rassura-t-il. Nous n'échouerons sûrement pas faute de ravitaillement.

Wellington le considéra en esquissant un sourire.

— Vous êtes un homme plein de ressources, Trenchard. Et vous saurez les mettre à profit, quand ces guerres seront terminées. À mon avis, vous avez tout ce qu'il faut pour aller loin.

— Votre Grâce est trop aimable.

— Mais ne vous laissez pas éblouir par les fastes du grand monde. Ayez donc l'intelligence d'y résister. Vous valez mieux que tous ces godelureaux qui se pavanent dans la salle de bal. Ne l'oubliez pas… Maintenant, il faut nous préparer, conclut-il d'un ton tranchant, comme répondant soudain à un appel.

Quand ils sortirent du dressing-room, l'assemblée était fébrile. Manifestement, la nouvelle s'était répandue et les salons somptueux où les fleurs embaumaient encore étaient maintenant le cadre d'adieux déchirants. Éplorées, mères et filles s'accrochaient à leurs bien-aimés, fils, frères, maris et soupirants, abandonnant toute retenue. À la stupeur de James, l'orchestre jouait toujours et, encore plus surprenant, quelques couples continuaient à danser, malgré la consternation et le chagrin qui régnaient autour d'eux. Alors qu'il cherchait Anne des yeux, il la vit venir à lui à travers la foule.

— Il nous faut partir sur-le-champ, lui dit-il. Je dois me rendre directement au dépôt. Je vous mettrai Sophia et toi dans la voiture, puis j'irai à pied.

— Entendu. Serait-ce la bataille finale ?

— Qui sait ? Nous avons cru si souvent que ce serait la dernière, toutes ces années. Mais cette fois, j'ai bien l'impression que c'est la bonne. Où est Sophia ?

Ils la trouvèrent dans le hall, pleurant à chaudes larmes dans les bras de Lord Bellasis. Heureusement, le chaos et la détresse ambiants masquaient leur folie et leur manque de discrétion. Bellasis murmura quelque chose à l'oreille de Sophia, puis ils se séparèrent et il la confia à sa mère.

— Prenez soin d'elle, déclara-t-il.

— Je le fais habituellement, rétorqua Anne, agacée par sa présomption, ce dont Edmund ne se rendit pas compte, tout au chagrin que lui causait cette séparation.

Après un dernier regard au tendre objet de son affection, il se hâta de rejoindre un groupe de camarades officiers.

Une fois que James eut récupéré leurs étoles, ils se retrouvèrent tous trois pris dans le chaos de la foule qui se pressait vers la sortie. Quant à la duchesse, elle n'était visible nulle part. Anne renonça à la chercher et résolut de lui écrire au matin, tout en se doutant que, en de pareilles circonstances, son hôtesse ne serait guère sensible à ce genre de politesse.

Enfin, ils sortirent du grand hall pour se retrouver dans la rue. Ici aussi c'était la cohue, mais l'atmosphère était moins étouffante qu'à l'intérieur. Certains officiers étaient déjà à cheval. Anne aperçut Bellasis, près de son serviteur qui lui tenait son cheval. Bellasis monta en selle, puis Anne le vit scruter la foule ; si c'était Sophia qu'il cherchait, il ne réussit pas à la repérer. À cet instant précis, elle entendit un cri étouffé derrière elle. Sa fille observait le groupe de soldats en contrebas. Anne n'en reconnut aucun.

— Qu'y a-t-il ? s'enquit-elle mais, trop bouleversée pour parler, Sophia ne put que secouer la tête, en proie à un émoi difficile à définir. Voyons, tu savais bien qu'il devrait partir, lui dit Anne en la prenant par les épaules.

— Ce n'est pas ça, murmura Sophia tout en fixant d'un air hagard les hommes en uniforme qui commençaient à s'éloigner.

Elle frissonna et un sanglot déchirant s'échappa de sa poitrine.

— Voyons, ma chérie, il faut te ressaisir, lui glissa Anne en regardant autour d'elle pour s'assurer que personne n'était témoin de ces débordements car, incapable de se contrôler, sa fille tremblait à présent de tous ses membres, comme sous l'emprise d'une forte fièvre, le visage inondé de larmes. Viens, lui dit-elle résolument, en la prenant sous sa protection. Hâtons-nous de rentrer avant que l'on te reconnaisse.

Ensemble, son mari et elle entraînèrent la jeune fille défaillante le long de la file des véhicules jusqu'au leur, et ils la firent monter. James repartit aussitôt. Mais il fallut attendre une heure avant que la voiture échappe aux encombrements pour les ramener enfin chez elles.

Le lendemain, Sophia ne quitta pas sa chambre, mais cela resta sans conséquence, car tout Bruxelles était sur des charbons ardents et personne ne remarqua son absence. Les envahisseurs s'abattraient-ils sur la ville ? Les jeunes femmes étaient-elles en danger ? Confrontés à un terrible dilemme, les citoyens hésitaient à s'enfuir au plus vite, ou à garder espoir et à cacher leurs objets de valeur en attendant des temps meilleurs. Anne passa presque toute la journée en méditation et en prières. Quant à James, il n'était pas rentré à la maison. Son serviteur était descendu au dépôt lui apporter des vêtements de rechange ainsi qu'un panier de provisions. Des provisions… au chef de ravitaillement des armées… ce détail la fit presque sourire. Alors, des nouvelles des combats qui s'étaient déroulés à Quatre-Bras commencèrent à affluer. Le duc de Brunswick était mort, d'une balle en plein cœur. Anne songea à ce bel homme ténébreux qui, la veille au soir encore, valsait avec la duchesse. Mais il y aurait beaucoup d'annonces semblables, avant le dénouement final. Elle parcourut du regard le salon de la villa qu'ils louaient. Il était assez agréable, quoiqu'un peu trop imposant à son goût, avec des meubles sombres et des rideaux de moire blanche surmontés de lourdes cantonnières à franges. Elle prit sa broderie, la reposa. Comment faire des travaux de couture alors que, à quelques kilomètres de là, des hommes qu'elle connaissait combattaient pour leurs vies ? Elle essaya de lire, mais fut incapable de se concentrer sur une histoire romanesque quand une réalité si brutale se déroulait tout près, assez pour qu'ils entendent le son des canons. Oliver, son fils de seize ans, entra et s'affala dans un fauteuil.

— Pourquoi n'es-tu pas en classe ? lui dit-elle.

— On nous a renvoyés chez nous.

Évidemment, songea-t-elle. Les professeurs aussi doivent préparer leur fuite.

— Des nouvelles de papa ? s'enquit-il à son tour.

— Non, mais ton père ne court aucun danger.

— Pourquoi Sophia est-elle alitée ?

— Elle ne se sent pas bien.

— Est-ce au sujet de Lord Bellasis ?

Anne le regarda, sidérée. Il avait seize ans. Comment était-il au courant, lui qui n'était encore jamais sorti dans le monde ?

— Cela n'a rien à voir, répondit-elle, mais il se contenta de sourire d'un air entendu.

Anne ne revit pas son mari avant le mardi matin. Elle prenait son déjeuner dans sa chambre, déjà levée et habillée, quand il ouvrit la porte. On aurait dit qu'il revenait lui-même du champ de bataille tant il était couvert de boue et de poussière.

— Merci mon Dieu, dit-elle simplement en guise d'accueil.

— Nous avons réussi. Boney[1] est en fuite. Mais certains y sont restés.

— Pauvres âmes.

— Le duc de Brunswick est mort.

— Oui, je l'ai appris.

— Ainsi que Lord Hay, Sir William Ponsonby…

— Oh…, déplora-t-elle en revoyant le jeune homme souriant qui l'avait taquinée en parlant de l'intransigeance

1. Surnom donné par les Anglais à Napoléon Bonaparte.

de son mari. Comme c'est triste. J'ai entendu dire que certains sont morts dans la tenue de cérémonie qu'ils portaient le soir du bal.

— C'est vrai.

— Nous devrions prier pour eux. C'est comme si, en quelque sorte, notre présence ce soir-là nous reliait à eux.

— En effet. Mais il y a une autre victime dont le lien avec nous est encore plus tangible… Le vicomte Bellasis a été tué.

— Oh non, fit-elle en portant la main à son cœur.

Pourquoi cette nouvelle l'atteignait-elle autant ? C'était difficile à définir. Pensait-elle que Sophia avait eu raison d'y croire, et que, à présent, cette immense chance était perdue à jamais ? Non. Elle savait que ce n'était qu'une chimère, et pourtant… le coup était terrible.

— Oh non ! En est-on sûr ?

— Je me suis rendu là-bas hier. Sur le champ de bataille. C'était une vision de cauchemar.

— Pourquoi y es-tu allé ?

— Pour le travail ! Qu'est-ce que tu crois ? répliqua-t-il, en regrettant aussitôt son ton acerbe. Quand j'ai appris que Bellasis figurait sur la liste des morts, j'ai demandé à voir sa dépouille. C'était lui, sans doute possible. Et Sophia, comment va-t-elle ?

— Depuis le bal, elle n'est que l'ombre d'elle-même, comme si elle craignait justement d'apprendre ce que nous allons devoir lui annoncer… Je suppose qu'il vaut mieux que nous nous en chargions, avant qu'elle ne l'apprenne de quelqu'un d'autre, soupira-t-elle.

— Je vais le lui dire, déclara James, ce qui la surprit, car en général il esquivait volontiers ce genre de tâches.

— C'est à moi de le faire. Je suis sa mère.

— Non. J'y vais. Tu la rejoindras ensuite. Où est-elle ?

— Dans le jardin.

Quand il fut parti, Anne réfléchit à leur conversation. Voici donc où la folie de Sophia l'avait menée, encouragée par James. Elle avait évité le scandale, Dieu merci, mais pas le chagrin. Tous ses beaux rêves étaient réduits à néant. Sophia avait-elle eu raison, et Bellasis avait-il eu des intentions honorables à son égard ? Ou, comme le soutenait Anne, Sophia n'avait-elle été pour lui qu'une jolie poupée avec laquelle s'amuser tandis qu'il était en garnison à Bruxelles ? Ils ne le sauraient jamais. Elle alla s'asseoir sur la banquette située sous la fenêtre. Le jardin était strictement entretenu, dans le style classique toujours prisé aux Pays-Bas, mais que les Anglais avaient abandonné au profit d'un plus grand naturel. Quand son père sortit de la maison pour la rejoindre, Sophia était assise sur un banc au bord d'une allée couverte de gravier, un livre fermé à côté d'elle. La jeune fille parut frappée par son apparence, puis elle écouta ce qu'il lui disait tout en approchant. Une fois assis près d'elle, il lui prit la main. Anne se demanda quels mots il choisirait. Apparemment, il n'en vint pas tout de suite au fait, car il se passa un moment sans que Sophia réagisse. Mais soudain, elle tressaillit comme si on lui avait porté un coup. Alors James la prit dans ses bras et elle se mit à sangloter. Anne fut reconnaissante envers son mari d'avoir su enrober cette affreuse nouvelle de toute la gentillesse dont il était capable.

Plus tard, Anne se demanderait comment elle avait pu croire que cette histoire s'arrêterait là. Qui mieux qu'elle comprendrait alors qu'avec le recul les choses se perçoivent différemment ? Elle se leva. Il était temps pour elle d'aller réconforter sa fille, à peine réveillée d'un beau rêve dans un monde cruel.

2

Une rencontre imprévue

1841. La voiture s'arrêta alors qu'Anne avait l'impression d'y être tout juste montée. Le trajet d'Eaton Place à Belgrave Square ne méritait certes pas qu'on prenne une voiture et, si elle s'était écoutée, elle l'aurait fait à pied. Mais étant donné sa condition, elle ne pouvait plus agir à sa guise. Jamais. Peu après, le postillon lui ouvrit la portière et l'attendit au bas du marche-pied. Tandis qu'elle descendait, il lui offrit son bras pour l'aider à garder l'équilibre. Anne inspira pour calmer sa nervosité et se redressa. La splendide demeure qui l'attendait lui évoquait irrésistiblement une pièce montée comme on en sert aux grands mariages, un style qui avait proliféré ces vingt dernières années dans le récent quartier Belgravia. Mais il recelait peu de secrets pour Anne Trenchard, car son mari avait passé le dernier quart de siècle à construire, avec les frères Cubitt, ces hôtels particuliers sur des places, avenues et rues dont il avait tiré une fortune.

Deux femmes furent introduites dans la maison avant elle, et le valet de pied attendit en lui tenant la porte. Il ne lui restait plus qu'à gravir les marches et pénétrer dans un sombre vestibule où une servante la débarrassa de son châle ; mais Anne garda son chapeau bien enfoncé sur la tête. Elle avait fini par s'habituer à être reçue par des gens qu'elle connaissait à peine et aujourd'hui ne faisait pas exception à la règle. Le beau-père de son hôtesse, le défunt duc de Bedford, était un client des Cubitt, pour lequel James avait réalisé beaucoup de travaux sur Russell Square et Tavistock Square. En ce temps-là, son mari aimait se présenter comme un monsieur de la bonne société qui se trouvait par le plus grand des hasards dans les bureaux des Cubitt, et il arrivait que ça marche. Il avait réussi à nouer une relation amicale avec le duc puis avec son fils, Lord Tavistock. En arrière-plan, Lady Tavistock faisait figure de personnage hautain, car en tant que dame de chambre de la jeune reine, elle menait une tout autre vie. Au fil des années, Anne et elle n'avaient échangé que quelques politesses. Pourtant, selon James, cela constituait une base amplement suffisante sur laquelle s'appuyer. Aussi, lorsqu'à la mort du vieux duc le nouveau duc avait réclamé son aide pour développer le patrimoine immobilier des Russell à Londres, James avait-il laissé entendre que son épouse serait très heureuse de découvrir les fameux « thés d'après-midi » de la duchesse, et une invitation s'était ensuivie.

Anne Trenchard n'avait rien contre les ambitions sociales de son mari. Elle avait même fini par s'y faire. Devant le plaisir que cela lui procurait, ou plutôt celui qu'il croyait en retirer, elle ne lui reprochait pas ses rêves. Seulement, elle ne les partageait pas, pas davantage aujourd'hui qu'à Bruxelles, presque trente ans plus tôt. Elle savait pertinemment que les femmes qui la recevaient chez elles le faisaient sur l'ordre de leurs maris, quand ils jugeaient que James pouvait leur être utile. En échange des précieux cartons d'invitation aux diverses mondanités, aux bals, déjeuners, dîners et désormais aux thés, ils attendaient sa gratitude et s'en servaient pour leurs propres intérêts ; tant et si bien qu'Anne avait compris, à la différence de son mari, qu'il se faisait manipuler à cause de son snobisme. James s'était lui-même mis le mors dans la bouche et ses rênes étaient aux mains d'hommes qui n'avaient pour lui aucune considération, en dehors des profits qu'il pourrait leur rapporter. Dans tout cela, Anne avait pour tâche de changer de tenue quatre ou cinq fois par jour, de s'asseoir dans de vastes salons avec des femmes souvent revêches, puis de rentrer chez elle. Elle s'était habituée à ce mode de vie. Elle n'était plus désarçonnée par les valets de pied, ni par la splendeur toujours plus opulente au fil des années. Elle voyait toutes ces choses pour ce qu'elles étaient : d'autres usages. En soupirant, elle gravit donc le grand escalier à rampe dorée qui la mena sous un portrait en pied de son hôtesse, dans le style de la Régence cher à Thomas Lawrence. Anne se demanda si c'était une copie visant à impressionner leurs visiteurs londoniens, tandis que l'original se trouvait exposé à Woburn.

Une fois à l'étage, elle pénétra dans l'un de ces grands salons, celui-ci tapissé de soie damassée bleu pâle, avec un haut plafond peint et des portes dorées. Assises sur des fauteuils, des divans, des ottomanes, de nombreuses dames tenaient en équilibre précaire leurs tasses et soucoupes. Quelques messieurs à la mise extrêmement soignée, probablement des oisifs, bavardaient parmi ces dames. L'une d'elles leva les yeux à son entrée en semblant la reconnaître, mais Anne repéra une chaise sur le côté et s'en rapprocha, saisissant au vol une assiette de petits sandwiches qui glissait dangereusement sur les amples jupes d'une vieille dame. Celle-ci lui fit un grand sourire.

— Bien rattrapé, lui dit-elle avant de mordre avec appétit dans un des sandwiches. Je n'ai rien contre une petite collation pour tenir jusqu'au dîner, mais pourquoi ne pas nous asseoir à table ?

Se trouvant désormais tout près de la chaise vide, et sa voisine l'ayant accueillie de bonne grâce, Anne se crut en droit d'y prendre place.

— Je crois que tout l'intérêt vient du fait qu'on ne se sent pas piégé. On peut aller et venir dans la pièce et parler à qui l'on veut, répondit-elle.

— Cela tombe bien, j'avais justement envie de discuter avec vous.

À cet instant, leur hôtesse les rejoignit d'un air anxieux.

— Madame Trenchard, comme c'est gentil à vous d'être passée !

Son ton laissait entendre qu'Anne n'était pas censée s'attarder trop longtemps. À vrai dire, elle-même n'y tenait guère.

— Je suis ravie d'être venue, répondit-elle posément.

— N'allez-vous pas nous présenter ? intervint la vieille dame qu'Anne avait secourue.

La duchesse répugnait visiblement à remplir ses devoirs d'hôtesse, mais savait qu'elle ne pouvait décemment s'y soustraire.

— Puis-je vous présenter Mme James Trenchard…, commença-t-elle avec un sourire crispé, tandis qu'Anne attendait. Et voici Mme la duchesse douairière de Richmond, ajouta-t-elle d'un ton définitif, comme si cela devait couper court à toute tergiversation.

Il y eut un silence. Elle escomptait visiblement de l'intimidation de la part d'Anne, mais celle-ci restait sous le choc de l'annonce de ce nom, si l'on peut qualifier de choc un élan de nostalgie et de tristesse. Anne n'eut pas le temps de se reprendre.

— Mais laissez-moi vous présenter à Mme Carver et Mme Shute, poursuivit implacablement leur hôtesse en l'entraînant vers un groupe de dames d'origine moins illustre, qu'elle tenait à maintenir à l'écart des grands de ce monde.

Cependant, la vieille dame résista.

— Ne nous l'enlevez pas déjà. Je connais Mme Trenchard, assura-t-elle en dévisageant Anne.

— Vous avez une merveilleuse mémoire, madame la duchesse. Je suis fort surprise que vous me reconnaissiez, après tout ce temps. Vous avez raison. Nous nous sommes déjà rencontrées. J'ai assisté à votre bal, à Bruxelles, juste avant Waterloo.

— Vous étiez au fameux bal, madame Trenchard ? s'étonna la duchesse de Bedford.

— En effet.

— Mais je croyais que vous n'aviez que récemment… (Elle s'interrompit juste à temps.) Veuillez m'excuser. Je dois m'assurer que tout le monde est servi, dit-elle avant de s'éloigner en hâte, laissant ses deux invitées s'observer tout à loisir.

La vieille duchesse prit la parole.

— Je me souviens bien de vous.

— J'en suis impressionnée, répondit Anne.

Malgré les atteintes de l'âge, elle retrouvait sur le visage ridé qui lui faisait face les traits de la reine de Bruxelles, qui avait imposé sa marque sur la vie mondaine de l'époque.

— Bien sûr, nous ne nous connaissions pas vraiment, n'est-ce pas ? dit la duchesse.

— Non. Mon mari et moi, nous vous avions été imposés, et j'ai trouvé fort aimable de votre part de nous avoir acceptés.

— Oui, je me le rappelle très bien. Mon défunt neveu était amoureux de votre fille.

— C'est possible. À tout le moins, elle était amoureuse de lui.

— Non, je crois vraiment qu'il l'était. J'en étais convaincue, à l'époque. D'ailleurs, le duc et moi-même avons eu une grande discussion à ce sujet, après le bal.

— Cela ne m'étonne guère.

Les deux femmes savaient pertinemment de quoi il retournait, mais à quoi bon remuer le passé ?

— Nous ferions mieux de changer de sujet, conclut la duchesse. Ma sœur est ici. Cela va l'affecter, même après tant d'années.

Parcourant la pièce du regard, Anne aperçut une silhouette majestueuse, vêtue d'une robe de dentelle violette et de soie grise, qui ne paraissait guère plus âgée qu'elle-même.

— Nous avons moins de dix ans d'écart, ce qui est surprenant, je le sais, ajouta la vieille dame.

— Lui avez-vous parlé de Sophia ?

— C'était il y a si longtemps. Quelle importance, aujourd'hui ? Nos inquiétudes se sont éteintes avec lui… (Elle s'interrompit, se rendant compte qu'elle s'était trahie.) Et votre fille, que devient-elle ? Je me souviens qu'elle était fort belle.

Anne tressaillit intérieurement. Chaque fois, la question faisait toujours aussi mal.

— Comme Lord Bellasis, Sophia est morte. Quelques mois après le bal.

Elle révélait toujours cette information de manière concise et directe, pour éviter toute sentimentalité excessive.

— Et donc elle ne s'est jamais mariée ?

— Non, jamais.

— Je suis désolée. C'est drôle, mais je me la rappelle très nettement. Avez-vous d'autres enfants ?

— Oui. Un fils, Oliver. Mais…

Ce fut au tour d'Anne de se trahir.

— Sophia était votre enfant chérie, compléta la duchesse.

Anne soupira. Malgré les années, c'était toujours aussi pénible.

— Je sais qu'on est censé prétendre aimer autant tous nos enfants, mais je trouve cela difficile.

La duchesse laissa échapper un petit rire.

— Moi, je n'essaie même pas. J'ai beaucoup d'affection pour certains de mes enfants, je suis en assez bons termes avec presque tous les autres, mais il y en a deux que je ne peux pas sentir.

— Combien en avez-vous ?

— Quatorze.

— Dieu du ciel, la relève du duché de Richmond est assurée, remarqua Anne en souriant, ce qui fit encore rire la vieille duchesse.

Elle pressa la main d'Anne dans la sienne. Bizarrement, Anne ne lui gardait pas rancune. Dans cette histoire ancienne, elles avaient toutes deux joué le rôle exigé par leur position.

— Je me rappelle certaines de vos filles, ce soir-là. L'une d'elles semblait très appréciée du duc de Wellington.

— Georgiana. Elle l'est toujours. Aujourd'hui elle est Lady de Ros, mais s'il n'avait pas été déjà marié il aurait sans doute tenté sa chance. Je dois partir. Je suis restée ici trop longtemps et je vais sûrement le payer, déclara-t-elle, puis elle se leva avec quelque difficulté, en se servant de sa canne. J'ai apprécié notre conversation, madame Trenchard. Ce fut bien agréable d'évoquer cette époque hélas révolue. Je suppose que c'est l'avantage du thé : nous pouvons prendre congé quand bon nous semble… Je vous souhaite beaucoup de bien à vous et à votre famille, ma chère, ajouta-t-elle. Même si jadis nos intérêts ont pu diverger.

— Moi de même, madame la duchesse, répliqua Anne, qui s'était levée.

Elle resta debout et suivit la vieille dame du regard tandis qu'elle gagnait à pas prudents la sortie, puis elle jeta un œil autour d'elle. Il y avait bien quelques dames de sa connaissance, dont certaines la saluèrent poliment, mais sachant l'intérêt limité qu'elles lui portaient Anne ne saisit pas l'occasion. Elle répondit par des sourires, sans faire mine de les rejoindre. Le vaste salon s'ouvrait sur une pièce plus petite, tendue de damas gris perle, et au-delà sur une galerie de peinture, ou plutôt une salle d'exposition. Anne y entra pour admirer les tableaux. Il y avait un beau Turner au-dessus de la cheminée en marbre. Elle se demandait s'il lui faudrait rester encore longtemps quand une voix la fit sursauter.

— Vous aviez décidément beaucoup de choses à dire à ma sœur.

Se retournant, Anne découvrit la femme que la duchesse lui avait désignée comme étant la mère de Lord Bellasis. Avait-elle imaginé cet instant ? Sans doute. La comtesse de Brockenhurst se tenait debout, une tasse de thé à la main.

— Et je crois savoir pourquoi. Notre hôtesse m'a appris que vous étiez au fameux bal.

— En effet, Lady Brockenhurst.

— Je n'ai pas eu cet avantage.

Tout en parlant, la comtesse s'était avancée vers des chaises situées près d'une grande fenêtre donnant sur le luxuriant jardin de Belgrave Square. De là, Anne aperçut une nurse qui surveillait deux enfants en train de jouer sur la pelouse centrale.

— Me direz-vous votre nom, puisqu'il n'y a personne pour faire les présentations ?

— Je suis Mme Trenchard. Mme James Trenchard.

— J'avais raison, alors. C'est bien vous, dit la comtesse en la scrutant.

— Je suis très flattée que vous ayez déjà entendu parler de moi.

— Certainement, répondit-elle d'un ton qui n'indiquait en aucune manière si c'était en bien ou en mal.

Sur ces entrefaites, un valet de pied arriva avec un plateau de canapés aux œufs.

— Ils sont si délicieux, je ne puis y résister, remarqua Lady Brockenhurst, et elle en prit trois sur une petite assiette. C'est plutôt étrange de se restaurer à cette heure, vous ne trouvez pas ? Je suppose que nous ne bouderons pas pour autant le dîner, quand l'heure viendra.

Anne sourit, mais ne dit rien. Elle avait raison de pressentir qu'on allait la questionner.

— Parlez-moi du bal.

— Madame la duchesse vous a sûrement tout raconté avec force détails, répliqua Anne, mais cette esquive ne dissuada pas Lady Brockenhurst d'insister.

— Pourquoi étiez-vous à Bruxelles ? Comment se fait-il que vous connaissiez ma sœur et son mari ?

— Nous ne les connaissions pas. Du moins pas comme vous l'entendez. M. Trenchard était au service du duc de Wellington comme chef du ravitaillement. Il connaissait un peu le duc de Richmond, qui lui-même devait organiser la défense de Bruxelles, voilà tout.

— Pardonnez-moi, ma chère, mais cela n'explique pas totalement votre présence à la réception de son épouse.

La comtesse de Brockenhurst avait dû être une très belle femme. Elle avait un visage un peu félin aux traits fins, une bouche en cœur, et un sens de la repartie assez piquant qui avait sans doute été plaisant autrefois. Il y avait une certaine ressemblance entre elle et sa sœur, dont le même air impérieux, mais ses yeux bleu-gris recelaient une souffrance qui inspirait la sympathie, tout en la faisant paraître plus distante encore que la duchesse de Richmond. Certes, Anne connaissait la raison de son chagrin, mais elle n'allait sûrement pas l'évoquer.

— Veuillez, je vous prie, excuser ma curiosité, mais j'ai toujours entendu parler de votre mari comme étant le fournisseur du duc de Wellington et de vous comme son épouse. En vous voyant ici, je me suis demandé si l'on m'avait mal informée et si votre situation était différente de la version qu'on m'en avait donnée.

C'était insultant, et toute autre qu'elle s'en serait offusquée, Anne en était bien consciente. Mais Lady Brockenhurst se trompait-elle ?

— Non. Ce qu'on vous en a dit est juste. Il était en effet étrange que nous nous trouvions parmi les invités en cette soirée de 1815, mais notre vie a changé entre-temps. Les affaires ont été florissantes pour M. Trenchard, depuis la fin de la guerre.

— Manifestement. S'occupe-t-il toujours de fournir des denrées alimentaires à ses clients ? Il doit être très fort dans ce domaine.

Et elle, me réserve-t-elle encore beaucoup de vexations ? songea Anne, mais elle répondit posément.

— Non, il a abandonné ces activités pour s'associer à M. Cubitt. Quand nous sommes rentrés de Bruxelles, après la bataille, les frères Cubitt avaient besoin d'investisseurs, et M. Trenchard les a aidés à en trouver.

— Le grand Thomas Cubitt ? Seigneur. Je suppose qu'il n'était plus charpentier de marine, à cette époque ?

— Non, riposta Anne, décidée à voir venir tout en jouant le jeu. Il s'était lancé dans le développement immobilier, et lui et son frère William collectaient des fonds pour construire la London Institution à Finsbury Circus lorsqu'ils ont rencontré M. Trenchard. C'est ainsi qu'a débuté leur collaboration.

— Je me rappelle quand ce magnifique bâtiment fut inauguré. Il nous fit grande impression.

Se moque-t-elle ? s'interrogea Anne. Elle n'aurait su dire si Lady Brockenhurst était sincère ou si elle se jouait d'elle dans un but précis connu d'elle seule.

— Ensuite, ils ont travaillé ensemble sur le nouveau Tavistock Square.

— Pour le beau-père de notre hôtesse.

— Entre autres, mais le défunt duc de Bedford en fut le principal investisseur, effectivement.

— Ce fut un triomphe, acquiesça Lady Brockenhurst. Puis vint la construction de Belgravia pour le marquis de Westminster, qui doit être à présent riche comme Crésus grâce aux Cubitt ainsi qu'à votre époux, si je comprends bien. Comme les choses ont bien tourné pour vous ! J'imagine que des demeures comme celle-ci vous impressionnent fort peu, beaucoup d'entre elles étant à mettre au compte de M. Trenchard.

— C'est toujours agréable de voir les lieux habités, quand les échafaudages et la poussière ont disparu.

Anne s'efforçait de garder un ton de conversation à peu près normal, mais Lady Brockenhurst ne faisait aucun effort en ce sens.

— Quelle histoire. Décidément, vous êtes un pur produit des temps nouveaux, madame Trenchard, remarqua-t-elle, puis elle se mit à rire, et se reprit. J'espère ne pas vous offenser.

— Pas le moins du monde.

Anne savait pertinemment qu'elle cherchait à la provoquer, sans doute parce que Lady Brockenhurst savait tout de l'aventure amoureuse de son fils avec Sophia. Il ne pouvait y avoir d'autre raison. Anne décida d'y mettre un terme en prenant cet interrogatoire à contrepied.

— Vous avez raison de penser que les récentes réussites de M. Trenchard n'expliquent pas notre présence au bal ce soir-là. En règle générale, un fournisseur de l'armée n'a pas la chance de voir son nom inscrit sur un carton d'invitation émanant d'une duchesse, mais nous étions en bons termes avec une personne chère à votre sœur qui a trouvé le moyen de nous faire inviter. Cela semble inconvenant, pourtant une ville à la veille d'une guerre n'est pas soumise aux mêmes règles qu'un salon de Mayfair en temps de paix.

— Je veux bien le croire. Et qui était cette personne ? Se pourrait-il que je la connaisse ?

Anne fut presque soulagée qu'elles aient enfin atteint le cœur du sujet. Mais son embarras prit le dessus.

— Allons, madame Trenchard, je vous en prie, ne faites pas la timide, l'encouragea Lady Brockenhurst.

À quoi bon lui mentir, puisque de toute évidence elle sait déjà la réponse ? songea Anne.

— Oui. Vous connaissiez fort bien cette personne. Il s'agissait de Lord Bellasis.

Le nom resta suspendu en l'air entre elles tel un poignard fantôme dans une fable. On ne saurait dire que Lady Brockenhurst perdit contenance ; jusqu'à sa dernière heure, elle la garderait en toute circonstance. Mais elle ne s'attendait pas à entendre le nom de son fils prononcé par cette femme qu'elle connaissait si bien en imagination, si peu en vrai. Il lui fallut un moment pour se reprendre pendant lequel elle fit mine de siroter son thé. Anne éprouva soudain un élan de compassion pour cette femme triste et froide, aussi inflexible envers elle-même qu'avec autrui.

— Lady Brockenhurst…

— Connaissiez-vous bien mon fils ?

— Assez bien, confirma Anne. À dire vrai, continua-t-elle, mais leur hôtesse choisit cet instant pour les interrompre.

— Madame Trenchard, vous plairait-il…

— Pardon, ma chère, mais Mme Trenchard et moi-même sommes en grande conversation, la coupa Lady Brockenhurst du ton cinglant qu'elle aurait employé avec une servante négligente.

La duchesse se contenta de hocher la tête et se retira sans un mot.

— Vous disiez ? reprit Lady Brockenhurst lorsqu'elles furent de nouveau seules.

— Seulement que ma fille connaissait Lord Bellasis mieux que nous. À cette époque, Bruxelles était en ébullition, il s'y trouvait beaucoup de jeunes officiers qui côtoyaient les filles de leurs supérieurs. Ainsi que beaucoup d'hommes et de femmes de la bonne société, qui avaient quitté Londres pour participer aux réjouissances.

— Comme ma sœur et son époux.

— Tout à fait. Avec le recul, je suppose qu'il y avait un sentiment général de complète incertitude. Personne ne pouvait prévoir ce qui allait arriver : le triomphe de Napoléon, l'asservissement de l'Angleterre ou bien, à l'inverse, une victoire du côté britannique. Cela paraît curieux, mais cette incertitude créait une atmosphère enivrante, excitante.

— Je veux bien le croire. Il s'y mêlait sans doute aussi la crainte diffuse que certains de ces beaux jeunes hommes souriants qui passaient les troupes en revue sur le terrain de manœuvres, servaient du vin aux pique-niques ou valsaient avec les filles de leur colonel, n'en reviendraient pas, ajouta Lady Brockenhurst d'un ton égal, mais un léger tremblement dans sa voix trahit son émotion.

— En effet, dit seulement Anne, qui comprenait, ô combien.

— Oui, j'imagine que ce sentiment de danger plaisait aux jeunes filles comme la vôtre. Car le danger est attrayant quand on est jeunes. Où est-elle à présent ?

Encore. Deux fois au cours du même après-midi.

— Sophia est morte.

Lady Brockenhurst accusa le coup.

— Cela, en revanche, je l'ignorais, reconnut-elle, confirmant ainsi qu'elle savait tout le reste.

De toute évidence, la duchesse de Richmond et elle avaient évoqué cette histoire d'innombrables fois, ce qui expliquait son attitude.

— Moins d'un an après la bataille, précisa Anne. Il y a longtemps.

— Je suis vraiment désolée, murmura Lady Brockenhurst et, pour la première fois, sa voix eut un accent sincère, chaleureux. Tout le monde prétend comprendre ce qu'on traverse dans pareille épreuve, mais moi je le sais, et pour cause. Et je sais qu'on ne s'en remet jamais.

Anne sourit.

— Étrangement, je trouve cela réconfortant. Le malheur nous tient compagnie, répondit-elle en contemplant cette femme hautaine qui avait apporté tant de colère dans la pièce et déployé tant d'efforts pour la rabrouer.

Pourtant le fait de savoir qu'Anne avait perdu un enfant elle aussi et que l'intrigante qui hantait douloureusement son esprit était morte changeait la donne.

— Et vous souvenez-vous d'Edmund au bal ?

L'irritation contenue de Lady Brockenhurst avait cédé la place à un désir si ardent d'entendre parler de son fils disparu que c'en était presque gênant. Anne s'autorisa une réponse honnête.

— Très bien. Et pas seulement durant le bal. Il venait chez nous avec d'autres jeunes gens. Il était très populaire. Charmant, beau et doté d'un grand sens de l'humour…

— Oh oui. Cela et plus encore.

— Avez-vous d'autres enfants ?

À peine avait-elle posé la question qu'elle la regretta aussitôt. Bellasis était enfant unique, bien sûr. Il y faisait souvent allusion. Elle essaya de se rattraper.

— Pardon. Je me rappelle, maintenant. Veuillez m'excuser.

— Eh oui. Quand nous disparaîtrons, il ne restera rien de nous, confirma Lady Brockenhurst en lissant la soie de ses jupes, puis elle jeta un regard vers la cheminée et son foyer vide. Pas une trace.

L'espace d'un instant, Anne crut qu'elle allait pleurer, mais elle préféra poursuivre comme si de rien n'était.

Pourquoi ne pas réconforter cette mère affligée, si elle le pouvait ? Où était le mal ?

— Vous devez être très fière de Lord Bellasis. C'était un jeune homme admirable, nous avions tant d'affection pour lui. Il nous arrivait d'improviser une sorte de petit bal à la maison, en invitant six ou sept couples à danser ; moi, je jouais du piano. Cela semble étrange aujourd'hui, mais ces jours précédant la bataille furent heureux. En tout cas pour moi.

— J'en suis sûre, dit Lady Brockenhurst en se levant. Je m'en vais, madame Trenchard. Mais j'ai apprécié notre conversation. Plus que je ne l'escomptais.

— Qui vous a dit que je serais ici ? s'enquit Anne en la regardant bien en face.

— Personne. J'ai demandé à notre hôtesse quelle était cette femme qui discutait avec ma sœur et, quand elle m'a révélé votre nom, la curiosité m'a poussée à vous aborder. J'ai tant parlé de vous et de votre fille par ailleurs qu'il eût été dommage de manquer l'occasion d'échanger avec vous directement. Je comprends maintenant combien je me suis trompée. Qu'importe, ce fut un plaisir pour moi d'évoquer Edmund avec quelqu'un qui l'a connu. C'est comme si je l'avais revu, et cela me plaît de penser à lui dansant et s'amusant, profitant de la vie durant ses derniers instants. Je garderai précieusement cette image. Alors, merci.

Elle gagna la sortie à une allure régulière, en se faufilant entre les groupes qui bavardaient, silhouette en demi-deuil fendant une assemblée vêtue de couleurs vives et chatoyantes.

Quand elle fut partie, la duchesse de Bedford rejoignit Anne.

— Mon Dieu, je n'avais nul besoin de me faire du souci à votre sujet, madame Trenchard. Vous avez ici des amies, remarqua-t-elle, d'un ton beaucoup plus froid que la teneur de ses propos.

— Amies, c'est un grand mot. Disons plutôt que nous avons des souvenirs en commun. Mais c'est à mon tour de prendre congé. Je suis ravie d'être venue. Merci.

— Revenez donc. La prochaine fois, vous pourrez me raconter tout à loisir cette illustre soirée d'avant la bataille.

L'idée d'évoquer cette soirée avec quelqu'un qui n'avait aucun lien avec elle rebutait Anne. Avec la vieille duchesse, et même avec sa sœur, malgré sa dureté hautaine, cette conversation avait une vertu libératrice, car toutes deux étaient liées de près à cette nuit-là. Mais elle n'irait sûrement pas la décrire par le menu à une inconnue. Dix minutes plus tard, elle remontait en voiture.

Plus vaste et aéré que Belgrave Square, Eaton Square n'avait pourtant pas le même prestige. À l'origine, James était bien décidé à s'établir dans l'une des splendides demeures de Belgravia, mais il s'était plié à la volonté de sa femme et avait choisi quelque chose de relativement plus petit. Cela dit, leur maison d'Eaton Square restait imposante, mais Anne n'y était pas malheureuse. Elle s'y plaisait même, d'autant qu'elle avait déployé beaucoup d'énergie pour rendre les pièces charmantes, sinon aussi majestueuses que James l'aurait voulu. Il reconnaissait volontiers qu'il avait des goûts de luxe, goûts qu'Anne ne partageait pas. Pourtant, elle traversa le hall d'entrée en souriant au valet de pied qui lui avait ouvert la porte, puis monta l'escalier sans que rien dans son cadre de vie ne la gêne ni ne l'indispose.

— Monsieur est-il rentré ? demanda-t-elle au domestique, qui l'informa que non, monsieur n'était pas rentré.

James arriverait sans doute à la dernière minute, juste à temps pour se changer, et elle devrait reporter leur discussion à la fin de la soirée. Car une discussion s'imposait.

Ce soir-là, ils dînaient dans la grande salle à manger du rez-de-chaussée avec leur fils Oliver et sa femme Susan, qui habitaient chez eux. Anne leur racontait son après-midi chez la duchesse de Bedford. Turton, le majordome, qui approchait la cinquantaine, les servait avec l'aide de deux valets, ce qui semblait plutôt excessif à Anne pour un dîner en famille réunissant quatre personnes mais, puisque James y tenait, cela lui était égal, après tout. C'était une pièce agréable, quoique un peu fraîche, et la desserte était isolée par une colonnade qui donnait à l'ensemble un certain cachet. Il y avait une belle cheminée en marbre de Carrare, surplombée d'un portrait de son mari par David Wilkie dont James était très fier ; même si l'artiste ne l'était peut-être pas autant. Le tableau datait de l'année précédant celle où Wilkie avait peint son fameux portrait de la jeune reine lors de son premier Conseil, une œuvre dont James était certain qu'elle avait fait monter la cote de Wilkie. Cela dit, Anne trouvait que le portrait de James n'était pas à son avantage. Assise à ses pieds, Agnes, sa petite teckel, la regardait avec espoir. Anne lui glissa un petit morceau de viande.

— Tu la pousses à quémander, commenta James, ce qui laissa Anne parfaitement indifférente.

Leur belle-fille Susan commença alors ses litanies. C'était si courant chez elle qu'il était difficile d'y prêter une oreille attentive, et Anne devait se forcer à écouter ses perpétuelles récriminations. Ce soir, le problème venait du fait qu'elle n'avait pu assister au thé de la duchesse de Bedford.

— Mais vous n'étiez pas invitée, fit remarquer Anne, avec raison.

— Quelle importance ? répliqua Susan, au bord des larmes. Il vous suffisait de répondre que vous seriez ravie de venir accompagnée de votre fille, comme c'est l'usage à Londres.

— Vous n'êtes pas ma fille, rétorqua Anne, en sachant aussitôt que c'était une erreur, car Susan allait en profiter pour jouer l'offensée.

Sous le choc, les lèvres de Susan se mirent à trembler. De l'autre côté de la table, leur fils reposa bruyamment ses couverts.

— Susan est ta belle-fille, ce qui signifierait la même chose dans n'importe quel autre foyer.

La voix d'Oliver, déjà un peu rauque en temps normal, devenait discordante lorsqu'il était en colère.

— Bien sûr, répondit Anne en se tournant pour reprendre un peu de sauce, comme si de rien n'était. C'est juste que je ne me suis pas sentie en droit d'amener qui que ce soit chez une femme que je connais à peine.

— Une duchesse que vous connaissez à peine, et moi pas du tout, intervint Susan, apparemment remise, assez en tout cas pour repartir à l'attaque.

Anne jeta un coup d'œil aux domestiques. Ils en feraient des gorges chaudes à l'office mais, en bons professionnels, ils restaient impassibles et faisaient mine de n'avoir rien entendu de cet échange acerbe.

— Oliver ? Je ne t'ai pas vu au bureau, aujourd'hui, dit James.

Dieu merci, son mari aussi trouvait pénible l'épouse de son fils, même si Susan et lui partageaient les mêmes ambitions dès qu'il s'agissait de fréquenter du *beau monde*.

— Pour la bonne raison que je n'y étais pas, répondit son fils.

— Et pourquoi ?

— Je suis allé voir où en étaient les travaux dans Chapel Street. Pourquoi diable avons-nous fait construire des maisons si petites ? N'avons-nous pas ainsi renoncé à une bonne part de bénéfices ?

Anne observa son mari. Malgré son fâcheux penchant à se laisser éblouir par l'éclat de la haute société, il connaissait son métier.

— Lorsqu'on développe un quartier, ce doit être avec une vue d'ensemble. On ne peut pas se contenter d'édifier des palais. Il faut aussi penser à loger ceux qui travaillent dans l'ombre pour les couches supérieures de la société. Secrétaires, intendants, majordomes, gouvernantes. Et prévoir des dépendances pour abriter leurs voitures et cochers. Certes, tout cela prend de la place, mais c'est à bon escient.

Susan entra à nouveau en lice.

— Avez-vous réfléchi à l'endroit où nous pourrions vivre, Père ? s'enquit-elle avec acrimonie.

Anne contempla sa belle-fille. Avec son teint clair, ses yeux verts, ses cheveux roux, c'était sans conteste une belle femme. Elle avait aussi une ravissante sihouette et savait s'habiller. Mais elle n'était jamais contente, absolument jamais.

Cette question du logement du jeune couple n'était pas nouvelle et devenait lassante. À mesure que Belgravia se construisait, James leur avait fait diverses propositions, mais ses idées et les leurs paraissaient ne jamais s'accorder. Eux désiraient une maison semblable à celle d'Eaton Square, alors que James trouvait qu'ils devaient vivre selon leurs moyens et donc commencer plus modestement. En fin de compte, Susan préférait habiter avec eux dans une demeure correspondant à ses prétentions plutôt que de revoir ses exigences à la baisse, et une sorte de rituel s'était installé. Périodiquement, James faisait des suggestions. Et Susan les rejetait.

James sourit mollement.

— Je serais heureux de vous laisser choisir n'importe quelle maison libre sur Chester Row.

Susan fit la moue, puis adoucit sa réaction avec un petit rire.

— Ne sont-elles pas un peu exiguës ?

— Susan a raison, renchérit Oliver en reniflant avec mépris. Elles sont bien trop petites pour donner des réceptions. Or, étant votre fils, j'ai un rang à tenir, non ?

James se resservit une côtelette d'agneau.

— Elles sont bien moins exiguës que la première maison dans laquelle nous avons vécu, ta mère et moi, rétorqua-t-il.

Anne rit à son tour, ce qui agaça Oliver encore plus.

— J'ai reçu une tout autre éducation que la vôtre. Si mes attentes sont plus grandes, c'est à vous que je les dois.

Ce n'était pas faux. Pourquoi James aurait-il tant insisté pour qu'Oliver fasse ses études à Charterhouse puis à Cambridge, s'il n'avait eu le désir que son fils acquière l'esprit et les manières d'un gentleman ? Son mariage avec Susan Miller, fille d'un négociant prospère, avait déçu James, qui visait plus haut. Pourtant, c'était une enfant unique et, le moment venu, il y aurait un gros héritage à la clé. À condition que Miller ne change pas d'avis et ne la déshérite pas, car James avait remarqué que le père de Susan rechignait de plus en plus à se montrer aussi prodigue envers sa fille qu'au début de leur mariage. « Elle jette l'argent par les fenêtres », avait-il confié à James après un déjeuner bien arrosé, et il était difficile de le contredire.

— Bien, bien, nous verrons ce que nous pourrons faire, conclut James en reposant ses couverts, et il changea radicalement de sujet tandis que les valets débarrassaient. Les Cubitt ont eu une idée intéressante concernant l'Île aux Chiens.

— L'Île aux Chiens ? Pourrait-on tirer quelque chose de cet endroit ? s'étonna Anne, puis elle sourit au valet pour le remercier d'emporter son assiette, le genre d'attentions auxquelles James ne s'abaissait pas.

— L'ouverture des West India Docks et des East India Docks a fait une sacrée différence... une différence fantastique, se corrigea-t-il en voyant l'expression d'Anne. Des bâtiments mal conçus y poussent tous les jours, mais Cubitt pense que nous pourrions y établir une communauté solide si nous donnions des lieux de vie décents à des gens respectables, pas uniquement des ouvriers mais aussi des directeurs, des gestionnaires. C'est un projet très excitant.

— Oliver y participera-t-il ? s'enquit Susan d'un ton enjoué.

— Nous verrons.

— C'est tout vu, railla Oliver. Quand m'a-t-on jamais inclus dans un projet intéressant ?

— Décidément, on dirait que nous avons tous les torts, ce soir, remarqua James en se servant un autre verre de vin de la carafe qu'il gardait toujours près de lui.

Oliver était une déception pour lui, c'était indéniable, et son fils s'en doutait, ce qui ne facilitait pas leurs rapports.

Agnes se mit à gémir et Anne la prit dans ses bras en la cachant dans les plis de sa jupe.

— Nous passerons presque tout le mois prochain à Glenville, annonça-t-elle pour tenter d'alléger l'atmosphère. J'espère que vous pourrez nous y rejoindre quelques jours ?

Il y eut un silence. Glenville était leur maison à Somerset, un manoir élisabéthain de grande beauté qu'Anne avait sauvé de la décrépitude et dont Oliver raffolait, avant son mariage. Mais Susan avait d'autres idées en tête.

— Nous viendrons si nous le pouvons, répondit-elle avec un petit sourire. C'est tellement loin.

Ils savaient tous que, outre une splendide résidence à Londres, Susan tenait à acquérir une propriété à quelques heures de la capitale, de préférence une grande maison équipée de tout le confort moderne. Avec ses vieilles pierres aux nuances dorées, ses fenêtres à meneaux, ses parquets un peu inégaux et patinés par le temps, Glenville n'avait aucun attrait pour elle. Mais Anne ne céderait pas. Elle ne renoncerait pas à Glenville, d'ailleurs James n'escomptait pas qu'elle le fasse. Elle essaierait encore d'amener son fils et sa femme à apprécier ses charmes, mais si Oliver n'en voulait décidément pas, elle chercherait ailleurs un héritier auquel léguer le domaine. Elle y était résolue.

Anne ne se trompait pas sur le compte des domestiques, ni sur le plaisir qu'ils trouveraient à rapporter leur conversation. À l'office, Billy et Morris, les deux valets de pied qui avaient servi le dîner, s'en donnèrent à cœur joie en faisant rire aux larmes leurs collègues assis autour de la table… jusqu'à l'arrivée de M. Turton, qui s'arrêta sur le pas de la porte.

— J'espère qu'ici personne ne fait preuve d'irrespect.

— Non, monsieur Turton, répondit Billy, mais l'une des servantes se mit à rire sottement.

— M. et Mme Trenchard nous paient nos gages et méritent donc d'être traités avec dignité.

— Oui, monsieur Turton.

Les gloussements s'étaient estompés quand Turton prit place à table et le dîner des domestiques commença. Le majordome s'adressa à voix basse à Mme Frant, la gouvernante assise à sa place habituelle, à côté de lui.

— Évidemment, ils ne sont pas à la hauteur de leurs prétentions, ce qui saute encore plus aux yeux lorsqu'ils sont seuls.

Mme Frant était plus indulgente.

— Ce sont des gens respectables, polis, et honnêtes en affaires, monsieur Turton. J'ai vu bien pire dans des maisons de la haute, déclara-t-elle en se servant de la sauce au raifort.

Mais le majordome exprima son désaccord en secouant la tête.

— Quant à moi, c'est à M. Oliver que va ma sympathie. Ils lui ont donné une éducation de gentleman et c'est à croire maintenant qu'ils lui en veulent d'aspirer à cette position.

Turton n'avait aucun problème avec le système social en vigueur, seulement avec la place qu'il y occupait.

Une femme au visage anguleux, vêtue de la robe noire propre aux femmes de chambre, intervint du bout de la table.

— Et pourquoi Mme Oliver n'aurait-elle pas une maison à elle, où elle pourrait recevoir ? Elle a mis assez d'argent sur la table en arrivant dans cette famille. Je trouve injuste et illogique de la part de M. Trenchard de vouloir les obliger à vivre dans un clapier, alors que nous savons tous qu'il veut être considéré comme le chef d'une grande famille. Quel sens tout cela a-t-il ?

— Illogique ? Comme vous y allez, mademoiselle Speer ! dit Billy, mais elle l'ignora.

— C'est Mme Trenchard qui a provoqué Mme Oliver au dîner, précisa Morris.

— Elle ne vaut pas mieux que lui, maugréa Mlle Speer en prenant une grosse tartine beurrée sur l'assiette posée devant elle.

Mais Mme Frant n'en avait pas fini.

— Eh bien, je regrette de le dire, mademoiselle Speer, et tant mieux pour vous si vous pensez que c'est une bonne patronne, mais je trouve Mme Oliver très difficile à contenter. On dirait qu'elle se prend pour une infante d'Espagne, avec ses grands airs. En revanche, je n'ai jamais eu le moindre ennui avec Mme Trenchard. Elle dit clairement ce qu'elle veut et je n'ai aucune raison de me plaindre d'elle, poursuivit la gouvernante, en défendant avec chaleur ses employeurs. Quant au jeune monsieur, c'est bien beau de vouloir des maisons et des domaines plus grands que ceux de ses parents, mais qu'a-t-il fait pour les gagner ? Je vous le demande.

— Les gentlemen ne gagnent pas leurs maisons, madame Frant. Ils en héritent, déclara avec emphase le majordome.

— Eh bien, disons que nous ne voyons pas les choses de la même façon, monsieur Turton. Aussi nous faudra-t-il accepter que nos points de vue diffèrent.

— M. Turton a raison, intervint alors Mlle Ellis, la femme de chambre de Mme Trenchard, assise à gauche du majordome. M. Oliver désire juste vivre décemment, c'est légitime, non ? Je l'approuve de vouloir améliorer sa condition. Mais ayons aussi un peu de compassion pour le maître. Que voulez-vous ? C'est dur de prendre le pli en une seule génération.

— Là, je suis tout à fait d'accord avec vous, mademoiselle Ellis, approuva Turton en hochant la tête, comme si son point de vue l'avait définitivement emporté.

Dès lors, la conversation glissa vers d'autres sujets.

— Évidemment que tu ne lui diras pas ! Qu'est-ce que tu racontes ?

James Trenchard avait le plus grand mal à garder son calme. Il se trouvait dans la chambre de son épouse où il dormait généralement, même s'il disposait de sa propre chambre avec dressing-room plus loin sur le palier, car il avait lu que cette règle était de mise chez les couples d'aristocrates.

La chambre de sa femme était claire et spacieuse, peinte dans des tons rose pâle, avec des rideaux de soie à fleurs. Comme toutes les autres pièces aménagées par Anne pour son propre usage, elle était jolie et agréable plutôt que luxueuse. Quant à celle de son mari, sa splendeur était telle qu'on se serait cru dans les appartements privés de l'Empereur lui-même.

— Mais n'ai-je pas un devoir envers elle ? dit-elle.

Elle était déjà couchée et James s'apprêtait à la rejoindre.

— Quel devoir ? Tu as dit toi-même qu'elle s'était montrée très impolie.

— Oui, mais la situation était compliquée. Elle savait pertinemment qui j'étais et que son fils avait été amoureux de notre fille. Comment ne l'aurait-elle pas su ? Sa sœur n'avait aucune raison de garder le secret.

— Alors pourquoi n'a-t-elle pas annoncé la couleur franchement ?

— Je suis d'accord avec toi. Mais peut-être essayait-elle de me cerner avant d'admettre que nous étions liées.

— L'a-t-elle admis ? Ça m'étonnerait fort.

— Si, à l'époque, elle avait appris la nature de ce lien, cela aurait provoqué sa fureur, et elle s'y serait violemment opposée. Aucun doute là-dessus.

— Raison de plus pour la laisser dans l'ignorance.

James ôta sa robe de chambre en soie et la jeta sur une chaise. Anne referma son livre qu'elle posa délicatement sur la table de chevet Sheraton, puis elle prit l'éteignoir.

— Lorsqu'elle a dit « Il ne restera rien de nous », je t'assure que tu aurais été autant touché que moi si tu avais été là.

— Au point d'en perdre la raison, comme toi ? Certainement pas. Qu'en sortirait-il, à ton avis ? La réputation de Sophia salie à jamais et, avec elle, la fin de notre bonne fortune, car nous aurions amené le scandale sur nos têtes…

— Ah, c'est ça qui te contrarie, répliqua Anne en sentant monter sa colère. L'idée qu'une Lady puisse te battre froid parce que ta fille s'est mal conduite.

— Parce que ça te plaît, à toi, l'idée qu'on se souvienne de Sophia comme d'une catin ? s'insurgea-t-il.

Ce mot la réduisit un moment au silence. Puis elle reprit la parole, plus calmement cette fois.

— C'est un risque, je le reconnais, mais dans ce cas je lui demanderais de garder cela pour elle. Évidemment, je ne pourrais pas l'y contraindre, mais je ne crois pas que nous ayons le droit de leur cacher qu'ils ont un petit-fils.

— Nous le cachons depuis plus d'un quart de siècle.

— Oui, mais nous ne les connaissions pas.

James avait rejoint sa femme dans le lit. Il souffla la bougie posée de son côté, puis s'allongea en lui tournant le dos.

— Je te l'interdis, tu m'entends ? Je ne tolérerai pas que la mémoire de notre fille soit souillée. Qui plus est par sa propre mère. Et fais descendre ce cabot de notre lit.

Comprenant qu'il ne servait à rien de poursuivre, Anne éteignit doucement sa bougie, s'installa sous les couvertures et prit Agnes au creux de son bras. Mais le sommeil fut long à venir.

La famille était rentrée en Angleterre, quand Sophia le leur apprit. Les suites de la bataille avaient accaparé James durant deux ou trois semaines, mais il les avait enfin ramenées à Londres, pour les installer dans une maison sans prétention de Kennington, mais nettement mieux que la précédente. Il continuait à fournir l'armée en denrées alimentaires mais, en temps de paix, cette activité perdait beaucoup de son intérêt et il devenait de plus en plus évident pour Anne qu'il en avait assez. James trouvait tout fastidieux, le travail en lui-même, le milieu où il opérait, le manque complet d'opportunités. Il remarqua alors le regain d'activité des chantiers de construction, à Londres. La victoire remportée sur Napoléon et la paix qui en résultait avaient redonné confiance en l'avenir du pays. Depuis vingt ans, la silhouette menaçante de l'Empereur français jetait une ombre sur eux, plus qu'ils ne voulaient l'admettre, mais il était à présent exilé sur une île lointaine au sud de l'Atlantique, dont il ne reviendrait sûrement pas, cette fois. L'Europe était libre et il était temps de regarder devant soi.

Un jour, James arriva chez lui, rouge d'excitation. Anne était dans la cuisine où elle inspectait avec la cuisinière le contenu du placard à provisions. C'était inutile car, comme James ne cessait de le répéter, leur nouveau train de vie n'avait plus rien à voir avec leurs anciennes habitudes, et voir sa femme en tablier s'occuper de questions d'épicerie ne lui plaisait guère, lui qui était encore grisé par ses succès bruxellois. Pourtant, ce soir-là, rien n'aurait pu gâcher sa bonne humeur.

— Je viens de rencontrer un homme extraordinaire, claironna-t-il.

— Ah oui ? dit poliment Anne tout en vérifiant l'étiquette du paquet de farine, qui lui semblait suspecte.

— Un homme qui s'apprête à reconstruire Londres.

Anne ignorait alors qu'il avait raison. Thomas Cubitt, anciennement charpentier de marine, avait conçu une nouvelle méthode d'entreprenariat pour les projets de construction. Il s'engageait à employer tous les différents corps de métier impliqués et à leur passer commande : briquetiers, plâtriers, couvreurs, plombiers, charpentiers, tailleurs de pierre, maçons, peintres. Les chefs de chantier n'auraient affaire qu'à Cubitt et à son frère William. Toutes les autres démarches seraient effectuées pour eux.

— N'est-ce pas génial ? conclut-il.

Anne voyait tout l'intérêt de ce système promis sans doute à un brillant avenir, mais cela valait-il que James renonce à une carrière bien établie alors qu'il n'y connaissait rien ? Pourtant, elle apprendrait vite que rien ne pourrait ébranler son enthousiasme.

— Il construit actuellement un nouveau bâtiment pour abriter la London Institution à Finsbury Circus. Il voudrait de l'aide pour trouver des fonds et traiter avec les fournisseurs.

— Ce que tu fais depuis que tu es entré dans la vie active.

— Exactement !

Et ce fut ainsi que tout commença. James Trenchard le Promoteur était né, et tout aurait été pour le mieux dans le meilleur des mondes si Sophia n'avait lâché sa bombe à peine un mois plus tard.

Un matin, elle entra dans la chambre de sa mère et s'assit sur le lit. Anne était installée devant le miroir tandis qu'Ellis finissait de la coiffer. La jeune fille attendit en silence qu'elles en aient fini. Anne devina avec une certaine appréhension qu'elle avait quelque chose d'important à lui dire et repoussa tant qu'elle le put l'instant fatal.

— Merci, Ellis, vous pouvez disposer, dit-elle enfin.

La femme de chambre ramassa du linge à porter à la blanchisserie et ferma la porte derrière elle, même si l'envie la démangeait d'en savoir plus, contrairement à sa patronne.

— Alors, qu'y a-t-il ?

Sophia la regarda fixement, puis les mots jaillirent de sa bouche.

— J'attends un enfant.

Le choc fut tel qu'il rappela à Anne la ruade qu'un poney lui avait décochée dans le ventre lorsqu'elle était adolescente.

— Depuis quand ?

Le côté très prosaïque de la question sembla un peu étrange, étant donné les circonstances, mais Anne ne voyait aucun intérêt à se rouler par terre en poussant des cris, même si l'envie ne lui en manquait pas.

— Fin février, je crois.

— Tu n'en es pas certaine ?

— Fin février.

— Je suppose donc que je dois en remercier Lord Bellasis ? déduisit sa mère après un rapide calcul.

Sophia se contenta de hocher la tête.

— Non mais quelle idiote ! s'exclama-t-elle et, loin de protester, la jeune fille acquiesça encore. Comment est-ce arrivé ?

— J'ai cru que nous étions mariés.

Anne faillit éclater de rire. Comment sa fille avait-elle pu se laisser berner à ce point ?

— Ce n'était pas le cas, si je comprends bien.

— Non.

— Évidemment. D'ailleurs, tu n'avais aucune chance de l'être un jour.

Comment son enfant avait-elle pu être assez sotte pour croire que Bellasis l'épouserait ? Soudain la fureur l'envahit. James avait encouragé cette folie. Il avait convaincu la jeune fille que cette aberration était possible.

— Raconte-moi tout.

C'était une histoire banale, somme toute. Bellasis avait déclaré son amour et persuadé Sophia qu'il souhaitait l'épouser avant de partir au combat. En apprenant la marche de Napoléon sur Paris, il l'avait suppliée de lui permettre d'organiser leur mariage ; il serait d'abord clandestin, mais le jeune homme promettait de le révéler à ses parents au moment opportun. De toute façon, Sophia aurait la preuve que la cérémonie avait eu lieu, si jamais il lui arrivait quelque chose, et elle pourrait réclamer la protection des Brockenhurst, en cas de besoin.

— Ignorais-tu qu'il te fallait la permission de ton père pour que ce mariage soit légal ? Tu n'as que dix-huit ans.

Elle dit cela pour accabler encore sa fille, mais Sophia resta à la dévisager un moment en silence.

— Papa m'avait donné sa permission, finit-elle par avouer.

Ce fut comme un autre coup de pied dans le ventre. Son mari avait aidé un homme à séduire sa propre fille ? Anne ressentait une telle colère que si James était arrivé à cet instant dans la pièce, elle lui aurait arraché les yeux.

— Ton père était au courant ?

— Il savait qu'Edmund voulait m'épouser avant d'aller au combat et il a donné sa permission.

Sophia inspira profondément. Sa confession lui procurait une sorte de soulagement. Elle était lasse de porter seule ce fardeau.

— Edmund m'a dit qu'il trouverait un pasteur pour nous marier, ce qu'il a fait, dans l'une des chapelles construites par l'armée, poursuivit-elle. Ensuite l'homme a établi le certificat et… c'est là que ça s'est passé.

— Je suppose que le mariage était faux ?

— Oui. Je n'ai pas eu le moindre soupçon. Edmund me parlait sans cesse de son amour et de notre avenir, et ce jusqu'à l'instant où nous avons quitté le bal donné par sa tante, la veille de la bataille.

— Quand l'as-tu découvert ?

La jeune fille se leva et s'approcha de la fenêtre. Elle vit son père monter en voiture juste en dessous. Tant mieux. Ainsi sa mère aurait le temps de se calmer et de réfléchir à la marche à suivre.

— Quand nous sommes sortis de la maison des Richmond dans la rue, il y avait un groupe d'officiers à cheval, tous en uniformes de la 52ᵉ infanterie légère, l'Oxfordshire, le régiment d'Edmund…

— Et alors ?

— L'un d'eux était le prétendu pasteur qui nous avait mariés. Voilà, tu sais tout…, soupira-t-elle. C'était un soldat, un ami d'Edmund, qui n'avait eu qu'à tourner son col pour me tromper.

— A-t-il dit quelque chose ?

— Il ne m'a pas vue. Ou bien il a fait mine de ne pas me voir. J'étais assez loin et, dès que je l'ai reconnu, j'ai reculé en me détournant.

La scène qui avait eu lieu au moment où ils avaient quitté le bal prenait soudain tout son sens.

— Je comprends maintenant ce qui t'a mise dans un tel état, ce soir-là. J'ai cru que c'était juste le départ au combat de Lord Bellasis.

— À l'instant où j'ai vu cet homme, j'ai su que j'avais été trompée. Je n'étais pas aimée. Je n'allais pas au-devant d'un avenir doré. J'étais une jeune femme stupide qu'on avait traitée comme une prostituée, dont on avait usé et abusé, et s'il avait vécu Edmund m'aurait sûrement jetée dans le ruisseau en pensant que c'était là ma place.

Son visage semblait mûr à la lumière du jour ; l'amertume lui donnait dix ans de plus.

— Quand as-tu compris que tu étais enceinte ?

— Difficile à dire. Je l'ai soupçonné un mois plus tard, mais je me suis refusée à l'admettre. Edmund était mort et pendant quelque temps j'ai fait comme si rien n'avait changé. Je devenais folle, je ne savais plus ce que je faisais. Quand il est devenu impossible de nier plus longtemps la réalité, j'ai pris de ces stupides remèdes de bonne femme, j'ai même donné cinq livres à une bohémienne pour ce qui était presque sûrement de l'eau sucrée. Tout cela en pure perte. Je suis toujours enceinte.

— Et ton père, que lui as-tu dit ?

— Il sait que j'ai été trompée. Je le lui ai raconté ce matin-là, à Bruxelles, quand il m'a annoncé la mort d'Edmund. Mais il croit que tout cela est resté sans conséquences, pour moi.

— Nous devons prendre des dispositions.

Anne Trenchard était une femme à l'esprit pratique et l'une de ses principales qualités faisait que, au lieu de se lamenter sur un désastre, elle cherchait aussitôt à y remédier, dans la mesure du possible. Il fallait que sa fille disparaisse de Londres. Maladie, ou parente vivant dans le nord du pays dont il fallait s'occuper... Elles auraient une histoire toute prête avant la fin de la journée. Sophia devait être enceinte d'au moins quatre mois et, en y regardant de plus près, Anne constata que sa silhouette s'était épaissie. Pas au point qu'on le remarque, mais cela ne tarderait guère. Il n'y avait pas de temps à perdre.

Anne ne fut pas des plus aimables envers James quand il rentra ce soir-là et qu'ils se retrouvèrent en tête à tête dans son bureau. Au prix d'un grand effort, elle se retint de crier.

— Et tu n'as jamais pensé à me consulter ? Quand un riche vicomte demande en mariage une jeune fille de dix-huit ans d'un milieu bien inférieur au sien, et que ce mariage doit se faire dans le plus grand secret, sous l'égide d'un pasteur dont personne ne peut garantir la légitimité, tu ne t'interroges pas sur la sincérité de ses intentions, et tu ne demandes conseil à personne ?

James ne put qu'acquiescer, car il avait maintes fois repassé tout cela dans sa tête.

— Cela paraît tellement évident, présenté ainsi, mais Bellasis semblait être un gentil garçon réellement amoureux d'elle…

— Tu voulais peut-être qu'il te confie son projet de séduire ta fille, en te demandant même ton concours ?

— Non, bien sûr.

— En autorisant ta fille à se marier, tu as signé sa perte, lui cracha-t-elle au visage, et il tressaillit.

— Je t'en prie, Anne. Crois-tu que je ne le regrette pas ?

— Ça, tu peux le regretter, maintenant plus que jamais.

Anne s'en voudrait un jour d'avoir rejeté toute la faute sur son mari. Car, quand leur fille mourut en couches, il se rappela ses accusations et se crut responsable de sa mort, qu'il vit comme une punition de sa vanité, de son ambition, de sa suffisance. Cela ne le guérit d'aucun de ces défauts, néanmoins le sentiment de culpabilité ne le quitta jamais.

Aucun signe ne laissait présager la suite tragique des événements mais, comme le médecin le déclara ensuite, il était rare qu'il y en eût. Anne et Sophia s'étaient rendues dans le Derbyshire et avaient loué une modeste maison en bordure de Bakewell en se présentant comme Mme Casson et sa fille, Mme Blake, une veuve de guerre dont l'époux était mort à Waterloo. Elles n'avaient ni amis ni relations dans la région, et ne souhaitaient d'ailleurs voir personne. Elles vivaient simplement. Aucune n'avait emmené sa femme de chambre ; Ellis et Croft continueraient à toucher leurs gages jusqu'au retour de leurs maîtresses. Ce départ pour un long séjour les avait-il intriguées ? Anne ne le saurait jamais. Elles connaissaient leur métier et savaient que la discrétion faisait partie de ses exigences.

Cette période fut loin d'être malheureuse. Leur vie là-bas était somme toute assez agréable, entre la lecture et les promenades dans le parc de Chatsworth. Renseignements pris, elles firent appel à un médecin très réputé, le Dr Smiley, qui suivit de près la grossesse de Sophia et s'estima satisfait de son état. Anne soupçonnait qu'il avait deviné la vérité ou du moins qu'elles étaient là sous de faux noms, mais que sa courtoisie lui interdisait de se montrer ouvertement curieux.

Avant leur départ de Londres, elles avaient chargé James de trouver un foyer convenable où placer l'enfant. Même Sophia savait qu'elle ne pouvait espérer le garder. Il faudrait que le bébé reçoive tous les soins requis, qu'on lui donne un nom et une bonne éducation, mais qu'il grandisse sans se douter le moins du monde de sa véritable identité. Aucun d'eux ne voulait que le nom de Sophia soit traîné dans la boue ; James craignait aussi que tous les efforts qu'il déployait pour améliorer sa condition et son statut social soient réduits à néant par un scandale public, Anne le savait. Si leur fils avait engendré un bâtard, ils auraient pu davantage l'assumer mais, pour une fille, c'était un crime impardonnable. James avait donc agi vite, et avec l'aide d'espions travaillant pour l'entreprise il avait trouvé un pasteur protestant, Benjamin Pope, qui habitait dans le Surrey. Ce dernier était issu d'une bonne famille, mais son salaire était si maigre que toute gratification serait bienvenue. Surtout, le couple était sans enfant et le déplorait. Quand on lui eut exposé la situation, Sophia accepta ; le cœur serré, mais elle accepta. Ainsi conforté, James s'occupa de régler les derniers détails et M. Pope adopta le bébé comme étant celui de son défunt cousin. Les Pope recevraient un revenu supplémentaire conséquent qui leur permettrait de vivre confortablement tout en élevant l'enfant et feraient régulièrement parvenir un rapport sur ses progrès au bureau de M. Trenchard, pour être soumis à sa seule attention.

Pendant ce temps, le Dr Smiley avait engagé une sage-femme expérimentée et pris toutes les dispositions nécessaires. Le moment venu, il se rendit au domicile pour superviser l'accouchement. Tout aurait dû bien se passer. Sauf qu'après la naissance du garçon, un beau bébé, le médecin ne parvint pas à arrêter l'hémorragie. Anne n'avait jamais vu une telle quantité de sang et elle ne pouvait rien faire pour Sophia à part lui tenir la main en lui assurant que tout allait s'arranger, qu'il n'y avait pas lieu de s'inquiéter. Jamais elle n'oublierait ces moments où elle était restée assise là, en débitant mensonge sur mensonge à sa petite fille chérie, jusqu'à ce qu'elle meure.

Durant des semaines, elle fut incapable de regarder le bébé, ce garçon qui avait tué sa fille. Le Dr Smiley trouva une nourrice ainsi qu'une nurse, ce qui permit à l'enfant de survivre, mais Anne ne pouvait se résoudre à le regarder. À leur arrivée, elle avait engagé une cuisinière ainsi qu'une femme de ménage et donc, la vie continua, avec des journées vides, ponctuées de repas auxquels elle ne touchait pas, et elle ne posait toujours pas les yeux sur cet enfant. Jusqu'à ce que, un soir, le Dr Smiley vienne la rejoindre dans le petit salon où elle était assise près du feu, fixant d'un œil absent le livre qu'elle tenait dans ses mains. Gentiment, il lui dit que tout ce qui lui restait de Sophia, c'était son fils ; alors Anne se laissa persuader par la douceur de prendre le bébé dans ses bras et, une fois qu'elle l'eut tenu, elle eut le plus grand mal à s'en séparer.

Si seulement elle avait appris à aimer le garçon plus tôt, aurait-elle essayé de changer leurs projets en insistant pour l'élever elle-même ? Anne se le demanderait souvent, mais elle doutait que James l'aurait permis et, puisque tout était arrangé, il semblait difficile de revenir sur la parole donnée. Enfin la maison de Bakewell fut fermée, et Anne se rendit dans le sud avec la nurse, qui elle-même alla dans le Surrey pour confier le bébé à son nouveau foyer. La nurse reçut ses gages et la vie retourna à la normale, si l'on peut dire. Les services de Jane Croft n'étant plus nécessaires, on dut la congédier dans les larmes. Anne lui accorda une prime en guise de cadeau d'adieu, mais le manque de curiosité de la domestique quant à ce qui avait causé la mort de sa jeune maîtresse l'intrigua. Peut-être avait-elle deviné la vérité. C'est dur de cacher qu'on est enceinte à sa femme de chambre.

Les années passèrent. Au départ, Charles était destiné par son entourage à devenir pasteur et il suivit cette voie durant toute son enfance. Mais il avait montré un don précoce pour les mathématiques et, au sortir de l'adolescence, il déclara vouloir tenter sa chance à la City. En l'apprenant, James ne put s'empêcher d'en être flatté, persuadé que ces aspirations venaient du fait qu'ils étaient du même sang. Pourtant, Anne et lui ne l'avaient toujours pas rencontré. Ils ne pouvaient se faire une idée du jeune homme et de son caractère qu'à travers les rapports envoyés par le révérend M. Pope. En vérité, James mourait d'envie d'aider son petit-fils, mais il ne savait comment s'y prendre sans ouvrir la boîte de Pandore d'où s'échapperait à coup sûr la révélation de ses origines. Ils restaient donc en retrait, se contentaient de lui verser une modeste allocation, dont M. Pope expliqua à Charles qu'elle émanait de « gens bienveillants », et ne vivaient plus que pour les lettres que Pope leur envoyait, quatre fois par an, avec la régularité d'une horloge. Le garçon était heureux, c'était certain, du moins n'avaient-ils aucune raison d'en douter. Suivant leurs instructions, on lui avait raconté que son père était mort au combat et sa mère en couches et que par conséquent il avait été adopté, mais c'était tout. Il semblait l'avoir accepté et les Pope s'étaient profondément attachés à lui ; il n'y avait donc aucun souci à se faire. Toutefois, comme Anne ne cessait de se le dire nuit après nuit, couchée dans le noir, c'était leur petit-fils, et ils ne le connaissaient pas.

Et voilà que Lady Brockenhurst était entrée en scène en compliquant encore les choses. Si Anne ne connaissait pas Charles Pope, elle savait au moins qu'il existait. Elle savait que sa fille ne s'était pas effacée de la surface de la terre sans laisser de trace. Lady Brockenhurst avait eu les larmes aux yeux en confirmant qu'ils n'avaient pas de descendance. Anne aurait pu lui confier que son fils avait engendré un enfant en bonne santé, devenu un jeune homme à l'avenir prometteur. Mais James le lui interdirait à coup sûr. En partie pour des motifs qu'elle ne respectait pas, mais aussi pour protéger la réputation de leur défunte fille ; un argument décisif, qu'elle ne pouvait rejeter. Des heures durant, elle restait éveillée au côté de James qui ronflait, à se torturer l'esprit, incapable de prendre une décision, jusqu'à ce que le sommeil vienne enfin, un sommeil agité, qui n'avait rien de réparateur.

Au bout d'un mois de tourmente, elle prit enfin une résolution. D'après le peu qu'elle en avait vu, elle n'appréciait guère Lady Brockenhurst, mais elle ne pouvait assumer de garder plus longtemps ce secret. Si, en inversant les rôles, elle-même s'était retrouvée dans la position de Lady Brokenhurst et avait découvert que celle-ci lui avait caché un fait aussi essentiel, elle ne lui aurait jamais pardonné. Un jour, elle s'assit donc à son joli secrétaire dans son petit salon du deuxième étage et écrivit : « Chère Lady Brockenhurst, j'aimerais vous rencontrer à la date qui vous conviendra. Si vous vouliez bien m'accorder un moment où nous serions seules, je vous en serais reconnaissante. » Il ne lui fut guère difficile de situer la demeure que les Brockenhurst occupaient sur Belgrave Square, puisque son mari l'avait construite. Elle plia la feuille de papier, la scella avec un cachet et sortit elle-même la confier au facteur. Il n'aurait fallu que dix minutes à sa servante pour aller la déposer, mais Anne n'avait guère envie qu'on commente ses agissements en bas, à l'office.

Elle n'eut pas longtemps à attendre. Le lendemain matin, il y avait une missive sur le plateau du déjeuner qu'Ellis déposa sur ses genoux.

— Un valet est venu nous apporter cette lettre ce matin, madame.

— A-t-il dit quelque chose ?

— Non. Il l'a juste déposée.

La question ne fit qu'attiser la curiosité d'Ellis, évidemment, mais il n'était pas question pour Anne de laisser filtrer le moindre indice. Elle prit le coupe-papier en argent posé sur le plateau et ouvrit l'enveloppe. Une feuille de papier à lettres épais couleur crème et gaufré d'un B majuscule sous une couronne comtale contenait ce bref message : « Venez à 16 heures aujourd'hui. Nous serons seules durant une demi-heure. CB. »

Anne ne commanda pas de voiture. Lady Brockenhurst ne trouverait sans doute pas cela convenable, mais elle préférait éviter autant que possible qu'il y ait des témoins de son escapade. C'était une journée assez douce et le trajet à pied ne serait pas long. Détail plus révélateur encore, elle ne sonna même pas pour qu'on lui apporte sa cape et son chapeau, mais se contenta de monter à sa chambre vingt minutes avant l'heure pour les mettre sans l'aide de personne. Le valet de pied qui était dans le hall lui ouvrit la porte, donc lui au moins serait au courant... Comment garder un secret dans ce qu'était devenue sa vie, alors que des regards indiscrets suivaient leurs faits et gestes du réveil au coucher ?

Une fois dehors, elle regretta un instant de ne pas avoir emmené Agnes avec elle en promenade, mais cela n'aurait fait que compliquer les choses. Le ciel s'était assombri quand elle se mit en chemin. Elle tourna à gauche, marcha jusqu'à Belgrave Place, puis à gauche encore, et moins d'un quart d'heure plus tard elle se retrouvait devant la maison des Brockenhurst. C'était un édifice imposant, occupant le coin de rue entre Upper Belgrave Street et Chapel Street, l'un des trois palais indépendants situés aux coins de la place. Alors qu'elle hésitait, elle remarqua un valet de pied posté près du portail, qui semblait l'observer. Se redressant, elle remonta l'allée jusqu'à la porte d'entrée. Avant qu'elle n'ait pu tirer sur la cloche, la porte s'ouvrit en grand et un autre valet en livrée l'invita à entrer.

— Je suis Mme James Trenchard, annonça-t-elle.

— Madame la comtesse vous attend, répondit le domestique, de l'air impénétrable qu'ont les gens de maison rompus à leur métier. Veuillez me suivre. Madame la comtesse se trouve au salon.

Anne ôta sa cape et la lui tendit pour qu'il la dépose sur l'un des sofas du grand hall, puis elle monta à sa suite le large escalier en marbre vert. Une fois à l'étage, le domestique poussa l'un des battants de la double porte et annonça « Madame Trenchard », puis le referma, laissant Anne traverser la pièce sur un immense tapis de la Savonnerie très coloré pour rejoindre la comtesse, installée près du feu.

— Approchez, madame Trenchard, lui dit-elle avec une petite inclinaison de la tête, et venez vous asseoir près de moi. J'espère que vous n'avez rien contre une petite flambée en été. Je suis très frileuse.

L'accueil était aussi amical qu'on pouvait l'espérer venant d'un tel personnage. Anne prit donc place en face de son hôtesse, sur une bergère Louis XV recouverte de soie damassée. Au-dessus de la cheminée, il y avait le portrait d'une belle femme dans le style du siècle précédent, vêtue d'une robe à paniers au décolleté bordé de dentelles et dont les cheveux poudrés étaient ramenés haut sur la tête. Elle se rendit compte avec surprise qu'il s'agissait de Lady Brockenhurst.

— Il fut peint par Beechey, dit son hôtesse avec un petit rire. À l'occasion de mon mariage en 1792. J'avais dix-sept ans. À l'époque, on le trouvait très ressemblant, mais on ne pourrait en dire autant aujourd'hui.

— Je vous ai reconnue.

— Vous me surprenez.

Son hôtesse demeura assise, en attente. Après tout, c'était Anne qui avait sollicité cet entretien. À quoi bon tergiverser ? Le moment était venu.

— Lady Brockenhurst, il se trouve que je suis en possession d'un secret que j'ai juré à mon mari de ne jamais révéler et James serait en vérité très en colère s'il savait que je suis ici aujourd'hui…

Elle s'interrompit, ne sachant comment formuler ce qu'elle avait à dire. Mais les rapports des époux Trenchard et leurs complexités n'intéressaient guère Lady Brockenhurst.

— Oui ? se borna-t-elle à dire.

Malgré elle, Anne fut impressionnée par le calme maintien de son hôtesse, qui devait à présent avoir deviné que quelque chose de très important allait lui être dévoilé. Or elle restait impassible, comme une grande dame conversant cordialement avec l'épouse d'un pasteur venue lui faire une visite de politesse.

— L'autre jour, vous avez dit que, lorsque votre époux et vous disparaîtriez, il ne resterait rien de vous.

— En effet.

— Eh bien, ce n'est pas tout à fait vrai.

Lady Brockenhurst se raidit imperceptiblement. Au moins Anne eut-elle droit alors à toute son attention.

— Avant de mourir, Sophia a mis au monde un enfant, un garçon, le fils de Lord Bellasis.

À cet instant, la porte s'ouvrit en grand et deux valets chargés de plateaux arrivèrent pour servir le thé. Ils entreprirent de dresser une table, la couvrirent d'une nappe et mirent le couvert, tout comme les domestiques de la duchesse de Bedford l'avaient fait.

Lady Brockenhurst sourit.

— J'ai apprécié ce thé d'après-midi plus que je ne l'ai cru sur le moment, et depuis j'ai institué ce petit rituel à ma façon chaque jour, peu après 16 heures. Je suis certaine qu'il fera des émules.

Anne comprit le message et elles discutèrent ensemble du mérite des thés accompagnés de collation, jusqu'à ce que les domestiques aient achevé leur tâche.

— Merci, Peter. Nous nous servirons nous-mêmes, aujourd'hui, dit enfin Lady Brockenhurst.

Quand les serviteurs s'en allèrent, Anne eut l'impression d'avoir vieilli dans l'intervalle, tant ce moment lui avait paru durer des siècles. Lady Brockenhurst les servit et lui tendit sa tasse.

— Et où est-il maintenant, ce garçon ? s'enquit-elle sans rien montrer comme à son habitude, ni enthousiasme ni répulsion.

— À Londres, et le garçon a grandi. C'est aujourd'hui un jeune homme de vingt-cinq ans depuis février dernier. Il travaille à la City.

— À quoi ressemble-t-il ? Le connaissez-vous bien ?

— Non, pas du tout, à vrai dire. Peu après sa naissance, mon mari l'a confié aux soins d'un pasteur protestant nommé Pope. Il vit sous le nom de Charles Pope. Nous n'avons jamais cru utile de rendre publiques ses origines. Lui-même les ignore.

— Vous deviez protéger la mémoire de votre fille, pauvre enfant. Je le comprends bien. Plutôt que de la blâmer, nous devons essayer de la prendre en pitié. Vous avez dit vous-même que l'atmosphère de Bruxelles avant la bataille était propice à de tels égarements.

Si ces paroles étaient censées venir en défense de Sophia, c'était raté.

— Je ne l'en blâme pas, car ce ne fut pas un égarement, repartit Anne avec une certaine fermeté. Elle était persuadée d'avoir épousé Lord Bellasis. Il s'est joué d'elle en lui faisant croire que le mariage avait eu lieu.

Lady Brockenhurst ne s'attendait sûrement pas à cela.

— Pardon ? lança-t-elle en se redressant.

— Il l'a bernée. Il a prétendu avoir organisé la cérémonie et a persuadé l'un de ses camarades officiers de se faire passer pour un pasteur. Quand Sophia a découvert la supercherie, il était trop tard.

— Je ne vous crois pas, assena Lady Brockenhurst d'un ton implacable, mais Anne aussi avait du caractère, à sa manière.

— Bien sûr, c'est votre droit, répondit-elle calmement, en reposant sa tasse. Mais je vous dis la vérité. Ce ne fut qu'à notre départ du bal, juste avant que Lord Bellasis parte à cheval rejoindre son régiment, que Sophia reconnut son complice dans la mascarade qui avait causé sa perte. Le prétendu pasteur riait et plaisantait avec ses camarades officiers, et il n'avait plus rien d'un homme d'Église. Sous le choc, Sophia a manqué s'évanouir.

Lady Brockenhurst avait aussi posé sa tasse sur sa soucoupe.

— Je vois, dit-elle en se levant. Votre fille voulait mettre le grappin sur mon fils, sans doute encouragée par ses parents…

— Comment ? À mon tour de ne pas en croire mes oreilles, s'insurgea Anne, mais Lady Brockenhurst poursuivit en s'échauffant.

— Quand elle a appris qu'il était mort et que son entreprise de séduction n'avait servi à rien, elle a concocté une histoire qui lui fournirait une excuse si le pire arrivait, et c'est arrivé.

Excédée, Anne sentit la fureur monter en elle, d'abord contre cette femme froide et sans cœur, mais aussi contre le défunt Lord Bellasis et contre elle-même, pour avoir été aussi aveugle.

— Vous voulez dire que, selon vous, Lord Bellasis était incapable d'une telle conduite ?

— Assurément. Jamais pareille idée ne lui serait venue à l'esprit.

Lady Brockenhurst était l'indignation faite femme. Ses préjugés de classe l'empêchaient de se faire une idée précise de son adversaire. Mais Anne Trenchard non plus n'était pas du genre à se laisser faire.

— Son parrain n'était-il pas Lord Berkeley ? lança-t-elle.

À la mention de ce nom, ce fut comme si Lady Brockenhurst avait reçu une gifle et, malgré sa maîtrise apparente, Anne devina qu'elle avait fait mouche.

— Comment le savez-vous ?

— Lord Bellasis nous a parlé de lui. Il m'a raconté qu'à la mort de Lord Berkeley en 1810 son fils aîné n'avait pu hériter de ses titres, car son père n'avait pas épousé sa mère avant la naissance du garçon, comme elle le croyait. Il s'avéra plus tard qu'il avait demandé à un ami de se faire passer pour un prêtre afin d'amener la jeune fille qui ne se doutait de rien à coucher avec lui. Ils se marièrent plus tard, mais ils ne purent faire légitimer l'enfant. Vous savez que tout cela est vrai... Alors ne me dites pas, je vous prie, que Lord Bellasis n'aurait jamais pu concevoir un tel stratagème, conclut Anne tandis que Lady Brockenhurst demeurait silencieuse.

Après un bref instant de flottement, elle se reprit et, tout en parlant, elle s'avança d'un pas altier jusqu'à la cheminée pour tirer sur le cordon de la sonnette.

— Voici comment je vois les choses. Mon fils a été séduit par une jeune fille sans scrupules, avec le soutien de ses parents aussi ambitieux qu'elle, d'après ce que je puis en juger. Elle a voulu utiliser le chaos créé par la guerre pour permettre une union qui l'élèverait à un niveau dont son père n'avait même jamais rêvé. Mais elle a échoué. Mon fils l'a prise pour maîtresse. Je ne le nie pas, et alors ? C'était un jeune homme et elle, une jolie garce qui s'est jetée à son cou. Et n'attendez pas de moi des excuses à ce sujet, car c'est le cadet de mes soucis. Ah, Peter... Mme Trenchard s'en va. Veuillez s'il vous plaît la raccompagner, dit-elle au valet de pied venu répondre à son appel, qui attendait sur le seuil.

Anne ne pouvait décemment réagir devant lui, elle était trop en colère pour parler. Pourtant elle sut gré à son ennemie d'avoir évité de donner au serviteur le moindre indice sur ce qui s'était réellement passé entre elles et lui adressa un petit hochement de tête pour le lui signifier. Elle s'apprêtait à gagner la sortie, mais Lady Brockenhurt n'en avait pas tout à fait fini.

— C'est drôle. J'ai cru que vous aviez quelque anecdote à me raconter sur mon fils. Quelque chose de joyeux, à propos de ses derniers jours. Vous aviez si bien parlé de lui, lors de notre première rencontre.

Anne s'arrêta.

— J'ai parlé de lui tel que je le connaissais avant cette nuit-là. Nous avons vécu de très bons moments avec votre fils, pleins de vie et de gaieté. Je ne mentais pas. Sur le moment, je n'ai pas voulu vous blesser. Mais j'ai eu tort. Il fallait bien que vous appreniez un jour la vérité. J'aurais dû être plus honnête. Sachez tout de même que j'ai été la première surprise en apprenant ce dont il avait été capable...

Au moment de franchir le seuil de la pièce, elle hésita. Le valet était parti devant, dans la galerie, et elles étaient de nouveau seules pour un bref instant.

— Garderez-vous le secret ? demanda-t-elle, à contrecœur, mais il le fallait. Puis-je avoir votre parole d'honneur ?

— Oui, vous avez ma parole, répondit la comtesse avec un sourire glacial. Pourquoi irais-je rendre publique une histoire aussi avilissante pour la mémoire de mon fils ?

Anne dut laisser le dernier mot à Lady Brockenhurst. En grande hâte, elle sortit de la pièce, descendit l'escalier, gagna la rue. Là seulement, elle s'accorda une pause et s'aperçut qu'elle tremblait de fureur.

3

Liens de sang

Lymington Park n'était pas le fief le plus ancien de la dynastie Bellasis, mais c'était incontestablement le plus illustre. Les premiers membres de la lignée appartenaient à l'aristocratie terrienne et vivaient dans un modeste manoir du Leicestershire. Au début du XVIIe siècle, grâce au mariage d'un Bellasis avec une riche héritière, le domaine du Hampshire entra dans la famille, qui prit dès lors ses quartiers à Lymington, dans le sud de l'Angleterre. Puis, au plus fort de la Première Révolution anglaise, le roi Charles Ier leur promit un comté en échange des fonds dont il avait tant besoin. Cette promesse fut honorée par le fils du monarque décapité, revenu triomphalement sur le trône à l'époque de la Restauration. Le deuxième comte décida que la demeure n'était plus appropriée à leur rang et voulut faire édifier un immense palais palladien par William Kent. Mais un revers de fortune au début de l'Empire ne lui permit pas d'achever ce projet. Finalement, le grand-père du comte actuel sollicita les services de George Stewart dans les années 1780 pour agrandir le manoir d'origine. Il en résulta une demeure que l'on ne pouvait qualifier de chaleureuse, encore moins de confortable, mais qui respectait la tradition et convenait à leur rang.

Ainsi, lorsque Peregrine Bellasis, cinquième comte de Brockenhurst, traversait son grand salon, s'installait dans sa riche bibliothèque, le chien à ses pieds, ou montait l'escalier où s'alignaient les portraits de ses ancêtres, il avait le sentiment de vivre dans une demeure digne de sa noble et ancestrale lignée. Son épouse, Caroline, était parfaitement à même de la diriger, ou du moins d'engager des gens de maison compétents, et même si son enthousiasme pour la propriété, comme les autres plaisirs de son existence, avait disparu dans la tombe avec le corps de son fils, elle savait parfaitement faire illusion et tenir son rôle de comtesse.

Mais ce matin-là, son esprit était ailleurs. Elle remercia Dawson, sa femme de chambre, qui venait de déposer le plateau du déjeuner sur ses genoux, tout en regardant un troupeau de daims se déplacer gracieusement dans le parc sous ses fenêtres. Elle sourit et l'étrangeté de la sensation la saisit.

— Tout va bien, madame ? demanda Dawson avec une pointe d'inquiétude.

Caroline acquiesça.

— Tout à fait bien. Merci, Dawson. Je vous sonnerai dès que je serai prête à m'habiller.

La domestique fit un signe de tête et quitta la pièce. Lady Brockenhurst se servit du café avec précaution. Pourquoi son cœur lui paraissait-il tout à coup plus léger ? Était-ce si évident ? Une petite harpie avait voulu exercer un chantage sur son fils défunt. Car c'était bien la raison de l'existence de cet enfant, elle n'en doutait pas, et pourtant… Elle ferma les yeux. Edmund adorait Lymington. Enfant, il connaissait les moindres recoins du domaine. On pouvait le laisser n'importe où les yeux bandés, il retrouvait toujours son chemin seul. Il n'aurait cependant pas manqué de mains secourables, tant les gardiens, les métayers, les domestiques s'étaient tous pris d'affection pour lui. Caroline n'était pas aimée, elle le savait, pas plus que son mari. Tous deux étaient respectés. Mais rien de plus. On les trouvait froids et distants, peut-être même insensibles, pourtant ils avaient donné naissance à un prodige, un enfant chéri de tous. C'était du moins l'image que Caroline s'était forgée d'Edmund, tandis que s'égrenaient les années vides et solitaires, jusqu'à ce que, grâce à la patine du temps, elle en vienne à croire qu'elle avait engendré le fils parfait. Bien sûr, le comte et elle avaient appelé de leurs vœux d'autres enfants. Mais après trois bébés mort-nés, Edmund occupait seul les nurseries du deuxième étage. Leur fils unique leur suffisait. À mesure qu'il grandissait, les métayers et les villageois avaient hâte de le voir hériter du domaine. Il incarnait pour tous la promesse d'un avenir meilleur et il ne les aurait pas déçus, Caroline en était persuadée. Mais aujourd'hui, les gens du domaine devaient se contenter de Peregrine, avec comme seule perspective John… Un vieil homme n'ayant plus goût à la vie et un jeune coq avide qui ne s'intéressait pas plus à ces gens qu'aux cailloux sous ses bottes. Quoi de plus triste ?

Ce matin, néanmoins, Caroline se sentait différente. Elle parcourut la pièce du regard, ses tentures murales de soie vert pâle, le grand miroir doré au-dessus de la cheminée, la série de gravures au mur, et se demanda ce qui pouvait bien susciter en elle un tel émoi. Puis, avec une sorte d'étonnement, elle comprit qu'elle éprouvait de la joie, une sensation reléguée dans un passé si lointain qu'il lui fallut un long moment pour l'identifier. Pourtant, c'était bien cela. Elle était heureuse à l'idée qu'Edmund ait laissé un fils. Cela ne changerait rien. Le titre, le domaine, la maison de Londres et tous leurs biens reviendraient toujours à John, mais si Edmund avait eu un fils, pourquoi ne pas apprendre à connaître ce jeune homme ? Quel mal y aurait-il à vouloir le retrouver et lui apporter leur aide ? Après tout, ils ne seraient pas la première famille noble à reconnaître un enfant illégitime. Les bâtards du défunt roi étaient tous reçus à la cour par la jeune reine Victoria. Ils pouvaient certainement le faire sortir de l'ombre ? Et lui trouver une petite propriété qu'ils soustrairaient de l'héritage ? Caroline explorait tout un éventail de possibilités. Cette femme pénible n'avait-elle pas dit que le garçon avait été élevé par un ecclésiastique, dans une maison respectable, et non par elle-même et son mari vulgaire ? Si la chance lui souriait, il tiendrait plus de son père que de sa mère. Il pourrait même être une sorte de gentleman. Bien sûr, elle avait promis de ne rien dire, mais devait-elle vraiment conserver le secret quand il s'agissait de cette Mme Trenchard ? Elle frémit. Certes, Caroline Brockenhurst était froide et hautaine, mais ses principes lui interdisaient de manquer à sa parole. Il lui était impossible de briser son serment sans se compromettre. Il devait sûrement exister un autre moyen de se sortir de cette situation délicate.

Quand elle gagna enfin le rez-de-chaussée, Lord Brockenhurst se trouvait toujours dans la salle à manger, absorbé par sa lecture du *Times*.

— Il semblerait que Peel soit bien placé pour remporter les élections, dit-il sans lever les yeux. Lord Melbourne est proche de la sortie. La reine ne va pas apprécier.

— Je crois que le prince Albert préfère Sir Robert Peel.

Son mari émit un grognement.

— Certainement. Il est allemand.

Lady Brockenhurst n'avait pas l'intention de poursuivre dans cette voie.

— Vous n'oubliez pas que Stephen et Grace seront des nôtres pour le déjeuner aujourd'hui ?

— Ils viennent avec John ?

— Je suppose, oui. Puisqu'il loge chez eux.

— Diable ! dit-il sans relever la tête. J'imagine qu'ils veulent de l'argent.

— Merci, Jenkins.

Lady Brockenhurst sourit au majordome, droit comme un I près du buffet. L'employé hocha la tête et quitta la pièce.

— Vraiment, Peregrine, n'avons-nous donc aucun secret ?

— Vous n'avez pas à vous inquiéter pour Jenkins. Il en sait plus sur cette famille que je n'en saurai jamais.

Certes, Jenkins était un enfant de Lymington. Fils de métayer, il était entré au service de la famille à l'âge de treize ans et avait grimpé les échelons au fil des années, jusqu'à atteindre la position très enviée de majordome. Sa loyauté envers les Bellasis était inébranlable.

— Je ne m'inquiète pas. Je trouve seulement impoli de le mettre à l'épreuve. Que cela vous plaise ou non, Stephen est votre frère et votre héritier, vous devez donc le traiter avec respect, du moins en public.

— Mais pas en privé, pour l'amour du ciel ! De plus, il ne sera mon héritier que s'il me survit, ce que je ne saurais tolérer.

— Dieu vous entende !

Caroline s'assit auprès de son mari et se mit à bavarder chaleureusement, évoquant le domaine, ce qu'elle n'avait pas fait depuis des mois, des années peut-être, sans doute parce qu'elle se sentait coupable de ce qu'elle lui cachait.

L'honorable révérend Stephen Bellasis arriva avec sa famille plus tôt que prévu, peu après midi. Il prétexta par la suite vouloir admirer les jardins avant le repas, mais Peregrine était convaincu qu'ils étaient venus en avance uniquement pour l'agacer.

Quoi qu'il en fût, à l'arrivée de leurs invités, ni le comte ni la comtesse n'étaient présents pour les accueillir.

Plus petit que son frère aîné et nettement plus corpulent, Stephen Bellasis n'avait pas hérité du charme des

Brockenhurst, qui avait rendu Peregrine si séduisant dans sa jeunesse, sans parler de feu Lord Bellasis, dont la beauté sombre et féline faisait en son temps tourner toutes les têtes des jeunes filles dans les bals. En comparaison, le crâne chauve de Stephen s'accrochait aux dernières mèches de cheveux gris qu'il peignait soigneusement tous les matins, alors qu'une longue moustache grise, étonnamment fournie, surplombait son menton lisse et fuyant.

Il pénétra dans le vestibule, suivi de son épouse, Grace. Aînée de cinq sœurs, Grace était la fille d'un baronnet du Gloucestershire qui n'avait pu trouver meilleur mari qu'un fils cadet ventru et impécunieux. Mais elle avait surestimé sa propre valeur sur le marché du mariage car, avec ses yeux brun pâle et ses lèvres fines, Grace, comme sa mère le lui avait maintes fois répété, n'épouserait jamais l'héritier d'une grande famille. Sa naissance et son éducation lui avaient donné certaines hauteurs de vue, que son manque d'attraits et sa modeste dot ne lui permettaient pas d'atteindre.

Tout en confiant sa cape, son chapeau et ses gants au valet de pied, elle admira l'immense brassée de lilas disposée dans un vase de l'entrée, au bas du majestueux escalier de pierre. Grace huma leur délicat parfum. Elle adorait les lilas et aurait eu grand plaisir à en avoir chez eux, mais l'entrée du presbytère était trop exiguë pour une telle profusion.

John Bellasis passa devant sa mère. Elle était trop lente à son goût et il avait hâte de se rafraîchir. Tendant sa canne à un domestique, il se rendit tout droit dans la salle à manger, vers les carafes en cristal taillé disposées sur un plateau d'argent près de l'imposante cheminée de marbre. Avant que Jenkins ne puisse le rattraper, il se servit une large rasade de brandy, qu'il avala d'un trait.

— Merci, Jenkins, dit-il en se tournant vers le majordome, vous pouvez m'en donner un autre.

Jenkins le suivit à travers la pièce avec une bouteille.

— Avec de l'eau de Seltz, monsieur ?

— Oui, merci.

Jenkins ne cilla pas. Il était habitué à maître John. Il remplit le verre de brandy, cette fois mélangé à de l'eau gazeuse, et le lui tendit sur un petit plateau d'argent. John s'en empara avant de rejoindre ses parents dans le salon, de l'autre côté du vestibule. Les conversations cessèrent quand il pénétra dans la pièce.

— Ah, vous voilà, dit Grace. Nous nous demandions ce que vous deveniez.

— Je peux vous dire ce que je deviendrai, répliqua-t-il en posant son front contre la vitre fraîche d'une fenêtre, le regard tourné vers les jardins, si je n'arrive pas à me renflouer rapidement.

— Eh bien, cela n'aura pas été long ! s'exclama Lord Brockenhurst. Je pensais que vous patienteriez jusqu'au dessert avant de me réclamer de l'argent.

Le comte se tenait sur le seuil au côté de son épouse.

— Où étiez-vous donc ? s'enquit Stephen.

— Nous étions à Lower Farm, répondit Caroline en passant devant son mari.

Elle effleura la joue de Grace, qui s'était levée pour la saluer.

— Que disiez-vous, John ?

— J'étais très sérieux, assura le jeune homme. J'en ai un besoin urgent.

— De quoi avez-vous besoin si urgemment ? s'enquit Peregrine, qui s'était posté devant la cheminée pour se réchauffer, les mains derrière le dos.

C'était une belle journée de juin et pourtant un grand feu brûlait dans l'âtre. Caroline aimait que chaque pièce de la maison soit chauffée comme une serre.

— J'ai une note de tailleur et mon loyer d'Albany à régler.

John secoua la tête et prit un air étonné, comme s'il n'était en rien responsable de ces dépenses déraisonnables.

— Le loyer d'Albany ? N'est-ce pas votre mère qui s'en charge ? demanda son oncle avec une moue amusée. Et une autre note de tailleur, dites-vous ?

— Je ne vois pas comment un homme de mon rang pourrait passer la saison sans habits, rétorqua John avec un haussement d'épaules, avant de prendre une gorgée de sa boisson.

Grace hocha la tête.

— Il serait injuste de lui demander d'aller comme un va-nu-pieds. Surtout maintenant.

— Pourquoi ? Que se passe-t-il ? interrogea Caroline en levant les yeux.

Grace sourit.

— C'est la raison de notre venue…

— L'*autre* raison de votre venue, vous voulez dire, rectifia Peregrine.

— Continuez, l'encouragea Caroline, impatiente d'apprendre la nouvelle.

— John est parvenu à un arrangement avec Lady Maria Grey.

Peregrine fut agréablement surpris par l'annonce, pour le moins inattendue.

— La fille de Lord Templemore ?

Stephen acquiesça, ravi de cette petite victoire.

— Son père est décédé. Le comte actuel est son frère.

— Elle n'en reste pas moins la fille de Lord Templemore, répliqua Peregrine en souriant. Bien joué, John, ajouta-t-il avec une pointe d'incrédulité. Félicitations.

John fut piqué au vif par l'étonnement manifeste de son oncle.

— Je vous en prie, ne prenez pas cet air surpris. Pourquoi ne pourrais-je pas épouser Maria Grey ?

— Pourquoi, en effet ? Je ne vois aucune raison à cela. Non, vraiment aucune raison. Voilà une belle alliance. Je le répète, c'est bien joué. Et je suis sincère.

— C'est une belle alliance pour elle, grommela Stephen. Les Templemore n'ont pas un sou et elle épouse le futur comte de Brockenhurst après tout.

Il ne pouvait s'empêcher de rappeler à son frère et sa belle-sœur qu'ils n'avaient aucune descendance.

Peregrine le regarda sans répondre. Il n'avait jamais vraiment apprécié Stephen, pas même quand ils étaient enfants. Peut-être était-ce à cause de son visage rubicond ou du fait que, petit, son frère pleurnichait pour un rien et réclamait continuellement l'attention de tous. Une petite sœur était née ensuite, mais Lady Alice n'avait pas six ans lorsqu'elle avait succombé à la coqueluche. Dès lors, Stephen, de deux ans plus jeune que son frère, était devenu le bébé de la famille. Un rôle que sa mère avait accueilli avec bonheur.

John prit une nouvelle gorgée de sa boisson.

— Que buvez-vous ? demanda Peregrine à son neveu.

— Un brandy.

Il n'avait nullement l'air contrit.

— Avez-vous froid ?

— Pas particulièrement.

Peregrine éclata de rire. Il n'appréciait guère John, mais le préférait à son père. Au moins, le jeune homme avait de l'aplomb. Avec une contrariété évidente, il revint à Stephen.

— Pourquoi êtes-vous venu aussi tôt, cher frère ?

— Comment vous portez-vous ces derniers temps ? répondit le révérend depuis son fauteuil, ignorant la question. (Les jambes croisées, il balançait le pied.) L'humidité ne vous affecte pas trop ?

Son frère secoua la tête.

— Je la trouve agréable au contraire.

— Tout se passe bien à Lower Farm ?

— Vous vous inquiétez pour votre futur domaine ?

— Pas du tout ! s'emporta Stephen. Est-ce un crime de montrer de l'intérêt pour vos affaires ?

— Quel plaisir de vous voir, très chère, dit Caroline à Grace, assise près d'elle, sans en penser un mot.

Les incessantes querelles des deux frères la fatiguaient. Quant à sa belle-sœur, c'était le genre de femme dont la coupe était toujours à moitié vide.

— Vous êtes trop bonne, répliqua Grace. Je me demandais si vous auriez quelque objet à nous donner pour la fête de l'Église. Une broderie, un mouchoir, un coussin, ce genre de choses. (Elle joignit les mains en prière.) Les besoins sont immenses, hélas. Nous sommes si sollicitées. Des vieillards, des infirmes, de jeunes veuves sans le sou avec des enfants. C'est à vous briser le cœur.

— Et les femmes perdues ? demanda Caroline.

Grace parut ne pas comprendre.

— Les femmes perdues ?

— Des mères qui n'ont jamais été mariées.

— Oh, je vois, répondit Grace en fronçant le nez comme si Caroline avait proféré une sorte d'injure. Nous préférons généralement les laisser à la charge de la paroisse.

— S'adressent-elles à vous pour obtenir de l'aide ?

— Parfois. (Le sujet mettait visiblement Grace mal à l'aise.) Mais nous nous efforçons de ne pas nous laisser attendrir. Comment les autres jeunes filles peuvent-elles apprendre les dures leçons de l'existence, si ce n'est grâce au triste exemple de ces malheureuses ?

Elle revint sur des sables moins mouvants et lui exposa ses idées pour la vente de charité.

Tandis que Grace évoquait les jeux de massacre et autres animations prévues, Caroline ne put s'empêcher d'imaginer Sophia Trenchard, enceinte à dix-huit ans. Si la jeune femme s'était présentée devant ce comité de femmes revêches, la mine contrite et le regard larmoyant, Grace l'aurait-elle rejetée elle aussi ? Probablement. Elle-même se serait-elle montrée plus compatissante si Sophia était venue lui demander de l'aide ?

— Je vous trouverai bien quelques objets utiles, finit-elle par répondre.

— Merci. Le comité vous en sera infiniment reconnaissant.

Le repas fut servi dans la salle à manger, en présence de quatre valets de pied et du majordome. C'était sans commune mesure avec les grandes parties de chasse d'antan. Le comte et la comtesse recevaient peu depuis la disparition d'Edmund, mais même pour un simple déjeuner en famille Peregrine tenait au respect du protocole. Six plats – consommé, quenelles au brochet, cailles, côtelettes de mouton accompagnées de compotée d'oignons, sorbet au citron et pudding aux raisins –, ce qui pouvait paraître excessif, mais Caroline n'avait nulle intention de donner à son beau-frère des raisons de se plaindre.

Pendant qu'ils dégustaient le consommé, Grace, enhardie par les bonnes dispositions de la comtesse, décida de divertir la tablée avec les nouvelles de la famille.

— Emma va avoir un autre enfant.

— Quelle bonne nouvelle. Je vais lui écrire, dit Caroline.

Emma, l'aînée de son frère John de cinq années, était une femme charmante, bien plus plaisante que les autres membres de la famille, aussi Caroline se réjouissait-elle sincèrement de sa bonne fortune. Elle avait épousé un propriétaire terrien du coin, sir Hugo Scott, baronnet de son état, et tous deux menaient l'existence paisible qui leur était destinée. Le premier enfant d'Emma, une fille prénommée Constance, avait opportunément vu le jour neuf mois après le mariage, après quoi un bébé était né chaque année. Le petit dernier serait le cinquième de la fratrie. Jusqu'ici, Emma avait trois filles en bonne santé et un fils unique.

— Nous pensons que c'est pour l'automne, quoique Emma n'en soit pas totalement sûre, dit Grace en avalant une cuillerée de potage. Hugo espère avoir un fils cette fois. Deux héritiers valent mieux qu'un, comme il le répète souvent. Deux héritiers valent mieux qu'un !

Elle rit de sa plaisanterie mais, en reposant sa cuillère, elle croisa le regard de sa belle-sœur et se tut.

Caroline ne ressentait aucune colère, simplement de la lassitude. Elle ne comptait plus le nombre de fois où Grace et Stephen les avaient assommés de récits de leur nombreuse et turbulente descendance. Cherchaient-ils à la blesser ou faisaient-ils seulement preuve d'un impardonnable manque de tact ? D'après Peregrine, ils se montraient délibérément déplaisants, alors que Caroline mettait leur comportement sur le compte de la bêtise. Selon elle, Grace était bien trop faible d'esprit pour faire preuve d'une malveillance calculée.

Les valets débarrassèrent les assiettes en silence. Ils étaient habitués au mutisme du comte, qui faisait peu d'efforts de conversation à table et ne parlait guère en général, mais nul doute que la compagnie de son frère le rendait encore plus taciturne. Après avoir consacré toute l'énergie de sa jeunesse à l'expansion du domaine, il avait perdu le goût d'entreprendre à la mort de son fils et, les années s'écoulant, préférait passer ses journées seul dans la bibliothèque.

— Donc, dit Stephen en avalant une gorgée de bordeaux, je me demandais, cher frère, si je pouvais vous dire un mot en privé après le repas.

— Un mot en privé ? répéta Peregrine en se renversant dans son siège. Nous savons tous ce que cela signifie. Il s'agit d'argent.

— Eh bien…

Stephen s'éclaircit la gorge. Son visage livide luisait dans la lumière du soleil qui se déversait par les fenêtres. Il tira sur son col comme s'il étouffait.

— … nous ne voudrions pas importuner ces dames.

Sa voix se brisa. Comme il haïssait sa position. Son frère savait exactement ce qui motivait sa venue. Cette dégradante situation ne tenait qu'au hasard, à la malchance. À quoi d'autre attribuer le fait d'être né à peine deux ans après le beau Peregrine, qui faisait autrefois l'admiration de tous ? Pourquoi se voyait-il réduit à cette humiliante mascarade ?

— Ah ! Cela ne vous gêne pourtant pas de m'importuner, moi !

Peregrine se servit un doigt de porto et fit tourner le liquide dans le verre.

— Si nous pouvions seulement…

— Allons ! Au fait !

— Ce que mon père vous demande, c'est une avance sur mon futur héritage, intervint John, soutenant le regard de son oncle.

Peregrine réprima un grognement.

— Votre héritage ? Ou le sien ?

À l'évidence, John ne pensait pas que son père survivrait à son oncle, ni aux autres personnes présentes dans la pièce.

— Notre héritage, dit-il posément.

Peregrine devait reconnaître que le jeune homme bien élevé et élégamment vêtu présentait toutes les qualités de l'héritier qu'il voulait devenir. Pour autant, il n'éprouvait pas d'affection pour lui.

— Il souhaite donc une *autre* avance sur son héritage.

— Si vous voulez. Une autre avance.

John ne cilla pas. Il ne se laissait pas facilement décontenancer.

Peregrine sirota son porto.

— J'ai bien peur que mon petit frère n'ait déjà bien entamé sa part.

Stephen détestait être appelé « petit frère ». Il avait soixante-six ans, pour l'amour du ciel ! Deux enfants bien vivants et bientôt cinq petits-enfants ! Il bouillait de rage.

— Vous conviendrez que le devoir de la famille est de sauver les apparences. Il en va de votre honneur.

— Je ne prétendrais pas le contraire, répondit Peregrine. Vous devez mener une existence décente, je vous l'accorde, comme tout homme d'Église. Mais pas plus que cela, et certainement pas afficher un train de vie que personne n'attend de vous ni n'approuve. Les gens doivent se demander à quoi vous dépensez votre argent.

— En rien que vous ne désapprouveriez, dit Stephen, qui marchait sur des œufs.

Peregrine serait fâché d'apprendre où disparaissait son argent.

— Vous m'avez déjà donné des fonds par le passé.

— En effet, souvent. Trop souvent.

Peregrine secoua la tête. C'était donc pour cette raison que son frère avait suggéré ce déjeuner. Comme si cela le surprenait !

La situation devenait gênante, à tel point que Caroline décida d'en reprendre le contrôle.

— Parlez-nous de Maria Grey, dit-elle, sans parvenir à masquer sa perplexité. Je pensais qu'elle venait tout juste de faire sa sortie dans le monde.

Grace se servit une côtelette de mouton.

— Non, non. C'était il y a deux ans déjà. Elle est presque trop âgée. Elle a vingt et un ans.

— Vingt et un ans… (L'expression de Caroline se fit mélancolique.) Comme le temps passe… Je suis surprise que Lady Templemore ne m'en ait rien dit.

La mère de Maria et elle entretenaient une relation amicale depuis des années.

— Elle attendait peut-être que tout soit décidé, dit Grace avec un sourire.

— Et c'est fait maintenant. Sont-ils fiancés ?

Inconsciemment ou non, le ton de Lady Brockenhurst trahissait l'impression que le jeune couple était mal assorti.

Grace posa son couteau et sa fourchette, et sourit avec fermeté.

— Nous avons encore deux ou trois détails à régler, après quoi nous annoncerons officiellement leurs fiançailles.

Caroline songea à la jeune femme charmante et intelligente qu'elle connaissait, à son arrogant et indélicat neveu, puis ne put s'empêcher de penser à son propre fils, figé dans la tombe pour l'éternité.

— Ainsi voyez-vous, nous... je veux dire *John* a besoin de fonds, dit Stephen en jetant un regard appréciateur à son épouse.

Grace avait eu raison de jouer cette carte. Peregrine ne pouvait décemment leur couper les vivres. Laisser son héritier dans le besoin jetterait l'opprobre sur la famille tout entière. En particulier au moment où les comtesses étaient censées discuter de cette future union.

Enfin, après avoir terminé le sorbet au citron, bu le café au salon et fait le tour des jardins, Stephen, John et Grace prirent congé. Ils repartaient avec un pécule suffisant pour régler les notes de tailleur, ainsi que les autres dettes que Stephen avait omis de mentionner. Peregrine se retira dans sa bibliothèque. Le cœur lourd, il s'installa dans son large fauteuil de cuir près du feu et tenta de s'absorber dans une œuvre de Pline. L'Ancien avait sa préférence, et non le Jeune, tant il aimait les faits historiques et scientifiques. Mais cet après-midi-là, au lieu de danser gaiement sur la page, les mots se brouillaient devant ses yeux. Il venait de lire trois fois le même paragraphe quand Caroline franchit le seuil.

— Vous étiez bien silencieux au déjeuner, mon ami. Que vous arrive-t-il ?

Peregrine ferma son volume sans dire un mot. Il observa pensivement les portraits alignés au-dessus de la bibliothèque d'acajou, les hommes coiffés de perruques à l'air sévère, les femmes aux robes de satin, ses ancêtres, qui lui avaient transmis leur sang, à lui, le dernier de sa lignée. Puis il regarda de nouveau sa femme.

— Pourquoi mon frère, un homme qui n'a jamais su prouver sa valeur, a-t-il la bénédiction de voir ses enfants mariés et ses petits-enfants réunis autour de sa personne ?

— Oh, mon ami !

Caroline s'assit à côté de lui et posa la main sur son genou frêle.

— Je suis désolé, dit Peregrine en secouant la tête. Je ne suis qu'un vieux fou sentimental. Mais parfois je ne peux m'empêcher de penser à cette injustice.

— Et vous croyez que je n'en fais pas autant ?

Il soupira.

— Vous arrive-t-il de vous demander à quoi il ressemblerait aujourd'hui ? Il serait marié, bien sûr, et un peu plus empâté. Avec des fils intelligents et des filles superbes.

— Peut-être des filles intelligentes et des fils superbes.

— Ce qui est certain, c'est qu'il n'est pas là. Notre fils Edmund nous a quittés, et Dieu m'est témoin que je ne comprends pas pourquoi le sort s'est acharné sur nous.

Le comte de Brockenhurst souffrait de cette incapacité typiquement anglaise à exprimer ses sentiments, qui le rendait souvent plus poignant qu'éloquent. Il prit la main de son épouse et la serra. Ses yeux bleu pâle brillaient de larmes.

— Pardonnez-moi, ma chère, je m'égare, dit-il, le regard empli de tendresse. Je me demande à quoi bon tout ceci. (Il eut un rire bref, avant de se reprendre.) Ne m'écoutez pas, je devrais cesser de boire du porto. Cela me rend mélancolique.

Caroline lui caressa la main. Il aurait été si simple de lui avouer la vérité, lui révéler qu'il avait un petit-fils, un héritier de son propre sang, si ce n'était de son rang. Mais certains éléments lui manquaient. Anne Trenchard avait-elle dit vrai ? Caroline devait mener son enquête. Elle avait promis à cette femme de ne rien dire et, s'il était une qualité qu'on ne pouvait lui enlever, c'était qu'elle tenait toujours parole.

La forte dose de valériane qu'Anne avait ingérée ne suffit pas à apaiser sa terrible migraine. Elle avait l'impression que son crâne avait été coupé en deux par une lame d'acier. La cause en était évidente. De nature d'ordinaire peu impulsive, elle devait bien reconnaître que sa marche solitaire jusqu'à Eaton Square et son entrevue avec Lady Brockenhurst avaient été particulièrement éprouvantes.

De retour au numéro 110, elle tremblait si fort quand elle frappa à la porte qu'elle fut incapable de fournir la moindre explication à son trouble. Billy fut effaré de la découvrir ainsi accablée sur le seuil. Que faisait sa maîtresse seule dehors, dans un tel état de nerfs ? Où était Quirk, le cocher ? Cette situation alimenta la conversation des domestiques en attendant l'heure tardive de leur souper dans l'office. Mais nul ne pouvait être plus bouleversé qu'Anne quand elle monta l'escalier pour gagner ses appartements.

— On aurait dit qu'elle allait tomber dans les pommes, déclara sa femme de chambre, Ellis, en s'asseyant à table ce soir-là. Elle serrait cette malheureuse chienne comme une perdue en se balançant dans son fauteuil.

La vie n'avait pas été des plus tendres pour Ellis. Après l'effervescence de Waterloo, où les rues de Bruxelles fourmillaient de soldats enchantés de faire un brin de causette avec une jolie femme de chambre, elle avait trouvé leur vie à Londres bien fade en comparaison. Ellis parlait souvent de son amie Jane Croft, la femme de chambre de Mlle Sophia à l'époque, devenue gouvernante d'une maison à la campagne, et menaçait régulièrement de donner son congé pour tenter une aventure similaire. Mais, à dire vrai, elle savait combien il serait inconsidéré de quitter sa place. Elle rêvait d'une position dans une illustre maisonnée, au sein d'une famille titrée, mais les Trenchard rémunéraient davantage leurs domestiques que la plupart des aristocrates de sa connaissance, et les soupers servis dans l'office étaient bien meilleurs que partout ailleurs. Mme Babbage disposait d'un budget confortable et servait de la viande à presque tous les repas.

— Elle n'a pas tort, dit Billy en se frottant les mains et en humant le délicieux fumet de ragoût de bœuf aux pommes de terre qui s'échappait de la grosse marmite en cuivre au milieu de la table. Enfin, on n'a jamais vu une dame seule dans les rues de Londres ! Pour sûr, elle ne voulait pas que son mari découvre ses petites affaires.

— Vous croyez qu'elle a un galant ? gloussa l'une des servantes.

— Mercy ! Allez immédiatement dans votre chambre !

Mme Frant se tenait sur le seuil, mains sur les hanches, habillée d'une jupe noire et d'un chemisier noir au col haut épinglé par un camée vert pâle. Elle n'était au service des Trenchard que depuis trois ans mais savait d'expérience qu'elle avait de bons employeurs et ne tolérerait aucune conversation inconvenante au sein de l'office.

— Pardon, madame Frant, j'allais juste...

— Vous alliez justement monter dans votre chambre sans dîner. Un mot déplacé de plus et vous quitterez cette maison demain matin sans aucune référence.

La fille renifla, mais n'osa pas argumenter. Alors qu'elle grimpait l'escalier en hâte, Mme Frant prit sa place à table.

— Bien, à présent, nous pouvons converser de manière civile, et je n'accepterai pas que nos maîtres soient l'objet de commérages sous leur propre toit.

— Tout de même, madame Frant... (Ellis tenait à montrer qu'elle ne se considérait pas sous les ordres de l'intendante.) Il est un peu étrange d'avoir une maîtresse qui a besoin de valériane pour soigner sa migraine. La dernière fois que je l'ai vue dans cet état, c'est quand Mlle Sophia et elle sont allées rendre visite à leur cousine malade dans le Derbyshire…

Les deux femmes échangèrent un regard acéré.

À défaut d'explication, James Trenchard ne pouvait que spéculer sur les raisons qui obligeaient son épouse à garder le lit, où celle-ci avait exigé qu'on lui serve son dîner. Cela avait certainement à voir avec Charles Pope et son refus de révéler l'existence de leur petit-fils à Lady Brockenhurst mais, si James n'avait pas changé d'opinion sur le sujet, il avait hâte d'être de nouveau en bons termes avec sa femme. Aussi, lorsqu'il découvrit dans le courrier du matin une invitation à visiter les jardins de Kew, il décida de la lui porter en personne, espérant lui redonner le sourire. Anne adorait l'horticulture et il croyait se rappeler qu'elle appréciait tout particulièrement ces jardins.

— Je pourrais t'accompagner, déclara-t-il avec enthousiasme pendant qu'elle étudiait l'invitation.

Redressée sur ses oreillers, le teint pâle, elle était intéressée, il en était convaincu.

— Tu ferais la route jusqu'à Kew ? s'étonna Anne. Toi qui ne veux même pas traverser les jardins de Glenville…

Elle souriait.

— Cela plairait peut-être à Susan.

— Susan n'aime pas les fleurs et ne voit de beauté que dans les objets brillants exposés dans la vitrine de M. Asprey. Elle m'a entraînée dans cette nouvelle boutique la semaine dernière et j'ai eu toutes les peines du monde à l'en faire sortir.

— J'imagine très bien la scène, répondit James en s'esclaffant. À ce propos, après notre conversation de l'autre soir, je me demandais si je ne devrais pas impliquer davantage Oliver dans mes affaires. Il est un peu oisif en ce moment, mais il manque peut-être d'encouragements. J'ai rendez-vous avec William Cubitt demain à propos du projet de l'Île aux Chiens et, si Oliver veut réellement participer, comme il l'a laissé entendre, je pourrais lui en parler.

— Mais es-tu certain que ce projet l'intéresse vraiment ? Cela ne ressemble guère à Oliver.

— Il serait peut-être temps qu'il se montre moins regardant sur ses centres d'intérêt !

James regrettait son emportement, mais le dédain affiché par son fils pour son travail l'irritait au plus haut point.

— Eh bien, je suppose que ça ne peut lui faire que du bien. Tu pourrais en effet lui suggérer l'idée.

Ce n'était pas exactement la réponse que James espérait. Il ne serait pas simple pour lui de demander à William Cubitt de confier plus de responsabilités à son fils dans leur affaire. Une affaire pour laquelle Oliver montrait fort peu d'aptitudes et de goût. C'était bien audacieux de sa part, étant donné les enjeux de l'entreprise.

Anne partageait son inquiétude, mais ne se sentait pas le courage de se quereller avec lui. Elle s'était toujours flattée d'avoir du discernement. Tout comme elle savait généralement très vite à qui elle avait affaire et ne dévoilait pas aisément son jeu. Elle ne faisait pas partie de ces femmes légères dont la langue se déliait après une coupe de champagne. À quoi pensait-elle quand elle avait dévoilé la vérité à Lady Brockenhurst ? Avait-elle été intimidée par la comtesse ? Ou bien portait-elle son fardeau depuis trop longtemps ? Il n'en demeurait pas moins qu'elle avait révélé un secret d'une ampleur inimaginable à une parfaite étrangère, une femme dont elle ne savait rien, à qui elle avait donné une arme capable de briser sa famille tout entière. Allait-elle s'en servir ? La question demeurait. Elle sonna Ellis pour qu'elle emmène Agnes faire sa promenade du soir.

Le lendemain, James quitta la maison de bonne heure. D'ordinaire, il allait saluer son épouse avant de partir, mais elle avait eu un sommeil si agité qu'elle ne se réveillerait sans doute pas avant midi. Cela dit, il ne s'inquiétait pas outre mesure. Les tourments de son épouse finiraient par s'apaiser. Il se faisait davantage de souci à l'idée de rencontrer son associé. Il irait d'abord à son bureau pour traiter les tâches de la matinée, puis le retrouverait à midi.

William Cubitt avait choisi l'Athenaeum pour leur rendez-vous et James préféra arriver tôt sur les lieux pour pouvoir les étudier tout à loisir. Il avait entendu dire que les conditions d'entrée du club s'étaient légèrement assouplies, aussi avait-il posé sa candidature. L'idée de n'être membre d'aucun club de gentlemen le frustrait.

Parvenu au 107 Pall Mall, il admira les imposantes colonnes de l'entrée, puis traversa la rue pour observer les frises du haut de la façade en hommage au Parthénon. Il peinait à croire que Decimus Burton ait bâti cet édifice à seulement vingt-quatre ans.

Lorsque James pénétra dans le vestibule et tendit ses gants et sa canne au valet, il se demanda avec anxiété qui pourrait le renseigner sur sa candidature. Il l'avait déposée depuis un certain temps et n'avait toujours aucune nouvelle. Peut-être avait-elle été rejetée ? Si tel était le cas, ne l'en auraient-ils pas informé ? Il était las d'attendre la réponse. Il observa avec envie l'immense entrée et son magnifique escalier impérial, qui se scindait au premier étage pour donner accès de part et d'autre à un grand salon.

— James ! s'écria William en bondissant de son siège pour accueillir son ami. Quel plaisir de vous voir !

La silhouette mince et le cheveu grisonnant, William Cubitt avait un visage intelligent et des yeux pétillants qu'il fermait à demi lorsqu'il se concentrait sur les paroles de son interlocuteur.

— Avez-vous vu le nouveau Reform Club en chemin ? N'est-il pas superbe ? Quel homme ingénieux, ce Charles Barry ! Cela dit, je suis plus circonspect quant à l'orientation politique de ses membres, ajouta-t-il en haussant un sourcil. Une belle bande de libéraux, tous prêts à semer le trouble, mais cela reste une grande réussite architecturale.

Bâtisseur de Covent Garden, du Fishmonger's Hall, du portique d'Euston Station et de bien d'autres édifices, Cubitt remarquait toujours des détails qui échappaient au commun des mortels.

— Et vous avez vu les neuf fenêtres de la façade ? Plutôt audacieux. Sans parler de la taille du bâtiment lui-même... Il fait de l'ombre au malheureux Travellers Club... Bien, voulez-vous boire quelque chose ? Si nous allions à la bibliothèque ?

La bibliothèque, une immense salle qui occupait presque tout le premier étage, faisait la fierté du club avec son impressionnante collection de livres. James n'en était que plus impatient d'être admis dans ce sanctuaire. Pourquoi le gardait-on dans l'ignorance ? Il eut le plus grand mal à se concentrer sur la conversation, mais finit par se calmer avec un verre de madère, et Cubitt et lui discutèrent de leurs futurs projets, ainsi que des aménagements que son associé avait en tête pour Cubitt Town.

— J'aimerais changer le nom, dit son partenaire. Mais gardons cette appellation pour le moment.

— Donc, l'idée est d'élargir les quais, de créer des commerces locaux et de construire des maisons pour les ouvriers des environs ?

— Exactement. La poterie, la fabrication de briques, le ciment. Autant de professions salissantes, mais cela doit être fait, et je veux en être le maître d'œuvre. Il nous faut aussi des habitations pour les preneurs de paris et les employés, et avec de la chance nous persuaderons quelques directeurs de s'établir là aussi, si nous parvenons à assainir la place. En résumé, nous allons entièrement réhabiliter le lieu et bâtir une nouvelle communauté.

— C'est un projet ambitieux.

— Certes. Nous devrons d'abord drainer le sol, bien sûr, mais nous avons de l'expérience en la matière après la construction des maisons de Belgravia. Et mon petit doigt me dit que nous ne serons pas peu fiers de cette réalisation.

— Pensez-vous qu'Oliver pourrait participer à ce projet ? Je sais qu'il serait très heureux d'y collaborer, déclara James le plus naturellement possible.

— Oliver ?

— Oui, mon fils, dit James d'une voix mal assurée.

— Oh, Oliver…

Un sentiment de malaise s'installa entre les deux hommes. Puis Cubitt reprit :

— Il lui faut sans doute du temps pour intégrer le fonctionnement de notre affaire, mais je ne l'ai jamais senti très passionné par l'architecture. Ni par la construction, à vrai dire. Je ne vois pas d'objection à ce qu'il travaille pour moi, entendez-moi bien, simplement cette entreprise réclame un gros investissement personnel, ce qu'il n'est peut-être pas prêt à consentir.

— Au contraire ! Il a très envie de s'impliquer davantage, insista James en s'efforçant de chasser ses propres doutes. Et l'architecture l'intéresse au plus haut point. Seulement, il n'est pas toujours très doué… pour exprimer ses sentiments.

— Je vois.

William Cubitt ne paraissait guère convaincu.

James connaissait William et son frère aîné, Thomas, depuis près de vingt ans, et au fil du temps tous trois étaient devenus proches. Plus que des partenaires, ils étaient à présent des amis. Le trio s'était enrichi et avait toutes les raisons de se réjouir, mais c'était la première fois que James demandait aux frères ce qui ressemblait à une faveur et cela ne lui plaisait guère. Il se frotta la tempe droite. En fait, ce n'était pas tout à fait exact. La première faveur avait consisté à faire entrer Oliver dans la compagnie. À l'évidence, le jeune homme ne leur avait pas laissé une impression très favorable, et voilà que James en demandait plus encore.

William plissa les yeux. Pour être honnête, il était surpris. Il ne s'attendait pas à une telle requête. Il connaissait Oliver depuis l'enfance, or, malgré tout le temps passé auprès des deux frères, le jeune homme n'avait jamais posé la moindre question sur le développement de Bloomsbury ou Belgravia, ni sur leurs réalisations précédentes. Il accomplissait correctement ses tâches de bureau, mais sans grand enthousiasme ni intérêt. Cela dit, William appréciait énormément James Trenchard. L'homme était intelligent, tenace, d'une fiabilité absolue et toujours prêt à travailler dur. Il pouvait se montrer pompeux par moments et son inlassable ambition sociale le rendait un peu ridicule, mais chacun avait ses faiblesses.

— Très bien, je vais chercher un moyen de l'impliquer, dit Cubitt. Il est important que les familles travaillent ensemble. Mon frère et moi le faisons depuis des années, alors pourquoi pas vous et votre fils ? Nous allons l'envoyer sur le terrain. On a toujours besoin de bons meneurs d'hommes. Dites-lui de venir me trouver lundi et nous le mettrons sur le projet de l'Île aux Chiens. Vous avez ma parole.

William lui tendit la main, que James prit avec un sourire. Pourtant, étrangement, il se sentait moins confiant qu'il ne l'aurait voulu.

Maintenant qu'Anne se sentait mieux, il aurait fallu rien moins que le typhus pour l'empêcher d'honorer l'invitation à Kew. Les jardins avaient été inaugurés l'année précédente, en 1840, en grande partie grâce à la ferveur du duc du Devonshire qui, en sa qualité de président de la Société royale d'horticulture, était au cœur même du projet. Il avait été soutenu par les passionnés de jardinage à travers tout le pays, dont le nombre ne faisait que croître. Dans les années 1840, l'horticulture était à la mode dans toutes les classes de la société britannique. Anne Trenchard avait largement contribué au financement du projet, ce qui expliquait sa présence sur la liste des invités. Malgré ses inquiétudes concernant Lady Brockenhurst et sa méfiance naturelle pour les mondanités, Anne se réjouissait de cette visite.

L'horticulture n'avait rien d'un divertissement pour Anne. C'était sa passion, son obsession. Peu après la mort de Sophia, elle s'était concentrée sur tout ce qui concernait l'aménagement des jardins et trouvait des vertus thérapeutiques à l'étude et la culture des fleurs. Cela apaisait son âme. James l'encourageait dans cette voie depuis qu'il était tombé, à Bloomsbury, sur une édition rare et précieuse du *City Gardener* de Thomas Fairchild, publiée en 1722, et depuis lors il ne cessait d'enrichir la bibliothèque horticole de son épouse.

Mais c'est l'acquisition de Glenville, en 1825, qui avait définitivement scellé la passion d'Anne. Ce manoir élisabéthain délabré exerçait sur elle une sorte de fascination et rien ne pouvait lui faire plus plaisir qu'une discussion animée avec Hooper, son jardinier en chef. Ensemble, ils avaient replanté les orchidées et aménagé un potager qui fournissait de la nourriture à tout le domaine, avant de réhabiliter entièrement les terrasses envahies par la végétation, en mêlant influences du siècle passé et aspirations modernes. Enfin, ils avaient recréé les formes géométriques originelles des jardins à l'époque de la construction de la demeure. Anne avait même fait bâtir une verrière où elle réussissait à faire pousser des cognassiers et des pêchers. Ces derniers produisaient peu de pêches, mais d'une rondeur si parfaite que Hooper les avait présentées à la foire de la Société royale d'horticulture de Chiswick l'année précédente.

Anne avait naturellement fait des connaissances au sein de la fraternité des horticulteurs, dont celle de Joseph Paxton, un jeune talent lors de leur rencontre, aux idées originales, presque révolutionnaires. Elle avait été enchantée d'apprendre que le duc du Devonshire lui avait confié l'aménagement des jardins de Chiswick House, sa villa proche de Londres. Et plus encore lorsque Paxton s'était installé à Chatsworth, le palais du duc dans le Derbyshire, où il avait eu la responsabilité de créer un jardin d'hiver de cent mètres de long. Bien sûr, Anne ne connaissait pas le duc personnellement, mais en tant que président de la Société royale d'horticulture, il se passionnait autant pour les jardins qu'Anne elle-même.

C'était Paxton qu'elle espérait voir à Kew. Elle avait de nombreuses questions à poser sur ses cognassiers au spécialiste de tout ce qui poussait sous serre. À son arrivée, les jardins bruissaient de monde. Des centaines de dames en robe pastel, chapeau et ombrelle flânaient le long des pelouses, admiraient les parterres et les chemins entrelacés, aménagés pour satisfaire l'intérêt des foules qui se précipitaient hors de Londres au premier rayon de soleil. Anne se dirigeait vers l'Orangerie quand elle aperçut l'homme qu'elle cherchait.

— Monsieur Paxton ! J'espérais bien vous trouver ici.

Elle lui tendit la main.

— Madame Trenchard, comment vous portez-vous ? répondit-il avec un grand sourire. Et comment vont ces délicieuses pêches qui ont remporté un prix ?

— Ah ! Quel heureux souvenir !

Bientôt, ils discutaient de la complexité des cognassiers, qui donnaient difficilement des fruits sous un climat aussi peu clément, et des attentes des juges de la foire de la

Société royale. En fait, ils parlaient avec tant d'animation que ni l'un ni l'autre ne vit les deux personnes distinguées s'approcher d'eux.

— Vous voilà, Paxton ! déclara le duc du Devonshire. Je vous ai cherché partout.

Grand, les cheveux noirs, avec des yeux en amande et un long nez, l'homme semblait d'excellente humeur.

— Avez-vous appris la nouvelle ?

— Quelle nouvelle, Votre Grâce ? répondit Paxton.

— Ils ont enlevé tous les agrumes de l'Orangerie. (C'était manifestement une nouvelle extraordinaire.) Impensable, n'est-ce pas ? Il fait trop sombre à l'intérieur, apparemment. Et l'édifice est mal orienté. Ils n'ont pas votre science, hélas.

Il sourit et se tourna plaisamment vers Anne, dans l'attente manifeste de présentations. C'est à cet instant qu'Anne remarqua la compagne du duc, qui la regardait sans ciller sous son chapeau.

— Votre Grâce, madame la comtesse, dit Paxton en reculant d'un pas, puis-je vous présenter une excellente horticultrice et membre émérite de la Société, Mme Trenchard.

— Enchanté, madame Trenchard, dit le duc avec un signe de tête courtois. Votre nom ne m'est pas inconnu. Paxton ici même m'a déjà parlé de vous. (Il se tourna vers sa compagne.) Permettez-moi de vous…

— Mme Trenchard et moi avons déjà été présentées, intervint Lady Brockenhurst, le visage impénétrable.

— Parfait, déclara le duc en regardant les deux femmes l'une après l'autre avec un léger froncement de sourcils.

Il ne comprenait pas comment son amie, la comtesse de Brockenhurst, pouvait connaître cette femme, mais en était ravi.

— Allons voir ce jardin d'hiver, voulez-vous ?

Ouvrant le chemin, le duc marcha d'un bon pas, suivi de Paxton et des deux dames. Il n'en savait rien, mais sa fière amie était en proie à une exaltation intense, qui avait refermé le poing autour de son cœur. Elle tenait là sa chance.

— Madame Trenchard, dit la comtesse, cet homme dont nous parlions l'autre jour…

Le cœur d'Anne cessa de battre. Comment échapper à ces questions ? Encore une fois, le secret était éventé. À quoi bon prétendre le contraire ?

— Charles Pope ?

Elle répondit un peu sèchement sans le vouloir.

— Lui-même. Charles Pope.

— Eh bien ?

Anne observa les familles autour d'elle, les hommes qui prenaient des notes sur leurs calepins, les femmes qui peinaient à maîtriser leurs enfants et se demanda, ainsi que cela lui arrivait dans ce genre de situation, comment tous ces gens pouvaient vivre leurs vies comme si rien d'extraordinaire ne se déroulait à quelques pas d'eux.

— J'ai oublié où habitait ce M. Pope.

Paxton observait les deux femmes à présent. La tension dans leurs voix lui confirmait qu'il était le témoin d'une révélation, de l'échange d'un secret. Anne perçut sa curiosité, mais elle ne pouvait la satisfaire.

— Je ne connais pas son adresse exacte.

— Celle de ses parents peut-être ?

L'espace d'une seconde, Anne songea à s'enfuir, trouver une excuse, prétexter une migraine, voire perdre connaissance. Mais la comtesse de Brockenhurst ne se laisserait pas si aisément abuser.

— Je crois me rappeler que le père était un homme d'Église, insista Lady Brockenhurst.

— En effet, le révérend Benjamin Pope.

— Voilà ! Vous voyez, ce n'était pas si difficile, si ? remarqua la comtesse avec un sourire qui lui donna froid dans le dos. Et de quel comté vient-il ?

— Du Surrey. Mais je n'en sais pas davantage.

Anne désespérait de pouvoir échapper à cette femme qui tenait leur destin dans sa main.

— Charles Pope, le fils du révérend Benjamin Pope, qui vit dans le Surrey. Cela devrait me suffire, conclut la comtesse.

En effet, il ne fallut pas longtemps à Caroline Brockenhurst pour retrouver son petit-fils. Comme tous ceux de son rang, elle comptait parmi les membres du clergé de nombreux amis et relations, tous désireux de l'aider à trouver ce jeune homme qui, elle l'apprit bientôt, s'était fait un nom à la City. Elle découvrit qu'il était ambitieux et avait de grands projets d'avenir. Il avait acheté une filature à Manchester et recherchait des fournisseurs réguliers de coton brut pour étendre sa production, sans doute sur le sous-continent indien. Selon toute vraisemblance, c'était un jeune homme dynamique, fourmillant d'idées et d'initiatives. Il n'avait besoin que d'un petit investissement. Du moins était-ce là le résultat de ses recherches.

Quand Lady Brockenhurst frappa à la porte du bureau de Charles Pope, elle se sentait étonnamment calme. Elle s'était montrée plutôt sèche avec son cocher, Hutchinson, quand elle lui avait donné sa destination sur Bishopsgate. Puis elle lui avait demandé de l'attendre une demi-heure, ce qui lui paraissait largement suffisant. Dans son esprit, ce serait une brève entrevue. Elle n'avait pas réfléchi aux détails ni à ce qu'elle allait dire. C'était à peine si elle osait croire à l'histoire de cette Mme Trenchard. Après tout, comment serait-ce possible ?

— La comtesse de Brockenhurst ? Elle est déjà là ?

Le jeune homme bondit de son siège quand l'employé ouvrit la porte et annonça la comtesse.

Elle se tenait là, sur le seuil de son bureau.

Un instant, Caroline fut pétrifiée. Elle observa son visage : les boucles noires, les yeux bleus, le nez aquilin, les lèvres ciselées. C'était le visage de son fils, Edmund revenu à la vie, l'air plus gai sans doute, et assurément plus chaleureux, mais bel et bien son cher Edmund.

— Je cherche un certain M. Charles Pope, dit-elle en sachant parfaitement qu'il lui faisait face.

— Je suis Charles Pope, répondit-il avec un sourire. Entrez, je vous prie. (Il marqua une pause et fronça les sourcils.) Vous vous sentez bien, Lady Brockenhurst ? On dirait que vous avez vu un fantôme.

C'est ma faute, vraiment, songea-t-elle alors qu'il l'invitait à s'asseoir face à son bureau. Elle aurait dû considérer posément la situation au lieu de solliciter un rendez-vous sur un coup de tête, sous prétexte d'investir dans son affaire. Si seulement Peregrine était avec elle ! Assurément, elle aurait pu pleurer, mais elle avait versé assez de larmes pour une vie entière. Surtout, elle devait être sûre de son fait. Charles lui proposa un verre d'eau, qu'elle prit avec gratitude. Elle n'en était pas à défaillir, mais ses jambes tremblaient encore. Bien sûr que le fils d'Edmund lui ressemblait ! Pourquoi n'y avait-elle pas pensé ? Et ne s'était-elle pas préparée au choc ?

— Alors, finit-elle par dire, parlez-moi un peu de vous. D'où venez-vous ?

— D'où je viens ?

Le jeune homme parut perplexe.

Il s'attendait à discuter de son affaire avec la comtesse. Comment avait-elle entendu parler de sa filature ? Cette question le troublait. Il lui semblait bien étrange qu'une dame de la haute société s'intéresse au commerce du coton, mais elle avait beaucoup de relations et était certainement assez riche pour investir dans son affaire.

— Mon histoire n'a pas grand intérêt. Je suis originaire du Surrey. Mon père était pasteur.

— Je vois.

Elle s'était elle-même mise dans une situation délicate. Que pouvait-elle bien lui répondre ? Comment lui expliquer qu'elle connaissait déjà ce détail ? Mais il avait répondu sincèrement à sa question, sans s'interroger sur ses motivations.

— Enfin, pour tout vous dire, mon vrai père est mort avant ma naissance. Alors c'est son cousin, le révérend Benjamin Pope, qui m'a élevé. Je le considère comme mon père, mais lui aussi hélas nous a quittés.

— J'en suis navrée.

Caroline eut bien du mal à cacher la souffrance que lui causaient ces paroles. Elle était assise face à son petit-fils et l'écoutait attentivement. Il considérait un obscur pasteur de campagne comme son père... Si seulement il savait qui était son vrai père ! Elle aurait voulu lui poser un millier de questions, rien que pour entendre le son de sa voix, mais lesquelles ? C'était comme si elle avait peur, en mettant fin à cet entretien, de découvrir le lendemain à son réveil que le jeune Charles Pope n'existait plus, qu'il n'avait en réalité jamais existé et que tout cela n'était qu'un rêve. Car ce jeune homme était le petit-fils qu'elle avait tant espéré.

Finalement, après lui avoir promis d'investir une somme significative dans son projet, elle dut prendre congé. Elle se dirigea vers la porte et s'arrêta.

— Monsieur Pope, je donne une petite réception jeudi prochain. Je reçois généralement le deuxième jeudi de chaque mois durant la saison, et je me demandais si vous aimeriez vous joindre à nous ?

— Moi ?

Si Charles avait été surpris de prime abord, il était à présent totalement ébahi.

— La soirée débute à 22 heures. Nous aurons dîné, mais un souper sera servi à minuit, vous n'avez donc pas besoin de manger avant.

Charles n'était pas un membre de la haute société, mais il était suffisamment instruit pour comprendre l'immense honneur qui lui était fait. Mais que diable avait-il fait pour mériter une telle distinction ?

— J'ai du mal à comprendre…

— Monsieur Pope, je vous invite à une réception ce jeudi. Est-ce si déconcertant ?

Il n'était pas contre un peu d'aventure. Nul doute que tout finirait par s'expliquer.

— J'en serais enchanté, madame.

Quand le valet en livrée arriva à Eaton Square avec une invitation au nom de M. et Mme Trenchard à une réception donnée par la comtesse de Brockenhurst, le secret ne fut pas gardé très longtemps. Anne espérait en discuter avec James avant de répondre. Elle n'avait nullement l'intention d'aller chez cette femme. Mais pourquoi l'avoir invitée ? Lady Brockenhurst n'avait rien caché de ses sentiments à son encontre aux jardins de Kew. La comtesse était hautaine, déplaisante, et Anne ne voulait plus jamais avoir affaire à elle. Cependant, c'était une invitation que James ne saurait refuser. Les Brockenhurst étaient le genre de société que son mari désespérait de fréquenter. Avant qu'Anne ne puisse réfléchir à la situation, on frappa à sa porte.

— Mère ?

Susan affichait son plus beau sourire. Ses intentions étaient claires comme de l'eau de roche. Elle se pencha pour caresser la petite chienne, un indice déjà très révélateur.

— J'ai cru comprendre que vous étiez invitée à dîner chez la comtesse de Brockenhurst ? dit-elle en faisant voleter ses boucles.

Sans doute une coquetterie de sa part, à laquelle Anne était totalement insensible.

— Pas à dîner. Simplement à une réception après le repas, quoique j'imagine qu'une collation sera servie plus tard dans la soirée. Mais je ne suis pas certaine de vouloir y aller.

Elle sourit et attendit la réaction de Susan. La jeune femme était si prévisible.

— Vous ne voulez pas y aller ?

— Nous la connaissons à peine. Et il est difficile de s'enthousiasmer pour une réception qui débute si tard dans la soirée.

— Mais sûrement..., commença Susan avec une moue contrariée.

— Qu'essayez-vous de me demander, ma chère ?

— Je pensais seulement que... nous pourrions être inclus dans l'invitation.

— Mais vous ne l'êtes pas.

— S'il vous plaît, ne m'obligez pas à vous supplier. Après tout, Oliver et moi vivons sous le même toit que vous. Ne devrions-nous pas faire partie de la société que vous fréquentez ? Est-ce trop vous demander ?

— Vous semblez déterminée à aller à cette réception.

— Père pense que vous devriez accepter.

Susan avait repris ses esprits. C'était un bon argument. James ne lui permettrait pas de refuser cette invitation et si Anne ne proposait pas à Oliver et sa femme de les accompagner, elle en entendrait parler pendant le restant de ses jours. Cela n'en valait tout simplement pas la peine.

Ce soir-là, Anne prit place devant son secrétaire, saisit sa plume et écrivit à Lady Brockenhurst pour lui demander dans les termes les plus polis si leur fils et son épouse,

Susan, pouvaient eux aussi assister à la réception. Alors qu'elle scellait l'enveloppe de cire, elle savait que sa requête serait considérée comme déplacée et sans doute vulgaire, mais aussi que la comtesse ne pourrait la refuser.

Néanmoins, Anne ne s'attendait certainement pas au message qu'elle reçut le jour même en réponse. Quand elle la lut, elle laissa échapper la missive. Son cœur battait à tout rompre et l'air lui manquait. Elle dut la parcourir une seconde fois. Là, avec un deuxième carton d'invitation au nom de M. et Mme Oliver Trenchard, avait été ajoutée une note manuscrite :

« J'ai également prié M. Charles Pope de se joindre à nous. »

4

La réception de Belgrave Square

Il était bientôt 22 heures. Anne Trenchard avait les mains tremblantes et l'estomac noué. Elle se regarda dans le miroir en priant silencieusement pour qu'Ellis termine rapidement sa coiffure. Les épingles qui maintenaient sa tiare lui tiraillaient le crâne. Elle aurait la migraine avant la fin de la soirée, cela ne faisait aucun doute.

Elle jeta un coup d'œil à l'horloge dorée sur le manteau de la cheminée. Deux chérubins à l'air boudeur se faisaient face. Belgrave Square se trouvait à moins de cinq minutes en voiture. Il serait impoli d'arriver avant la demie, mais elle n'était pas certaine de pouvoir patienter aussi longtemps.

Il était rare qu'Anne se réjouisse à la perspective d'une soirée mondaine. Cela dit, il n'était pas banal de rencontrer pour la première fois son petit-fils de vingt-cinq ans. La lettre de Lady Brockenhurst disait-elle vrai ? Anne peinait à le croire. À quoi ressemble-t-il ? songea-t-elle en ajustant son collier. Il avait les yeux bleus à la naissance, comme Sophia, mais tous les bébés naissent avec les yeux clairs, ce qui peut changer par la suite. Elle se rappelait son doux parfum, mélange de lait et de sucre, ses petites jambes potelées, ses genoux plissés et ses minuscules poings fermés. Ainsi que toutes les émotions qui l'avaient traversée : la colère, puis la terrible et douloureuse tristesse quand on lui avait enlevé l'enfant. Comment un être aussi frêle et impuissant pouvait-il provoquer une telle détresse ? C'était au-delà de son entendement. Elle souleva Agnes, sagement assise à ses pieds. L'amour inconditionnel de l'animal la réconfortait, mais n'était-ce pas le besoin de nourriture qui la rendait si fidèle ? Coupable de douter de la petite chienne, Anne lui embrassa le museau.

— Tu es prête ? demanda James en passant son crâne chauve par la porte. Susan et Oliver nous attendent.

— Nous ne voudrions pas arriver les premiers.

L'exubérance de son mari la fit sourire. Rien ne pouvait faire plus plaisir à James qu'une soirée dans le grand monde, sans parler d'une réception donnée par la comtesse de Brockenhurst en personne.

— Aucun risque. D'autres seront arrivés avant nous pour dîner.

Ce en quoi il avait parfaitement raison. Ils faisaient partie de la seconde vague des invités. À n'en pas douter, James aurait vendu son âme pour être parmi les heureux élus du dîner, mais il était trop excité pour laisser ce détail gâcher son plaisir. Hélas, dans son impatience à entrer dans le sanctuaire des Brockenhurst, il semblait avoir oublié le véritable lien qui unissait leurs deux familles. Apparemment, ils feraient comme si ce lien n'existait pas, comme s'ils n'avaient pas un petit-fils en commun. Bien entendu, le réveil serait brutal pour James si Charles Pope était présent ce soir, mais il était inutile de le perturber maintenant. Anne se leva.

— Très bien. Ellis, allez me chercher mon éventail, je vous prie. Le nouveau Duvelleroy.

En dépit des généreux émoluments de James, Anne ne s'intéressait guère à la mode, mais les éventails étaient l'une de ses rares extravagances. Elle en possédait en effet une belle collection. Parmi les plus beaux, le Duvelleroy, peint à la main et d'une grande finesse, était réservé aux grandes occasions. Ellis le glissa dans sa main. Il représentait la nouvelle famille royale française, revenue sur le trône dix ans auparavant grâce à la révolution de Juillet. Elle observa le vieux Louis-Philippe. Combien de temps conservera-t-il cette couronne chèrement acquise ? se demanda-t-elle. Et elle ? Combien de temps parviendra-t-elle à garder son propre secret ? Combien de temps encore pourront-ils profiter de leur bonne fortune avant de voir leur univers s'écrouler autour d'eux ?

L'impatience de James coupa court à ses tergiversations.

— Il ne faut pas laisser les chevaux prendre froid.

Elle hocha la tête et, serrant son éventail contre sa poitrine, s'efforça de maîtriser ses nerfs en suivant son mari tout guilleret dans l'escalier. Elle espérait, priait qu'il comprenne pourquoi elle avait brisé le silence. Ils n'avaient pas le choix, se disait-elle. Peut-être qu'avec le temps il lui pardonnerait son geste. Elle avait eu tort de croire que James avait réussi à chasser Sophia et Bellasis de ses pensées, cela lui parut évident quand elle atteignit le pied de l'escalier.

— N'oublie pas, dit-il en lui effleurant le bras, pas un mot de l'autre affaire qui nous concerne. Je te l'interdis formellement.

Elle hocha la tête, le cœur soudain serré. Assurément, à l'instant même où il serait présenté à M. Pope, il saurait que le pot aux roses était découvert. Pour la centième fois, elle était déchirée entre colère et excitation.

Anne remarqua qu'elle n'était pas la seule à bouillir d'impatience. Susan était sensiblement plus animée que d'ordinaire. Ses cheveux roux étaient joliment coiffés et deux belles perles pendaient à ses oreilles. De plus, son visage habituellement contrit était éclairé d'un sourire La jeune femme avait enfin réussi à pénétrer dans la citadelle et comptait bien en tirer profit. Elle avait passé trois jours avec sa couturière pour mettre la touche finale à sa toilette. Sa tenue ne convenait peut-être pas à une femme mariée, mais Susan était ravissante. Anne ne pouvait le nier.

— Quelle charmante coiffure, dit-elle gentiment.

Elle était déterminée à débuter cette soirée du bon pied, mais n'avait pas bien choisi le compliment. Les étoiles en diamant piquetées dans les cheveux de Susan étaient du plus bel effet, pourtant son visage se ferma.

— Je n'ai pas de tiare, gémit-elle. Je devrais en porter une.

— Nous devrons remédier à ça, dit James avec entrain. Allons, tout le monde en voiture !

Il entraîna la petite troupe sur le trottoir, où l'attelage les attendait.

Anne préféra ignorer la remarque de sa belle-fille. Quoi de plus fatigant que l'éternelle curiosité de Susan ? Combien Anne avait-elle dépensé chez sa modiste ? Combien de saphirs sur cette broche ? C'était l'une des raisons pour lesquelles elle trouvait si pénible de partager la maison avec son fils et son avide épouse.

Il fallut finalement sept minutes aux deux couples Trenchard pour gagner la demeure des Brockenhurst, au coin de Belgrave Square. Un valet leur ouvrit la porte et leur fit traverser l'entrée richement meublée, aux sols de marbre noir et blanc, jusqu'au somptueux escalier en malachite vert d'eau, où se tenaient plusieurs valets immobiles. Tout en montant les marches qui menaient au grand salon, ils entendaient déjà le bourdonnement des conversations.

— Je me demande combien de personnes sont venues dîner avant nous, murmura Susan à l'oreille de son mari, tout en rassemblant ses jupes.

— Une foule d'habitués, apparemment.

Anne avait eu tort de s'inquiéter : le salon était déjà rempli de monde quand ils franchirent les doubles portes. Parmi le glissement des robes de soie pâle et le froissement des jupes de taffetas, Anne reconnut un ou deux visages familiers, mais la majorité lui était inconnue. En attendant qu'ils soient annoncés par le majordome, elle parcourut à nouveau le salon du regard, détaillant les groupes et les couples en pleine discussion, dans l'espoir de l'apercevoir. Mais à quoi ressemblait-il ? Elle sourit tant elle était persuadée de le reconnaître au premier regard. Un simple détail révélateur – la forme du menton, les sourcils fins de Sophia – lui permettrait de l'identifier, même au cœur d'une foule aussi dense.

— Comme c'est gentil à vous d'être venus, déclara la comtesse en passant près d'un grand vase de lys rose pâle.

— Lady Brockenhurst.

Anne ne put cacher sa surprise : elle était si impatiente de voir Charles Pope qu'elle ne pensait plus à rien d'autre. Lady Brockenhurst décela l'angoisse dans le regard de son invitée, cette femme qui avait gardé l'existence de son petit-fils secrète pendant tant d'années. À présent, c'était à son tour d'être dans l'ignorance. Il fallut à Caroline toute la force de sa volonté pour ne pas afficher son triomphe.

— Quelles fleurs superbes ! dit Anne, tentant de recouvrer ses esprits.

Tout ce qu'elle désirait, c'était prendre cette femme insupportable par le bras et l'assommer de questions. Va-t-il vraiment venir ? De quoi a-t-il l'air ? Comment diable l'avez-vous retrouvé ? Au lieu de quoi, elle ajouta simplement :

— Et d'une odeur exquise.

— Elles sont arrivées de Lymington ce matin, répondit la comtesse, ravie de jouer son rôle. Je ne crois pas connaître votre mari.

— Lady Brockenhurst, dit Anne en se reculant, permettez-moi de vous présenter M. Trenchard.

Ce n'était pas du tout ce qu'attendait la comtesse. C'était pire. Non qu'elle ait pris le temps d'imaginer à quoi cet homme pouvait ressembler. Il était dans le commerce, aussi ne pouvait-on en espérer grand-chose. Pourtant, il était plus petit qu'elle ne l'aurait pensé, et bien plus replet. Sa sœur lui avait vanté à maintes reprises la beauté de Sophia, aussi supposait-elle que la jeune femme avait hérité ses attraits de sa mère.

— Lady Brockenhurst, c'est fort aimable de nous inviter dans votre charmante demeure.

James fit une demi-révérence, aussi gauche qu'inappropriée.

Le sourire d'Anne se figea. Son mari ne pouvait tout simplement pas s'en empêcher. Quelque chose dans ses courbettes et son obséquiosité signalait que, même après toutes ces années, il n'appartenait pas aux salons de Belgravia. Et par conséquent elle non plus.

— Je vous en prie, répondit la comtesse. La maison n'a sans doute aucun secret pour vous, monsieur Trenchard. Puisque vous l'avez bâtie.

James rit avec un peu trop d'enthousiasme.

— Puis-je vous présenter mon fils, Oliver Trenchard, et son épouse ?

Susan s'avança et inclina la tête.

— Comtesse…

Sa vulgarité fit grimacer Anne.

— Quel magnifique salon ! s'exclama sa belle-fille.

Lady Brockenhurst lui adressa un signe de tête poli.

— Madame Trenchard, dit-elle d'un ton égal, sans rien trahir de son appréciation.

La fille était plutôt jolie. Sa robe bleu pâle et ses rubans assortis contrastaient élégamment avec ses épais cheveux roux. Mais c'est son mari qui suscita son intérêt. C'était donc là le jeune frère de Sophia ? Trop jeune pour avoir assisté au bal de la duchesse de Richmond, mais sûrement assez âgé pour avoir connu Edmund.

— Dites-moi, monsieur Trenchard, partagez-vous les mêmes intérêts que votre père ?

— Oliver travaille pour moi, intervint James avant de capter le regard de sa belle-fille. Ou je devrais plutôt dire *avec* moi, corrigea-t-il. Nous avons débuté un nouveau projet, développer l'Île aux Chiens.

La comtesse blêmit.

— L'Île aux Chiens ?

— À l'est de Londres, précisa-t-il.

Elle parut passablement perplexe, comme s'ils discutaient d'une civilisation récemment découverte au-delà de Zanzibar. James ne remarqua pas sa réaction.

— Nous allons créer une nouvelle berge, avec des commerces, des cottages pour les travailleurs et même des maisons pour les directeurs. Et nous élargirons les quais. Les navires manquent de place.

Anne cherchait en vain le regard de son mari : pouvait-il par pitié cesser de parler affaires ? Mais rien ne semblait pouvoir l'arrêter.

— Ils ont besoin de nouveaux espaces pour charger et décharger leur cargaison, avec les échanges commerciaux qui se font aujourd'hui aux quatre coins du monde. Et plus l'Empire s'étend, plus…

— Je vois, dit Lady Brockenhurst avec un sourire pincé. Avec quelle passion vous en parlez ! Mais si vous voulez bien m'excuser…

Et sur le prétexte de devoir accueillir d'autres convives, elle s'éloigna prestement, laissant Anne, James, Oliver et Susan à l'entrée du salon, ignorés de tous. Seuls.

— Pourquoi garder les feux allumés toute la journée en plein été ? marmonna Susan en agitant son éventail. Il fait une chaleur étouffante ici. Viens, Oliver, allons faire un tour.

James faisait mine de suivre son fils et sa belle-fille, quand Anne lui toucha le bras pour le retenir. Il la regarda d'un air surpris.

— Je préférerais rester ici. Pour guetter les nouveaux venus. Il se pourrait que nous croisions une connaissance.

Elle se dirigea vers la porte. Au même moment, entra une gracieuse jeune femme, au teint de porcelaine et aux cheveux blonds, escortée par sa mère, d'une beauté tout aussi exquise.

— La comtesse de Templemore, annonça le majordome. Et Lady Maria Grey.

Lady Templemore portait une robe azur au col de dentelle, ses larges jupes drapées sur une crinoline. Mais c'est sa fille qui retint l'attention de la salle. Sa somptueuse robe couleur crème découvrait gracieusement ses épaules, aussi lisses et parfaites que les marbres de Lord Elgin. Ses cheveux blonds étaient savamment relevés sur sa nuque, à l'exception de deux anglaises qui encadraient son visage ciselé à la perfection. Anne observa les deux femmes se frayer un chemin vers le petit salon.

— Monsieur Trenchard ?

James se tourna abruptement pour se retrouver nez à nez avec un personnage replet engoncé dans un grand manteau, l'air très sûr de lui. Le nouveau venu affichait un visage rond et satisfait, une moustache grise et un long nez parcouru de veines sinueuses comme les racines d'un arbre. À l'évidence, c'était un homme habitué aux soirées tardives et à la consommation excessive d'alcool.

— Je me présente… Stephen Bellasis.

— Le révérend Bellasis est le frère de notre hôte, dit Anne avec assurance.

Elle n'ignorait plus rien de la famille Brockenhurst.

Grace se tenait avec raideur derrière son époux. Ses yeux noisette paraissaient un rien distants et observaient le couple d'un air absent. Elle avait les lèvres pincées et portait une robe de soie brune passablement défraîchie.

— Monsieur Bellasis, dit James avec un signe de tête. Permettez-moi de vous présenter mon épouse, Mme Trenchard.

Anne hocha poliment la tête. Grace jeta un coup d'œil à la robe d'Anne et leur adressa un petit sourire suffisant.

— Je suppose que vous êtes l'homme de Cubitt, dit Bellasis en passant d'un pied sur l'autre. Le responsable de la transformation des rues de Londres en colonnades blanches, en l'espace d'une nuit.

— Il nous a fallu un peu plus longtemps que ça.

James était rompu aux critiques. Il avait bien souvent été pris à partie dans les salons londoniens et ne comptait plus le nombre de fois où il avait pouffé de rire en se voyant accusé de transformer la capitale en « pièce montée ».

— Ce que nous faisons semble être populaire, révérend.

— La révolte est populaire, monsieur. La révolution est populaire. Quel genre d'idée est-ce là ?

— Vous n'appréciez pas la maison des Brockenhurst ?

— La taille des pièces et la hauteur de plafond sont acceptables. Mais je préfère largement la demeure londonienne de mes parents.

— Et où se situe-t-elle ?

— Sur Hertford Street, à Mayfair.

James hocha la tête.

— Je suppose que les nouvelles maisons se prêtent mieux aux réceptions.

— Alors c'est à cela que vous devez votre fortune ? Au désir des gens de faire étalage de leurs richesses ?

Grace savait que Stephen était furieux que ce drôle de petit homme soit infiniment plus riche qu'eux, mais il n'aurait jamais l'honnêteté de l'avouer, même à lui-même.

James ne sut que répondre, heureusement Anne vint lui prêter main-forte.

— Ciel, la soirée bat son plein !

Une fois n'était pas coutume, Grace décida de ne pas envenimer la situation.

— Nous avons appris par Lady Brockenhurst que vous connaissiez notre neveu, Lord Bellasis.

— En effet, approuva James, soulagé de cette diversion. Nous l'avons bien connu. Mais il y a longtemps déjà.

— Et vous avez assisté au célèbre bal ?

— Si vous parlez du bal de la duchesse de Richmond, eh bien oui, en effet.

— Comme c'est intéressant. Ce bal est entré dans la légende, n'est-ce pas ?

Grace en avait fait suffisamment pour réparer les dégâts causés par la grossièreté de son mari.

— La légende et la tragédie, confirma Anne en hochant la tête. Comme il est triste de songer au malheureux Lord Bellasis et à tous ces jeunes gens qui ont quitté le bal pour mourir sur le champ de bataille.

Stephen se repentait de son impolitesse. Pourquoi être venu insulter un homme qui, à bien réfléchir, pourrait lui être utile ?

— Vous avez raison, bien sûr. La mort d'Edmund a été un coup terrible pour notre famille. Il ne reste plus aujourd'hui que John pour éviter la fin de la lignée. Du moins dans la branche masculine. C'est lui, là-bas, qui parle avec la jolie jeune femme en bleu.

James suivit son regard et vit un homme en pleine conversation avec Susan. Elle touchait le bord de sa flûte de champagne de l'index et riait sans quitter des yeux son interlocuteur.

— Et la jolie jeune femme en question est ma belle-fille, dit James en voyant John se pencher et effleurer la main de Susan. On dirait qu'il a su trouver les mots pour la distraire.

— John va bientôt annoncer ses fiançailles.

Grace avait sans doute prononcé ces paroles pour écarter toute présomption d'inconvenance, mais sa remarque eut l'effet inverse.

Anne ne put s'empêcher de sourire. Elle espérait seulement que la malheureuse promise ait compris qu'elle allait épouser un séducteur.

— Quelle fantastique perspective pour vous.

— Peut-on connaître le nom de l'heureuse élue ? demanda James, impatient de montrer qu'il connaissait du beau monde.

— Lady Maria Grey, répondit Grace en jetant un coup d'œil au petit salon. La fille de feu le comte de Templemore.

Elle sourit avec une satisfaction manifeste.

— Quelle bonne nouvelle, dit James avec envie. N'est-ce pas, Anne ?

Le sentiment qu'Anne éprouvait pour la charmante Lady qu'ils avaient vue avec sa mère était plus proche de la compassion. La jeune fille semblait bien trop délicate pour cet arrogant personnage. Mais elle ne répondit pas, soudain distraite par l'apparition d'un jeune homme sur le seuil. Grand, les cheveux noirs, les yeux bleu pâle, les sourcils arqués. C'était forcément lui. Le portrait craché d'Edmund Bellasis. Il aurait pu être le jumeau de son père. La bouche d'Anne devint sèche comme de la craie et sa main se crispa sur son verre. Le nouveau venu ne bougeait pas, apparemment nerveux à l'idée de se mêler aux invités, et cherchait quelqu'un dans la foule.

Lady Brockenhurst se dirigea vers lui avec une grâce tranquille, déclinant deux conversations en chemin pour accueillir son invité. Anne vit le soulagement manifeste du jeune homme quand son hôtesse apparut. Puis tous deux se tournèrent vers les Trenchard et marchèrent vers eux. Comment Anne devait-elle réagir ? Que lui dire ? Elle avait joué cette scène tant de fois dans sa tête, pas seulement depuis l'invitation de la comtesse, mais depuis des années. Comment se passerait leur rencontre ?

— Madame Trenchard, déclara Lady Brockenhurst en glissant vers elle tel un voilier porté par la brise, un souffle de victoire dans la voix. Permettez-moi de vous présenter une nouvelle connaissance. (Elle marqua une pause.) M. Charles Pope.

Mais la réaction de M. Pope fut tout à fait inattendue. Son regard se porta derrière Anne et sa bouche s'ouvrit de stupeur.

— Monsieur Trenchard ! Que faites-vous ici ?

— Monsieur Pope ! s'écria James qui, pris de court, laissa échapper sa flûte.

Le fracas du verre sur le sol suspendit les discussions et attira l'attention de tous les invités sur le petit groupe près de l'entrée. En son centre, James était rouge comme une écrevisse, proprement mortifié, et la teinte vermillon de son visage se propageait sur son cou et ses oreilles.

Naturellement, la première à reprendre contenance fut la maîtresse des lieux.

— Eh bien, comme c'est amusant, s'exclama-t-elle alors que le bourdonnement des conversations reprenait et que deux valets de pied se précipitaient pour faire disparaître toutes traces de l'incident avec une discrète efficacité. Dire que je pensais que M. Pope était mon petit secret ! Et voilà qu'il connaît bien M. Trenchard. C'est drôle, vraiment, dit-elle en riant. Depuis combien de temps vous connaissez-vous ?

James hésita.

— Pas longtemps.

— Un bon moment, répondit Charles en même temps.

— Pas longtemps ? Un bon moment ? répéta la comtesse en les regardant tour à tour.

Anne se tourna vers son mari. La dernière fois qu'elle avait pris un tel coup dans le ventre, c'était quand Sophia leur avait annoncé sa grossesse, des années auparavant. Elle éprouvait de nouveau ce choc aujourd'hui. Et cette fois, d'une certaine manière, c'était encore plus bouleversant. Plusieurs décennies de dîners pompeux et de réceptions futiles, avec des personnages qui cachaient à peine leur mépris, avaient appris à Anne à masquer ses sentiments, mais l'expression qu'elle affichait en ce moment, James ne l'avait jamais vue en quarante années de mariage. Son sentiment de trahison, d'injustice, sa fureur face à la duplicité de l'homme en qui elle avait toute confiance se lisaient clairement dans ses yeux gris.

— Oui, mon cher, dites-nous donc, reprit-elle quand elle eut recouvré le sens de la parole, depuis combien de temps connaissez-vous M. Pope ?

James s'efforça de répondre le plus naturellement du monde. Il avait rencontré le jeune homme lors de ses premiers pas à la City. Le père de Charles, un vieil ami à lui, lui avait demandé de donner des conseils à son fils sur la gestion commerciale lorsqu'il s'était lancé à Londres. Impressionné par son projet d'achat d'une filature à Manchester, James avait décidé de l'aider à trouver des fournisseurs de coton.

— Où achète-t-on du coton aujourd'hui ? demanda Lady Brockenhurst en se joignant aux efforts de James pour faire croire à une conversation ordinaire. En Amérique, je suppose.

— Je préférerais l'acheter en Inde, si je le peux, dit Charles.

— Et j'ai fait du commerce avec les Indes par le passé. (James était plus détendu maintenant qu'ils étaient revenus sur son terrain de prédilection.) Je connais bien le système, alors j'ai pensé devoir lui prêter main-forte.

Il lâcha un rire nerveux, comme pour montrer avec quelle facilité les deux hommes étaient devenus proches.

— Et l'avez-vous fait ? questionna Anne.

— Quoi ?

— Lui prêter main-forte ?

Sa voix était froide comme la pierre.

— Oh, certainement ! répondit Charles, qui ne pouvait comprendre toutes les subtilités de la conversation.

J'ai étudié la comptabilité à Guildford et commencé à travailler là-bas, avec tant de facilité que je me suis cru prêt à conquérir le monde, mais quand je suis arrivé à Londres, j'ai vite compris que je jouais dans la cour des grands. L'intervention de M. Trenchard m'a sauvé. Il m'a permis de lancer mon affaire. Je n'aurais jamais réussi sans son aide. C'est l'affaire qui vous intéresse vous aussi, Lady Brockenhurst.

— Et quelle est cette affaire qui vous « intéresse » tant ? s'enquit Anne en se tournant vers son hôtesse.

Mais Caroline ne se laissa pas déstabiliser aussi facilement.

— Londres n'est-il pas un petit monde ? dit-elle en battant des mains.

— Pardonnez-moi, mais je ne comprends pas très bien… (Anne peinait de plus en plus à maîtriser son courroux.) M. Trenchard et vous êtes en… ?

Elle était littéralement à court de mots.

— En affaires ? compléta Charles pour l'aider. Nous le sommes, en effet, je suis heureux de le dire.

— Et depuis quand cela dure-t-il ?

— Neuf ou dix mois, je pense. Mais M. Trenchard connaissait mon père bien avant cela.

James intervint.

— Le père de M. Pope m'a demandé de venir en aide à son fils peu avant sa mort. C'était un vieil ami, et j'ai naturellement respecté ses vœux. J'étais même heureux de le faire.

Mais Lady Brockenhurst avait d'autres projets en tête. Elle prit Charles par le coude et l'entraîna à sa suite. Elle avait son petit-fils à son côté, l'enfant d'Edmund, et rien ne saurait gâcher cet instant.

— Monsieur Pope, dit-elle plaisamment, vous devez absolument rencontrer Lord Brockenhurst.

Les Trenchard se retrouvèrent seuls. Un moment, Anne se contenta de regarder son mari sans ciller.

— Anne, je...

James était dans le plus grand embarras.

— Je refuse de te parler, murmura-t-elle en se détournant.

— Mais tu savais qu'il serait là, maugréa James. Pourquoi ne pas me l'avoir dit ?

Anne s'arrêta net. Elle ne savait pas mentir. Contrairement à son mari, apparemment.

Mais il n'en avait pas terminé avec elle.

— Tu espérais le voir. Tu as été surprise que je le connaisse, bien sûr, mais tu t'attendais à le trouver ici. En d'autres termes, tu as délibérément ignoré mes instructions et tout raconté à notre hôtesse.

— Baisse d'un ton, pressa Anne tandis qu'un couple d'invités se tournait vers eux.

— Je pensais que nous étions d'accord.

Le cou de James se colorait de nouveau de rouge.

— Tu n'es pas en position de me faire la morale. En aucun cas, ajouta Anne en s'éloignant. Tu travaillais avec notre petit-fils sans me le dire !

— Je ne travaille pas avec lui. Pas exactement. J'ai investi dans sa compagnie. Je lui ai donné des conseils. Tu ne crois pas que c'est ce que Sophia aurait souhaité ?

— Monsieur Trenchard ! Vous voilà ! Je vous cherchais. (C'était la voix sirupeuse du révérend Bellasis.) Permettez-moi de vous présenter mon fils, M. John Bellasis.

James était dérouté. Que signifiait la présence de Charles Pope ici ? Et pourquoi Stephen Bellasis tenait-il tant à lui présenter son fils ? Étaient-ils tous au courant qu'il était le père de Sophia ? Et que Lord Brockenhurst et lui avaient en commun un petit-fils illégitime ? Son cœur battait plus fort à mesure que John approchait, la main tendue.

À l'autre bout du salon, Lady Brockenhurst se pavanait avec Charles parmi les invités. À croire qu'elle ne pouvait s'empêcher de le mettre en avant ! Si la comtesse était moins réservée de nature, elle aurait sans doute réclamé le silence pour annoncer sa présence à toute l'assemblée. Au lieu de quoi, elle s'affichait avec lui comme une damoiselle avec son chevalier, et le jeune homme souriait et hochait la tête chaque fois qu'elle lui présentait un nouvel invité. Pour ceux qui connaissaient Lady Brockenhurst, c'était un étrange comportement. Elle ne faisait pas partie de ces femmes qui avaient des favoris et cherchaient à faire passer un vilain canard pour un cygne dans la haute société. M. Pope n'était pas désagréable pour un commerçant et personne ne lui voulait de mal, mais pourquoi Lady Brockenhurst vantait-elle les vertus de cet obscur marchand de coton ?

En attendant l'heure du départ, Anne ne pouvait pas se contenter de déambuler dans les salons en échangeant quelques mots polis avec les uns et les autres. Partir trop tôt susciterait les commérages et, s'il était une chose que les Trenchard ne voulaient pas, c'était attirer l'attention sur eux.

Anne vit la comtesse introduire Charles auprès de toutes les grandes familles de Londres. C'était un très bel homme – si maître de lui, si accompli, et de caractère si doux et patient. Le révérend Pope et son épouse lui avaient manifestement appris les bonnes manières et donné une excellente éducation. Comme Sophia l'aurait aimé ! Anne en éprouva une grande fierté, avant de revenir à la raison. De quoi était-elle si fière ? Elle, la grand-mère qui l'avait fait adopter…

Pendant ce temps, John désespérait de s'arracher à la compagnie de cet absurde petit homme qui insistait pour lui expliquer – avec force détails – la complexité des affaires dans l'East End. Bien sûr, John s'intéressait à l'argent en soi, mais les efforts pour l'obtenir ne suscitaient aucune fascination chez lui. Il avait compris depuis longtemps qu'il avait la chance d'être l'héritier présumé d'une immense fortune. Son père était impressionné par les hommes capables de gagner beaucoup d'argent, parce que lui-même n'avait pas les compétences nécessaires, mais John voyait les choses différemment. Il lui suffisait de patienter. Et en attendant sa bonne fortune, qui pouvait le blâmer de prendre du bon temps ? La distraction préférée de John n'était pas le jeu. Il savait dans quelle misère ce vice avait plongé son père. Non, il préférait la compagnie des femmes – les plus séduisantes possible. En dehors de la bonne société, c'était relativement simple, quoique coûteux. Mais quand il s'agissait de dames respectables, son goût se portait vers les femmes mariées. Les épouses déçues étaient plus enclines à s'abandonner, après quoi elles n'étaient pas en position de réclamer de lui plus qu'il ne désirait leur offrir. La menace du scandale et de la ruine de leur réputation suffisait à calmer les ardeurs des plus entêtées.

Son union imminente avec Maria Grey n'avait en rien amélioré son comportement. La jeune femme était délicieuse et il s'en réjouissait. Mais, pour être parfaitement honnête, elle se révélait plutôt exigeante et même, il hésitait sur le terme, plus *intellectuelle* qu'il ne l'imaginait. Il la soupçonnait de le trouver… là encore, est-ce que *ennuyeux* pouvait être le terme adéquat ? Quelle suffisance ! Ce petit bout de femme le considérait, *lui*, John Bellasis, l'un des meilleurs partis de Londres, comme trop fade à son goût ? De ce fait, et même si Maria se trouvait dans la pièce et risquait à tout moment de le surprendre, il ne pouvait ignorer les charmes manifestes de Susan Trenchard.

Susan le vit approcher alors qu'elle conversait gaiement avec un diplomate d'un pays dont elle n'avait jamais entendu parler. Il lui fit un clin d'œil. Bien sûr, c'était un geste inconvenant, mais elle ne parvint pas à garder son sérieux et pouffa de rire. Son compagnon, tout d'abord perplexe, s'offensa du manège de John. Sans plus attendre, il s'excusa auprès de la jeune femme et s'éloigna.

— Me revoilà, dit John, profitant du départ du diplomate.

— Vraiment, monsieur Bellasis, dit Susan en souriant, me voilà perdue aux yeux de ce baron dont j'ai oublié le nom. Mon attitude n'a pas été des plus respectables.

Les rubans de ses cheveux frémissaient de plaisir.

— Oh mais je suis certain que votre comportement est d'ordinaire parfaitement respectable. Vite ! s'écria-t-il en l'attirant dans une salle de jeu remplie de monde, plus encore que le grand salon. Cet homme horriblement soporifique venait vers nous. Il m'a fallu une demi-heure pour m'en débarrasser tout à l'heure.

Susan suivit son regard.

— L'homme soporifique dont vous parlez est mon beau-père.

— Pauvre de vous !

Il rit et elle ne put s'empêcher de l'imiter.

— Je sais bien quel genre d'homme vous êtes. Capable de me faire dire des choses que je ne veux pas dire !

— Et j'espère être le genre d'homme capable de vous faire *faire* des choses que vous ne voulez pas faire…

À sa façon de la regarder droit dans les yeux, elle comprit qu'elle nageait en eaux troubles. John se demanda s'il devait lui faire d'autres avances, puis se dit que c'en était assez pour une soirée. Susan était une femme très séduisante, loin de paraître inaccessible, mais rien ne pressait. Elle n'avait fait qu'une seule allusion à son mari durant tout leur entretien, ce qui lui suffisait à la classer parmi les épouses accablées d'ennui. Mais mieux valait qu'ils se séparent pour l'instant, il était inutile de se faire remarquer alors qu'il ne s'était encore rien passé.

Maria Grey déambulait sans but dans les salons. Elle vit sa mère converser avec une tante âgée et, pour éviter de se joindre à elles et d'entendre sa tante s'extasier sur le fait qu'elle avait encore grandi depuis leur dernière rencontre, elle s'abîma dans la contemplation du portrait de la jeune comtesse de Brockenhurst par William Beechey, accroché au-dessus de la cheminée. Mais, bientôt submergée par l'intense chaleur, elle chercha refuge sur la terrasse.

— Pardonnez-moi, dit-elle en sortant dans l'air frais de cette soirée de juin. Je ne voulais pas vous déranger.

Charles Pope se tourna en entendant un bruit de pas. Il était en train d'observer pensivement le square par-delà la balustrade de pierre blanche.

— Je vous en prie. J'ai bien peur que ce soit moi qui vous dérange. Si vous aimiez mieux être seule… ?

— Non.

— Votre mère préférerait sans doute vous savoir seule plutôt qu'avec un étranger à qui vous n'avez pas été présentée.

Il avait prononcé ces paroles d'un air amusé.

Maria était plutôt intriguée par cet inconnu.

— Ma mère était en grande conversation avec une tante âgée très coriace.

Cette fois, il rit.

— Alors peut-être devrions-nous nous présenter. Charles Pope, dit-il en lui tendant la main.

— Maria Grey, répondit-elle en la lui serrant avec grâce.

Après un silence, ils tournèrent tous deux leur attention vers la rue en contrebas. Les rues étaient encombrées de nombreuses calèches et de chevaux qui martelaient les pavés. De leur promontoire, ils percevaient même le crissement des fers.

— Et vous ? Pourquoi vous cachez-vous ici ? finit-elle par demander.

— Est-ce si évident ?

Elle se surprit à étudier le visage de l'homme, qu'elle trouva fort séduisant. D'autant plus que, contrairement à John, il ne semblait pas s'en rendre compte.

— J'ai été navrée pour vous quand notre hôtesse vous a présenté à toute la bonne société de Londres. Comment la connaissez-vous ? Êtes-vous apparentés ?

Charles secoua la tête.

— Dieu du ciel, non.

Il étudia cette belle jeune femme, apparemment si sûre d'elle dans ce monde qui lui était totalement étranger.

— Ceci n'est pas mon milieu naturel. Je suis un homme très ordinaire.

Cette révélation la laissa imperturbable.

— Eh bien, Lady Brockenhurst ne semble pas de cet avis. Je ne l'ai jamais vue aussi animée. Elle n'est pourtant pas connue pour son extravagance.

— Il est vrai qu'elle s'intéresse à moi, je ne saurais dire pourquoi. Elle veut investir dans l'affaire que j'ai lancée.

Vraiment ? Quelle nouvelle extraordinaire ! songea-t-elle, abasourdie. Lady Brockenhurst veut investir dans une *affaire commerciale* ? S'il lui avait dit que leur hôtesse voulait marcher sur la lune, elle n'aurait pu paraître plus ébahie.

Il haussa les épaules.

— Je sais. Je n'en comprends pas non plus la raison, mais elle semble très enthousiasmée par l'idée.

— Quelle est cette idée ?

— J'ai acheté une filature à Manchester. À présent, j'ai besoin de plus de coton, et pour cela je dois trouver des fonds supplémentaires. J'ai également une hypothèque sur la filature que je pourrais rembourser en augmentant ma dette auprès de Lady Brockenhurst, si elle le veut bien. Elle ne sera pas perdante au final, j'en suis convaincu.

— Bien entendu.

Elle était touchée par son désir de faire bonne impression.

L'amusement de Lady Grey était visible. Charles se sentit très gauche. Quel intérêt pouvait susciter son commerce chez cette belle jeune femme ? Ne lui avait-on pas recommandé de ne jamais parler d'argent ? Du moins avec une dame ?

— J'ignore pourquoi je vous ai dit tout cela. Désormais, vous savez tout de moi.

— Pas tout à fait, répondit-elle en l'examinant. Je croyais que la production de coton indien était mal organisée. J'ai entendu dire que le transport maritime coûtait trop cher. Les filatures ne se tournent-elles pas pour la plupart vers le coton d'Amérique ?

À présent, c'était à son tour d'être ébahi.

— Comment diable savez-vous tout cela ?

— Les Indes m'intéressent, avoua-t-elle en souriant, enchantée de l'avoir surpris. Un de mes oncles a été gouverneur de Bombay. Malheureusement, j'étais trop jeune pour lui rendre visite durant sa mission, mais depuis il n'a cessé de s'intéresser à ce pays. Il continue de lire les journaux indiens, même s'ils ont trois mois de retard quand il les reçoit.

Elle rit. Charles hocha la tête, tout en s'émerveillant de l'alignement parfait et de la blancheur de ses dents.

— Je n'y suis jamais allé, mais je pense que ce pays a un grand avenir devant lui.

— Au sein de l'Empire.

Avait-elle dit ces mots d'un ton approbateur ? Il n'en était pas certain.

— Au sein de l'Empire pour le moment, mais cela ne durera pas éternellement. Comment s'appelle votre oncle ?

— Sir Gerald Towneley. Il a vécu là-bas de 1833 à 1838. Il nous rapportait les plus belles soieries du monde. Et de fabuleuses pierres précieuses. Savez-vous qu'ils ont des puits où l'on peut descendre plus d'un millier de marches avant d'atteindre l'eau ? Et des villes où le ciel est rempli de cerfs-volants ? Et des temples faits d'or ? J'ai entendu dire qu'ils n'enterraient pas leurs morts comme nous. Ils les brûlent ou les font flotter sur le fleuve. J'ai toujours rêvé d'aller en Inde…

Charles admira le bleu de son regard, le velouté de ses lèvres, la courbe de son menton volontaire. Il n'avait jamais rencontré de plus charmante jeune femme.

— Savez-vous avec quelle région des Indes vous allez commercer ? continua-t-elle, consciente de son regard sur elle et cependant incertaine du comportement à adopter.

— Je n'en suis pas encore sûr. Le sud, je pense…

— Oh !

Son enthousiasme donnait une teinte rose à ses joues. Jamais Charles n'avait vu réaction plus attendrissante.

— Si j'avais la chance d'aller en Inde, je ne manquerais pas de visiter le Taj Mahal. À Agra, ajouta-t-elle en soupirant à cette pensée. Il paraît que c'est le plus beau monument érigé au nom de l'amour. Un empereur moghol avait tant de chagrin à la mort de son épouse favorite qu'il a ordonné son édification. J'ai bien peur qu'il n'ait eu de nombreuses épouses, ce que bien sûr nous condamnons fermement.

Elle rit. Il ne put que l'imiter.

— Mais elle était sa favorite. Le marbre est censé changer de couleur – rose pâle le matin, blanc laiteux le soir, or au clair de lune. D'après la légende, la teinte reflète l'humeur de la femme qui le contemple.

Charles Pope était transporté. Ses mouvements, son élocution, sa sagacité, l'ignorance de sa propre beauté.

— Et l'homme qui le contemple ? Que dit-on à son propos ?

— Que lorsqu'il perd la femme de sa vie, il lui est bien plus douloureux de la remplacer qu'il ne le pensait.

Ils riaient de nouveau quand une voix s'éleva derrière eux.

— Maria ?

La jeune femme se retourna.

— Maman.

Lady Templemore se tenait sur le seuil.

— Ils viennent d'annoncer le souper, dit-elle en examinant Charles des pieds à la tête, d'un air dédaigneux. Il est grand temps d'aller voir John. Je lui ai à peine parlé de toute la soirée.

L'instant d'après, elles étaient parties. Charles avait toujours le regard fixé sur l'endroit où Maria se trouvait. Sa rêverie ne fut brisée que lorsque Lady Brockenhurst le débusqua sur le balcon et insista pour qu'il la conduise à sa table.

Les invités se rassemblèrent dans la salle à manger, où une série de petites tables étaient à présent dressées de nappes de lin, chandeliers d'argent, assiettes joliment peintes et carafes en cristal. Charles n'avait jamais vu pareille splendeur. Il savait que la bonne société faisait toujours les choses en grand et avait entendu parler des réceptions de Lady Brockenhurst, mais il n'aurait jamais imaginé un tel faste.

— Monsieur Pope, dit la comtesse en désignant la chaise à sa droite, veuillez vous asseoir près de moi.

Il n'y avait que quatre sièges à la table. Charles regarda autour de lui avec surprise. Assurément, son hôtesse souhaitait proposer la place d'honneur à quelqu'un d'autre ? Il se sentit rougir. Elle tapota le siège avec son éventail fermé et lui sourit. Que faire sinon accepter ? Des valets de pied allaient et venaient au milieu des invités et bientôt Charles plongeait sa cuillère dans une assiette de soupe froide. Le potage fut suivi d'une mousse de saumon, de brochet, de gibier, puis d'ananas, de glaces et enfin de fruits confits. Le tout servi *à la russe*, selon la nouvelle mode, à savoir que les domestiques se plaçaient à la gauche du convive pour lui permettre de se servir lui-même dans le plat. Pendant tout le repas, Lady Brockenhurst se montra charmante, incluant Charles dans autant de conversations que possible, arrêtant même son mari qui passa à un moment donné afin qu'il n'ignore rien des projets de Charles.

— Mais à quoi peut bien penser ma belle-sœur ? se lamenta Stephen Bellasis à l'attention de son fils, assis de l'autre côté d'Anne Trenchard, qui se trouvait malgré elle mêlée à la discussion. Pourquoi faire autant de cas de cet homme insignifiant ?

John secoua la tête.

— C'est incompréhensible, en effet.

— Au moins trois ducs sont présents dans cette pièce, et quand ils regardent à la droite de notre chère hôtesse, qui voient-ils… au juste ? Qui est cet homme ? renchérit Stephen tout en bataillant avec la caille dans son assiette.

— Je parie que Mme Trenchard connaît la réponse. Il travaille pour votre mari, n'est-ce pas ? intervint John.

Anne fut surprise, car John ne lui avait jamais donné l'impression de connaître son identité. Elle secoua la tête.

— Non, il est son propre maître. Mais ils se connaissent. Ils ont des intérêts communs, rien d'autre.

— Donc vous ne pouvez expliquer la fascination de la comtesse ?

— J'ai bien peur que non.

Anne regarda dans leur direction. Caroline Brockenhurst jouait un jeu dangereux. Même John avait remarqué l'attention qu'elle portait à son petit-fils, ce qui l'inquiétait au plus haut point. Lord Brockenhurst était-il au courant ? Sinon, combien de temps lui faudrait-il pour découvrir le pot aux roses, quand sa femme faisait preuve de si peu de discrétion ? Combien de temps avant que le secret ne soit connu de tous ? La réputation de Sophia définitivement ruinée et tous leurs efforts pour en arriver là réduits à néant ? Elle croisa le regard de son mari. Il était assis en face d'elle, entre Oliver et l'infatigable Grace. Il lui jeta un coup d'œil avant de reporter son attention sur la situation périlleuse qui évoluait sous ses yeux.

— Je crois que votre tante est intéressée par l'un des projets de M. Pope, suggéra finalement Anne.

Elle avait abandonné sa propre caille et regrettait de ne pas s'en être tenue à la mousse de saumon, qui au moins était douce au palais. Étant donné les circonstances, elle ne pouvait plus rien avaler.

— Je fais des affaires avec le boucher du village, dit John avec indignation, mais je ne l'invite pas à dîner !

— Je ne pense pas que M. Pope soit le boucher de la comtesse, répliqua Anne aussi diplomatiquement que possible.

— Ah non ? dit John en adressant un grand sourire à Susan, attablée à l'autre bout de la pièce.

Furieuse d'avoir manqué la dernière chaise à leur table, Susan tentait de se satisfaire d'un groupe de politiciens qui ne lui prêtaient aucune attention.

Mais maintenant que John lui avait souri, elle avait envie de chanter à tue-tête.

Peu avant leur départ, Anne se débrouilla pour dire un mot en privé à leur hôtesse. Pour ce faire, elle dut l'attraper par le coude sur le palier du grand escalier et l'attirer dans le renfoncement d'une fenêtre.

— Que faites-vous ? murmura Anne.

— J'apprends à connaître le petit-fils que vous m'avez caché pendant un quart de siècle.

— Mais pourquoi *en public* ? Ne voyez-vous donc pas que la moitié de vos invités se demande qui peut bien être ce jeune homme ?

La comtesse lui adressa un sourire froid.

— Bien sûr. J'imagine que cela vous inquiète.

Alors, Anne comprit dans quel piège elle était tombée. Lady Brockenhurst lui avait promis de ne pas révéler l'identité de Charles, mais cela ne la gênait nullement que son entourage devine la vérité. Son fils avait eu une amourette à Bruxelles avant sa mort. La société ne pourrait-elle lui pardonner ? Bien sûr que si. Il avait eu une brève relation amoureuse avant de se marier, comme la plupart des hommes parmi les invités de ce soir. La descendance illégitime d'un gentleman ne serait pas aussi facilement assimilée par ses pairs qu'au siècle dernier, mais cela n'avait rien de nouveau. Et si quelqu'un osait formuler une opinion, Mme Trenchard n'attendait tout de même pas de Lady Brockenhurst qu'elle profère un mensonge ? Elle ne divulguerait pas volontairement l'information, mais ne comptait en aucune façon la nier.

— Vous espérez qu'ils vont le deviner ! s'écria Anne, qui voyait soudain clair dans son jeu. Et vous voulez que nous en soyons témoins.

Caroline Brockenhurst l'observa. Elle ne méprisait plus cette femme comme avant. Anne lui avait permis de retrouver Charles et elle lui en était reconnaissante, ou du moins lui pardonnait. Elle jeta un coup d'œil dans le vestibule en contrebas.

— Je crois que les Cathcarts veulent prendre congé. Si vous voulez bien m'excuser…

Elle se détourna et descendit l'escalier avec une telle légèreté qu'on eût dit qu'elle glissait sur l'eau.

Les sept minutes du trajet de retour jusqu'à Eaton Square lui parurent une éternité. Les passagers de la voiture étaient si absorbés par les événements de la soirée que personne ne dit mot. Le cocher, Albert Quirk, habituellement plus intéressé par le cognac de sa flasque que par les caprices de ses employeurs, ne put ignorer leur silence.

— Si c'est pour revenir dans cet état, dit-il à Mme Frant en prenant le thé peu après avec les autres domestiques, autant rester à la maison ! Vous n'êtes pas d'accord, mademoiselle Ellis ?

Mais la servante ne répondit pas et continua à recoudre son bouton.

— Vous n'obtiendrez rien de Mlle Ellis, gronda Mme Frant.

— C'est bien normal de la part d'une femme de chambre, dit M. Quirk, qui approuvait l'attitude de Mlle Ellis.

James avait décidé que l'attaque était la meilleure défense. Surpris à entretenir des relations secrètes avec Charles, il résolut de faire porter la responsabilité de ce désastre à sa femme. Si Anne avait tenu sa langue, rien de tout cela ne serait arrivé. Ce en quoi il avait raison, même si c'était aussi un moyen de passer sous silence sa double vie et la fréquentation de son petit-fils sans mettre sa femme dans la confidence.

Anne arrivait à peine à le regarder. C'était comme si son cher et tendre mari avait été ensorcelé par de méchantes fées et était devenu un odieux personnage.

Oliver était tout aussi furieux contre sa propre épouse, mais pour des raisons plus traditionnelles. Elle l'avait ignoré toute la soirée et avait flirté outrageusement avec John Bellasis, lequel avait à peine daigné le remarquer. Il en voulait également à son père. Qui était ce Pope, à propos ? Et pourquoi le visage de son père s'était-il éclairé quand cet inconnu était entré dans la salle ?

Quant à Susan, elle était partagée entre le désespoir que lui inspirait la famille médiocre qu'elle avait rejointe par le mariage et la joie d'avoir enfin pu entrevoir ce monde qui la faisait tant rêver. Ces salons, ces escaliers majestueux, ces couloirs dorés, toute cette magnificence où se rassemblait la brillante société, dont les noms évoquaient un voyage dans l'histoire anglaise… Sans oublier John Bellasis, bien sûr. Elle jeta un coup d'œil à Oliver. À l'évidence, il était très remonté, mais elle s'en moquait. Elle étudia son visage hargneux tout en songeant à un autre visage, bien différent, qu'elle admirait encore quelques minutes plus tôt. Son mari était furieux parce qu'il n'était pas rompu aux usages de la Saison, durant laquelle une respectable femme mariée pouvait en tout honneur passer une agréable soirée en compagnie d'un bel étranger. Ce dernier mot la laissa songeuse. Resterait-il un étranger ? N'était-elle pas destinée à mieux connaître M. John Bellasis ? Le cocher arrêta l'attelage. Ils étaient arrivés.

— Merci, William. Je me débrouillerai pour le reste. Vous pouvez nous laisser.

Oliver adorait parler aux serviteurs comme s'il jouait dans une pièce de théâtre. Mais Billy avait l'habitude et il aimait bien le rôle de valet de chambre, même pour M. Oliver. Cela le changeait de briquer l'argenterie et du service à table, d'autant qu'il espérait obtenir un vrai poste de valet quand il serait prêt à partir. C'était un pas dans la bonne direction.

— Très bien, monsieur. Souhaitez-vous être réveillé demain matin ?

— Oui, à 9 heures. Je serai en retard au bureau, mais ils ne m'en voudront sûrement pas après une soirée pareille.

Naturellement, Billy aurait aimé avoir davantage de détails, mais M. Oliver était déjà en robe de chambre, il avait donc laissé passer sa chance. Il évoquerait le sujet le lendemain. Après une petite révérence, il se retira, refermant doucement la porte derrière lui. Oliver sentait sa colère prête à s'abattre sur tout le monde : Susan, Charles Pope, cet imbécile qui n'avait rien d'un vrai valet de chambre. Puis, dès que Billy eut vraisemblablement quitté le couloir, il sortit de sa garde-robe et poussa la porte de la chambre de Susan sans frapper.

— Oh ! s'écria Susan, qu'il avait réussi à surprendre. Je te croyais au lit.

— Quelle épouvantable soirée ! éructa-t-il comme s'il venait de faire sauter un bouchon de champagne, ce qui en un sens était le cas.

— Je l'ai trouvée fort divertissante au contraire. Tu ne vas pas te plaindre des personnes qui étaient présentes. Il y avait au moins la moitié des membres du Cabinet. Et je suis sûre d'avoir vu la marquise d'Abercorn discuter avec l'un des membres du Foreign Office. Enfin, je crois que c'était elle, quoiqu'elle était infiniment plus belle que ce portrait de…

— La soirée a été abominable ! Et c'est en partie ta faute !

Susan prit une profonde inspiration. Ce serait un de ces pénibles moments. Elle était consciente de la présence de sa femme de chambre, Speer, figée près de la porte. Celle-ci se tenait parfaitement immobile pour se faire oublier. Susan ne connaissait que trop bien le procédé.

— Vous pouvez disposer, Speer, dit-elle d'une voix claire et égale. Je vous sonnerai dans un moment.

L'employée déçue se retira. Susan se tourna vers Oliver.

— Bien. De quoi s'agit-il ?

— Tu le saurais si tu n'avais passé la soirée entière à dévorer des yeux ce crétin parfumé !

— M. Bellasis portait du parfum ? Je n'avais pas remarqué.

Mais au ton de son époux, Susan devinait que John n'était pas son principal motif de courroux.

— Si tu te comportes comme une traînée, tu seras traitée comme telle ! Tu n'as pas carte blanche, tu sais. Ton infertilité ne t'autorise pas à fricoter avec le premier venu !

Susan garda le silence un moment, rassemblant ses pensées. C'était encore plus déplaisant qu'elle ne l'aurait pensé. Elle observa calmement son mari.

— Tu devrais aller au lit. Tu es fatigué.

Il regrettait déjà ses paroles. Elle le connaissait bien assez pour le savoir. Mais, fidèle à lui-même, Oliver ne s'excuserait pas. Au lieu de quoi, il changea de ton.

— Qui est ce Pope ? D'où sort-il ? Et pourquoi Père met-il de l'argent dans son affaire ? Pourquoi n'investit-il pas dans la mienne ?

— Tu n'as pas d'affaire.

— Et moi, est-ce qu'il croit en *moi* ? Et pourquoi Lady Brockenhurst l'a-t-elle promené dans tout le salon comme un singe savant ? Pourquoi lui ? Alors qu'elle nous a tout juste adressé un mot poli de toute la soirée.

Sa voix chevrotait légèrement et Susan se demanda même s'il n'était pas au bord des larmes.

Oliver se mit à faire les cent pas. Susan l'observa en songeant à sa propre perception de la soirée. Elle s'était vraiment bien amusée. John s'était montré très distrayant. Dans son regard, elle s'était sentie séduisante, une sensation qu'elle n'avait pas éprouvée depuis des années et qui l'avait enchantée.

— J'ai apprécié le révérend ., reprit Susan en regardant son mari d'un air interrogateur Bellasis ? Bien sûr, le père de M. Bellasis. Ils ont l'air d'une famille charmante.

Elle cherchait à ramener son long entretien avec John sur un terrain plus neutre. Par chance, Oliver était suffisamment furieux contre M. Pope pour accepter l'explication tacite qu'elle venait de donner à son comportement.

— Tu sais qui il est ? Je veux dire, en dehors d'être le père de cet homme.

— Qui ça ?

Elle ne voyait pas où il voulait en venir

— Le révérend Bellasis

Oliver regarda sa femme avec stupeur. Ignorait-elle réellement qui il était ? Depuis l'ascension de son père, il n'avait pas été totalement oisif et avait appris à connaître les vérités qui se cachaient derrière les légendes de la plupart des familles aristocratiques, mais il pensait que Susan avait suivi le même chemin. Elle devait bien en avoir une petite idée ?

— C'est le frère cadet de Lord Brockenhurst. Et son héritier. Enfin, c'est plus probablement John qui va hériter, puisque le comte semble en bien meilleure santé que son frère.

— John Bellasis est le futur…

Susan glissa sur la pente douce et sucrée de ses rêves, perdue dans son imaginaire.

— Le futur comte de Brockenhurst, oui, approuva Oliver. Le fils unique du comte actuel est mort à Waterloo. Il n'a aucune descendance.

Il était près de 3 heures du matin quand Lady Brockenhurst put enfin s'asseoir devant son miroir et ôter ses boucles d'oreilles, pendant que Dawson, sa femme de chambre, enlevait les épingles de ses cheveux.

— On dirait que tout le monde a passé un bon moment, madame.

Dawson retira prudemment les dernières épingles et souleva la lourde tiare. Caroline secoua la tête. Porter ses bijoux lui plaisait, mais c'était une délivrance d'en être débarrassée. Elle se gratta la tête et sourit.

— Je pense que cela s'est bien passé, en effet, dit-elle d'une voix enjouée.

Un léger coup fut frappé à la porte. La tête de Lord Brockenhurst apparut.

— Puis-je entrer ?

— Je vous en prie

Il pénétra dans la pièce et se laissa tomber dans un fauteuil.

— Quel soulagement que tout le monde soit parti.

— Nous disions justement que la soirée était une réussite.

— Je suppose, oui. Mais on doit si souvent s'enquérir de la santé des uns, s'intéresser aux projets d'été des autres, se réjouir de la grossesse de la reine… Qui était ce jeune homme dans le commerce du coton au fait ? Et que faisait-il ici ?

Caroline scruta le visage de son mari dans le miroir. Avait-il deviné ? Ne voyait-il pas combien Charles ressemblait à leur magnifique Edmund ? Ces yeux. Ces longs doigts. Cette façon de rire. Le jeune homme était un pur Bellasis. N'était-ce pas évident ?

— Vous parlez de M. Pope ?

— Pope ? C'est son nom ? (Peregrine lissa sa moustache et fit la moue.) Oui, dit-il en observant pensivement une aquarelle de Lymington Park peinte par son épouse. Je l'ai trouvé agréable, et plus intéressant que les femmes avec qui vous m'obligez parfois à dîner, mais je ne comprends pas pourquoi il se trouvait dans notre salon.

— Je m'intéresse à lui.

— Mais pour quelle raison ?

— Eh bien…

Caroline marqua une pause, de même que Dawson. La servante tenait une brosse dans chaque main, la tête penchée sur le côté, dans l'attente de la suite. C'était l'un des moments les plus intéressants de son travail, aider madame à se déshabiller après une réception. Les langues se déliaient toujours avec le vin, et les informations qu'elle glanait étaient d'une valeur inestimable pour les conversations de l'office.

— Voyez-vous..

Caroline croisa alors le regard de Dawson et se tut. Elle ne désirait rien plus ardemment que révéler la vérité à son mari, mais elle avait donné sa parole. Cela s'appliquait-il aussi aux maris et aux femmes ? Ne brisaient-ils pas un commandement en ayant des secrets l'un pour l'autre ? Que disait la Bible ? Même si c'était vrai, Caroline savait bien qu'il serait néfaste pour Charles de faire son entrée dans la haute société sous un déluge de commérages venus des domestiques. Certes, Dawson se devait de tenir sa langue en toutes circonstances, mais on ne pouvait pas compter sur la discrétion d'une femme de chambre. Elle était parfaitement capable de le faire savoir à tout Belgravia avant que le garçon boucher ne livre son lard à 5 heures du matin. Les serviteurs étaient décidément pires que les rats, avec cette façon d'aller de maison en maison et de raconter Dieu sait quoi au premier venu. Les ragots allaient bon train à l'office, inutile de se voiler la face, même parmi les plus loyaux de leurs employés. Non, il lui était impossible d'en parler à son mari maintenant, si tant est qu'elle lui avoue tout plus tard. Ainsi, Caroline fit ce qu'elle faisait toujours quand la situation devenait compliquée : elle changea de sujet.

— Maria Grey est devenue très jolie. Elle qui était si sérieuse enfant, toujours la tête dans ses livres. À présent, elle est tout à fait délicieuse.

— Hmm…, approuva Peregrine. John a bien de la chance. J'espère qu'il le mérite. (Il ôta ses chaussures, fatigué rien qu'à l'idée de se mettre au lit.) Elle semble avoir surmonté le décès de son père.

— Quelle terrible histoire.

Dawson posa une brosse et se mit à dénouer les tresses de Lady Brockenhurst. Elle avait déjà entendu ce récit : Lord Templemore était tombé de son cheval pendant une partie de chasse et s'était brisé le cou.

— Lady Templemore ne tarissait pas d'éloges sur Reggie.

— Reggie ?

— Son fils. Elle me disait qu'il gérait plus ou moins le domaine. À seulement vingt ans ! Elle dit que son intendant est un homme bien, mais tout de même.

Peregrine grommela.

— Il lui faudra plus qu'un bon intendant pour sauver le domaine des mains des huissiers. Je crois savoir que son père leur a laissé des dettes plus lourdes qu'un sac de pierres.

Caroline soupira avec compassion.

— La mère et la fille avaient de nouvelles toilettes ce soir. Je les ai trouvées resplendissantes. Mais j'imagine qu'elles savaient que John venait et ne voulaient pas passer pour des miséreuses. Certainement pas devant lui.

Peregrine enfouit sa tête dans ses mains, soudain submergé par le chagrin. Quelque chose dans l'arrivée de l'été, tout cet espoir dans l'air, ces gens virevoltant de bal en bal et fourmillant de projets pour échapper à la chaleur de la cité. Et voir John, ce soir, flirter avec la jolie belle-fille du curieux M. Trenchard… Quel âge avait-il ? Trente-deux ou trente-trois ans ? Edmund aurait eu quarante-huit ans aujourd'hui, un homme en pleine force de l'âge. Mais il ne se rendrait pas l'été prochain sur la côte nord de la France ni dans les montagnes en bordure des lacs italiens, piégé qu'il était dans sa tombe, comme tant d'autres jeunes gens fauchés ce fameux matin de juin 1815. Peregrine avait espéré qu'emménager à Belgrave Square, dans ces splendides salons de réception, leur donnerait à tous les deux un regain d'énergie, un nouveau souffle de vie. Mais d'une certaine manière, c'était tout l'inverse qui s'était produit : toute cette frivolité, ces costumes, ces bavardages, ces diamants ne faisaient qu'illustrer la vanité de la vie humaine, qui se terminait irrémédiablement dans un tombeau froid et solitaire. Il se remit lentement debout et se dirigea vers la porte d'un pas traînant.

— Je ferais mieux de vous laisser. J'ai à faire demain.

Caroline percevait sa détresse, suspendue dans la pièce comme de la brume. Elle brûlait de lui dire la vérité, maintenant qu'elle était sûre de son fait. Edmund a eu un fils. Nous avons un enfant à aimer de nouveau.

— Mon ami.

Il la regarda. Elle cherchait ses mots.

— Dormez bien. Les choses sembleront sans doute différentes demain matin.

James Trenchard redoutait le lendemain. Et le jour suivant. Il redoutait chaque jour qui passerait avant de voir le scandale éclater au grand jour. Les secondes s'égrènent implacablement jusqu'à l'heure du Jugement dernier, conclut-il, allongé sur son lit, à contempler la corniche blanche au-dessus de lui. C'était comme si la grenade d'un soldat menaçait d'exploser à tout instant. Pas étonnant qu'il ne trouve le sommeil. Il était étendu depuis une heure, à l'écoute du silence. Anne ne dormait pas non plus, il le sentait. Elle lui tournait le dos, raide. Sa tension était perceptible.

Ils étaient rentrés à la maison sans échanger un mot. James s'était éclipsé dans son dressing-room pendant qu'Anne prenait la petite chienne et se retirait dans ses appartements. Elle n'avait jamais été très loquace, mais même Ellis fut surprise par son silence. L'invite de la femme de chambre à lui raconter la réception de Lady Brockenhurst ne donna aucun résultat et, dès qu'elle eut terminé son travail, Ellis s'en alla. Quand James la rejoignit, Anne était déjà au lit, les couvertures remontées jusqu'au menton, et faisait semblant de dormir, la chienne lovée contre elle. En chemise de nuit et pieds nus, il était sur le point de quitter la pièce pour regagner sa somptueuse chambre à coucher – ce qu'il n'avait fait que très rarement en quarante années de mariage –, quand il se ravisa. Il s'allongea à côté de sa femme et souffla la bougie, puis demeura immobile un long moment, les yeux grands ouverts. Il était inutile de repousser l'orage qui éclaterait immanquablement, puisque chacun tenait l'autre pour responsable de son malheur.

— Charles doit être mis au courant, finit-il par dire, incapable de ronger son frein plus longtemps.

— Certainement pas ! s'écria Anne en se redressant vivement, tirant Agnes de son sommeil.

Le profil de son mari se dessinait dans la lueur distillée par les réverbères à travers la fenêtre. Par moments, elle regrettait l'obscurité absolue des nuits de son enfance. La lumière omniprésente de Londres plongeait le monde dans une semi-pénombre perpétuelle. Mais la capitale était plus sûre à présent, c'était donc sans doute une bonne chose.

James n'en avait pas terminé.

— Elle l'a placé à côté d'elle pendant le dîner. À sa droite. Tout le monde l'a remarqué. Le reste de la famille Bellasis aussi, je suppose. Autant le publier dans le *Times* ! Elle voulait clairement attirer l'attention sur lui, et pourquoi, sinon pour le faire savoir à la terre entière ? Si Charles n'est pas encore au courant, ce n'est plus qu'une question de jours, peut-être même d'heures.

— Depuis quand es-tu en contact avec lui ?

James ne lui fit même pas la courtoisie d'une réponse.

— Es-tu sûre qu'elle ne lui a pas déjà tout dit ? Pourquoi l'aurait-elle invité sinon ? Il doit le savoir. Les gens comme Charles Pope ne sont pas conviés à des dîners intimes à Belgrave Square pour partager le faisan avec toute la noblesse du pays. Les gens comme Charles Pope ne s'assoient pas à côté de la comtesse de Brockenhurst. Les gens comme Charles Pope ne connaissent pas la comtesse de Brockenhurst ! Dans l'ordre naturel des choses, la comtesse de Brockenhurst ne donnerait même pas l'heure à Charles Pope, alors l'inviter à s'asseoir à sa droite pour dîner !

James était lancé à présent. Son ton montait de plus en plus tandis qu'il tournait son visage vers sa femme.

— Parle moins fort ! gronda Anne.

Oliver et Susan se trouvaient juste au-dessus d'eux. Cubitt avait mis des coquilles dans les plafonds pour empêcher le bruit de traverser les étages, mais cela ne suffisait pas.

— Et cette ineptie à vouloir investir dans son affaire…

— Pourquoi une ineptie ? Toi aussi, tu lui as donné de l'argent. Tu le soutiens depuis des mois.

— Je suis un homme. Lady Brockenhurst n'a pas d'argent. Du moins pas à investir sans la permission de son mari. Et crois-tu qu'il la laisserait faire s'il n'était pas au courant ? Ce ne sont que des absurdités, qui causeront la perte et la ruine des Trenchard !

Il n'était pas étonnant que James ait si bien réussi à Bruxelles, pendant la période de non-droit de la guerre. Quand il fallait jouer les durs, il savait le faire. Après tout, il était toujours le fils d'un marchand, parfaitement capable de défendre son bout de gras. Et aujourd'hui, ses origines reprenaient le dessus. Tout ce pour quoi il s'était battu était sur le point d'être anéanti par sa femme. Sa propre femme.

— Je ne pouvais simplement pas les laisser croire que son mari et elle étaient sans descendance, rétorqua Anne en lissant les draps autour d'elle.

— Pourquoi pas ? Ils ont passé les vingt-cinq dernières années à le penser. Ils doivent y être habitués maintenant !

Son visage était de nouveau tout rouge. À présent qu'il déversait sa fureur, il ne parvenait plus à la contrôler.

— Et qu'est-ce qui a changé ? Charles Pope ne peut rien réclamer à sa famille. Il n'a aucun droit. C'est un bâtard, et il ne te remerciera peut-être pas de l'avoir révélé au monde entier !

— Ils ont un petit-fils. Ils avaient le droit de le savoir.

— C'est pour cette raison qu'ils nous ont invités, alors ? C'est ça ?

Anne gardait le silence. Elle avait dit ce qu'elle avait à dire.

— Pour qu'on la voie se pavaner avec Charles sans que nous puissions lui parler ? poursuivit James. C'était sa revanche ?

— Tu lui as bien parlé, toi. Vous êtes de vieilles connaissances tous les deux.

Sa voix était de glace.

— Nous savons au moins que sa présence là-bas n'a pas été une surprise pour toi, ricana-t-il.

En un sens, c'était presque un soulagement de le reconnaître.

— Oui, répondit-elle. Oui, je savais qu'il allait venir. Mais je ne compte pas supporter tes reproches une minute de plus ! Tu es tout aussi à blâmer que moi.

— Moi ! s'écria Trenchard en bondissant hors du lit. Qu'ai-je fait, *moi* ?

— Tu étais en contact avec notre petit-fils, tu le voyais, tu travaillais avec lui, et tu n'as jamais daigné me le dire, à moi, ta femme, la mère de la femme qui l'a porté !

Sa voix se brisait à présent. Elle l'entendait et, malgré son désir d'être forte et résolue, les larmes lui montaient aux yeux.

— Tu lui as parlé, tu l'as touché. Et tu ne me l'as jamais dit. J'ai vécu dans l'ignorance pendant plus de vingt ans en me demandant chaque jour de quoi il avait l'air, quel était le son de sa voix, alors que tu le savais. Pas une heure ne s'est écoulée sans que je regrette ma décision de le confier à une famille étrangère. J'ai abandonné notre magnifique petit-fils parce que tu avais peur de recevoir moins d'invitations à dîner si nous le prenions sous notre toit. Tu m'as trompée de la plus odieuse et blessante des manières !

Bien sûr, dans cette tirade, Anne préférait oublier qu'elle avait été soulagée de se débarrasser de ce bébé non désiré qui avait causé la mort de Sophia. James songea à le lui rappeler, puis se ravisa. C'était sans doute plus sage. Il regarda les larmes rouler sur les joues de sa femme, ses mains crispées sur les draps.

— Ce n'est pas parce que Lady Brockenhurst ignorait tout que cela nous excusait de garder ce secret. Il était temps qu'elle soit mise dans la confidence. Elle avait le droit de savoir.

Il était inutile d'en dire davantage. James le savait, mais il ne put résister à une dernière pique.

— Ta sentimentalité va causer notre perte. Quand le nom de ta fille sera traîné dans la boue, quand elle sera qualifiée de femme perdue et que les portes que nous avons tant peiné à ouvrir se refermeront sur nous, tu seras la seule à blâmer.

Sur ces mots, James Trenchard tourna résolument le dos à sa femme en pleurs et ferma les yeux.

5

Le rendez-vous

Étendue sur le lit, Susan Trenchard entendit tinter les cloches de l'église All Saints d'Isleworth. De temps à autre, elle percevait les bruits du fleuve, les appels des bateliers ou le clapotis des rames. Elle parcourut la pièce du regard. Son aménagement faisait davantage penser à la chambre de maître d'une demeure bourgeoise qu'à un simple logis, avec ses lourdes tentures de brocart, sa cheminée de facture classique et l'élégant lit à baldaquin sur lequel elle se prélassait. Une autre femme se serait alarmée de découvrir que John Bellasis disposait d'une petite maison à Isleworth avec un salon pour les repas, une immense chambre à coucher, luxueusement décorée, et sans doute rien d'autre, si ce n'est l'espace réservé à l'homme discret qui s'occupait d'eux. Là encore, le fait que le serviteur n'ait posé aucune question à leur arrivée, se contentant de leur servir un délicieux déjeuner avant de les inviter à passer dans la chambre – où les rideaux étaient tirés et où un feu brûlait dans la cheminée –, signifiait sans doute que John était coutumier de ce genre de visites, ce qui n'avait rien de rassurant. Mais Susan était trop enchantée et trop épanouie – bien plus en réalité qu'elle ne l'avait été depuis des années, si cela lui était jamais arrivé – pour laisser quoi que ce soit lui gâcher son bonheur. Elle se renversa en arrière et s'étira.

— Tu devrais t'habiller, dit John en boutonnant son pantalon au pied du lit. Je dîne en ville ce soir et tu dois sûrement rentrer pour te changer.

— Est-ce vraiment nécessaire ?

Susan se redressa dans le lit. Ses cheveux roux bouclaient sur ses épaules blanches. Elle se mordit la lèvre inférieure et leva les yeux vers John. Dans cette posture, elle était vraiment irrésistible, et elle le savait. John vint s'asseoir à côté d'elle et fit descendre son doigt le long de son cou, puis dessina la courbe de son omoplate, pendant que Susan fermait les yeux. Il lui prit le menton et l'embrassa.

Quelle découverte que celle de Susan Trenchard ! Leur rencontre à la réception de sa tante avait été totalement fortuite, or la jeune femme se révélait être l'une des plus délicieuses surprises de la saison. À n'en pas douter, elle pourrait le distraire plusieurs semaines.

Il devrait remercier Speer, la femme de chambre de Susan, d'avoir facilité leur aventure. Cette femme revêche s'était avérée une excellente complice dans la séduction de sa maîtresse. Même si Susan n'avait guère eu besoin d'encouragements, surtout avec un homme aussi rompu aux plaisirs de la chair que John. Il avait toujours su repérer les femmes prêtes à s'abandonner. L'ennui et le désintérêt de Susan pour son mari lui avaient paru manifestes dès leur premier échange à la réception des Brockenhurst. Tout ce qu'il avait eu à faire, c'était la flatter un peu, lui dire combien elle était ravissante, faire semblant de s'intéresser à ses opinions et, lentement mais sûrement, il la ravirait au sinistre Oliver Trenchard. Tout bien réfléchi, les femmes sont des créatures très simples, songeait-il à présent en plongeant dans les yeux bleu pâle de sa compagne. Elles pouvaient frémir d'indécision, feindre le choc et la consternation à la simple idée d'une inconvenance, mais ce n'était en réalité que les postures affectées que l'on attendait d'elles. Dès que Susan avait ri à ses plaisanteries, il avait su qu'il obtiendrait d'elle tout ce qu'il désirait.

Il avait fait suivre cette première rencontre à Belgrave Square d'une lettre. Par mesure de discrétion, il l'avait envoyée par la poste, pour le prix d'un tout nouveau Penny Red. Dans sa missive, il déclarait en termes fleuris et romantiques combien il avait apprécié leur conversation et quelle beauté rare était Susan. Il lui était impossible de ne pas penser à elle, ajoutait-il avec emphase, souriant à l'idée de l'effet que ses mots produiraient sur sa délicieuse personne.

Il lui proposait de le retrouver pour le thé à l'hôtel Morley de Trafalgar Square, un établissement bien fréquenté, où John ne risquait pas de croiser de connaissances. L'invitation était en quelque sorte un test. Si Susan était disposée à inventer un prétexte pour traverser Londres et le rejoindre au beau milieu de la journée, alors c'était une femme capable de duplicité, qui valait donc la peine d'être courtisée. Il eut du mal à dissimuler son sentiment de triomphe quand elle franchit les portes vitrées de l'hôtel, accompagnée de Speer.

À vrai dire, dans cette histoire, John se trompait du tout au tout. Il était si sûr de son pouvoir de séduction qu'il ne lui était jamais venu à l'esprit que Susan Trenchard n'avait nul besoin d'être séduite. En vérité, dès lors que Susan avait appris les éblouissantes perspectives d'avenir de John, en plus de la réelle attirance qu'elle éprouvait pour lui depuis leur rencontre, elle avait décidé de devenir d'abord sa maîtresse, après quoi, si tout se passait bien, elle aviserait de la marche à suivre. John aurait dû se douter que le simple fait de mettre sa femme de chambre dans le secret – et de lui demander de l'accompagner à l'hôtel – signifiait que Susan, loin d'en être un pion, menait le jeu. Elle savait parfaitement que personne ne trouverait à redire au déplacement d'une dame avec sa femme de chambre.

Bien des raisons valables pouvaient expliquer son périple dans Londres – une course, un déjeuner, une visite –, tant qu'elle avait son chaperon. En mettant Speer dans la confidence, Susan s'assurait la réussite de son projet. Elle laisserait bien sûr croire à John qu'il l'avait subjuguée et entraînée dans le péché – tous les hommes aimaient avoir l'impression de tenir les rênes –, mais en vérité si Susan n'avait pas décidé de tomber dans ses filets, cela ne serait jamais arrivé.

Le jour dit, elle informa Oliver qu'elle avait rendez-vous avec une amie d'enfance venue de la campagne et comptait l'emmener voir une exposition à la National Gallery. Oliver ne chercha pas à savoir de qui il s'agissait. C'était pour lui un soulagement que son épouse trouve à se distraire par elle-même.

Speer s'était opportunément éclipsée dès qu'elles avaient pénétré dans l'hôtel, laissant sa maîtresse approcher John seule. Il était assis dans un recoin, près du grand piano, une gigantesque plante en pot trônant derrière lui. Il était plus séduisant que dans son souvenir, plus séduisant que son médiocre mari. En louvoyant entre les tables et les chaises, elle se rendit compte, non sans surprise, qu'à présent qu'elle touchait au but elle se sentait un peu nerveuse. Ce n'était pas à cause de la perspective d'une aventure. Elle savait depuis un an ou deux qu'elle finirait par en arriver là tôt ou tard, étant donné l'insipidité du devoir conjugal auquel elle se prêtait occasionnellement. Et si son infertilité lui avait brisé le cœur par le passé, elle servait aujourd'hui ses desseins. Elle s'autorisa à sourire. Sa nervosité était sans doute tout ce qui restait de sa pruderie de jeune fille, un fragment qui avait miraculeusement survécu à la femme implacable qu'elle était devenue. Elle garda la tête basse pour éviter les regards des femmes attablées pour le thé. Le Morley n'était pas le genre d'hôtel que son entourage fréquentait,

John avait raison sur ce point, mais l'on n'était jamais trop prudent. La capitale était un petit monde et une réputation pouvait être ruinée en un après-midi.

Elle s'assit rapidement dos à la salle et adressa à John un regard timide. Passé maître dans l'art de la séduction, ou du moins se plaisait-il à le croire, John se fit un devoir de mettre son invitée à l'aise, ce qu'elle lui accorda de bonne grâce. Susan était assez avisée pour savoir que son galant, pour jouir pleinement de l'expérience, avait besoin de conquérir une femme vertueuse et elle entendait bien lui accorder ce plaisir. Sa modestie rougissante fit son effet et il ne lui fallut guère attendre pour se voir suggérer un nouveau rendez-vous, cette fois dans de tout autres circonstances.

À dire vrai, Oliver Trenchard n'avait plus rien d'un époux pour Susan. Durant les cinq premières années de leur mariage, ils avaient essayé, sans succès, de concevoir un héritier, mais Oliver avait fini par abandonner la partie et la laisser seule. Elle ne pouvait pas totalement l'en blâmer. Étant entendu qu'ils n'auraient pas d'enfant, ils ne s'aimaient pas suffisamment pour s'adonner aux plaisirs du lit conjugal. C'était un sujet douloureux, dont ils discutaient rarement mais se servaient de temps en temps pour se provoquer lors d'une dispute, ou qu'ils réservaient pour des conversations désagréables après le dîner, en particulier quand Oliver avait bu trop de champagne. Mais Susan avait fini par comprendre que son infertilité lui avait fait perdre tout pouvoir sur son époux et qu'elle ne pourrait jamais exercer la moindre influence sur les parents de ce dernier. Dès lors, si elle n'y prenait garde, elle se retrouverait sans rien. Même son père ne s'intéressait plus à elle. Bien sûr, elle aurait pu l'imputer à son propre comportement extravagant et dispendieux, du moins en partie, mais elle préférait mettre la déception de son père sur le compte de son incapacité d'être mère. Il n'aurait pas de descendants et elle n'était pas certaine qu'il pourrait le lui pardonner. Quant aux Trenchard, nul doute qu'ils seraient ravis de la voir emportée par une obscure maladie, de sorte qu'Oliver puisse prendre une autre épouse, capable de remplir les nurseries d'Eaton Square de bambins. C'était sans doute cette amère vérité qui poussait Susan à croire qu'elle devait s'occuper elle-même de son destin si elle espérait mener une vie heureuse. Elle en était peu à peu parvenue à cette conclusion : l'optimisme avait cédé à la désillusion, puis à la détermination de prendre en mains sa propre vie. Et alors même que cette nouvelle idée prenait forme dans son esprit, elle avait rencontré John Bellasis.

Ainsi, quand John lui proposa cet après-midi-là de venir à Isleworth, où il avait « un modeste logis » qui lui permettait d'échapper à la « fureur de Londres », Susan feignit de son mieux l'hésitation. Tout ce qu'il lui fallait, c'était une excuse pour passer la journée à Isleworth. Elle décida de ne pas mentir sur sa destination, de peur de rencontrer sur place une connaissance et d'être prise en faute. Elle raconta donc qu'elle songeait à acquérir un verger et désirait étudier différentes offres. Plusieurs grandes demeures londoniennes disposaient de vergers qui leur fournissaient des fruits frais durant tout l'automne. Oliver grommela que c'était lui qui devrait s'occuper de la transaction, mais ne souleva aucune objection. Pour parfaire son image vertueuse, Susan voyagerait avec Speer, qui patienterait dans une auberge jusqu'à l'heure du retour.

Leur plan s'était déroulé comme prévu. Speer l'attendrait à partir de 15 heures à la Bridge Inn, une auberge en bordure du fleuve, non loin du cottage de John. Lorsque tout fut arrangé, la servante alla se promener sans rien dire au cocher. Les domestiques avaient cependant été mis au courant du projet de verger de Susan, qui servirait de prétexte à ses prochaines visites.

— Je pensais laisser mon cheval se reposer et rentrer avec toi, dit John en lui caressant la joue du pouce.

— Ne serait-ce pas charmant ? répondit-elle d'une voix ensommeillée. Si seulement c'était possible.

— Et pourquoi pas ?

Il paraissait sincèrement surpris.

Elle lui adressa un sourire languide, promesse de moments meilleurs.

— Je voyage avec ma femme de chambre dans la voiture de mon mari.

John ne vit pas immédiatement où résidait le problème. Pourquoi ne pas mettre la bonne à côté du cocher et rentrer gaiement ensemble en ville ? Il lui importait peu d'être vu en compagnie d'une jolie femme mariée dans l'attelage de son mari. Mais en y réfléchissant, même lui comprenait bien que Susan ne pouvait risquer d'être reconnue et son expression lui indiquait clairement qu'il n'en était pas question. Un instant, il la sentit aussi déterminée que lui, et plutôt maîtresse des événements, mais ce fut une impression fugace, chassée par la vision de cette femme alanguie sur les oreillers, les yeux mi-clos, éperdument amoureuse de lui. Cela le rassura, et il ne chercha pas à en savoir davantage.

Avec un soupir, suggérant par là que son plus fervent désir était de rester avec lui pour toujours, elle se leva et enfila sa chemise. Elle marcha jusqu'à la fenêtre, pieds nus sur le moelleux tapis turc, et ramassa son corset.

— Speer m'attend à la Bridge Inn, dit-elle en se mordillant la lèvre avec coquetterie. Alors je vais avoir besoin d'aide avec ceci.

John haussa un sourcil et poussa à son tour un soupir exagéré. Elle rit et il fit de même, bien qu'en réalité il trouve les embarras de la toilette féminine affreusement pénibles.

— Dois-je le lacer ?

— Non. Ce n'est qu'au théâtre, les lacets. Les miens sont déjà noués, mais les agrafes sur le devant peuvent être coriaces.

Il lui fallut plus de cinq minutes pour fermer ces maudites agrafes, après quoi elle lui demanda de s'occuper des minuscules boutons au dos de sa robe. Il avait le visage rouge et les doigts moites à force de triturer le tissu de soie jaune.

— La prochaine fois, tu pourrais porter une toilette un peu moins… compliquée.

— Je ne peux tout de même pas sortir en robe de chambre. Même pour toi. Et ça ne t'a pas vraiment posé de problèmes de m'enlever mes vêtements !

De nouveau, il eut l'impression désagréable qu'elle se moquait de lui. Qu'il obéissait à ses ordres et non le contraire, comme il le croyait. Mais là encore, il balaya cette idée.

— Pourrait-on se voir à Londres la prochaine fois ? proposa John en consultant sa montre à gousset dorée. Ou au moins un peu plus près ?

— Comme ce sera différent avec ce nouveau chemin de fer !

— Que veux-tu dire ?

Elle sourit.

— Eh bien, seulement que nous pourrions nous retrouver dans un lieu éloigné et être rentrés pour l'heure du thé. Ils disent qu'il ne faudra pas plus d'une heure ou deux pour gagner Brighton, et seulement cinq ou six pour rallier York. C'est tellement exaltant !

Il ne paraissait pas aussi convaincu.

— Je ne vois pas pourquoi tout change tout le temps. Je suis parfaitement heureux dans le monde tel qu'il est.

— Ah ! Je ne changerais certainement rien à l'après-midi que nous venons de passer.

Elle regonfla sa vanité à point nommé. Ce dont elle avait bien sûr conscience.

— Et maintenant, je dois vraiment me sauver.

Elle l'embrassa encore, goûta ses lèvres juste avant de se reculer, une promesse pour la prochaine fois.

— Ne me fais pas languir trop longtemps, chuchota-t-elle à son oreille.

Sans lui laisser le temps de répondre, elle quitta la chambre et emprunta le corridor où le domestique mutique l'attendait pour lui ouvrir la porte. C'était manifestement une routine qui ne le surprenait nullement.

Le seul moment périlleux pour Susan était celui où elle devrait se rendre du cottage de John à l'auberge. Ensuite, elle se retrouverait dans sa voiture avec sa femme de chambre, aussi respectable que n'importe quelle autre dame de la ville. Elle portait une voilette plus opaque que d'ordinaire, de sorte que quiconque la croiserait ne pourrait être certain de la reconnaître. Malgré sa nervosité, elle retourna calmement à l'auberge, en lieu sûr. Speer l'attendait, une tasse vide sur la table devant elle. Elle se leva dès qu'elle vit sa maîtresse.

— J'ai fait une promenade, madame.

— Tant mieux. Je n'aurais pas aimé vous savoir enfermée dans un lieu public tout l'après-midi.

— Je suis allée voir un agent qui m'a donné des descriptions de jardins et de propriétés à vendre, dit-elle en lui montrant les documents qui vantaient les mérites de trois ou quatre vergers et de propriétés dotées de potagers. J'ai pensé que ça pourrait vous servir.

Susan prit les feuilles sans mot dire et les plia soigneusement avant de les glisser dans son réticule. Son alibi était solide comme le roc.

Pouvait-on être malheureux au jeu ? Stephen Bellasis se posait rêveusement la question tout en regardant le donneur ramasser une nouvelle fois ses jetons. On parlait souvent de main heureuse, alors pourquoi pas de main *mal*heureuse ? Parce que s'il s'agissait bien là de déveine, il fallait que ça s'arrête, sinon il continuerait à perdre indéfiniment. Il avait déjà perdu une importante somme cet après-midi. Une véritable petite fortune, en réalité. Pendant que son fils prenait du bon temps à Isleworth, Stephen laissait mille livres au Jessop's Club, non loin de Kinnerton Street.

Le Jessop's n'était pas l'un de ces clubs prestigieux où tout gentleman rêvait d'être admis. Plutôt un lieu où finissaient les paniers percés. Une vapeur fétide flottait aux quatre étages, divisés en plusieurs petites pièces sordides, où des joueurs de tous horizons buvaient de l'alcool bon marché en perdant le peu d'argent qu'ils avaient miraculeusement réussi à conserver, ou qu'ils avaient emprunté ou volé. C'était un tout autre visage de Belgravia.

Quelques années auparavant, Stephen était membre du Crockford, à St James, où les gentlemen les plus distingués se rendaient pour un petit souper et un peu de divertissement. Mais William Crockford était un homme rusé, qui connaissait l'histoire de toutes les grandes familles du pays. Il savait donc à qui il avait affaire. À qui il pouvait prêter de l'argent sans compter et qui n'était pas digne de sa confiance. Inutile de dire que l'honorable révérend Stephen Bellasis ne fit pas de vieux os à Crockford. On ne sait comment, il parvint à se convaincre qu'il n'avait nul besoin d'un chef français ni d'une compagnie raffinée pour jouer, si bien qu'il se mit à fréquenter des établissements moins réputés. Il se prit d'affection pour le Victoria Sporting Club, sur Wellington Street, dont les membres ne parlaient pas de *parier* mais de *jouer*, et misa sur plusieurs chevaux à Ascot et Epsom. Malheureusement, il semblait aussi peu chanceux avec les chevaux qu'avec les cartes.

Pourtant, comme il aimait le frisson de la victoire ! Il n'en demandait pas beaucoup, juste une bouffée de triomphe, quelques livres placées sur le bon cheval, et il pliait bagage. Parfois, il appréciait les charmes de l'Argyll Rooms, où il se divertissait à sa façon – avec une bouteille de porto et la possibilité de soulever les jupes d'une jolie danseuse. D'autres fois, il se montrait plus audacieux et errait vers l'est, dans les environs mal famés de Seven Dials, où la police ne se rendait qu'en cas d'extrême nécessité. Comme un homme qui risquait sa vie sur une impulsion, il buvait dans les troquets du quartier, bavardant avec des voleurs et des prostituées, laissant même parfois la soirée prendre une tournure effrayante, au point de se demander s'il se retrouverait mort dans le caniveau au petit matin, un couteau planté dans les côtes, ou à côté de sa femme, qui ne lui donnait plus aucun plaisir.

Aujourd'hui, la victoire n'était nulle part en vue. Il ne manquait pas de talent au whist et parvenait souvent à récupérer une bonne partie de sa mise. S'il est un jeu où je peux gagner, c'est bien celui-là, songeait-il en battant les cartes. Hélas, cet après-midi-là, rien n'y faisait. Dame Chance l'avait définitivement abandonné et il regrettait à présent de s'être montré si prompt à la dépense.

En réalité, Stephen n'avait pas de regret, il était terrifié. Mille livres, c'était une grosse somme d'argent, qu'il n'avait aucun moyen de rembourser, à moins de la regagner. Alors qu'il continuait à perdre, la salle faiblement éclairée lui donnait une sensation grandissante de claustration. La chaleur de la pièce lambrissée devint insoutenable, si bien qu'il tirait fébrilement sur son col serré. Il ne portait jamais son col d'ecclésiastique pour jouer, mais le foulard qu'il avait mis à la place lui donnait l'impression d'étouffer. Le gin qu'il avait ingéré ne l'aidait guère, pas plus que la fumée de la pipe du comte Sikorsky. Stephen respirait avec peine.

Trois autres joueurs étaient assis autour de la table poisseuse, dont deux étaient des connaissances de Stephen. Le premier était le vieux Oleg Sikorsky, un aristocrate russe propriétaire d'un domaine en Crimée qui tombait en ruine et où il ne pouvait plus se rendre. Sikorsky parlait inlassablement de l'âge d'or de Saint-Pétersbourg, à l'époque où il buvait du champagne sur le Fontanka, dilapidant peu à peu la fortune de sa grand-mère, une dame vénérable qui, à l'en croire, avait l'oreille du tsar Alexandre Ier. Le second, le capitaine Black, était un officier des Grenadiers Guards et un ami de John. C'était un nouveau partenaire à leur table, qui avait attrapé le « virus » auprès de ses hommes. Le capitaine avait l'esprit vif et une bonne mémoire des cartes, mais était enclin à des gestes flamboyants et inconsidérés, qui lui faisaient rarement gagner une mise importante. Cela dit, ce jour-là, il s'en sortait fort bien ! Le quatrième joueur était un certain Schmitt, un homme à la carrure d'ours dont le crâne avait été déformé par un coup de marteau dans un combat durant sa folle jeunesse. Bizarrement, il avait survécu à l'attaque, qui lui avait laissé une vilaine cicatrice dentelée sur le front. Schmitt gérait une lucrative affaire de prêts, ce qui expliquait sa présence parmi eux. Non seulement il appréciait le jeu, mais il réglait les problèmes financiers de ses comparses. Aujourd'hui, il était plus que généreux avec Stephen. En bref, la générosité de Schmitt s'élevait à mille livres.

— Je vous abandonne à présent, chers amis, déclara Oleg en tirant sur sa pipe à l'odeur nauséabonde. J'ai besoin de repos. Je vais au théâtre ce soir.

— Vous ne pouvez pas partir ! protesta Stephen, qui tendait la main vers sa dernière rasade de gin, le cœur battant. Vous êtes mon partenaire ! Vous avez enchaîné les victoires toute la soirée !

— Enchaîné les victoires ? railla Schmitt en posant ses puissants avant-bras sur la table. Vous voulez dire, comme l'Invincible Armada ?

— Désolé, Bellasis, dit le comte Sikorsky en se frottant le visage, mais je n'ai pas le choix. Je n'ai plus de fonds et je dois déjà de l'argent à M. Schmitt de la semaine dernière.

— Deux cents guinées, précisa Schmitt. Plus trois cents aujourd'hui. Quand me rembourserez-vous ?

— Inutile d'ennuyer nos amis avec ces histoires, dit le comte, qui répugnait à partager le détail de ses dettes avec ses compagnons de jeu.

— Quand me paierez-vous donc ? insista Schmitt.

— Vendredi. Maintenant, je dois vraiment partir.

— Eh bien, si vous partez, dit Black, je vais en faire autant. Ce n'est pas tous les jours qu'un joueur se retrouve avec sept cents livres de plus à la fin de la partie.

Il éclata de rire et, faisant crisser sa chaise sur le sol de pierre, il se leva maladroitement. Ils étaient restés assis autour de la table de jeu pendant trois heures, si bien qu'il lui fallut un moment pour que le sang irrigue de nouveau ses membres.

— Je ne crois pas avoir jamais eu autant de succès, dit-il en rassemblant ses gains, un gros paquet de billets qui formait une belle liasse. Pas de chance, mon vieux, ajouta-t-il en donnant à Stephen une tape amicale dans le dos. On se voit la semaine prochaine ?

— Non ! s'écria Stephen.

Tous perçurent le sentiment de panique qui affleurait dans sa voix et, comme pour sauver une situation déjà perdue, Stephen laissa échapper un rire nerveux.

— Je vous en prie, ne partez pas, reprit-il en s'efforçant de maîtriser ses nerfs. Allons, une dernière partie ? Une seule ! Une partie ne prend que vingt minutes. Oleg, vous pouvez aller directement au théâtre d'ici. Black, il est impossible que vous quittiez la table comme ça, vous devez nous laisser une chance de nous refaire.

Son regard passait de l'un à l'autre, se faisait suppliant dans la pénombre. Rien qu'une dernière partie. Ce n'est pas trop demander…

La voix de Stephen se brisa. Il avait conscience d'être pathétique, mais ne pouvait s'en empêcher. Il fallait bien tenter le coup. Tous quittaient la table à présent et l'abandonnaient dans ce sous-sol sombre avec Schmitt. Il était impossible de savoir ce que son créancier allait faire. Stephen lui avait déjà emprunté de l'argent par le passé et s'était toujours débrouillé pour le rembourser, mais jamais une telle somme.

Il resta assis tandis que le capitaine Black et le comte Sikorsky montaient l'escalier, leurs pas résonnant étrangement sur les marches de bois. La cire du chandelier en bronze gouttait lentement sur la table devant lui.

— Alors, Votre Seigneurie…, dit Schmitt d'un ton sarcastique, puis il se leva de sa chaise, déployant sa large stature.

— Oui ?

Stephen secoua la tête avec défiance. Il n'allait pas se laisser intimider par cet homme effroyable. Après tout, il avait des relations, se rappela-t-il, des amis haut placés.

— Il nous reste la question des mille livres.

Stephen fit la grimace, persuadé que l'homme allait faire craquer ses jointures ou abattre son poing sur la table. Mais Schmitt ne fit ni l'un ni l'autre, préférant arpenter la pièce en faisant claquer les talons de ses bottes sur le sol de pierre.

— Nous sommes tous les deux des gentlemen, dit Schmitt.

Stephen résista à la tentation de lui rétorquer que, peut-être, en sa qualité d'usurier flanqué d'une cicatrice crantée sur le front, Schmitt ne l'était pas.

— Je suis un homme plutôt avenant et je suis prêt à me montrer raisonnable…

— Merci, dit Stephen d'une voix à peine audible.

— Donc, vous avez deux jours pour obtenir l'argent. Deux jours, pas plus.

Il se tut et, d'un geste brusque, s'empara de la bouteille de gin et la fracassa sur la table, juste sous le nez de Stephen, faisant voler le verre en éclats. Stephen bondit de son siège.

— Deux jours, gronda Schmitt, baissant son crâne scarifié vers lui, la bouteille cassée toujours à la main. Deux jours, répéta-t-il en approchant du cou de Stephen les bords tranchants du verre.

Le malheureux quitta le club aussi vite que le pouvait un homme corpulent imbibé de gin, puis il continua à courir jusqu'au coin de Sloane Street. Lorsqu'il s'arrêta, le souffle court, s'adossant à un mur pour se soutenir, il comprit que quelque chose n'allait pas. Deux dames prirent soin de l'éviter et un homme traversa rapidement la rue. Il se sentait humide. Il se tamponna le visage avec son mouchoir. Le tissu était imprégné de sang. Dans une vitrine toute proche, il vit que ses joues et son front étaient marqués de plusieurs coupures, dues aux éclats de verre.

Le lendemain, il avait meilleure mine. Du moins pour ce qui était du visage, comme il put le constater dans le miroir. Ce ne sont que des égratignures, se dit-il, rien de bien méchant. Heureusement, car il allait devoir une nouvelle fois solliciter humblement l'aide de son frère. Et pour ce faire, il valait mieux ne pas avoir l'air dépenaillé.

Dans la morne salle à manger de Harley Street, l'atmosphère entre Stephen et Grace était glaciale. Ni l'un ni l'autre n'aimait vivre entre ces murs. La maison était un cadeau de mariage de la mère de Grace mais, comme tout ce qui était associé à Grace, elle semblait à présent un peu surannée et misérable. À cause des récentes constructions immobilières disséminées un peu partout dans la capitale, il lui semblait que Harley Street serait un jour reléguée dans le passé. De plus, la maison elle-même était exiguë, sombre et presque toujours froide. Même par temps doux, on sentait toujours la fraîcheur de l'air. Était-ce dû à la parcimonie de Grace concernant le bois ou au manque de domestiques pour allumer les feux des cheminées ? Le résultat était le même. Les invités frissonnaient dès qu'ils franchissaient le seuil. Pourtant, tous deux ne recevaient guère. Grace invitait à l'occasion des dames de la paroisse ou du comité de charité, quand elles étaient de passage à Londres, mais d'ordinaire le couple dînait seul.

Ils survivaient avec un personnel réduit au minimum – un cuisinier, une fille de cuisine, un majordome faisant également office de valet de chambre, une gouvernante qui habillait Grace et deux femmes de ménage qui donnaient leur congé avec une régularité désespérante. Grace avait d'abord pensé que la cause en était la faiblesse de leurs gages, mais elle en était venue à soupçonner Stephen d'être à l'origine de certains départs précipités. À dire vrai, ils ne pouvaient pas vraiment se permettre de vivre à Londres et, s'ils avaient eu le moindre sens commun, ils auraient vendu la maison il y a des années et se seraient contentés du Hampshire, économisant ainsi l'argent qu'ils avaient dû donner à leurs vicaires. Mais ni l'un ni l'autre n'était raisonnable. C'est plutôt Stephen qui n'est pas raisonnable, songea Grace avec une ironie désabusée. Pas de bon sens, pas d'ambition et, Dieu lui pardonne, nulle intention de remplir ses devoirs paroissiaux, pourtant peu exigeants. Grace mangea son repas sans saveur. Elle s'était toujours félicitée de ne pas déjeuner le matin au lit comme les autres femmes mariées de sa connaissance, mais aujourd'hui elle le regrettait. Au moins, sa chambre était bien chauffée. Elle prit l'enveloppe sur la table.

Quand son mari entra dans la pièce, elle ne leva pas les yeux de la lettre envoyée par sa fille. Elle savait qu'il avait passé tout l'après-midi de la veille à jouer et probablement perdu de l'argent. Ses soupirs, quand il prit place à table, le trahissaient. S'il avait gagné, il se serait frotté les mains avec l'air enjoué. Alors que là, il n'avait pas d'appétit. Il souleva le couvercle du poêlon et observa les œufs brouillés desséchés.

— Emma va bien, finit par dire Grace, puis elle leva les yeux sur lui et se raidit, sous le choc. Ciel, que vous est-il arrivé ?

— Rien, rien. Une fenêtre s'est cassée alors que je me tenais à côté. Comment vont les enfants ?

Il se servit une tranche de bacon tiède.

— Elle dit que Freddie tousse.

— Bien, bien, fit-il en s'affalant dans son siège.

— Pourquoi dites-vous cela ? (Grace l'observait de l'autre bout de la table.) En quoi cela est-il bien que l'enfant soit malade ?

Stephen la regarda un moment.

— Je pensais rendre visite à mon frère aujourd'hui.

— Cela a-t-il un rapport avec votre journée d'hier ? s'enquit Grace en se levant.

— Disons que ce n'était pas mon jour de chance.

Il avait parlé les yeux baissés, comme s'il formulait une pensée sans rapport avec sa femme.

Pour Grace, cela n'était pas de bon augure. Stephen se faisait un devoir de ne jamais reconnaître la défaite ou l'échec, quels qu'ils soient. En fait, il répugnait même à avouer son penchant pour le jeu.

— Quelle est l'ampleur de la catastrophe, au juste ? demanda-t-elle en songeant aux quelques bijoux qu'il lui restait à vendre.

Dieu merci elle s'était déjà acquittée du loyer de John à Albany, même si elle ne comprenait pas pourquoi son fils refusait de vivre avec eux à Harley Street.

— Inutile de vous inquiéter, dit Stephen en reprenant contenance, je vais régler la situation cet après-midi.

— Nettoyez-vous le visage d'abord.

Quand Stephen arriva devant la maison de Belgrave Square, il hésita à manifester sa présence. Depuis la large allée pavée, il admira la porte noire et brillante, flanquée de colonnes doriques, et secoua la tête en songeant à l'injustice de la situation, un refrain qu'il se jouait inlassablement dans sa tête. Par quel hasard de naissance Peregrine se retrouvait-il dans une si somptueuse demeure, alors que lui devait se contenter d'une misérable masure ? Pas étonnant que j'aime les paris, se dit Stephen. Comment ne pas jouer avec le hasard quand la vie lui avait distribué de si mauvaises cartes ? Pouvait-on lui reprocher de chercher un peu de réconfort dans les bras de femmes de petite vertu ? Était-ce sa faute s'il était devenu dépendant du frisson du jeu ?

Stephen frappa à la porte. Un jeune valet en livrée lui ouvrit et l'introduisit dans la bibliothèque, où il fut prié d'attendre.

— Quel plaisir inattendu ! s'exclama Peregrine en arrivant cinq longues minutes plus tard. J'allais justement me rendre à mon club.

— Eh bien, dit Stephen, je suis content de vous trouver ici.

Il ne savait pas très bien comment débuter la conversation, même s'il était évident que son frère connaissait le motif de sa venue.

— Qu'est-il arrivé à votre visage ? demanda Peregrine en observant la constellation de coupures sur les joues de Stephen.

— J'ai eu une mauvaise expérience chez le barbier.

Cela semblait plus plausible qu'une fenêtre cassée, même si tous deux savaient que ce n'était pas la vérité.

— Rappelez-moi de ne jamais aller chez ce monsieur ! plaisanta Peregrine en prenant place à son bureau. Alors, que me vaut cet honneur ?

Tous deux savaient qu'il s'agissait d'une moquerie. Stephen voulait de l'argent de son frère, lequel attendait que celui-ci formule sa demande à haute voix. S'il espérait obtenir quoi que ce soit de lui, ce serait seulement au prix d'une profonde humiliation.

— Il semblerait que je sois dans une période de déveine, dit Stephen en baissant la tête.

Il pensait que, en affichant ses remords ou en se courbant légèrement devant son frère, ce dernier se montrerait plus généreux.

— Combien, mon cher frère ?

— Ma déveine se chiffre à un millier de livres.

— *Un millier de livres ?*

Peregrine était sincèrement choqué. Tout le monde aimait faire un petit écart de temps à autre. Son vieil ami le duc de Wellington était capable de perdre plus de mille livres en une soirée, à la table du whist de Crockford, mais il pouvait se le permettre. Vraiment, Stephen avait perdu mille livres ? Il haussa les sourcils. Il ne s'attendait pas à une telle somme. Sans compter qu'il lui avait déjà fait un don récemment, après leur déjeuner à Lymington.

— Normalement, je ne vous le demanderais pas…

— Oui, mais le fait est que vous me le demandez, l'interrompit Peregrine. En vérité, vous me sollicitez continuellement. Je ne me rappelle pas la dernière fois que vous m'avez rendu visite sans me réclamer de l'argent. (Il réfléchit un moment.) Non.

— Non ?

Stephen ne comprenait pas.

— Non, je ne vous les donnerai pas. Pas cette fois.

Stephen avait-il bien entendu ?

— Comment ?

Il n'en revenait pas. Son humilité affectée fit place à une fureur pure.

— Mais vous le devez ! Vous le devez ! Je suis votre frère et j'en ai besoin ! Il me faut cet argent !

— Vous auriez dû réfléchir à deux fois avant de le perdre au jeu. Vous pariez de l'argent que vous n'avez pas, et voilà le résultat.

— Je ne l'ai pas perdu au jeu ! Ce n'est pas du tout ce qui s'est passé !

Les mains boudinées de Stephen s'étaient fermées en poings serrés. Ce n'était pas l'issue qu'il avait imaginée. Son cerveau fonctionnait à toute allure. En dehors du jeu, quelle pouvait être son excuse ? Que dire pour justifier la perte de tant d'argent ?

— Nous savons tous les deux que c'est un mensonge.

Peregrine parlait très calmement. Son frère était insupportable. Il n'avait aucun sens des responsabilités, une disgrâce pour leur lignée. Pourquoi devrait-il continuer à financer le gaspillage de son existence ?

— Comment osez-vous m'accuser de mensonge ? se rengorgea Stephen. Je suis un homme d'honneur.

— Parce que c'est la vérité, répondit le comte en secouant la tête. Je ne rembourserai plus vos dettes. Vous avez un revenu décent avec votre héritage et la pension de l'Église, du moins vous le devriez, sans parler des fonds de votre épouse. Vous devez simplement apprendre à ne pas vivre au-dessus de vos moyens.

— *Ne pas vivre au-dessus de mes moyens !* répéta Stephen, près d'exploser. Comment osez-vous ? Pour qui vous prenez-vous ? Simplement parce que vous avez deux ans de plus que moi, vous avez pris le titre, le domaine, les terres et tout l'argent…

— Pas tout à fait.

— Vous arrive-t-il de penser combien tout ceci est injuste ? Et vous avez l'audace de me dire de ne pas vivre au-dessus de mes moyens ?

— La vie est injuste, je vous l'accorde. Mais c'est le système dans lequel nous sommes nés tous les deux. Personne ne vous a demandé d'en attendre plus. Nombreux sont les hommes qui se satisferaient de vivre dans un grand presbytère sans rien avoir à faire de janvier à décembre.

— Eh bien, un jour, c'est John qui héritera, déclara Stephen en levant triomphalement le menton. Mon fils, pas le vôtre, héritera de tout.

C'était un coup bas, mais Peregrine décida de passer outre.

— Et ce jour-là, je vous rappelle que, en toute logique, vous serez mort, aussi sera-t-il trop tard pour qu'il finance les vices de son père.

Stephen le toisa avec stupeur, les dents serrées et le visage écarlate. Sa colère était telle qu'il avait perdu sa langue.

— Eh bien, eh bien, finit-il par grommeler, bonne journée à vous, mon cher frère !

Il quitta la pièce à grands pas et claqua la porte si violemment qu'un morceau de plâtre se détacha du mur.

Dans le vestibule, Stephen marqua un temps d'arrêt. Que faire à présent ? Peregrine ne l'avait pas suivi. Il ne lui avait pas couru après avec une liasse de billets à la main. Alors qu'était-il censé faire ? Il n'avait aucun moyen de rembourser cette somme. Quant à Schmitt, la simple pensée de cet homme le faisait frissonner. Il fit les cent pas, se demandant s'il devait retourner dans la bibliothèque pour supplier son frère, se confondre en excuses, faire appel à son bon cœur. Il lui fallait un plan. Devait-il rester ? Ou s'en aller ? Il se frottait le menton, tout à ses réflexions.

Un éclat de rire résonna au premier étage, un rire de femme. Il observa l'escalier étincelant. Cela venait du boudoir de Caroline. Avait-elle entendu leur querelle ? Se pouvait-il qu'elle se moque de lui ? Elle était bel et bien en train de rire. Se délectait-elle de sa déchéance ? Stephen grimpa les marches et s'approcha de la porte. C'était bien les gloussements de cette femme haïssable, mais était-ce une voix d'homme qu'il entendait aussi ? Qui pouvait divertir ainsi Lady Brockenhurst ? Il se baissa et colla l'oreille au trou de la serrure. Soudain, la porte s'ouvrit.

— Mon Dieu, Stephen ! Vous avez failli me faire faire une crise cardiaque ! s'écria Caroline, la main sur le cœur. Pour l'amour du ciel, que faites-vous ici ?

— Rien, bredouilla Stephen en se redressant avec peine.

Quel était ce jeune homme aux cheveux noirs et bouclés derrière elle ? Son visage lui était familier. Il avait les joues rouges, comme pris en faute. Caroline le regardait toujours.

— J'étais juste…

— Vous rappelez-vous M. Pope ? Il était parmi nous l'autre soir, dit Caroline en reculant pour présenter son invité.

— Oui, en effet.

Il ne s'en souvenait que trop bien. C'était le jeune inconnu avec qui la comtesse avait paradé toute la soirée avant de le faire asseoir à sa droite, la place d'honneur. Il était en affaires avec ce pompeux imbécile de Trenchard. Et voilà qu'il se trouvait dans le boudoir de la comtesse.

— Charles me parlait de ses projets. Il a une filature de coton à Manchester, précisa-t-elle avec un large sourire.

Tout cela lui paraissait bien étrange.

— Vous vous intéressez donc aux filatures de coton ?

— Lady Brockenhurst me soutient dans mes projets, intervint Charles en souriant, comme si cela expliquait tout.

— Vous m'en direz tant !

Stephen les regarda tour à tour.

— Absolument, confirma la comtesse en hochant la tête.

Elle n'en dit pas plus et invita Charles à descendre l'escalier.

— Mais je ne voudrais pas vous accaparer plus longtemps, ajouta-t-elle avec un rire cristallin, puis elle délaissa Stephen pour suivre Charles au rez-de-chaussée. J'ai pris grand plaisir à notre conversation, monsieur Pope. J'attends avec impatience notre prochaine entrevue.

Dans le vestibule, le valet de pied donna son manteau à Charles, puis lui ouvrit la porte. Caroline leva les yeux vers son beau-frère, mais plutôt que de le rejoindre elle gagna la salle à manger et ferma la porte derrière elle. Stephen mit un certain temps à se décider à descendre à son tour. Il avait l'impression tenace que la scène dont il venait d'être témoin et son besoin d'argent pouvaient se combiner à son avantage, mais il ne savait pas encore comment.

Lorsque Charles Pope quitta la demeure des Brockenhurst et se retrouva sous le soleil de Belgrave Square, il était comme sur un nuage. Son entretien avec la comtesse n'aurait pu mieux tourner : elle lui avait promis bien plus d'argent qu'il ne l'avait espéré, le double de la somme initialement proposée. Bien sûr, la question qui lui brûlait les lèvres était : pourquoi ? Cela dit, M. Trenchard s'était montré tout aussi généreux en lui avançant les fonds pour l'achat de sa filature, et ce à des conditions fort avantageuses. Maintenant, sa nouvelle protectrice lui permettait d'assurer ses ressources de coton aux Indes et de développer son commerce de manière telle qu'elle lui faisait gagner dix ans. Encore une fois, pourquoi ? C'était tout à fait déconcertant. Il se sentait sincèrement honoré d'être invité dans la demeure de Lady Brockenhurst, sans parler de son chaleureux accueil, mais il ne pouvait s'empêcher de se demander ce qu'il avait fait pour mériter une si bonne fortune.

— Voilà quelqu'un qui a l'air fort satisfait.

Charles se retourna et plissa les yeux dans la lumière du soleil.

— Vous ?

— Moi ? plaisanta la jeune femme en souriant.

— Lady Maria Grey, si je ne m'abuse ?

Il s'était renseigné sur elle à la soirée, la désignant à leur hôtesse, et avait découvert son rang, à son immense déception. S'il avait espéré être digne d'elle, il avait compris alors que c'était impossible. Mais la revoir était un plaisir indéniable.

— Elle-même. Et vous êtes M. Pope.

Elle portait une veste bleu nuit cintrée sur une jupe ample et un chapeau piqueté de fleurs de la même couleur. Charles songea qu'il n'avait rien vu d'aussi charmant.

— Et si je puis me permettre, que vous vaut cette joie printanière ? demanda-t-elle en riant.

— Seulement les affaires. Cela vous paraîtrait fort ennuyeux.

— Qu'en savez-vous ? Pourquoi les hommes supposent-ils toujours que les femmes ne s'intéressent qu'à la mode et aux commérages ?

Ils s'observèrent un moment. On toussota derrière eux. Charles se retourna et vit une femme vêtue de noir. Sans doute la femme de chambre de Lady Maria, devina-t-il. Évidemment, elle ne pouvait en aucune façon sortir sans chaperon.

— Pardonnez-moi, répondit Charles en joignant les mains en manière de supplique. Je ne voulais pas vous offenser. Je pensais seulement que le financement d'un approvisionnement de coton ne saurait vous divertir.

— Laissez-moi en être seule juge, monsieur Pope. Dites-m'en un peu plus sur votre filature et votre coton et, si je trouve la conversation assommante, je bâillerai discrètement derrière ma main gantée et vous saurez que vous avez échoué à retenir mon attention. Qu'en pensez-vous ?

Elle inclina la tête d'un côté.

Charles sourit. Lady Maria Grey ne ressemblait à aucune femme de sa connaissance. En sus de sa beauté et de son charme, elle était franche, intelligente et manifestement très têtue.

— Je ferai mon possible pour être à la hauteur. Allez-vous quelque part ? Si je ne suis pas trop indiscret ?

— Je vais à la London Library. J'aimerais m'y inscrire. M. Carlyle, un ami de Mère, ne cesse de vanter ses mérites, bien supérieurs selon lui à ceux de la bibliothèque du British Museum, même si j'ai peine à le croire. Ryan m'accompagne.

Elle fit un signe de tête à son chaperon, mais Mlle Ryan ne semblait guère apprécier la tournure que prenait la conversation.

— Mademoiselle…

— Qu'y a-t-il ?

La femme de chambre n'osa poursuivre. Maria la rejoignit et se retourna pour adresser un sourire à Charles.

— Elle pense que Mère désapprouverait que l'on nous voie marcher côte à côte.

— A-t-elle raison ?

— Probablement.

Mais cette réponse ne signifiait pas pour autant que l'aventure s'arrêtait là.

— Et vous, monsieur Pope, où allez-vous ?

— Je retournais à mon bureau.

— Et où se trouve-t-il ?

— Sur Bishopsgate. À la City.

— Alors nous ferons une partie du trajet ensemble. La bibliothèque se trouve au 49 Pall Mall, nous ne vous détournerons donc pas de votre route. Et en chemin, vous nous raconterez tout sur le monde du coton et nous direz ce que vous projetez de faire aux Indes, de la manière la plus divertissante possible. Ensuite, nous nous séparerons et chacun retournera à ses occupations.

Ainsi, durant la demi-heure suivante, tandis qu'ils traversaient Green Park, Charles expliqua à la jeune femme les complexités du commerce du coton. Il parla de ses projets d'expansion, puis d'un nouveau métier à tisser équipé d'un système de frein automatique en cas de rupture des fils. Et tout du long, Maria admira sa ferveur, son ambition et sa manière de s'exprimer. Quand ils parvinrent au coin de Green Park et Piccadilly, elle savait presque tout de la récolte, de l'approvisionnement et du tissage du coton.

— Vous avez gagné ! déclara-t-elle en faisant tournoyer son ombrelle couleur lilas sur son épaule.

— Gagné quoi ? demanda Charles, déconcerté.

— Je n'ai pas eu à réprimer le moindre bâillement ! Vous étiez à la fois intéressant et divertissant. Bravo !

Elle rit en battant des mains. Il s'inclina.

— J'aimerais beaucoup voir vos bureaux un jour, continua-t-elle.

— Je crains que votre mère ne l'approuve guère, répliqua-t-il en jetant un coup d'œil à Ryan, dont l'expression restait de marbre. Je l'imagine mal trouver une visite à Bishopsgate des plus…

— Balivernes ! Vous dites que Lady Brockenhurst s'intéresse à votre compagnie, alors pourquoi ne pourrais-je pas m'en rendre compte par moi-même ?

— Je ne suis pas sûr de vous suivre.

Mais Maria avait parlé sans réfléchir. À présent, elle était gênée de sa réponse.

— Je suis… fiancée à son neveu.

— Ah.

Quelle folie d'en éprouver de la déception ! Pis encore, il avait l'impression d'avoir perdu une perle de grande valeur. Qu'imaginait-il ? Qu'une dame de la beauté et de la qualité de Maria Grey n'aurait pas de prétendants ?

Bien sûr qu'elle était fiancée. En outre, elle appartenait à une famille d'aristocrates alors qu'il n'était rien, le fils de personne. Pourtant, il ne trouva rien d'autre à dire que « Ah ».

— Lady Brockenhurst et moi pourrions vous rendre visite ensemble, reprit Lady Maria avec une gaieté affectée.

— Rien ne saurait me faire plus plaisir, répondit Charles Pope avec un sourire. (Puis, soulevant son chapeau :) Le travail m'attend…

Sur quoi il les salua et s'éloigna en direction de Piccadilly.

John Bellasis buvait une chope de bière dans la taverne de M. Pimm, au 3 Poultry Street, quand son père passa la porte et prit place face à lui. John venait de rendre visite à un ami créancier au coin d'Old Jewry, comme il en avait l'habitude le mardi. Il cherchait déjà des moyens d'augmenter et d'investir sa future fortune. C'était le visage qu'il voulait montrer à tous, afin que les hommes à qui il devait aujourd'hui de l'argent soient certains d'être remboursés un jour.

— Ah ! Vous voilà ! s'exclama Stephen.

— Bonjour, Père. Comment avez-vous su où me trouver ?

— Vous êtes toujours ici, dit Stephen en se penchant vers lui. Bon…, poursuivit-il en abattant ses mains sur la table. Il a refusé.

— Qui ?

John posa sa pinte et repoussa son assiette de côtelettes de mouton presque entièrement mangées.

— Votre oncle, bien sûr, répondit Stephen en tirant sur son col. Que vais-je devenir ? (Il savait que son ton était strident, mais la panique s'emparait de lui.) Je n'ai que deux jours… Enfin, plus qu'un seul maintenant.

— Combien lui avez-vous demandé ?

John n'avait pas besoin de s'interroger sur la raison de la détresse de son père. C'était forcément une histoire de dettes.

— Un millier de livres.

Stephen examina l'assiette de John pour voir s'il y avait quelque chose d'intéressant à picorer. Ses doigts flottèrent au-dessus des os avant de se refermer sur une carotte revenue au beurre.

— Je les dois à Schmitt.

— Schmitt ? Cette brute ! (John leva les sourcils et poussa un soupir.) Alors vous avez plutôt intérêt à le rembourser.

— Je sais, répliqua-t-il en mâchonnant. Connaissez-vous quelqu'un qui pourrait m'aider ?

— Vous voulez dire un usurier ?

— Qui d'autre ? Je pourrais lui emprunter de l'argent pour rembourser Schmitt, cela me donnerait quelques jours pour négocier un prêt ou trouver une autre solution. Bien entendu, il faudra payer des intérêts, mais si je trouve ne serait-ce que la moitié de la somme, je gagnerai du temps.

— J'en connais quelques-uns. Mais je ne suis pas sûr que vous puissiez trouver un tel montant en liquide aussi vite. Pourquoi ne pas vous adresser à une banque ? dit John en pianotant de ses doigts soignés sur la table. Ils nous connaissent, ils savent que la famille est fortunée et que l'héritage me reviendra. Ne pouvez-vous pas négocier un prêt grâce à cette garantie ?

— J'ai déjà fait une tentative. (Stephen ne voulait pas mentir à son fils.) Ils pensent que mon frère se porte comme un charme et que l'attente sera trop longue.

John haussa les épaules.

— Je connais un Polonais, Emile Kruchinsky, du côté d'East End. Il pourrait vous obtenir l'argent à temps.

— Combien prend-il ?

— Cinquante pour cent.

— *Cinquante pour cent !*

Stephen gonfla ses joues tout en regardant la fille de salle se baisser pour nettoyer le banc en face d'eux. Ses hanches se balançaient au rythme du mouvement de ses bras.

— C'est un peu dur à avaler.

— C'est le tarif en cas d'urgence. Ils vous tiennent à la gorge et ils le savent. Il ne reste vraiment plus rien à vendre ?

— Seulement Harley Street, mais la maison est déjà lourdement hypothéquée. Je doute qu'on en retire le moindre penny.

— Alors vous devez convaincre la banque ou aller chez le Polonais, conclut John.

— Savez-vous qui j'ai vu aujourd'hui à Belgrave Square, chez votre oncle ? dit Stephen, sourcils froncés. Cet homme, Charles Pope.

— Le protégé de Trenchard ? Celui qui était à la réception ? s'enquit John, stupéfait. Que faisait-il là ?

— Qui sait ? Mais il était là. Votre tante et lui riaient allègrement. Et dans le boudoir de la comtesse en plus. Je les ai surpris au moment du départ de Pope. Tout ça m'a semblé très curieux. Le gamin a rougi quand je l'ai vu. Il a vraiment rougi !

— Vous ne pensez tout de même pas qu'ils avaient un rendez-vous galant ? plaisanta John.

— Ciel non ! gloussa Stephen en se renversant sur la banquette. Mais il y a anguille sous roche, j'en mettrais ma main à couper. Elle a l'intention d'investir dans son commerce.

— Comment ?

John se redressa. Maintenant qu'il était question d'argent, il était attentif.

— Pourquoi ce brusque intérêt pour le commerce ? Avec de surcroît un homme que nous ne connaissons ni d'Ève ni d'Adam.

— Exactement, renchérit son père. Et ils s'entendaient très bien, pour deux personnes qui viennent de se rencontrer. Vous rappelez-vous la manière dont elle s'est pavanée à son bras durant la réception ? C'était presque inconvenant. Une femme de sa position, avec un homme aussi jeune...

— Qui est-ce ? Que sait-on de son passé ? Il doit bien y avoir quelque chose.

— Pas à ma connaissance. Je n'apprécie guère le personnage, et encore moins l'emprise qu'il exerce sur notre chère Lady Brockenhurst. Elle va être la risée de tous.

— Savez-vous combien elle a investi ?

— Eh bien, le jeune M. Pope semblait fort satisfait quand il est parti. J'imagine donc que la somme est rondelette. Mais pourquoi diable donne-t-elle son argent à un étranger quand mon cher frère refuse d'aider sa chair et son sang ?

— En effet.

John hocha la tête. Tous deux se turent un moment, abattus par l'injustice de la situation.

— Nous devons découvrir qui est cet homme, finit par dire Stephen.

— Je pense avoir une idée.

— Laquelle ? s'enquit Stephen en regardant son fils avec intérêt.

— Je suis plutôt en bons termes avec la jeune Mme Trenchard. Elle m'a dit que son beau-père connaissait Pope depuis un moment.

Son père parut surpris.

— En bons termes ? Comment ça ?

— Je l'ai rencontrée par hasard à la National Gallery et nous avons pris le thé ensemble.

— Vraiment ?

Stephen ne connaissait que trop bien son fils.

— Une entrevue tout à fait respectable. Elle était avec sa femme de chambre. Je pourrais lui demander si elle en sait plus.

— À la servante ?

— Je pensais à Mme Trenchard, mais c'est une bonne idée. Les domestiques finissent toujours par être au courant de tout. Et je veux découvrir ce qui se trame avec ce Charles Pope. Tout ce que nous savons, c'est qu'il est en affaires avec ce balourd de James Trenchard et que, tout à coup, ma tante, cette femme méticuleuse, lui donne son argent sans compter. De l'argent qui devrait un jour me revenir, si un vent froid souffle dans la bonne direction. Il me semble plus que raisonnable de vouloir comprendre pourquoi.

Stephen hocha vigoureusement la tête.

— Les Trenchard ont certainement la réponse.

— Et quand ils nous la donneront, nous trouverons le lien avec ma tante.

— Il existe sûrement une histoire passée entre eux, renchérit Stephen en acquiesçant de nouveau. Entre M. Pope et Caroline, peut-être même entre Peregrine et lui. Et si on la découvre, peut-être que Caroline, qui se montre si généreuse en ce moment, nous paiera pour garder le secret.

— Êtes-vous en train de suggérer que nous fassions chanter ma tante ?

John regarda son père. Il était presque sous le choc.

— C'est exactement ce que je suggère.

La jambe de Stephen tressautait sous la table. Ceci pourrait bien être la réponse à toutes ses prières.

Deux jours plus tard, John se rendit dans une taverne de Groom Place. Le Horse and Groom n'était qu'à quelques minutes de marche d'Eaton Square et des belles demeures de Belgravia, pourtant cela paraissait un tout autre monde.

Il avait réussi à s'entretenir brièvement avec Speer sur le trottoir en face de la maison des Trenchard. Au prétexte de vouloir organiser un nouveau rendez-vous avec Susan, il avait interrogé la femme de chambre sur les habitudes des domestiques : où les uns et les autres passaient-ils leurs heures de repos ? Bien sûr, Speer avait compris qu'il avait une idée en tête et il lui aurait bien demandé de fouiner pour son compte, mais elle risquait de rapporter leur conversation à Susan, or il ne voulait pas que sa maîtresse s'immisce dans ses affaires. Du moins pas tout de suite. Susan était charmante, il ne pouvait le nier, mais la facilité avec laquelle elle était tombée dans ses bras le rendait méfiant. Ce n'était à l'évidence pas une femme prudente et il n'était pas certain de pouvoir lui faire confiance. Finalement, la servante lui suggéra, s'il voulait une aide de l'intérieur, de parler à M. Turton, le majordome, lequel allait souvent boire un verre au Horse and Groom au coin de la rue. John fut surpris. Le majordome était généralement l'employé le mieux payé, et de ce fait le plus loyal de la maisonnée. Mais Speer devait connaître son affaire, aussi décida-t-il de suivre son conseil.

Quand il pénétra dans la taverne, l'odeur de bière renversée et de sciure mouillée le prit à la gorge. John était coutumier de certains quartiers mal famés de la ville, mais même lui trouvait le Horse and Groom sordide.

Il commanda une pinte de bière et s'adossa dans un coin pour patienter. D'après Speer, M. Turton venait toujours boire un verre autour de 17 heures et, effectivement, à 17 heures tapantes, quand l'horloge du comptoir se mit à sonner, un homme grand et efflanqué, le teint gris, en pardessus noir et chaussures lustrées, franchit la porte. Il semblait plutôt décalé dans cet établissement, pourtant quand il tira une chaise le garçon s'approcha avec une bouteille de gin et lui versa une rasade dans un petit verre sans échanger une parole avec lui. Turton le remercia d'un signe de tête. Il n'avait pas l'air du genre exubérant, mais avait certainement ses habitudes dans cet endroit.

— Monsieur Turton ? demanda John.

Turton reposa le verre de gin et leva les yeux sur lui. De près, il paraissait fatigué.

— Peut-être bien. Je vous connais ?

— Non, dit John en prenant place face à lui. Mais j'ai cru comprendre que nous pourrions faire affaire ensemble.

— Vous et moi ?

Turton parut troublé. Il avait coutume de vendre des morceaux de bœuf, du fromage, quelques bonnes bouteilles de bordeaux à la sauvette. Il avait passé un accord avec Mme Babbage, la cuisinière. Elle commandait un peu plus de victuailles que nécessaire, rien de trop voyant, quelques faisans de Glenville, une portion de mouton supplémentaire, et vendait le surplus. L'homme était bien connu dans la taverne, où il s'installait tous les jours entre 17 et 18 heures, et faisait un peu de commerce. Naturellement, il donnait sa part à Mme Babbage. Pas autant qu'elle le méritait, mais c'était lui qui prenait tous les risques. Elle n'avait qu'à faire une erreur de commande délibérée, ce que personne ne lui reprocherait. Il travaillait pour les Trenchard depuis vingt-cinq ans – il avait rejoint la famille peu après la mort de leur fille –, aussi lui faisaient-ils confiance. La seule personne dont il devait se méfier était Mme Frant. Une femme agaçante, toujours à fourrer son nez dans ce qui ne la regardait pas. Mme Babbage et lui géraient une petite affaire fructueuse et Turton était déterminé à ne pas laisser la gouvernante y mettre un terme. Il examina John de près et remarqua ses vêtements élégants et la chaîne en or de sa montre à gousset. Cet homme-là n'avait pas besoin d'un jambon.

— Je doute que nous puissions avoir des intérêts communs, monsieur.

— Oh, mais détrompez-vous ! dit John en buvant une lampée de bière. Je cherche quelqu'un pour m'aider dans une affaire personnelle et il se pourrait bien que vous soyez l'homme de la situation. Il y a une petite récompense à la clé, bien sûr.

— Petite comment ?

John sourit.

— Ça dépend des résultats.

Cela piqua la curiosité de Turton. C'était bien beau de vendre des morceaux de viande ici et là, mais de l'argent sonnant et trébuchant, un petit pécule, serait le bienvenu. Il permit donc à ce jeune gentleman de lui payer un autre gin tout en écoutant attentivement ce qu'il attendait de lui.

Vingt minutes plus tard, les deux hommes quittaient le Horse and Groom et se dirigeaient vers Eaton Square. Turton demanda à John de l'attendre dans une ruelle. Il reviendrait dans quelques instants. Il connaissait la personne idéale, dit-il, une personne qui travaillait dans la maisonnée depuis des années et ne serait pas contre une petite gratification.

— Cette femme connaît ses intérêts, affirma-t-il avant de disparaître. Croyez-moi sur parole.

John l'attendit sous un réverbère, col relevé et chapeau baissé. Il se trouvait un peu trop près de la maison des Trenchard pour se sentir à l'aise. Si seulement le majordome pouvait se presser. La dernière chose dont il avait besoin, c'était de tomber sur Susan, ou sur Trenchard en personne.

Finalement, le majordome revint accompagné d'une femme corpulente. Elle portait un bonnet noir et un châle de prix en dentelle brune.

— Monsieur, dit Turton, voici Mlle Ellis. La femme de chambre de Mme Trenchard. Elle travaille dans la famille depuis trente ans. Elle n'ignore rien sur les allées et venues de cette famille, sauf ce qui n'est pas digne d'intérêt.

Turton était irrité de ne pouvoir gagner cette commission sans l'aide de Mlle Ellis, mais il n'avait pas le choix. M. Trenchard et lui s'entendaient plutôt bien, mais il n'était pas son confident, alors que Mlle Ellis… Eh bien, Mme Trenchard et elle étaient comme les doigts de la main. Le plus incroyable, c'est que sa maîtresse ne se doutait pas qu'il suffirait à Ellis la promesse d'une jolie somme d'argent pour trahir ses secrets. Une offre comme celle qui se présentait aujourd'hui.

— Ah ! Mademoiselle Ellis, dit John.

Il était agacé que Speer ne l'ait pas immédiatement mis en relation avec elle. Il soupçonnait Speer de se sentir humiliée par la supériorité d'Ellis dans la hiérarchie de la maison, et sur ce point il avait raison. Dès lors, il devrait les payer toutes les deux grassement pour les contenter, ce qui était fâcheux. Mais Turton n'avait pas tort. Un valet ou une bonne pouvait révéler un secret de famille plus vite et mieux que n'importe qui. Il avait entendu dire que la plupart des grandes puissances se servaient des valets et des servantes pour espionner leurs ennemis. Il sourit à Ellis, qui patientait sans mot dire.

— J'espérais qu'on pourrait trouver un arrangement ?

6

Une espionne parmi nous

James Trenchard se trouvait dans son bureau de Gray's Inn Road situé au premier étage, au-dessus d'un cabinet d'avocats. On y accédait par un grand escalier en spirale. C'était une pièce spacieuse aux murs lambrissés, avec quelques tableaux et un mobilier impressionnant, dont un magnifique bureau Empire avec ses bronzes, devant lequel il était assis. Il ne l'aurait jamais confié à quiconque, mais James se considérait comme un *gentleman-businessman*. La plupart de ses contemporains auraient trouvé ces termes antinomiques, mais c'était ainsi qu'il se voyait et il appréciait que son environnement reflète cette qualité. Des dessins de Cubitt Town étaient bien exposés sur une table ronde dans un coin de la pièce et un beau portrait de Sophia accroché au-dessus de la cheminée. Peint durant leur séjour à Bruxelles, il représentait sa fille dans tout l'éclat de sa beauté. Vêtue d'une robe crème et coiffée dans le style de l'époque, elle vous regardait droit dans les yeux, avec l'assurance de la jeunesse. Le portrait était ressemblant, très ressemblant à vrai dire, et il lui rappelait de façon frappante la jeune fille qu'il avait connue. C'était sans doute pour cette raison qu'Anne refusait qu'on l'expose à Eaton Square, car il aurait trop ravivé son chagrin. Quant à James, il aimait contempler sa fille chérie et se souvenir d'elle dans ses rares moments de solitude.

Aujourd'hui, cependant, c'était une lettre qu'il contemplait, une lettre posée sur son bureau. Son secrétaire était avec lui quand on la lui avait remise, mais il désirait la lire en privé. James la prit dans ses mains et la retourna en scrutant l'écriture alambiquée et l'épais papier crème. Il n'avait pas besoin de l'ouvrir pour deviner sa provenance, car il avait reçu un courrier identique pour lui signifier qu'il figurait bien sur la liste des postulants pour entrer à l'Athenaeum. C'était sûrement la réponse d'Edward Magrath, le secrétaire du club. James désirait tant être accepté qu'il en oubliait presque de respirer et n'osait ouvrir le pli. Il savait que l'Athenaeum n'était pas à proprement parler un club à la mode, dans l'esprit de la plupart des gens. On y mangeait mal, c'était connu, et dans la haute société il était plutôt considéré comme une sorte d'escale londonienne pour divers gens d'Église et universitaires. Ce n'en était pas moins un lieu fréquenté par des gentlemen ; à la différence que, d'après son règlement quelque peu révolutionnaire, le club admettait aussi d'éminents hommes de science ou de lettres, ainsi que des artistes en vue. Il acceptait même des hommes travaillant pour le service public qui n'étaient pas issus de grandes familles, sans exiger d'eux aucun niveau d'études particulier.

Il résultait de cette politique une diversité de membres bien plus grande que dans les clubs de St James's. C'était ainsi que William Cubitt avait été accepté ; or James ne les avait-il pas aidés, lui et son frère, à construire la moitié des quartiers chics de Londres ? Si ça, ce n'était pas du service public ! William l'avait proposé comme membre des mois auparavant et, comme ils n'avaient reçu aucune nouvelle, James l'avait harcelé pour qu'il réclame son acceptation. Il savait bien qu'il n'avait pas l'étoffe du membre idéal, même selon leurs règles plus libérales… Être le fils d'un commerçant ambulant n'est pas le genre de lignée estimée par les bastions de l'establishment. Mais Dieu serait-il assez cruel pour le lui refuser ? James savait qu'il n'aurait jamais la moindre chance d'entrer dans des clubs aussi élégants que le White's, Boodle's ou Brook's, mais ne méritait-il pas d'être dans celui-ci ? En outre, il avait entendu dire que le club avait besoin d'être renfloué, or, de l'argent, il en avait à ne plus savoir qu'en faire, alors... Bien sûr, il y avait le risque qu'on lui batte froid. Anne ne comprendrait jamais ce qu'un club pouvait lui apporter de plus que son propre foyer, mais James avait besoin de faire partie du grand monde, ou du moins d'en avoir l'impression, et si l'argent était tout ce qu'il avait à offrir en échange, eh bien soit. Qu'il serve au moins à ça.

Pour lui rendre justice, il y avait en lui un autre James, tout petit et bien enfoui, qui admettait que ses ambitions étaient ridicules. Qu'une approbation donnée à contrecœur et venant d'une bande d'idiots et de gommeux n'ajoutait rien de vraiment précieux à sa vie, et pourtant... Il ne parvenait pas à refréner ce besoin secret et désespéré de se sentir accepté. C'était ce besoin qui le faisait avancer, et il se devait de progresser aussi loin et aussi vite que possible.

La porte s'ouvrit et son secrétaire apparut.

— M. Pope est là, monsieur. Il aimerait que vous lui accordiez l'honneur d'un entretien.

— Ah oui ? Faites-le entrer.

— J'espère ne pas vous déranger, monsieur Trenchard, dit Charles en franchissant le seuil d'un pas vif, mais votre employé m'a dit que vous étiez là, et j'ai quelques nouvelles à vous apprendre.

Son sourire était chaleureux et ses façons toujours aussi charmantes.

— Mais bien sûr, acquiesça James en reposant la lettre sur son bureau, et il se leva pour lui serrer la main, en s'étonnant du plaisir que lui procurait le simple fait de regarder son petit-fils. Je vous en prie, asseyez-vous.

— Eh bien, je préférerais rester debout, si vous le permettez. Je suis trop excité pour tenir en place.

— Ah bon ?

— Lady Brockenhurst a été assez bonne pour m'écrire. Elle m'informe que son mari et elle souhaitent investir dans mes projets. Je crois donc avoir maintenant tout l'argent dont j'ai besoin.

On voyait qu'il avait envie de laisser éclater sa joie, mais qu'il se retenait. Un jeune homme bien sous tout rapport, telle fut l'expression qui vint spontanément à l'esprit de James.

— On n'a jamais trop d'argent, lui répondit-il en souriant, mais en vérité il était très partagé.

Comment ne pas se réjouir devant ce jeune homme plein d'énergie et d'enthousiasme, dont les rêves étaient sur le point de devenir réalité ? Pourtant, James ne pouvait se voiler la face. Car la situation ne manquerait pas d'apparaître comme étrange et de susciter des commentaires : une grande dame de la haute société investissait une fortune dans les projets et intérêts d'un obscur et parfait inconnu. Quelqu'un ferait sûrement le rapprochement avec les inexplicables attentions dont Lady Brockenhurst avait entouré Charles en public, l'autre soir.

Mais Charles n'en avait pas terminé.

— Grâce à votre apport et au leur, monsieur, j'ai tout l'argent qu'il me faut pour rembourser les emprunts, financer l'achat de nouveaux métiers à tisser, mieux équiper l'usine, et améliorer d'une façon générale notre production. Je puis préparer ma visite aux Indes, organiser l'approvisionnement en coton brut, nommer un agent sur place, et puis m'asseoir bien confortablement et regarder notre production monter au premier rang de l'industrie du coton.

En fait, je ne resterai pas assis là à me tourner les pouces, bien sûr, ce n'est qu'une image, ajouta-t-il en riant.

— Évidemment, répondit James, tout sourire.

En son for intérieur, il se maudissait de ne pas s'être engagé à financer toute l'entreprise dès le début, ce qui aurait rendu superflue l'intervention de la comtesse. C'était tout à fait dans ses moyens, mais il avait jugé que cela faciliterait trop les choses pour Charles, que le garçon devait apprendre à se débrouiller un peu par lui-même dans le monde moderne ; à présent, il s'en voulait tellement qu'il se serait giflé. De toute façon, Lady Brockenhurst aurait trouvé le moyen de s'immiscer dans la vie de Charles. Dès lors qu'elle avait appris son existence, rien n'aurait pu l'en empêcher. Pourquoi diable Anne s'était-elle sentie obligée de le lui dire ? Mais à quoi bon se poser la question pour la millième fois, puisqu'il n'y avait pas de retour en arrière possible. Inéluctable, la chute ne tarderait plus guère, désormais.

— Eh bien, dit-il avec un petit rire de connivence, je suis un peu surpris, je l'avoue. Quand j'ai entendu dire l'autre soir que la comtesse s'intéressait à vos activités, je me suis demandé s'il ne s'agissait pas de paroles en l'air. Mais elle a tenu sa promesse. De toute évidence, je me suis trompé et je me réjouis fort d'avoir eu tort.

Charles opina du chef avec ferveur.

— Je vais dès à présent m'approvisionner en coton brut pour constituer un stock équivalent à une année de production. Ensuite, j'embarquerai pour les Indes afin de mettre en place la dernière pièce du puzzle. Alors, je crois que je serai fin prêt.

— Fin prêt, c'est le mot. Et vous n'avez toujours pas la moindre explication de l'intérêt soudain que vous porte Lady Brockenhurst ? Elle n'a jamais rien dit sur les raisons qui la poussent à vouloir vous aider ? Cela semble si étrange.

— En effet, reconnut Charles. Elle m'apprécie. Pour ce qu'elle vaut, c'est l'expression qu'elle a employée. Elle m'invite chez elle. Mais elle ne m'a jamais précisé comment elle avait appris mon existence, au départ.

— Bon, bon…, fit James benoîtement. À cheval donné, on ne regarde pas les dents.

— Non, bien sûr. Et je découvrirai la vérité un jour. Elle m'a dit que je lui rappelais quelqu'un qu'elle avait jadis beaucoup aimé. Mais ce ne peut être la vraie raison, n'est-ce pas ? s'étonna-t-il en haussant les sourcils.

— Je suppose que non. Il doit y avoir autre chose, à mon humble avis.

Quel bel hypocrite je fais, songea James. Jamais je ne me serais cru capable de regarder un homme dans les yeux en lui mentant avec un tel aplomb. Chaque jour qui passe nous en apprend un peu plus sur nous-même.

D'un air absent, il prit la lettre posée sur le bureau et l'ouvrit. Elle venait bien d'Edward Magrath. Il passa vite sur les deux premiers paragraphes pour arriver à la dernière phrase : « Et c'est avec grand plaisir que nous vous acceptons comme membre de l'Athenaeum. » Il sourit, quoique avec un peu d'amertume. Dans combien de temps viendraient-ils lui demander sa démission ?

— De bonnes nouvelles, monsieur ? s'enquit Charles qui l'observait de sa place, debout devant la cheminée.

— Je suis à présent membre de l'Athenaeum, déclara James en reposant la lettre sur le bureau.

Quelle ironie ! Juste au moment où il réussissait enfin à s'introduire dans un milieu qui lui était fermé jusque-là, tout allait s'écrouler autour de lui. Caroline Brockenhurst ne tiendrait jamais parole. Et même si elle honorait sa promesse, d'autres devineraient la vérité. Pour commencer, elle avait dû la révéler à son mari afin d'obtenir son accord, pour les investissements. En cela, James Trenchard se trompait lourdement, car Lady Caroline avait seulement déclaré à Lord Brockenhurst qu'elle souhaitait soutenir le jeune Pope financièrement et il lui avait volontiers laissé l'initiative, comme c'était toujours le cas. En revanche, James avait raison de penser que si la nouvelle s'ébruitait, elle ferait le tour de Londres en un jour. Sophia serait alors marquée du sceau de l'infamie, et lui, James Trenchard, serait le père d'une catin. La compassion d'Anne pour la comtesse causerait leur perte.

Avec cette épée de Damoclès au-dessus de la tête, James Trenchard décida qu'il valait mieux profiter du moment présent, tant que c'était encore possible. Aussi invita-t-il Charles à déjeuner à son nouveau club pour fêter l'occasion, et ils sortirent dans le soleil éclatant. Après avoir indiqué à Quirk de les conduire à Pall Mall, James monta en voiture avec Charles. En s'asseyant à côté de son petit-fils, il ne put s'empêcher de penser que ce jour aurait pu être l'un des plus heureux de sa vie. Après tout, me voilà sur le point d'entrer dans la vénérable enceinte du club le plus chic auquel je puisse prétendre, avec le fils de Sophia à mon côté, se dit-il, et il se permit un sourire.

En entrant dans le grand hall avec son splendide escalier, ses dalles de marbre, ses statues, ses colonnes blanches et dorées, James sentit son cœur battre plus vite. C'était comme si la majesté des lieux, qui lui semblait si menaçante lorsqu'il accompagnait William Cubitt en tant qu'invité, lui réservait soudain l'accueil chaleureux d'un vieil ami.

— Pardon, monsieur, s'enquit avec empressement un homme tout vêtu de noir, hormis une chemise blanche. Que puis-je faire pour vous ?

Avec ses cheveux gris et ses yeux d'un bleu vif, il lui fit penser à Robespierre et James sentit s'ébranler sa belle assurance.

— Je m'appelle Trenchard, déclara-t-il tout en fouillant dans sa poche pour en sortir la lettre, qu'il agita au nez de l'employé. Je suis un nouveau membre.

— Ah oui, monsieur Trenchard, répliqua l'homme en noir en s'inclinant poliment. Bienvenue au club. Déjeunerez-vous chez nous aujourd'hui ?

— Volontiers, confirma James en se frottant les mains.

— Avec M. Cubitt, monsieur ?

— M. Cubitt ? Non, répondit James, un peu décontenancé.

Qu'est-ce qui lui faisait penser que William serait ici ? Mais l'employé prit l'air important et fronça les sourcils d'un air légèrement désapprobateur.

— C'est la coutume pour le premier déjeuner d'un nouveau membre d'être accompagné de la personne qui l'a proposé, monsieur, déclara-t-il avec emphase, et le sourire de James se figea sur ses lèvres.

— Est-ce une règle ?

— Non, monsieur, c'est juste une coutume.

James sentait une boule de colère se former dans sa poitrine, une sensation familière. Certes, il souhaitait être considéré comme membre à part entière de cette société mais, d'un autre côté, l'envie le démangeait de les envoyer tous au diable.

— Dans ce cas, c'est une coutume qu'il faudra mettre de côté aujourd'hui. Je suis ici avec mon… avec mon invité, M. Pope, reprit-il après un léger toussotement.

— Naturellement, monsieur. Aimeriez-vous aller directement dans la salle à manger ou préférez-vous passer d'abord un moment aux salons ?

— Je pense que nous déjeunerons directement, merci, rétorqua James en retrouvant son aplomb, et il sourit à Charles.

On leur fit traverser le hall en passant devant l'escalier pour pénétrer dans la salle à manger. Avec ses grandes fenêtres à guillotine donnant sur les luxuriants Jardins de Waterloo, la salle était claire et spacieuse et, une fois qu'on les eut conduits à une table située dans le coin droit et qu'on leur eut demandé s'ils désiraient prendre un apéritif, James était tout à fait radouci.

Il commanda deux coupes de champagne, puis posa sur ses genoux la grande serviette en lin blanc. C'était comme un rêve devenu réalité. Profitant de ce moment, James se mit à regarder la salle autour de lui tandis que le serveur remplissait leurs coupes : les groupes d'hommes en train de déjeuner, les grands vases de fleurs, les tableaux de chevaux de course exposés le long d'un mur latéral. Pourquoi les gentlemen devaient-ils tous faire mine de s'intéresser aux chevaux ? se demanda-t-il vaguement en levant sa coupe.

— À votre santé, et à la bonne marche de votre nouvelle entreprise.

Il allait choquer sa coupe de champagne contre celle de Charles quand il se rappela que cela ne se faisait pas. Charles avait-il remarqué son geste ? En tout cas, il ne le montra pas. Évidemment, songea James, mon petit-fils est trop bien élevé pour s'attacher à ce genre de détails. Un instant, il l'envia presque.

— Je suis très fier de vous, dit-il, et c'était vrai.

Charles était l'homme que James aurait tant voulu être, tout en sachant au fond de lui qu'il ne le serait jamais. Si le jeune homme pouvait manquer d'assurance quand il se trouvait projeté au cœur de l'imposante demeure des Brockenhurst, ici, dans ces lieux fréquentés par beaucoup d'hommes importants qui gagnaient leur vie en travaillant, il semblait parfaitement à l'aise. James songea à lui avouer la vérité, tout simplement. De toute façon, la nouvelle se répandrait bientôt et viendrait jusqu'à lui. Ne vaudrait-il pas mieux lui révéler qui il était ici et maintenant, dans ce cadre agréable, plutôt qu'il l'apprenne par des commérages colportés lors d'une soirée mondaine ?

— Il faut un certain type d'homme pour faire démarrer ce genre d'entreprise aussi vite que vous l'avez fait : un gars décidé, qui travaille dur, avec un grand sens des réalités. Nous avons beaucoup de choses en commun, vous et moi.

— C'est là un grand compliment, monsieur Trenchard, répondit Charles en riant, et ce rire ramena brusquement James au présent.

Non, il ne pouvait pas mettre ce garçon au courant avant que le secret n'ait éclaté au grand jour. Peut-être que personne ne le devinerait. Peut-être que Lady Brockenhurst deviendrait folle. Ou qu'elle mourrait. Peut-être y aurait-il une autre guerre avec la France. Tout pouvait arriver.

— Je le pense sincèrement. Félicitations, s'empressa d'ajouter James avant de se laisser submerger par ses émotions. Et puisque nous parlons affaires, poursuivit-il dans la foulée en sortant des papiers de la poche intérieure de son pardessus, il me semble que les profits pourraient être considérables, malgré les dépenses initiales. Et à mon avis, vous n'aurez pas trop longtemps à attendre. Les gens ont besoin de coton, c'est un fait, affirma-t-il en lissant les feuilles un peu froissées. Et lorsqu'on étudie de près cette colonne…

— Veuillez m'excuser, monsieur.

James leva les yeux. Planté devant lui se trouvait l'homme en noir qui les avait accueillis à l'entrée du club.

— Je regrette, monsieur Trenchard, mais les papiers d'affaires sont strictement interdits dans l'enceinte de cet établissement. Et cette fois, c'est inscrit dans le règlement, j'en ai peur, ajouta-t-il pour tenter d'adoucir le ton.

— Bien sûr, acquiesça James en rougissant jusqu'aux oreilles.

Il se sentait cruellement atteint dans sa dignité. Allait-on encore longtemps l'humilier devant son petit-fils ?

— C'est ma faute, intervint Charles. C'est moi qui ai demandé à M. Trenchard de me montrer ces papiers. Je ne suis pas membre, aussi j'espère que vous voudrez bien me pardonner mon ignorance.

— Merci, monsieur.

L'employé disparut aussi vite qu'il était venu. James observa le jeune homme assis en face de lui. Il se rendit soudain compte que Charles ne connaîtrait jamais l'insécurité qui avait tourmenté la vie de son grand-père. Jamais il ne serait ébranlé par l'aisance avec laquelle d'autres se comportaient en société, jamais il ne se sentirait complètement perdu dans une réunion mondaine sans savoir comment se tenir.

— Je les trouve décidément très à cheval sur leurs principes, ici, déclara Charles. Ils devraient être fiers que leurs membres discutent affaires avec papiers à l'appui.

Trenchard baissa les yeux. Ainsi Charles prenait sa défense. Certes, cela signifiait qu'il se sentait désolé pour son protecteur de cette vexation, mais aussi qu'il avait envers lui assez d'affection pour épargner ses sentiments. Cette idée le réconforta. L'entrée fut servie et le reste du repas se passa sans incident. Ils mangèrent du saumon, du perdreau avec des pommes soufflées, puis un morceau de cheddar accompagné de gelée de coings.

Je déjeune avec mon petit-fils, se disait James, et son cœur dansait dans sa poitrine, au point qu'il avait l'impression que son gilet allait éclater.

— Malgré le peu de cas qu'on fait de leur cuisine, le repas n'était pas si mauvais que ça, qu'en pensez-vous ? conclut-il en terminant le petit verre de porto qu'ils avaient commandé avec le fromage.

— J'ai tout trouvé excellent, monsieur, répondit Charles. Mais je vais devoir prendre congé, annonça-t-il avec sérieux. Je ne saurais m'absenter davantage.

James repoussa sa chaise et se leva.

— Dans ce cas, nous allons faire quelques pas ensemble.

Alors qu'ils entraient nonchalamment dans le hall, Oliver Trenchard leur tomba dessus, passablement énervé.

— Oliver ? Comment as-tu appris que j'étais là ? s'étonna son père.

— On me l'a dit à ton bureau. Cela fait vingt minutes que j'attends.

— Pourquoi n'as-tu pas demandé à nous rejoindre ?

— Parce qu'en apprenant par la réception l'heure de ton arrivée au club, je ne pouvais m'imaginer qu'il te faudrait une heure et demie pour déjeuner. Depuis quand es-tu devenu membre ?

Sa mauvaise humeur devenait très gênante. Quelle piètre figure il fait à côté de son neveu, songea James, tout en attendant patiemment qu'Oliver retrouve son calme.

— Excuse-moi de t'avoir fait attendre, dit-il. Mais M. Pope et moi fêtions de bonnes nouvelles.

— M. Pope ?

Oliver tourna la tête. Aveuglé par sa colère, il n'avait pas remarqué le jeune homme qui se trouvait tout près.

— Monsieur Pope ? Que faites-vous ici ? s'exclama-t-il avec hargne.

— Nous avons déjeuné ensemble, répondit Charles d'un ton aussi conciliant et poli que possible, mais cela resta sans effet.

— Pourquoi ?

— Il se trouve que M. Pope a reçu d'excellentes nouvelles, déclara James. Il a réussi à obtenir d'autres investissements et il a maintenant tous les fonds nécessaires pour monter son entreprise. Quant à moi, je venais juste d'apprendre mon admission à ce club, et donc, nous sommes venus ici fêter ça.

— D'autres investissements ? répéta Oliver en les regardant tour à tour.

— Votre père a été d'une extrême gentillesse envers moi et s'est montré très encourageant, dit Charles, mais s'il espérait ainsi endiguer la rage d'Oliver, c'était raté.

— Vous pouviez déjà compter sur l'argent de mon père. Donc ce n'était pas ce que vous avez fêté aujourd'hui.

— Non. Aujourd'hui, j'ai appris qu'un autre investisseur désirait mettre tous les fonds dont j'ai besoin, et plus encore. C'est une très bonne nouvelle.

— Vous semblez décidément très doué pour inciter les gens à mettre la main au portefeuille, monsieur Pope, répliqua Oliver en le scrutant avec insistance. Comment faites-vous pour susciter un tel enthousiasme ? Il suffit de se rappeler comment la comtesse de Brockenhurst vous a fait faire le tour de son salon en vous exhibant comme une génisse primée à une foire. Si seulement j'avais votre don, ce serait sans aucun doute la fin de mes ennuis.

— Ça suffit, intervint James, en proie à un affreux sentiment de culpabilité.

Car en vérité il préférait de loin son bâtard de petit-fils à son fils légitime. Et si Oliver était jaloux parce qu'il se doutait de la préférence de son père, il avait toutes les raisons de l'être.

— Si Lady Brockenhurst choisit de soutenir M. Pope, cela ne nous regarde pas, enchaîna-t-il.

— Lady Brockenhurst ! s'exclama Oliver avec stupéfaction. À peine a-t-elle montré de l'intérêt pour vos affaires qu'elle vous donne aussitôt tous les fonds dont vous avez besoin ? Ma parole, vous avez le vent en poupe ! railla-t-il d'une voix venimeuse.

James se maudit. Il avait vendu la mèche malgré lui. Tant pis, ce qui était dit était dit.

— Eh bien oui, elle croit en mon entreprise et espère en tirer profit, fit remarquer Charles.

— C'est en effet un projet très prometteur, confirma James. Et une sage décision de la part de Lady Brockenhurst.

— Vraiment ? ironisa Oliver en plissant les yeux d'un air sceptique.

Suivit un silence durant lequel Charles se dandina, visiblement mal à l'aise.

— Merci pour le déjeuner, monsieur Trenchard, dit-il enfin. À présent, je dois vous quitter, messieurs.

Il fit un petit salut à Oliver et sortit du club.

Oliver se tourna face à son père.

— Pourrais-tu m'expliquer en quoi cet individu est si intéressant ? Je ne vois vraiment pas pourquoi mon propre père, et maintenant la comtesse de Brockenhurst, donneraient leur argent à ce petit arriviste de province. Qu'est-ce qui se cache derrière tout ça ? Tu ne me dis pas tout dans cette affaire.

— Tu te trompes du tout au tout. Il a du talent et son affaire sera certainement lucrative, rétorqua James, en s'abstenant de répondre à la question. Et puis son défunt père, le révérend Pope, était un vieil ami à moi…

— Un si vieil ami que je n'en ai jamais entendu parler.

— Ah bon ? s'étonna James avec un sourire crispé. Eh bien figure-toi que cet ami m'a demandé de veiller sur son fils, quand Charles est arrivé à Londres et a trouvé un emploi dans l'industrie cotonnière. Naturellement, lorsque j'ai appris que son père était mort, je me suis senti d'autant plus responsable de lui, et j'ai voulu l'aider dans la mesure de mes moyens.

— Et l'on peut dire que tu as pris ton rôle très au sérieux, bravo, Père, répliqua Oliver d'un ton sarcastique qui rendit James fort mal à l'aise. En fait, tu as aidé ce Charles beaucoup plus que ton propre fils. Tiens, j'étais venu te donner ça, dit-il en brandissant une liasse de papiers.

Mais il retira sa main trop tôt, de sorte que James n'eut pas le temps de prendre les documents qui tombèrent en s'éparpillant par terre, l'entourant d'un océan de feuilles.

À cet instant, l'homme en noir surgit telle une créature de cauchemar.

— Monsieur Trenchard, laissez-moi vous aider.

Ensemble, ils s'accroupirent pour rassembler les feuilles couvertes de colonnes de chiffres, sous les regards désapprobateurs de deux messieurs âgés, sans doute des membres de longue date, qui gagnaient la sortie.

Trop secoué par la grossièreté d'Oliver, James ne retourna pas à son bureau. Quand il fut rentré à Eaton Square, la fureur provoquée par la conduite inacceptable de son fils s'était muée en chagrin. Si seulement il avait pris d'autres dispositions, se disait-il. Car s'ils avaient gardé le fils de Sophia au lieu de le placer dans une autre famille, le mystère qui entourait sa naissance ne serait-il pas dissipé depuis longtemps, ainsi que les curiosités mal placées ? Il aurait pu profiter d'un déjeuner comme aujourd'hui sans crainte d'être démasqué, avec le plaisir d'un grand-père qui voit s'épanouir sa descendance. Mais Charles serait-il devenu l'homme distingué qu'il était aujourd'hui, si les Trenchard l'avaient élevé ? Cette question le rendit songeur, voire un peu triste. Les Pope n'avaient-ils pas fait plus et mieux pour ce garçon que n'auraient pu le faire ses propres grands-parents ?

— Quel air sérieux ! dit Anne quand elle le vit au seuil de sa chambre, dont la porte était restée ouverte.

Elle était assise devant sa coiffeuse.

— Ah bon ? Figure-toi que j'ai déjeuné avec M. Pope, aujourd'hui. Il te transmet ses salutations.

Si Anne en fut surprise, elle ne le montra pas et ne fit aucun commentaire. De là où il était, James ne voyait pas qu'Ellis s'activait dans la chambre, derrière sa maîtresse. Avant qu'Anne n'ait pu le prévenir, il poursuivit :

— Cela ne t'étonnera peut-être pas d'apprendre que Lady Brockenhurst lui a apporté les fonds dont il avait encore besoin pour lancer son affaire.

Plutôt que de lui répondre, Anne se tourna vers la femme de chambre.

— Merci, Ellis. Ce sera tout, mais emportez la robe rose et voyez si vous pouvez enlever cette marque.

Tandis que la servante sortait de la pièce avec un vêtement sur le bras et s'éloignait vers l'escalier de service, James repassa dans sa tête ce qu'il venait de dire. Y avait-il eu dans ses propos quelque chose de compromettant ? Non, il ne le pensait pas. Il pénétra dans la pièce et referma la porte derrière lui.

— Nous devrions convenir d'une sorte de mot de passe, quand le champ n'est pas libre, déclara-t-il.

— Oui. Tous ces secrets… C'est bien triste d'en arriver là, déplora-t-elle, puis elle se pencha pour prendre la petite chienne dans ses bras et commença à jouer avec ses oreilles. Mais raconte-moi donc votre déjeuner.

— Il est arrivé au bureau avec des nouvelles fraîches. Je l'ai emmené à l'Athenaeum.

— Tu as été accepté ? Pourquoi ne m'en as-tu rien dit ?

— Je ne l'ai appris que ce matin. Bref, elle lui procure tout l'argent qui lui manquait encore.

— Je vois.

— Ah, et que vois-tu au juste ? demanda-t-il d'un ton qui montrait combien l'instant était grave pour eux deux.

— Je vois que ce soutien sera dur à expliquer, s'il vient à se savoir.

— Toute explication sera superflue. Venant d'elle, en tout cas. Les gens devineront la vérité et il ne lui restera plus qu'à la confirmer.

Anne fronça les sourcils. Plus encore que James, elle savait que Lady Brockenhurst avait envie que la vérité éclate au grand jour afin que son mari et elle puissent profiter de leur petit-fils sans recourir à des subterfuges. Certes elle avait donné sa parole de ne rien révéler, mais si des gens du monde venaient lui en parler, elle ne le nierait pas.

— Il y a peut-être une chance pour qu'ils ne fassent pas le lien avec Sophia, avança James, qui cherchait à se rassurer à bon compte, mais Anne secoua la tête.

— Les attentions dont tu entoures ce jeune homme leur fourniront ce lien. Il y aura forcément quelqu'un qui les aura vus ensemble à Bruxelles et qui s'en souviendra. Non. Dès que la nouvelle se répandra qu'il est le fils de Lord Bellasis, les gens apprendront vite qui était la mère, conclut Anne, et elle se leva, tenant toujours la chienne dans les bras. Je vais aller voir Lady Brockenhurst pour lui parler. J'y vais de ce pas.

— Qu'en sortira-t-il de bon ?

— Je l'ignore. Mais je ne vois pas quel mal cela pourrait nous faire. Et puisque tout ceci est ma faute, c'est à moi d'essayer d'empêcher un désastre.

James ne fit pas de remarque sur son aveu de culpabilité, car sa colère avait passé. Ils en étaient là. À quoi bon ressasser ? Même lui comprenait combien c'était vain. Et il n'avait pas envisagé avant ce moment que son intérêt pour le jeune homme puisse être utilisé contre lui.

— Dois-je faire prévenir Quirk de ne pas dételer les chevaux ?

— Je vais m'y rendre à pied. Ce n'est pas loin.

— Et si je t'accompagnais ?

— Non. Et ne t'inquiète pas. Personne n'ira attenter à la vertu d'une femme de plus de soixante ans.

Elle mit son chapeau, prit un châle, et s'en alla sans lui laisser le temps de faire d'autres commentaires.

Le trajet jusqu'à Belgrave Square fut trop court pour lui donner l'occasion de changer d'avis, mais à présent qu'elle se trouvait sur le trottoir, devant Brockenhurst House, Anne ne savait plus très bien quelle serait au juste sa requête. D'ordinaire, elle n'était pas quelqu'un d'irréfléchi ; en temps normal, avant d'agir, elle pesait soigneusement le pour et le contre. Mais quelque chose en Lady Brockenhurst la rendait impulsive. L'autoritarisme de cette femme avait le don de l'exaspérer.

Lorsqu'elle sonna, Anne ne se souciait plus du caractère insolite de sa visite tant elle était fâchée et se sentait en droit de l'être. Si la comtesse n'était pas chez elle, elle trouverait un banc où s'asseoir et attendrait. Elle jeta un coup d'œil vers les jardins qui se trouvaient au milieu de la place. Étant donné sa passion pour l'horticulture, elle était un peu vexée que ni son mari ni M. Cubitt n'aient songé à la consulter, lorsqu'ils en avaient conçu le plan ; pourtant l'ensemble était assez réussi. Le valet de pied ouvrit la porte d'entrée, visiblement déconcerté de la voir sur le seuil, car on ne l'avait prévenu d'aucune visite.

— Madame est-elle chez elle ? demanda Anne en entrant d'un pas décidé dans le vestibule.

— Qui dois-je annoncer ?

— Mme James Trenchard.

— Très bien, madame Trenchard. Je vais voir si madame la comtesse se trouve en ses appartements. Veuillez attendre ici, répondit le valet en s'inclinant, et il se dirigea vers l'escalier.

La formule qu'il avait employée la fit sourire. En fait, il allait vérifier si Lady Brockenhurst voulait bien la recevoir. Elle s'assit sur l'un des sofas, pour se relever aussitôt. À sa grande surprise, elle était assez excitée à la perspective d'une épreuve de force avec la comtesse et sa marche à vive allure lui avait fouetté le sang. Elle leva les yeux vers le large escalier et la porte du salon, dont les deux battants étaient fermés. Derrière, on devait discuter ferme. Voyant bouger la poignée, elle tourna aussitôt le dos et fit mine d'étudier un portrait de l'un des ancêtres de Lord Brockenhurst, peint par Lely. Il paraissait plein de suffisance sous sa haute perruque, avec un petit épagneul King Charles couché à ses pieds.

— Madame Trenchard, dit le valet, et Anne se retourna, un petit sourire aux lèvres. Veuillez me suivre, je vous prie.

Anne lui tendit son châle et ses gants et le suivit en haut des marches. À peine la porte fut-elle ouverte que la voix de la comtesse retentit :

— Madame Trenchard. Vous venez juste de manquer le thé, j'en ai peur. Voulez-vous bien apporter du thé à Mme Trenchard, Simon ?

— Non, je vous en prie, ne vous donnez pas cette peine, intervint Anne. Je n'ai besoin de rien.

Le valet s'inclina et se retira. Anne traversa cette fois encore l'immense tapis de la Savonnerie.

— Vous êtes très aimable de me recevoir, Lady Brockenhurst, déclara-t-elle avec tout l'enjouement et l'assurance dont elle était capable. Je vous promets de ne pas trop prendre sur votre temps. Je suis ici…

Mais Caroline Brockenhurst saisit tout de suite que Mme Trenchard était d'humeur plutôt combative et l'interrompit avant qu'Anne n'ait pu exposer les raisons de sa visite impromptue.

— Madame Trenchard, asseyez-vous, lui dit-elle en lui indiquant un petit fauteuil recouvert de soie damassée. Vous souvenez-vous de Lady Maria Grey ? Elle assistait au souper que j'ai donné.

Anne découvrit alors la jeune fille blonde vêtue de vert pâle qui se tenait près de la fenêtre. Elle avait cru que son hôtesse et elle seraient seules et éprouva un fugace élan de gratitude envers la comtesse de l'avoir fait taire à temps.

— En effet, je vous ai vue à cette soirée, dit la jeune fille en lui souriant. Mais je ne crois pas qu'on nous ait présentées.

— Non, c'est vrai, confirma Anne.

— Je suis si contente que vous ayez jugé bon de passer me voir à l'improviste, dit Lady Brockenhurst d'un ton qui semblait dire tout le contraire. Aviez-vous affaire dans le quartier ?

— Oui, répondit Anne en s'asseyant face à elle sur le bord du fauteuil, et je souhaitais aussi vous entretenir de quelque chose, mais cela peut attendre.

— Je vais vous laisser, dit Maria.

— Non, c'est inutile, objecta Anne en lui souriant. Cela n'a vraiment aucune importance.

En réalité, elle était très mal à l'aise. À quoi bon être venue, puisqu'elle ne pouvait prendre la comtesse à partie pour sa folle générosité envers Charles ? Mais comment s'en aller au plus vite sans que cela paraisse étrange ?

— Lady Maria vient de me raconter que, avant-hier, elle a rencontré par hasard mon jeune protégé, Charles Pope, reprit la comtesse. Il traversait la place. En fait, il venait sûrement de sortir de cette maison. Ce jeune homme était aussi à ma soirée. Vous souvenez-vous de lui ? s'enquit-elle en regardant Anne droit dans les yeux.

À quoi diable joue-t-elle ? se demanda Anne en gardant bonne contenance.

— Charles Pope ? Oui, je crois bien, répliqua-t-elle.

Son hôtesse attendait en maniant son éventail, qu'elle ouvrit et referma deux fois de suite. Guettait-elle sa réaction ? S'amusait-elle à ses dépens en malmenant ses sentiments ? Eh bien dans ce cas, elle en serait pour ses frais.

— Un charmant jeune homme, ajouta Anne.

— Charmant, et fort intéressant, approuva Maria avec enthousiasme, sans avoir le moins du monde conscience du jeu qui se déroulait devant elle. Nous avons fini par faire un bout de chemin ensemble vers la London Library. Ma femme de chambre n'a pas eu l'air d'apprécier. Maman non plus, quand elle l'a appris, mais il était trop tard, conclut-elle en riant gaiement. Mais qui est-ce ? Comment avez-vous fait sa connaissance ?

— Je ne m'en souviens plus précisément, répondit Caroline, avec un flegme qui fit penser à Anne qu'elle devait très bien jouer aux cartes. Mais Lord Brockenhurst et moi-même nous sommes intéressés à lui. C'est un jeune homme à l'avenir prometteur.

— En effet, renchérit la jeune fille. Il m'a parlé de ses projets et du voyage qu'il prévoit de faire aux Indes. Êtes-vous jamais allée aux Indes, madame Trenchard ? Non ? J'aimerais tant y aller. Cette profusion de vie et de couleurs… Mon oncle m'en a souvent vanté la beauté. Mais je n'ai jamais voyagé, déclara-t-elle avec mélancolie. Enfin, j'ai passé beaucoup de temps en Irlande, nous avons là-bas une propriété, mais ce n'est pas considéré comme un pays étranger, n'est-ce pas ? remarqua-t-elle en leur souriant, et comme aucune de ses interlocutrices ne disait rien, la jeune fille poursuivit. J'aimerais aussi visiter l'Italie. En fait, j'aimerais beaucoup faire le Grand Tour que les jeunes gens avaient coutume d'entreprendre dans les siècles passés pour parfaire leur éducation, voir le *David* de Michel-Ange, parcourir les couloirs de la galerie des Offices… Vous devez vous-même apprécier les beaux-arts, Lady Brockenhurst. D'après maman, vous peignez magnifiquement.

— Ainsi vous peignez ? s'étonna Anne.

Ces mots lui étaient sortis tout seuls, presque malgré elle.

— Est-ce si surprenant ? répliqua Lady Brockenhurst.

— Mais vous n'avez toujours pas expliqué ce qui a suscité votre intérêt pour M. Pope en premier lieu, insista Maria avec une candeur déconcertante.

— Je ne me rappelle plus qui nous l'a présenté, répondit prudemment Lady Caroline, mais Lord Brockenhurst et moi aimons à encourager les jeunes talents, quand nous le pouvons. Comme vous le savez, nous n'avons pas d'enfants, du moins encore en vie, mais il nous plaît d'aider ceux des autres.

Il y a sans doute du vrai dans ces propos, songea Anne en l'observant. Même si, en l'occurrence, ils cachent plus de choses qu'ils n'en expliquent.

— Il m'a proposé de visiter son bureau, si l'envie m'en prenait, avança Maria.

— Ah oui ? C'était assez effronté de sa part, remarqua Lady Brockenhurst, toujours aussi impassible.

Pourtant Anne sentit qu'une idée lui traversait l'esprit tandis qu'elle observait la jeune Maria. Complote-t-elle quelque chose ? se demanda-t-elle. Mais quoi ?

— En fait, c'est peut-être moi qui le lui ai suggéré, mais il n'a rien dit pour m'en décourager, ajouta Maria.

Rose de confusion, elle baissa les yeux en battant des cils, consciente que sa conduite n'était pas des plus sages.

Car la jeune fille savait pertinemment qu'elle était déjà engagée à John Bellasis et que son avenir était tout tracé. Sa mère le lui avait déclaré sans équivoque. La propriété en Irlande dont elle s'était vantée un peu plus tôt était grevée d'hypothèques et, même si son frère s'efforçait de gérer au mieux ce que leur père leur avait laissé, on lui avait bien fait comprendre qu'elle aurait sa mère à charge, quand celle-ci serait entrée dans son grand âge. Pourtant les désirs de Maria étaient tout autres, même si elle n'osait pas encore se les avouer. Mais si Lady Brockenhurst s'intéressait à Charles et si elle pouvait se laisser convaincre...

Anne observa la comtesse. Avait-elle remarqué les rougeurs de la jeune fille et la façon dont elle tripotait son éventail ? Ça, Lady Maria Grey ne manquait pas d'audace. Anne dut reconnaître qu'elle lui plaisait.

Quant à Lady Brockenhurst, sa position était délicate. Maria Grey étant promise au neveu de son mari, les conventions s'opposaient à ce qu'elle l'encourage dans cette voie. Mais Anne avait raison. La comtesse avait sa petite idée sur la question.

— Eh bien…, commença-t-elle, s'il vous plaît d'y aller, je ne vois pas pourquoi vous en priver. J'ai déjà rencontré Charles Pope sur son lieu de travail et, depuis ma dernière visite, j'ai de nouveau certaines choses à voir avec lui.

— Vraiment ? dit Maria, n'osant trop y croire.

Ainsi la tante de John Bellasis lui proposait d'aller en sa compagnie rendre visite à M. Pope à la City ? Voilà qui était extraordinaire !

— Mais je trouve inutile de donner à cette visite un caractère trop officiel, reprit Lady Brockenhurst. Cela gênerait M. Pope, qui se sentirait obligé de faire des efforts particuliers. Il en va de même pour vous, ajouta-t-elle à l'adresse de Maria. Gardons à cette visite un caractère impromptu. Elle sera beaucoup plus facile à expliquer à Lady Templemore, s'il le fallait.

— Pourrais-je me joindre à vous ? dit alors Anne d'un air candide.

Caroline la regarda. Comme c'était étrange de partager un tel secret avec cette femme, sans avoir par ailleurs rien en commun avec elle ! Reste que ce secret demeurait ; du moins, jusqu'à présent. Anne avait raison de penser que Caroline était lasse de ces faux-semblants. La comtesse aurait préféré de loin que la vérité éclate. Les gens de la haute société en feraient des gorges chaudes en lisant leur journal, ils traiteraient Edmund de dévergondé en s'amusant de ses frasques, et il n'y aurait pas d'autre prix à payer Mais à mesure que son affection pour Charles grandissait, Caroline Brockenhurst songeait avec quelques scrupules à la gourgandine qui l'avait mise au monde, dont la réputation serait ruinée à titre posthume, et elle éprouvait même un peu de pitié pour sa mère.

— Bien sûr, dit-elle. Si cela vous fait plaisir.

Anne se figea sur son fauteuil. Elle allait rendre visite à son petit-fils et cette fois elle aurait l'occasion de lui parler ! Quand elle l'avait rencontré à la soirée, la joie l'avait rendue muette, puis la rage de James était telle qu'elle n'avait pas osé engager la conversation avec lui. Mais là, ils pourraient faire connaissance, puisque l'implication de James dans son entreprise justifiait parfaitement le bien-fondé de leur relation. Certes, quand la vérité sortirait au grand jour, leur lien serait fatalement un objet de suspicion, mais elle avait enfin une chance de le voir et de lui parler, avant que l'orage n'éclate. Comment y résister ?

— Cela me plairait beaucoup, s'entendit-elle répondre. Peut-être pourrions-nous en profiter pour nous promener par là-bas et faire quelques emplettes ?

Et donc la question fut réglée. Tandis qu'Anne rentrait chez elle dans la fraîcheur du début de soirée, cette perspective lui tenait chaud au cœur. Même si c'était encore un secret qu'elle devrait cacher à son mari.

Ce soir-là, au dîner, l'atmosphère était morose autour de la table des Trenchard. Après sa mauvaise journée, James était fatigué et pensif, et Oliver tout aussi éteint. En ce jour, ils auraient dû fêter ensemble l'admission de son père en déjeunant ensemble au sein de son nouveau club. Au lieu de ça, son père avait choisi d'inviter Charles Pope, un garçon sorti de nulle part qui monopolisait toute son attention ainsi que son argent. Décidément, ce Pope semblait être l'homme du moment ; en plus du soutien accordé par Lady Brockenhurst, il était invité à des réunions intimes à Brockenhurst House… Il y avait largement de quoi rendre jaloux n'importe qui. Et Oliver était en vérité très jaloux.

Quant à Susan, elle n'était pas déprimée mais anxieuse. Elle n'avait eu aucune nouvelle de John Bellasis depuis leur rendez-vous galant à Isleworth. Elle avait espéré au moins recevoir une lettre. Il avait parlé à Speer une fois dans la rue, sa femme de chambre l'en avait informée, sous le prétexte qu'il désirait organiser une autre entrevue, pourtant aucune invitation ni proposition n'était arrivée. Elle avait forcé Speer à l'accompagner à Albany et elles avaient passé presque tout l'après-midi à arpenter Piccadilly de long en large comme deux filles des rues dans l'espoir de tomber sur lui, tout cela en vain. Ses joues la brûlèrent à ce souvenir. Elle mangeait machinalement, tout en se demandant si elle avait fait une erreur, en couchant si vite avec lui. Lui aurait-elle cédé trop facilement ? Le problème, c'était que John Bellasis lui plaisait. Il était bel homme et avait fière allure, sans parler du fait qu'il devait hériter d'un grand nom et d'une fortune substantielle. Bref, c'était l'homme idéal avec qui s'évader de la morne famille où elle se trouvait piégée. En face d'elle, son mari mangeait du bout des dents. En comparaison d'Oliver, John était un amant vigoureux, généreux. Un soupir involontaire s'échappa de sa bouche.

— Vous allez bien, ma chère ? s'enquit Anne.

— Oui, Mère, répondit Susan. Très bien.

— Vous semblez ailleurs.

— C'est vrai que je ne suis pas au mieux, depuis ma journée à Isleworth. J'ai dû attraper quelque chose, peut-être au contact de l'une des personnes que j'y ai croisées, dit-elle en frissonnant un peu, histoire de rendre ses propos plus authentiques.

— C'est navrant, répliqua Anne en scrutant sa belle-fille, car il y avait chez Susan quelque chose de nouveau dans sa manière d'être, qu'elle n'aurait su définir.

— Comment cela s'est-il passé, avec Lady Brockenhurst ? demanda James en poussant une écrevisse sur le rebord de son assiette.

Manifestement, lui non plus n'avait pas faim. Anne jeta un coup d'œil à Billy et Morris qui se tenaient de chaque côté de la cheminée, imperturbables.

— Très bien, merci.

— Et elle ne t'en a pas voulu d'être venue chez elle sans t'être annoncée ?

— Vous êtes allée voir Lady Brockenhurst ? intervint Susan, manifestement contrariée d'avoir manqué une telle opportunité. Son neveu était-il là, par hasard ? s'enquit-elle quand Anne le lui eut confirmé.

— M. Bellasis ? demanda Anne, intriguée par cette question qui lui sembla étrange, venant de Susan. Non, il n'était pas là, mais sa fiancée était présente.

— Sa fiancée ? Vraiment ? s'étonna Susan d'un ton sec.

— Oui, Lady Maria Grey, dit Anne. C'est une charmante jeune fille. Elle me plaît beaucoup.

— Elle était au souper, dit Oliver en faisant signe à Billy de lui resservir du potage. Pour ma part, je l'ai trouvée assez quelconque.

— Alors tu as parlé à la comtesse ? insista James.

— Oui, nous avons parlé, répondit Anne en souriant devant la maladresse de son mari.

Pourquoi lui posait-il ces questions devant les domestiques, et a fortiori devant Susan et Oliver ?

À dire vrai, James était si impatient d'avoir des nouvelles de l'entrevue qu'il en oubliait combien la discrétion s'imposait. D'un regard, Anne le remit à sa place.

— Bon, dit-il. Nous en parlerons plus tard.

Anne lui sourit.

Accroupie aux pieds d'Anne, Ellis défaisait ses bottines en cuir avec un tire-bouton. Elle avait appris par le volubile Billy que sa maîtresse était allée rendre visite à Lady Brockenhurst, et elle en était passablement intriguée.

— Avez-vous passé un agréable après-midi, madame ?

Ellis ne savait pas au juste pour quel genre d'informations M. Bellasis l'avait payée, ni ce que Mme Trenchard savait au sujet de cet homme, Charles Pope. Ce qu'elle savait en revanche, c'était que le maître et sa femme partageaient un secret dont ils ne voulaient surtout pas qu'il se répande. La façon dont sa maîtresse l'avait congédiée plus tôt dans l'après-midi le lui avait confirmé. D'autant que, après leur tête-à-tête, Mme Trenchard avait aussitôt quitté la maison sans prévenir. Ellis savait à présent où elle était allée.

— Très bon, merci, répondit Anne en dégageant ses pieds des bottines. Ce cuir ne semble pas s'assouplir, ajouta-t-elle en enfilant ses bas de soie.

Voyant que sa patronne ne lui fournirait pas autant d'informations qu'elle l'avait espéré, Ellis fit une autre tentative.

— Je ne suis pas sûre que ces bottines soient faites pour de longues marches, madame.

— Je ne suis pas allée loin, répliqua Anne en ôtant ses boucles d'oreilles et en se regardant dans la glace. Seulement jusqu'à Belgrave Square.

Remarquant qu'Agnes était assise près de sa chaise, elle la prit dans ses bras.

— Ah oui ? dit Ellis en levant les yeux, s'interrompant dans sa tâche.

En fait, Anne était tout excitée par la visite prévue aux bureaux de Charles. Évidemment, elle ne pouvait en parler à James, mais elle avait envie d'en discuter avec quelqu'un d'autre.

— Connaissez-vous Bishopsgate ?

— Bishopsgate, madame ? s'étonna Ellis. Qu'est-ce donc qui vous amènerait là-bas ?

— Rien, assura Anne en se reprenant à temps, car elle sentait chez sa femme de chambre une vive curiosité. Je vais rendre visite à quelqu'un qui y a ses bureaux. Et comme cela fait des années que je n'y suis pas allée, je me demandais s'il y avait quelque chose à visiter, tant que je suis dans le quartier.

— Il doit y avoir des entrepôts où acheter du tissu meilleur marché, précisa Ellis. Je vais me renseigner, si vous le souhaitez. Quand iriez-vous là-bas ?

— Je ne sais trop. Dans un jour ou deux.

Anne n'avait pas envie de répondre à d'autres questions. Elle en avait bien assez dit.

— Demain, pourrons-nous regarder la vieille robe de deuil en bombasin ? demanda-t-elle à sa femme de chambre. Je voudrais vérifier si l'on peut en tirer quelque chose ou s'il vaut mieux en commander une nouvelle. Il faut toujours avoir une robe de deuil en réserve.

Ellis hocha la tête ; elle connaissait assez sa maîtresse pour savoir que la conversation sur Bishopsgate était close.

John Bellasis récompensa généreusement Ellis pour ses informations. Ce n'est pas tous les jours qu'une femme de chambre reçoit de l'argent sonnant et trébuchant en échange de quelques mots récoltés pendant qu'elle défait les bottines de sa maîtresse. Lorsqu'il apprit que ses patrons avaient eu une discussion en privé, qui avait conduit Mme Trenchard à se rendre aussitôt chez Lady Brockenhurst, visite qui avait débouché sur une expédition à Bishopsgate, John jubila. Quelles avancées ! Car il savait parfaitement qui travaillait à Bishopsgate ; du moins, qui travaillait là-bas et jouissait de l'intérêt commun que lui portaient Lady Brockenhurst et les Trenchard. Après que son père lui eut fait le récit de la visite de M. Charles Pope à Brockenhurst House, John avait fait des recherches sur ce jeune homme.

— Mais elle n'a jamais mentionné nommément M. Pope ?

— Non, autant que je me souvienne, monsieur. Pas cette fois, répondit Ellis.

— Pourtant, il doit bien y avoir quelque chose entre ce Pope et la comtesse, dit-il en terminant son petit verre de gin devant le Horse and Groom. Outre les fonds qu'elle lui a apportés, je veux dire.

— Vous croyez, monsieur ? Cela me paraît peu probable, dit Ellis, emmitouflée dans son châle.

Elle l'avait mis à la dernière minute pour se protéger des regards indiscrets, au cas où on la verrait parler avec M. Bellasis. Ellis tenait à sa réputation.

— Ne vous méprenez pas. Je ne prétends pas savoir au juste ce qui se passe entre eux, mais il y a quelque chose, assura John Bellasis en opinant du chef d'un air convaincu. Et je puis vous garantir que nous ne sommes pas au bout de nos surprises.

— Si vous le dites, monsieur.

Ellis faillit siffler entre ses dents. Certes, elle appréciait les bonnes histoires, mais elle n'était pas du tout certaine que celle-ci serait à son goût.

— Retenez bien ce que je vous dis, reprit John. C'est un petit arriviste aux dents longues et il profite de Lady Brockenhurst d'une manière ou d'une autre.

— Comment, monsieur ?

— C'est ce que nous devons découvrir, déclara John fermement, en posant le verre. Quand nous le saurons, je suis bien certain qu'elle sera prête à payer une fortune pour que cela reste secret.

— Une fortune ? répéta Ellis, qui en resta bouche bée.

— Et vous pouvez m'aider à mettre la main dessus.

Le lendemain après-midi, quand elle se retrouva devant l'entrée en sous-sol de Brockenhurst House, Ellis n'en menait pas large. M. Bellasis lui avait suggéré de se mettre en relation avec la femme de chambre de Lady Brockenhurst afin de se renseigner mine de rien sur les activités de sa maîtresse, et en particulier de savoir pourquoi elle recevait un beau jeune homme comme Charles Pope dans son salon privé, portes closes, dans l'après-midi.

Pour s'introduire dans les lieux, elle pourrait demander si Mme Trenchard n'avait pas laissé son éventail après le souper, lui avait soufflé M. Bellasis. En fait, sa patronne n'avait pas oublié l'objet en question, qu'Ellis avait glissé dans sa poche au cas où il se révélerait nécessaire de « le retrouver ».

Elle lissa sa pelisse, rajusta son chapeau puis, s'armant de courage, frappa à la porte.

— Oui ? s'enquit un jeune garçon vêtu de la livrée vert foncé des Brockenhurst.

— Je suis Mlle Ellis, commença-t-elle. Je suis la femme de chambre de Mme James Trenchard.

— Qui ça ? demanda le garçon.

Vexée, Ellis se mordit l'intérieur de la bouche. Si elle avait travaillé pour une duchesse, on ne l'aurait pas laissée croupir sur le seuil.

— Mme James Trenchard, insista-t-elle. Elle est venue au souper donné par la comtesse l'autre jour et elle craint d'avoir laissé son éventail.

— Vous feriez mieux d'en parler à M. Jenkins.

Le sous-sol de Brockenhurst House fourmillait d'activité. Les pièces et les couloirs étaient plus larges qu'à Eaton Square, de sorte qu'il y avait plus d'espace et de lumière naturelle. En s'asseyant sur une chaise en bois devant le cellier, Ellis ressentit un petit pincement d'envie.

On ne faisait guère attention à elle, car les domestiques étaient tous très occupés. Face à elle, la porte étant restée ouverte, elle voyait trois valets de pied qui astiquaient l'argenterie, dont les nombreuses pièces se trouvaient empilées devant eux sur une table couverte d'une nappe gris clair. Plats de toutes sortes, plateaux, saucières, soupières, poissonnières, théières, et au moins deux douzaines d'assiettes. Cette tâche-là, Ellis ne la leur enviait pas. Il fallait tremper les doigts dans des bols de rouge, une poudre mélangée à de l'ammoniaque, puis frotter l'argent jusqu'à ce qu'il reluise et que vos doigts se couvrent de cloques par la même occasion. Pourtant les deux valets semblaient y prendre plaisir, peut-être parce que cela leur donnait l'occasion de bavarder.

— Si vous voulez bien attendre ici, reprit le jeune garçon. Je vais chercher M. Jenkins.

Ellis hocha la tête. Par une fenêtre intérieure sur sa droite, elle voyait la cuisinière au travail. Penchée sur une planche à pâtisserie, sous une grande collection de casseroles en cuivre accrochées aux murs ou empilées sur des étagères, elle pétrissait de la pâte, la prenant puis la jetant sur la planche, et claquant parfois dans ses mains en soulevant un nuage de farine, qu'illuminait un rayon de soleil filtrant par la fenêtre.

— Mademoiselle Ellis ?

Ellis tressaillit. Fascinée par cette vision, elle n'avait pas entendu M. Jenkins approcher.

— Monsieur Jenkins, dit-elle en se levant.

— Si je comprends bien, vous êtes venue chercher quelque chose ?

— Oui, monsieur, l'éventail de ma maîtresse. Elle pense l'avoir oublié ici lors de la réception de madame la comtesse, l'autre soir. Je me demandais si on avait pu par mégarde le ranger avec ceux de la comtesse. Si je pouvais parler à sa femme de chambre…

— Je crains que personne n'ait trouvé d'éventail d'aucune sorte. Je regrette, dit Jenkins en se tournant vers la porte de derrière et en s'apprêtant à la reconduire.

Un instant, Ellis en fut décontenancée. Il fallait qu'elle puisse parler avec la femme de chambre de Lady Brockenhurst, sinon la visite n'aurait servi à rien.

— Ma maîtresse m'a également demandé de m'entretenir si possible avec la femme de chambre de la comtesse au sujet de sa coiffure…

— Sa coiffure ? répéta Jenkins en haussant ses épais sourcils gris.

— Oui, monsieur. La coiffure de madame la comtesse l'autre soir lui a fait tant d'impression que Mme Trenchard voulait savoir si je pourrais demander à sa femme de chambre comment obtenir un tel effet, conclut-elle, et elle lui sourit d'un air qu'elle crut engageant.

Jenkins fronça ses sourcils broussailleux. Ce n'était pas la première fois qu'il entendait ce genre de requêtes. Les femmes de chambre s'échangeaient sans cesse des trucs et des astuces.

— Très bien, je vais voir si Mlle Dawson est occupée, répondit-il. Voudriez-vous avoir la gentillesse d'attendre ici ? Elle est peut-être avec la comtesse, auquel cas, je ne pourrai rien faire de plus pour vous.

Dix minutes plus tard, Dawson apparut. En son for intérieur, elle trouva la requête assez impertinente, mais elle en fut aussi flattée, car elle tirait une certaine fierté de ses talents en coiffure. Elle avait passé des heures à peigner des postiches pour sa maîtresse en prenant garde que leur couleur soit parfaitement assortie à celle de ses cheveux naturels, et elle fut secrètement ravie que quelqu'un l'ait remarqué. Devançant Ellis, Dawson lui fit donc monter l'escalier de service, prendre plusieurs couloirs, et elle poussa enfin une porte recouverte de feutre qui se trouvait près de l'entrée des appartements privés de Lady Brockenhurst.

Au premier étage, de grandes fenêtres à guillotine offraient une belle vue sur la place et les jardins, et les appartements de Lady Brockenhurst étaient clairs, spacieux, confortables. En plus de l'immense chambre à coucher avec lit à baldaquin, elle avait un deuxième salon privé et, comme il se doit, son propre dressing-room.

— Aimez-vous les aquarelles ? dit Dawson en jetant un coup d'œil à Ellis tout en lui faisant traverser la chambre.

La plupart sont l'œuvre de la comtesse. Voici leur demeure, indiqua-t-elle en pointant un doigt grassouillet sur un tableau. Lymington Park est dans la famille depuis 1600.

— Eh bien ! À la voir, on ne la croirait pas aussi vieille, remarqua Ellis, qui se souciait comme d'une guigne de ces histoires de maison et de tableaux.

— Elle fut reconstruite deux fois. Le domaine fait plus de cinq mille hectares.

Manifestement et contre toute logique, Dawson tirait fierté des possessions de ses maîtres, comme si, d'une certaine façon, leur gloire rejaillissait sur elle. Dans son esprit, c'était d'ailleurs le cas.

— Très impressionnant, dit Ellis. Ce doit être merveilleux de travailler pour une grande famille noble… Si seulement j'avais eu cette chance.

Dès qu'elle eut pénétré dans le dressing-room, Ellis sut qu'elle aurait du mal à parvenir à ses fins. Dawson était de ces domestiques à l'ancienne mode qui n'existent qu'à travers leurs maîtres. Robuste, lente à se mouvoir, elle avait un air avenant, mais ce n'était apparemment pas une femme portée aux commérages, sinon peut-être avec ses collègues de l'office. Elle ne serait pas déloyale. Étant au service des Brockenhurst depuis longtemps, elle devait déjà penser à ses vieux jours et à la petite pension qu'ils lui octroieraient pour la remercier de sa fidélité. Pourquoi irait-elle faire preuve d'indiscrétion en s'ouvrant à quelqu'un de l'extérieur ? Elle n'avait rien à y gagner.

— J'étais déjà au service de la comtesse mère, déclara Dawson.

— Deux générations de comtesses, quelle chance ! Vous avez dû beaucoup voyager, bien plus que moi, et voir tant de choses intéressantes, renchérit Ellis, décidée à la flatter pour tenter de l'amadouer.

— Oui, je ne peux pas me plaindre. J'ai eu la belle vie avec cette famille.

Dawson était un oiseau rare : une domestique heureuse. Elle n'avait pas envie de se venger des milliers de petites vexations qu'elle avait essuyées au fil du temps. Elle ne pensait pas que les dieux s'étaient détournés d'elle en la laissant dans la servitude. Elle était satisfaite de son sort. C'était une idée difficile à comprendre pour Ellis. Non qu'elle détestât Mme Trenchard. Mais Ellis se considérait simplement supérieure à elle ; l'injustice criante de leurs positions respectives signifiait qu'elle aurait peu de scrupules à trahir sa patronne, même après tout ce temps passé ensemble. L'argent qu'elle avait pu recevoir d'Anne, elle l'avait gagné. Gagné au cours d'années de labeur incessant et d'efforts constants, des années passées à mentir, ramper, faire mine d'être ravie de la servir, alors qu'elle avait envie d'envoyer ses maîtres se faire pendre. Ellis pouvait mentir au nez d'Anne sans broncher et elle l'aurait volée sans honte, si elle n'avait craint de se faire prendre. Elle avait espéré trouver son pendant chez la femme de chambre de Lady Brockenhurst, et que cette compagne d'infortune saisirait avec gratitude une occasion de nuire à la comtesse. Mais face à la loyauté de Dawson, Ellis se trouvait fort démunie.

— Je comprends mieux pourquoi vous êtes devenue si experte en l'art de la coiffure, déclara Ellis avec un grand sourire. Vous êtes le genre de personne qui pourrait m'en apprendre beaucoup, même à l'âge que j'ai, ajouta-t-elle en riant, et Dawson se joignit à elle. La coiffure de la comtesse a fait si grande impression à ma maîtresse, renchérit Ellis, qui se savait très convaincante dès qu'il s'agissait de mentir, un art appris à rude école.

— Vraiment ? dit Dawson, ravie malgré elle de ces compliments.

— Oh oui. Dites-moi, comment avez-vous obtenu ces jolies petites anglaises qui tombent avec tant de charme devant les oreilles ?

— C'est un petit secret, répondit Dawson en ouvrant le tiroir de la coiffeuse sur une incroyable collection de fers à friser et de papillotes. C'est à Paris que j'ai trouvé ce matériel, il y a longtemps, et je m'en sers depuis, expliqua-t-elle en brandissant un fer à friser fin et délicat. Je le chauffe sur le feu, ici même.

— Comment ? s'enquit Ellis d'une voix pleine de déférence.

— Avec cet ustensile, qui se fixe sur le foyer, dit-elle en sortant un plateau en cuivre.

— Que ne va-t-on pas encore inventer ! s'exclama Ellis, tout en se demandant si elle devrait rester encore longtemps avant de récolter quelque potin qui vaille le coup.

— N'est-ce pas merveilleux, quand on pense comment on devait se débrouiller il y a trente ans ? reprit Dawson. Mais le plus important, c'est d'avoir de beaux postiches. J'en achète de préférence chez Mme Gabriel, à côté de Bond Street. Elle a d'excellents fournisseurs. D'après elle, les cheveux de presque tous ses postiches ne proviennent pas de pauvresses prises à la gorge, mais de religieuses. La qualité s'en ressent. Les cheveux sont plus épais et ont plus de brillance.

Tandis que Dawson décrivait à loisir la technique consistant à chauffer les cheveux sans les abîmer et l'importance qu'il y avait à se servir de papiers parfumés pour éviter les brûlures, Ellis balaya la pièce du regard. Sur la coiffeuse, entre les hautes fenêtres, se trouvait un petit portrait sur émail, celui d'un officier vêtu d'un uniforme en usage une vingtaine d'années plus tôt.

— Qui est-ce ? s'enquit-elle, et Dawson suivit son regard.

— C'est le pauvre Lord Bellasis, le fils de la comtesse. Il est mort à Waterloo. Ce fut un drame terrible, pour cette maison. La comtesse ne s'en est jamais vraiment remise. C'était son fils unique, vous comprenez.

— Quel horrible drame, commenta Ellis.

La réponse de Dawson lui en donnant le prétexte, elle se rapprocha pour étudier le tableau de plus près.

— C'est un bon portrait. Il a été peint par Henry Bone, l'informa Dawson, réaffirmant toute la fierté qu'elle tirait du prestige de la famille Brockenhurst.

Ellis plissa les yeux. Ce visage lui paraissait étrangement familier. Quelque chose dans les boucles brunes et les yeux bleus lui rappelait un jeune homme qui leur rendait visite, il y a longtemps. Était-ce à Bruxelles ? Cela semblerait logique, puisqu'il était mort à Waterloo... Alors elle se souvint. C'était l'un des amis de Mlle Sophia. Un très bel homme. Comme c'était étrange de voir son portrait posé sur la coiffeuse de Lady Brockenhurst. Mais elle n'en dit mot. Ellis ne cédait jamais d'informations quand rien ne l'y obligeait.

— La comtesse était-elle contente de la réception qu'elle a donnée l'autre soir ? demanda Ellis.

— Oui, je crois bien.

— Ma maîtresse en a été absolument ravie. Elle dit y avoir rencontré tant de gens charmants.

— Il n'est pas donné à tout le monde de franchir le seuil de Brockenhurst House, répondit allègrement Dawson, qui se considérait comme faisant partie de la maison.

— Un jeune homme en particulier lui a fait une excellente impression. Comment s'appelait-il déjà ? N'était-ce pas M. Pope ?

— M. Pope ? Ah oui, confirma Dawson. Un gentleman tout ce qu'il y a de bien, qui jouit de la faveur de madame. Cela depuis peu de temps, mais il vient assez souvent.

— Ah oui ? remarqua Ellis en souriant, et Dawson en fut déconcertée.

Que diable voulait dire ce petit sourire ? Elle ramassa le matériel de coiffure et se mit à le ranger.

— Mais oui, répondit-elle d'un ton ferme. Ma maîtresse et Lord Brockenhurst s'intéressent à ses projets. Ils aiment encourager les jeunes gens entreprenants. Ils sont en ce domaine très généreux, ajouta-t-elle.

À dire vrai, cette générosité était assez nouvelle chez eux, mais Dawson n'allait pas laisser cette inconnue faire impunément de telles insinuations. Qu'elle se débrouille pour ses coiffures, puisque c'est ainsi, songea-t-elle en refermant le tiroir d'un coup sec.

— Comme c'est admirable, constata Ellis, bien consciente d'avoir fait une bourde et pressée de la réparer. Une grande dame, s'intéressant aux affaires d'un jeune homme plein d'avenir… J'ignorais que ce genre de choses se faisait. Quant à Mme Trenchard, elle dirige assez bien sa maison, mais on pourrait difficilement la qualifier de femme d'affaires.

— C'est peut-être inhabituel, mais c'est ainsi, répondit Dawson, un peu calmée. La comtesse a prévu d'aller à la City d'ici un jour ou deux pour rendre visite à M. Pope dans ses bureaux. Avant de poursuivre son apport de fonds, elle veut vérifier la solidité de son entreprise. Cela va de soi.

— Parce qu'elle lui donne de l'argent ? Ce doit être un jeune homme charmant, lâcha étourdiment Ellis.

L'humeur de Dawson s'assombrit aussitôt et son visage se ferma.

— Je ne vois pas le rapport, rétorqua-t-elle. Madame la comtesse a de nombreux centres d'intérêt.

Un instant, elle faillit mentionner que sa maîtresse emmènerait Lady Maria avec elle, pour bien montrer qu'il n'y avait rien d'équivoque dans cette visite, mais pourquoi irait-elle fournir à cette étrangère des renseignements sur la famille ? Ses traits se durcirent.

— Assez bavardé. Il est temps que vous preniez congé, mademoiselle Ellis. Je suis très occupée, et je suis sûre que vous l'êtes aussi, dit-elle en se levant. Je suppose que vous saurez retrouver votre chemin vers l'escalier de service ?

— Bien sûr. Comme vous avez été gentille et généreuse. Merci encore, lui dit Ellis en voulant lui serrer la main, mais cette fois elle ne réussit pas à regagner du terrain.

— Je vous en prie, dit Dawson en s'écartant. Je dois m'y remettre sans tarder.

Une fois dans le couloir, Ellis sut qu'il lui serait difficile de pénétrer à nouveau dans Brockenhurst House, mais elle n'en fut guère contrariée. De toute évidence, elle ne pourrait plus rien tirer de cette Dawson. D'ailleurs, Ellis avait des informations substantielles à rapporter à M. Bellasis, qui saurait l'en récompenser avec largesse. Restait à savoir ce qu'il allait en faire.

7

Un homme d'affaires

Lorsque la calèche de Lady Brockenhurst s'arrêta devant la maison d'Eaton Street, la curiosité d'Ellis était à son comble. Postée à la fenêtre du dressing-room de Mme Trenchard, elle embuait la vitre de son souffle, sans perdre une miette de la scène qui se déroulait sous ses yeux. La comtesse, coiffée d'un élégant chapeau à plumes, une ombrelle à la main, se pencha pour donner des instructions au cocher. À côté d'elle, protégée du soleil cuisant par une délicate ombrelle à franges, se trouvait Lady Maria Grey. Elle portait une jupe à rayures bleu clair et blanc, rehaussée d'une veste cintrée de style marin. Son visage était encadré d'un chapeau du même bleu, agrémenté d'un ruban de dentelle couleur crème. En bref, Maria était superbe, ce qui était l'effet recherché. Les deux dames attendirent dans la voiture pendant que le postillon allait sonner à la porte.

Ellis savait qu'on venait chercher sa maîtresse, aussi descendit-elle l'escalier promptement, avec tout ce qui lui serait nécessaire. Mme Trenchard l'attendait déjà dans le vestibule.

— Aurez-vous encore besoin de mes services ce matin, madame ? demanda l'employée en l'aidant à enfiler une pelisse verte.

— Non, merci Ellis.

— J'espère que vous vous rendez dans un lieu agréable, madame.

— Je le pense, oui.

Anne était trop absorbée par la journée à venir pour prêter attention à la question.

De plus, elle avait réussi à cacher sa destination à James, elle n'allait donc pas la donner à sa femme de chambre.

Bien sûr, Ellis se doutait du lieu où elles se rendaient, mais elle aurait aimé en avoir la confirmation. Elle ne laissa cependant rien paraître de sa frustration.

— Eh bien, madame, je vous souhaite une bonne journée.

— Merci.

Anne fit signe au valet de pied, qui ouvrit la porte. Elle aussi avait une ombrelle, en cas de besoin. Elle était fin prête.

Lady Brockenhurst et Maria lui sourirent quand elle monta dans la calèche. Maria avait changé de place pour s'asseoir à côté d'elle, dos aux chevaux, un geste d'une grande courtoisie à l'égard d'une femme de rang inférieur, qui toucha Anne. Apparemment, rien ne pourrait gâcher cette journée. La comtesse n'était pas la personne qu'elle appréciait le plus au monde, mais toutes deux avaient une chose en commun – aucune ne pouvait le nier – et aujourd'hui, elles allaient en un sens célébrer cela.

— Êtes-vous sûre d'être bien installée, ma chère ? s'enquit la comtesse, et Anne acquiesça d'un signe de tête. Alors allons-y.

Le cocher prit les rênes et la voiture se mit en branle.

Caroline Brockenhurst avait décidé de se montrer agréable avec Mme Trenchard. Comme Anne, elle était impatiente de revoir son petit-fils et ressentait plus que jamais de la pitié pour cette femme dont l'existence était sur le point d'être anéantie. Il ne faudrait pas longtemps pour que l'histoire éclate au grand jour, après quoi la mémoire d'Edmund serait sans doute plus chérie encore, tandis que celle de Sophia Trenchard s'en trouverait salie. C'était triste, assurément. Même elle en avait conscience.

Anne observa le mur des jardins du palais de Buckingham que longeait leur voiture. Comme l'organisation de leur monde était étrange. Une jeune femme d'une vingtaine d'années représentait le sommet de l'ambition sociale. Se trouver en sa présence était le but que des hommes comme James – des hommes intelligents, talentueux, à la réussite exemplaire – rêvaient d'atteindre, le plus grand triomphe couronnant une vie de succès. Et pourtant, qu'avait fait cette jeune fille ? Rien. Elle était juste née. Anne n'avait rien d'une révolutionnaire. Elle ne voulait en aucun cas voir le pays mis sens dessus dessous. Elle n'aimait pas les républicains et serait enchantée de faire la révérence devant la reine si l'opportunité s'en présentait, mais elle s'interrogeait malgré tout sur l'absurdité du système dans lequel elle évoluait.

— Oh ! Regardez ! La reine est à Londres, déclara Maria, les yeux levés.

En effet, le drapeau royal flottait sur le toit du palais au-dessus de l'immense portique au fond de la cour. Anne admira, au-dessous, le passage protégé qui permettait à la famille royale de monter et descendre de leur carrosse en toute sécurité. C'était un espace guère dissimulé aux regards, quand on y réfléchissait. Mais les résidents du palais étaient sans doute habitués à être des objets de curiosité.

L'attelage descendit le Mall et, bientôt, Anne contempla les appartements de Carlton House Terrace, dont la nouveauté et la magnificence l'impressionnaient encore, dix ans après leur construction.

— J'ai entendu dire que Lord Palmerston s'était installé au numéro 5, dit Maria. Avez-vous déjà visité les lieux ?

— Je n'ai pas eu ce plaisir, répliqua Anne.

Mais rien ne pouvait faire taire Maria. Elle était émoustillée comme un enfant dans un magasin de jouets.

— Oh ! J'adore l'allure du vénérable duc d'York. Je ne sais pas pourquoi il fait l'objet d'une telle vénération, mais j'en suis ravie.

Devant eux, de larges marches menaient à une haute colonne sur laquelle trônait la statue du fils cadet de George III.

— Je me demande quelle est la hauteur véritable de cette statue.

— Je peux vous répondre sur ce point, dit Anne. Je me trouvais ici même il y a cinq ans, lorsqu'ils l'ont érigée. Elle fait deux fois la taille d'un homme. Plus de trois mètres, peut-être quatre.

Anne sourit à Maria. La jeune femme lui plaisait, cela ne faisait aucun doute. Elle aimait son intérêt pour Charles, qui ne pouvait avoir aucune issue heureuse, mais elle l'appréciait aussi pour elle-même. Maria était une jeune femme spirituelle et audacieuse, qui dans un autre contexte aurait pu s'accomplir. Mais, pour la fille d'un comte aux revenus modestes, les choix étaient limités, et ce n'était pas la faute de Maria Grey.

L'espace d'un instant, Anne ressentit une pointe de culpabilité en songeant que James ne les accompagnait pas. Il avait beau dire qu'il était submergé de travail de l'aube au crépuscule, il n'aurait manqué cette occasion pour rien au monde. Il adorait la compagnie de son petit-fils – qu'il connaissait bien mieux qu'elle – et ne s'en cachait pas. Pas même à Oliver.

Pourtant, elle n'avait pas évoqué ce rendez-vous. En fait, elle lui avait laissé croire que Lady Brockenhurst s'était laissé convaincre de se montrer plus discrète avec Charles, si bien que cette visite à son bureau, dans une calèche somptueuse, avec sa propre épouse et une jeune beauté de la haute société, l'aurait proprement horrifié. Anne savait parfaitement que Caroline Brockenhurst n'avait aucune intention de garder leur secret, bien au contraire, et cette démonstration de sympathie ne ferait qu'accélérer le processus, ce dont James finirait par la blâmer. Était-ce pour cette raison qu'elle ne lui avait rien dit ? Et si tel était le cas, devait-elle en éprouver des remords ? Après tout, James lui avait menti pendant des années – du moins par omission. À présent, c'était son tour. Plus que tout, Anne voulait revoir son petit-fils.

Les trois femmes conversaient tandis que leur attelage s'enfonçait dans les rues de Londres, en direction des bureaux de Charles Pope à Bishopsgate.

— Avez-vous retrouvé votre éventail ? demanda Lady Brockenhurst tandis que la voiture roulait sur Whitehall.

— Mon éventail ?

— Ce charmant Duvelleroy que vous aviez au dîner. J'ai remarqué combien il était élégant. Quel dommage de l'avoir perdu.

— Mais je ne l'ai pas perdu, répliqua Anne, touchée que la comtesse se rappelle ce détail de sa toilette.

— Je ne comprends pas, votre femme de chambre est venue à la maison l'autre jour pour le chercher. Enfin, si l'on en croit ma domestique.

— Vraiment ? Ellis ? Comme c'est étrange. Je l'interrogerai à mon retour.

Ellis se comporte bizarrement ces derniers temps, songea Anne. On connaît peu, finalement, ses employés, même les femmes de chambre et les valets qui sont si proches de nous. Ils parlent et rient volontiers, et parfois des liens d'amitié se nouent. Du moins en apparence. Car en réalité, que sait-on d'eux exactement ?

Bientôt, la voiture laissa derrière elle le Londres fastueux et cahota dans les rues alambiquées et encombrées de l'ancienne City, dont l'agencement n'avait pratiquement pas changé depuis le règne des Plantagenêt. Anne fut frappée de voir à quel point certains quartiers, pourtant non loin des artères principales, étaient sordides. Hutchinson, le cocher, avait fait de son mieux pour rester à l'écart des coins les moins salubres de la ville, mais plus leur équipée progressait, plus l'odeur des canalisations ouvertes devenait forte et les rues déplaisantes.

Leur périple touchait à sa fin, lorsqu'ils traversèrent un marché délabré près de l'église St Helen. Les allées pavées étaient encombrées de marchands qui poussaient leur lourd chariot de marchandises en hélant les passants. Leurs cris couvraient les conversations de la calèche.

— Achetez mes pois ! Six pence les deux gallons !

— Harengs fumés ! Trois pour un penny !

— Ils sont dodus mes lapins ! cria un homme en marchant à côté de leur attelage.

Il tenait par les pieds une poignée d'animaux à fourrure qui se tortillaient dans tous les sens.

— Pourquoi les garder en vie, ces malheureuses bêtes ? soupira Maria, plus pour elle-même qu'à l'intention du marchand.

— Comment on ferait pour maintenir la viande fraîche, mam'selle ? rétorqua-t-il.

Il la dévisagea, sans doute surpris par la présence en ce lieu d'une somptueuse créature venue d'une lointaine planète, puis essuya la morve qui coulait de son nez du dos de sa main et se retourna pour accoster une autre voiture derrière eux.

Des enfants traînaient, la plupart pieds nus, et jouaient avec tout ce qui leur tombait sous la main : une vieille boîte, une brique, des coquilles d'huître vides ramassées sur les pavés. L'un d'eux avait même un cerceau – un privilège rare, à n'en pas douter. Mais ces enfants accaparés par leurs jeux faisaient partie des chanceux. D'autres n'avaient nullement le temps de s'amuser, trop occupés à vendre leur piteuse marchandise. Anne vit un petit garçon débraillé louvoyer dans la foule avec une rangée d'oignons sales, dont il espérait retirer quelques piécettes. À un coin de rue, une vieille femme était assise sur une marche en pierre, un panier rempli de bruyères et d'œufs à ses pieds. Malgré le soleil, elle serrait un épais châle noir autour de ses épaules et reposait sa tête grisonnante contre le mur rugueux. Quand les trois femmes atteignirent le bureau de Charles Pope, leur enthousiasme avait été émoussé par la misère et la faim dont elles venaient d'être les témoins.

Maria brisa le silence la première.

— Je déteste voir des enfants pieds nus, pauvres anges. Ils doivent avoir si froid.

— Cela m'attriste aussi, déclara Anne en posant la main sur le genou de Maria dans un élan de sympathie.

Toutes deux se montraient bien trop sentimentales pour Caroline Brockenhurst.

— Mais qu'y pouvons-nous ? Nos dons ne semblent faire aucune différence.

— Il leur faut plus que notre charité, répondit Maria. Il faut que le monde change.

Anne hocha la tête en silence.

Le bureau de Charles Pope se situait au deuxième étage d'un ancien hôtel particulier reconverti en locaux commerciaux. Les pièces étaient suffisamment hautes pour dissiper le vacarme de la rue. Après avoir grimpé plusieurs volées de marches raides, ces dames firent leur entrée et allaient demander à voir M. Pope quand Charles ouvrit la porte toute grande.

— Lady Brockenhurst, s'exclama-t-il avec un large sourire de bienvenue. Quelle merveilleuse surprise !

En effet, c'était vraiment inattendu.

Caroline était enchantée de la joie manifeste du jeune homme. Elle avait hésité à le prévenir, mais désirait se forger son propre jugement sur son lieu de travail et, s'il avait été au courant, il aurait tout mis en œuvre pour faire bonne impression. Elle lui avait écrit pour sa première visite, pas pour la deuxième. Bien sûr, il aurait pu être absent, mais elle avait décidé de tenter sa chance. Elle ne savait pas qu'Anne Trenchard était moins disposée à s'en remettre au hasard et avait envoyé la veille son valet de pied, Billy, demander si M. Pope serait à son bureau le lendemain après-midi pour recevoir une visite, sans en dire plus. Ainsi, Charles était au courant de la venue d'une personne, mais ignorait tout de son identité. Ellis apprit ces détails de la bouche de Billy après leur départ et fut ravie d'avoir de nouvelles informations pour M. Bellasis. Naturellement, Anne ne pouvait se douter de toutes ces manigances.

À Bishopsgate, Caroline était curieuse de voir comment Charles réagirait à la présence de Maria Grey.

— Je n'arrive pas à croire que vous soyez là ! s'écria-t-il sans réfléchir. (Puis, pour rattraper sa maladresse, il ajouta :) Toutes les trois…

Si la comtesse avait soupçonné la moindre inclination entre les deux jeunes gens, elle en eut la confirmation. Tout du moins, quelque chose qui ne demandait qu'à se développer, si les circonstances le permettaient.

— Lady Brockenhurst m'a fait part de son projet de vous rendre visite, expliqua Maria, et je me suis permis de me joindre à elle. J'espère que vous ne m'en voudrez pas.

— Non, absolument pas. Au contraire.

Maria hocha la tête et lui tendit la main. Charles la regarda avec perplexité. Dois-je la serrer ? se demanda-t-il. Ou la baiser ? Sa somptueuse jupe bleu et blanc détonnait dans l'environnement morne de son lieu de travail. La blondeur de ses cheveux, la douceur de ses lèvres… Troublé, Charles osait à peine la regarder dans les yeux.

— Vous êtes bien aimable de ne pas vous formaliser de notre visite impromptue, intervint Caroline.

Lady Brockenhurst essaie-t-elle de couvrir ma maladresse ? songea-t-il. Mes sentiments sont-ils si évidents ? Il ne savait que trop bien que Maria était promise au neveu de Lady Brockenhurst. Pourtant, la comtesse n'affichait pas un air réprobateur.

Maria recouvra ses esprits la première.

— Nous étions en chemin pour voir un marchand de soieries, dit-elle gaiement. Nicholson and Company. Et nous n'avons pas résisté à la tentation de passer vous voir.

Elle aussi cachait les vraies raisons de sa venue.

Il prit son ombrelle et la posa sur son bureau en rougissant.

— Que puis-je vous offrir ? Du thé ? Du vin ?

Il parcourut la pièce du regard, comme s'il espérait trouver une bouteille de vin fin miraculeusement oubliée sur une étagère, ce qui serait parfait pour ces nobles dames un après-midi comme celui-ci.

Puis il vit Anne, qui se tenait en retrait.

Lady Brockenhurst s'avança.

— Puis-je vous présenter Charles Pope ? Mme Trenchard est l'épouse de ce M. Trenchard dont l'aide vous a été si précieuse.

La comtesse sourit. Le destin leur jouait parfois des tours cruels. À peine un mois plus tôt, elle ignorait tout de son petit-fils. Anne Trenchard lui avait caché ce secret pendant vingt-cinq ans. Aujourd'hui, c'était elle qui présentait Charles à Anne Trenchard. L'ironie de la situation l'amusait.

Charles observa la nouvelle venue. Elle avait un visage tendre et doux, et un regard bienveillant qui paraissait l'étudier attentivement. Il lui semblait qu'il l'avait déjà vue, mais il ne se rappelait pas où. Soudain, la mémoire lui revint.

— Nous nous sommes brièvement parlé à la réception de Lady Brockenhurst.

Anne sourit avec chaleur.

— C'est exact.

En réalité, elle avait envie de pleurer et de le serrer sur sa poitrine. C'était bien sûr inimaginable, mais elle se sentait tout de même heureuse. Son sourire était sincère.

— Vous avez rencontré tant de gens, à cette soirée.

La comtesse émit un rire léger. Anne lui jeta un regard de biais. Lady Brockenhurst se réjouissait un peu trop de cette embarrassante situation.

— Je vous connais par votre mari, continua Charles. M. Trenchard est mon bienfaiteur – sa contribution a été incroyablement généreuse. Je lui en suis très reconnaissant et c'est un plaisir pour moi de recevoir son épouse.

La gratitude de Charles était réelle.

— Voulez-vous visiter mon bureau ?

Il les fit entrer dans une pièce meublée d'un canapé et de chaises où ces dames prirent place après que Charles eut rassemblé les documents et les dessins qui traînaient un peu partout.

— Je crois me rappeler que notre conversation a été interrompue quand mon mari a fait tomber son verre, dit Anne avec un sourire.

Elle avait rejoué cette scène un millier de fois dans sa tête.

— Votre mari a été très bon pour moi, madame Trenchard. Vraiment. Il a fait preuve d'une générosité rare. Et il a eu foi en moi. En fait, je n'aurais jamais pu lancer ma filature de coton sans lui. Il a littéralement changé ma vie.

Lady Brockenhurst n'avait rien objecté à cela, pourtant son visage trahissait une certaine exaspération : elle ne souhaitait pas partager son rôle de bienfaitrice avec cet ennuyeux personnage.

— J'ai envers vous une dette tout aussi grande, s'empressa d'ajouter Charles, qui avait remarqué la réaction de la comtesse. Lord Brockenhurst et vous avez jeté un pont sur le torrent qui faisait barrage à mon avenir. À présent, grâce à vous, je peux débuter une entreprise à grande échelle.

Il était plutôt satisfait de sa tirade.

— Quel discours ! s'écria Maria. Si je ne vous connaissais pas, je croirais que vous voulez nous vendre quelque chose !

Ce n'était pas la réponse qu'il espérait. Mais, devant son air chagriné, elle rit et battit des mains, au moment même où la porte s'ouvrait sur son assistant, chargé d'un plateau de thé. Après quoi, l'incident fut oublié. Rien de tout cela n'échappa à l'œil vigilant de Caroline.

— Est-ce l'Inde ? demanda Maria en observant l'immense carte encadrée qui occupait presque tout un pan de mur.

— En effet.

Charles était ravi de revenir en territoire connu.

Elle se leva pour étudier la carte de plus près.

— Est-elle récente ?

Charles se posta à côté d'elle.

— C'est la toute dernière version. Elles sont sans cesse remises à jour. Plus on cartographie de provinces, plus les cartes sont détaillées.

— C'est merveilleux !

— Cela vous intéresse vraiment ? s'exclama Charles avec chaleur.

Ses propres réactions l'irritaient. Tout ce qu'il voulait, c'était impressionner la jeune femme par son sérieux et son sens des responsabilités, or, chaque fois qu'elle lui parlait, il se mettait à sourire d'un air nigaud.

— J'en possédais une avec nos frontières administratives. Les terres des natifs étaient ombrées de vert et les régions dirigées par l'East Indian Company de rose. Mais cette carte-ci est établie à partir de critères strictement géographiques. Comme vous pouvez le voir, ce pays est traversé d'innombrables rivières, de montagnes et de déserts.

— Il est difficile d'imaginer un pays aussi grand, s'extasia Maria en faisant courir sa main gantée sur la surface lisse du verre. Bengale, lut-elle, Panjab, Cachemire… (Elle soupira.) Quelle contrée sauvage et romantique !

— Certaines parties du pays sont en effet très sauvages et n'ont jamais été cultivées. On y rencontre des tigres, ajouta-t-il calmement, espérant passer pour un expert. Et des éléphants, des serpents et des singes aussi. Et puis tant de religions et de langues différentes. C'est vraiment un monde à part.

— J'adorerais voir un tigre dans la jungle, dit Maria en se tournant vers lui.

Elle se tenait si près qu'il sentait la caresse de son souffle sur sa joue.

— À ce moment-là, assurez-vous d'être à dos d'éléphant.

Elle hoqueta.

— Est-ce ainsi que la population se déplace ?

— C'est l'équivalent de nos calèches.

La bienséance lui commandait de se reculer, mais il répugnait à le faire. Si elle se sent mal à l'aise, songea-t-il, elle fera un pas en arrière. Mais la jeune femme ne fit pas un mouvement. Ses jupes, sur son jupon raide, touchaient les jambes de Charles, qui s'exhorta au calme.

— Apparemment, ce sont des animaux intelligents et obéissants, mais monter dessus, c'est comme être ballotté par les flots en pleine mer.

— Je peux l'imaginer, répondit-elle en fermant les yeux à demi.

— Et là, poursuivit Charles en levant la main vers le haut de la carte, c'est une portion de la route de la soie, qui débute en Chine puis traverse ces montagnes pour gagner l'Europe.

— Et maintenant, c'est le tour du coton, renchérit Maria, qui passait un délicieux moment, plus merveilleux encore qu'elle ne l'avait espéré.

Pourquoi ? s'interrogea-t-elle. Est-ce uniquement dû à la présence de cet homme ? Cela peut-il être aussi simple ?

— Il me semble que le commerce du coton existe depuis un bon moment, commenta Anne en s'approchant de la carte.

— En effet, madame Trenchard, confirma Charles. Et l'Inde finira par le dominer, avec le temps.

— J'ai cru comprendre que les plantations des États du sud de l'Amérique étaient les plus grands producteurs actuels.

Maria était venue à ce rendez-vous dûment informée.

— Où avez-vous lu cela ?

— Je ne sais plus, répondit-elle en rougissant.

La vérité, c'était qu'elle avait dévoré tous les ouvrages et articles sur lesquels elle avait pu mettre la main. Elle voulait avoir quelque chose à dire lors de leur prochaine rencontre.

— Je préfère choisir mes fournisseurs aux Indes, reprit Charles.

— Pourquoi ?

Anne était sincèrement intéressée. Elle était si habituée à l'amertume d'Oliver – qui en voulait au monde entier – et aux récriminations de Susan, qu'elle avait presque oublié le genre de conversation que l'on pouvait avoir avec un jeune homme ambitieux. Contrairement à son fils, Charles avait de la suite dans les idées et était déterminé à réussir. Comme c'était rafraîchissant.

— Les Américains maintiennent les prix bas grâce au travail des esclaves, alors que je suis un partisan des abolitionnistes Wilberforce et Clarkson. Je ne crois pas au profit tiré de l'esclavage, sous quelque forme que ce soit.

Tandis que les dames marquaient leur approbation d'un signe de tête, il leva la main.

— Mais avant que vous ne me complimentiez pour mes vertus, sachez que cette prise de position sert mes intérêts. Je suis persuadé que l'esclavage n'a pas sa place dans le monde moderne et, quand il sera aboli, l'Amérique ne sera plus en mesure de concurrencer les Indes. Ce jour-là, j'aimerais que mon affaire soit bien implantée, afin d'avoir une longueur d'avance sur mes concurrents.

Anne croisa le regard de Lady Brockenhurst. Quel jeune homme brillant ! Pourquoi le cacher au monde en effet ? Et à voir l'intérêt que Maria Grey lui portait… Une telle union était-elle réellement impossible ? À n'en pas douter, Lady Brockenhurst faisait déjà des plans pour le jeune couple, sans se préoccuper du neveu de son mari. Après tout, les filles de feu le roi Guillaume IV et cette actrice avaient fait de beaux mariages : la comtesse d'Erroll, la vicomtesse Falkland, Lady de l'Isle… Et le fils illégitime du duc de Norfolk n'avait-il pas épousé Lady Mary Keppel, dix ans après le retour de James et Anne à Londres ? Où avait-elle lu cela ? Ces mariages ne pouvaient-ils servir d'exemples ? Qu'aurait souhaité Sophia pour son fils ? Telle était la question qu'ils devaient se poser. Elle remarqua que Charles l'observait, aussi lui demanda-t-elle gaiement :

— Savez-vous quelles régions des Indes vous allez visiter, monsieur Pope ? Quel est le potentiel de développement là-bas ? Un jeune homme comme vous doit regorger d'idées !

— En effet ! s'enthousiasma Maria en joignant les mains. Avoir réussi à nourrir de tels projets si jeune…

Elle désigna le bureau d'un large geste de sa main gantée. Elle ne semblait pas se rendre compte combien elle s'exposait.

— Je suis curieuse à votre sujet, monsieur Pope…, intervint Lady Brockenhurst en contournant son bureau, qui était encombré de piles de documents et d'une série de boîtes brunes fermées d'un cordon rouge. Vous êtes un modèle d'énergie et d'application dans le commerce et pourtant, contrairement à beaucoup de vos concurrents, vous n'étiez pas destiné à cette profession. Selon le cours normal des choses, le fils d'un révérend de campagne – vous êtes le fils d'un révérend, je crois – aurait dû s'enrôler dans l'armée ou la marine, ou prêcher à son tour, en attendant que quelqu'un le prenne sous son aile.

Anne se demandait où Caroline voulait en venir. Si l'on cherchait chez Charles des qualités héréditaires, c'était assurément le tempérament de James que l'on retrouvait chez lui, et certainement pas le côté Bellasis de ses ancêtres. Aucun Bellasis n'avait eu à tenir de livres de comptes depuis les Croisades. Un instant, elle éprouva une bouffée de fierté à l'égard de son mari. Certes, son acharnement à gravir les échelons pouvait être lassant, mais c'était un homme intelligent, doté d'un véritable flair pour les affaires.

— Comment savez-vous que mon père était révérend ?

Excellente question. La comtesse hésita à peine.

— C'est vous qui me l'avez dit. Lors de notre première entrevue.

— Ah. Eh bien, ce n'était pas un révérend comme les autres... ce qui explique sans doute ma situation actuelle. C'était un homme exceptionnel.

— C'était ?

— Il est mort depuis peu.

Bien sûr, il était décédé. Anne l'avait oublié. Quand James le lui avait dit, il avait prétendu l'avoir lu dans le *Times*, mais à présent elle s'interrogeait. Leur correspondance manquait-elle à James ? Vingt-cinq années de lettres, décrivant les progrès de Charles. Quoique, depuis que James était en contact direct avec Charles, les lettres du révérend avaient sans doute moins d'importance à ses yeux. Cela dit, c'était vraisemblablement un homme de bien.

— Vous en parlez comme de quelqu'un de très estimable, intervint Anne.

— Oui, j'ai eu beaucoup de chance, dit Charles en jetant un coup d'œil à un tableau accroché derrière son bureau.

Il représentait un homme âgé, aux cheveux fins et gris, vêtu entièrement de noir, excepté le col à rubans blancs. Le visage orienté de trois-quarts, il semblait méditer. Dans sa main droite, il tenait un livre qui, observé de plus près, se révélait être une Bible. Les traits à la craie étaient bien exécutés et le style rappelait à Anne le travail de George Richmond. À dire vrai, elle avait été très reconnaissante envers le révérend Pope d'accepter leur proposition. L'augmentation de ses revenus l'avait sans doute incité à prendre en charge cet enfant non désiré, mais il s'était manifestement pris d'affection pour le garçon et lui avait donné un bon départ dans la vie.

— C'est un beau portrait, commenta Lady Brockenhurst. Le genre de tableau qui suggère une ressemblance fidèle, même si je ne connais pas le modèle. Le visage de votre père exprime l'intelligence et la bonté. J'espère que c'était le cas.

— Tout à fait. Et bien plus encore, mais je crois vous avoir parlé de lui lors de notre première rencontre.

— Racontez-moi encore.

Comme elle mentait avec aplomb ! Anne l'en admirerait presque. C'était là le cœur du problème. Nous mentons toutes les trois, songea-t-elle. Dans cette pièce même, Lady Brockenhurst et elle jouaient les innocentes devant leur petit-fils. Même Maria n'était pas totalement honnête, puisqu'elle continuait à prétendre qu'elle allait épouser John Bellasis alors qu'il était clair qu'elle ne le ferait pas – pas de son plein gré en tout cas. Charles était le seul à ne pas mentir, à moins qu'il ne cherche à cacher sa passion pour Maria Grey.

— Je ne suis pas leur fils naturel, déclara Charles avec une simplicité touchante.

Cela dit, pourquoi se serait-il senti mal à l'aise ?

— Ma mère est morte en couches et mon père sur le champ de bataille peu de temps auparavant. Mon père était le cousin de M. Pope et, avec sa femme – que je considère aujourd'hui comme ma mère –, ils ont décidé de me prendre en charge. Ils n'avaient pas d'enfants, alors peut-être avons-nous tous profité de cet arrangement, mais le fait est qu'ils ont été très bons pour moi, et Mme Pope reste à ce jour la plus douce et la plus aimante des mères.

— Et M. Trenchard ? Quel a été son rôle dans tout cela ?

Anne était curieuse de savoir comment s'étaient noués leurs premiers liens.

— J'étais destiné à l'Église, comme Lady Brockenhurst l'a suggéré. Tandis que je grandissais, mon père s'est aperçu que mes talents étaient ailleurs et m'a trouvé une place d'apprenti dans une banque. Mais quand je suis arrivé à Londres, j'ai rapidement compris que c'était un tout autre monde, auquel je ne connaissais rien. Alors mon père a demandé à M. Trenchard s'il pouvait me servir de guide le temps que je fasse mes premières armes. Mon père et lui étaient amis depuis des années.

Anne observait la comtesse, laquelle était manifestement enchantée de découvrir le passé secret de son petit-fils.

— Quelle chance que le révérend Pope ait eu des amis dans les affaires !

— Il avait des amis dans bien des domaines. M. Trenchard s'est intéressé à moi et n'a cessé depuis de garder un œil sur mon parcours. Quand j'ai décidé de quitter la banque, je lui ai soumis mon idée d'acquérir une filature et il a aussitôt proposé de soutenir mon projet, ce qui m'a permis de le concrétiser. Et maintenant, Lord et Lady

Brockenhurst ont la bonté de financer le lancement de toute l'entreprise.

— La filature fonctionne-t-elle déjà ? demanda Maria, qui considérait qu'elle avait gardé le silence suffisamment longtemps.

— Oui, mais de façon guère structurée, avec le coton brut que j'ai pu trouver. À présent, je vais bâtir une organisation stable, qui va me permettre de me développer. C'est grâce à Lady Brockenhurst. Dois-je sonner pour demander davantage de thé ?

— Ce n'est pas nécessaire, merci.

Anne et Maria étaient assises côte à côte sur le canapé. Le soleil qui filtrait par les volets fermés des grandes fenêtres dessinait des stries sur le parquet. Charles rassembla les tasses et les reposa sur le plateau. Anne suivit des yeux les mouvements fluides et gracieux du jeune homme. Quel miracle que ce bébé grassouillet, aux cris déchirants, qu'elle avait brièvement tenu dans ses bras un quart de siècle plus tôt, soit devenu un homme si beau et si assuré.

Maria elle aussi observait Charles Pope. Son père était un soldat, songea-t-elle, et le cousin d'un homme d'Église… Où était le problème ? Il n'était pas un brillant parti, certes, mais il avait reçu l'éducation d'un gentleman. Bien sûr, John Bellasis devait hériter d'une immense fortune, mais Charles n'allait-il pas devenir riche, lui aussi ? Et sans doute le premier ? Lord Brockenhurst paraissait en excellente forme, et pour de nombreuses années encore. Tout en réfléchissant à tout cela, elle pressait Charles de questions sur son affaire, ses projets, buvant la moindre de ses paroles. Dans combien de temps partirait-il pour les Indes ? Ferait-il le voyage seul ? Comment saurait-il si ses ressources étaient assurées une fois sur place ?

— Ce n'est pas la fiabilité qui compte le plus, c'est la qualité, expliqua-t-il en arpentant son bureau de long en large, emporté par son enthousiasme. La situation en Inde est difficile et la majorité de la production de coton de piètre qualité mais, une fois qu'on trouve le bon fournisseur, il faut absolument créer une relation commerciale avec lui ! Dès lors, on peut véritablement développer son affaire. Et le climat est idéal, donc tout est possible.

— Bravo ! Bravo ! cria une voix depuis le seuil, accompagnée de lents applaudissements. Comme c'est bien dit !

John Bellasis était appuyé au chambranle de la porte. Charles le regarda avec surprise.

— Monsieur ? Puis-je vous aider ?

Son visage lui semblait familier, mais son comportement était hautain et hostile, comme si l'inimitié était déjà déclarée entre Charles et lui. Le regard de John s'étrécit, sa bouche se durcit. Il était l'arrogance même.

— John ? dit Lady Brockenhurst. Que faites-vous ici ?

— Je pourrais vous retourner la question, ma chère tante. (Mais il n'attendit pas la réponse.) Lady Maria, quelle surprise ! Bien le bonjour, continua John, ignorant Charles et traversant la pièce pour saluer Maria, encore sous le choc.

Comme si elle lisait dans ses pensées, Lady Brockenhurst reprit la parole.

— Comment avez-vous su où nous trouver ?

— Je ne le savais pas. Du moins, pas en si bonne compagnie. Je m'attendais à vous voir, ma tante, mais pas… ? (Il observa Anne d'un air absent.) Je suis vraiment désolé, madame… ?

— Madame Trenchard, intervint Charles.

— Madame Trenchard, bien sûr. Je sais qui vous êtes.

En effet, il le savait très bien, puisque tous deux étaient assis à la même table à la réception de sa tante.

— Et voir Lady Maria ici est un véritable enchantement.

La présence de la jeune femme dans ce bureau n'avait pas l'air de l'enchanter le moins du monde, bien au contraire.

Au début, quand il avait reçu le message d'Ellis lui demandant de venir à Piccadilly, il s'était indigné de l'impertinence de cette domestique qui se permettait de le convoquer mais, après avoir entendu ce que Billy avait confié à la femme de chambre – la visite à Bishopsgate avait lieu le jour même –, il reconnut qu'elle avait bien fait. Qui était donc Charles Pope, cet homme sorti de nulle part qui retenait mystérieusement l'attention de tous ? Il devait découvrir le moyen de pression que cet individu exerçait sur ces femmes. S'agirait-il d'un chantage lié à un scandale dans le passé de son oncle ? Mais comment expliquer alors l'intérêt des Trenchard ? Il avait glissé une pièce à Ellis pour la remercier.

— Mme Trenchard a-t-elle donné une raison à cette visite ?

— Non, monsieur. C'est le valet de pied qui m'en a parlé. Elle n'est pas du genre à se confier.

— Ah oui ? Eh bien, on verra ce qu'elles auront à dire, cette Mme Trenchard et ma chère tante, quand je les débusquerai dans la tanière de leur jeune protégé

— Vous ne me dénoncerez pas, monsieur ?

Ellis n'était pas disposée à perdre sa place. Elle ne partirait que lorsqu'elle l'aurait décidé, pas avant.

— Ne t'inquiète pas. Si tu étais renvoyée, tu ne me serais plus d'aucune utilité.

Son problème, bien sûr, était de justifier le fait de suivre Anne Trenchard, une femme qu'il connaissait à peine, à un rendez-vous dont il n'était rien censé savoir.

Il s'empressa d'aller chez les Brockenhurst et, par chance, trouva le comte chez lui. Il ne fallut guère de temps à John pour faire dire à son oncle que Caroline s'était rendue à Bishopsgate pour voir le jeune M. Pope.

— Vous vous intéressez tous deux beaucoup à cet homme, avait répondu John à son oncle.

— Caroline le trouve prometteur, et il m'a semblé tout à fait recommandable.

Peregrine ne ferait jamais rien pour saper l'enthousiasme de son épouse. Depuis la mort d'Edmund, c'était si rare.

— C'est drôle, avait dit John, j'étais justement en route pour Bishopsgate. Quelle coïncidence, n'est-ce pas ? Je pourrais passer voir si elle est toujours là-bas.

Il connaissait l'adresse du bureau de Pope. Ses recherches lui avaient déjà fourni cette information et Lord Brockenhurst ne se souviendrait pas qu'il ne lui avait pas posé la question. Son alibi en place, il avait hélé une voiture et pris la direction de la City.

À présent, il se trouvait là, face à son ennemi, avec Mme Trenchard, Maria Grey et sa tante.

— J'ai bien peur que nous n'ayons déjà pris le thé, à moins que vous n'en désiriez, monsieur… ?

Charles ne reconnaissait pas John, ce qui irritait passablement celui-ci. Ce jeune parvenu ne se rappelait pas qui il était ? Quel était cet infâme personnage qui envoûtait ces dames ? C'était habituellement le territoire de John. Son père avait raison sur un point : l'intérêt de sa tante pour ce jeune homme insignifiant était étrange – et fort déplaisant. De plus, c'était autant d'argent qui leur échappait, ce que son père et lui ne sauraient tolérer. Jusque-là, son avenir avait semblé tout tracé. Il lui suffisait d'emprunter de l'argent jusqu'à la mort de son oncle, après quoi l'héritage de son père – ou plus probablement le sien – lui permettrait de redresser sa situation et de mener une existence dorée. Mais voilà que l'arrivée de ce Charles Pope menaçait de changer la donne.

— Charles, je vous ai présenté le neveu de Lord Brockenhurst, M. Bellasis, à la réception, dit la comtesse en se levant.

L'intrusion de John lui déplaisait au plus haut point. Et la déstabilisait. Elle croisa le regard d'Anne. Il était temps de mettre fin à cet entretien.

— Monsieur Bellasis, bien sûr, reprit Charles avec un bref hochement de tête, tandis que son cœur sombrait dans sa poitrine à la vue du fiancé de Maria. Pardonnez-moi, il y avait tant de monde, j'étais un peu perdu.

— Vous n'en aviez pourtant pas l'air.

John toisait Charles avec dédain. Cet homme n'avait aucune distinction, pourtant sa tante avait traversé Londres pour prendre le thé dans ce bureau minable.

— Nous voilà donc tous rassemblés, ajouta John en pianotant sur son genou.

— À ce propos, pourquoi êtes-vous ici ? demanda Maria avec un sourire de façade.

Lady Brockenhurst hocha la tête.

— Oui, John. Qu'êtes-vous venu faire ici ?

— J'étais chez vous ce matin et mon oncle m'a parlé de votre visite à Bishopsgate. Comme j'avais un rendez-vous dans le coin, j'ai été curieux de revoir M. Pope. C'est un homme des plus mystérieux. À mes yeux, du moins. La moitié de ma famille et à présent l'épouse d'un célèbre bâtisseur de Londres jettent un pont d'or sous ses modestes pas, et j'aimerais savoir pourquoi. J'espère ne pas vous offenser en employant le terme « modeste », monsieur ? ajouta-t-il avec une servilité moqueuse.

Charles se força à sourire.

— Pas du tout.

— Quand j'ai appris que vous seriez ici, ma tante, reprit John, j'ai pensé que c'était une excellente occasion.

Charles se sentit obligé d'intervenir pour apaiser les esprits.

— Ne vous inquiétez pas, monsieur Bellasis. C'est également un mystère pour moi. Pourquoi toutes ces personnes de qualité se préoccupent de mon bien-être ? (Cette fois, le sourire de Charles était sincère.) Je me le demande également.

— Je voulais vous poser une question..., poursuivit John en se tournant vers Maria. Je vais à Epsom jeudi. Un de mes cousins a un cheval en lice et je me disais que Lady Templemore et vous aimeriez sans doute m'accompagner.

— Je le proposerai à Maman, mais j'ai bien peur que les courses hippiques ne soient pas sa tasse de thé.

— Et vous, Pope ? Vous aimez les chevaux ?

— Pas plus que cela.

Le cœur de Charles dansait dans sa poitrine – Maria n'avait pas saisi l'opportunité de passer la journée avec cet homme. Était-ce un signe ?

— Ça ne m'étonne pas, répliqua John en s'approchant de la carte des Indes, les mains derrière le dos. Votre tête est probablement pleine de coton.

Il éclata de rire pour déguiser l'insulte en plaisanterie.

Lady Brockenhurst se dirigea vers la porte.

— Il est temps de laisser M. Pope à son travail. Et nous avons à faire également. Voulez-vous faire les boutiques avec nous, John ?

— Je ne pense pas, ma tante. À moins que vous n'ayez pas confiance en votre propre jugement... Comme je le disais, j'ai une affaire à régler dans le quartier.

Lady Brockenhurst hocha la tête. Il n'avait manifestement aucun désir de passer sa journée à choisir des soieries dans un entrepôt, ce dont elle ne pouvait le blâmer.

Le fait est que John Bellasis avait réellement d'autres projets pour la journée. Il avait rendez-vous avec Susan Trenchard au Morley, sur Trafalgar Square. Après tout, quoi de mieux, pour chasser sa frustration et son humiliation, que de coucher avec l'épouse d'un autre ?

Il avait réservé une chambre au nom d'une femme – un faux nom bien sûr – et trouva Susan en train de l'attendre lorsqu'il poussa la porte numéro 27, au premier étage. Il avait vu sa femme de chambre, Speer, patienter dans le hall. Susan n'avait pas voulu refaire le trajet jusqu'à Isleworth et tous deux savaient qu'il ne pouvait l'inviter à Albany. Pas encore. Ses appartements n'étaient pas à la hauteur de l'image aristocratique qu'il désirait donner de lui. Avec son budget, il pouvait aménager confortablement son petit cottage d'Isleworth, mais pas ses quartiers dans la prestigieuse demeure sise à Piccadilly. Il mentionnait néanmoins Albany aussi souvent que possible, rappelant à ses interlocuteurs que Lord Byron avait été l'un de ses illustres résidents, mais ne recevait jamais là-bas, pas même des camarades. Cette fois, il avait pris une chambre au Morley. C'était cher payé, mais Susan en valait la peine, se dit-il plus tard, alors qu'il se reposait sur le lit, nu et satisfait. Il était rarement tombé sur une amante aussi fervente. La plupart de ses maîtresses s'inquiétaient sans cesse des dangers de la conception et de l'inévitable scandale qui s'ensuivrait, alors que Susan Trenchard ne paraissait guère troublée par cette idée. Elle se montrait douce et à l'écoute de ses besoins, ce que John appréciait tout particulièrement.

— Susan, chérie, roucoula-t-il en roulant vers elle et en picorant son bras de baisers.

— Comme c'est agréable, dit Susan, pressentant que son amant allait lui demander une faveur.

Elle le connaissait maintenant. C'était un homme égoïste. Cupide. Malgré tout, quand elle allait le retrouver, son cœur battait la chamade. Elle n'aurait su dire s'il s'agissait d'amour ou de désir, mais cela dépassait tout ce qu'elle avait pu ressentir pour Oliver. Aussi attendit-elle la suite. Elle ferait tout ce qui était en son pouvoir pour lui rendre service.

Il la contemplait.

— Je devrais faire attention. Je commence à m'attacher à toi.

Ce n'était pas une déclaration d'amour, mais Susan le prit comme un compliment.

— Tant mieux.

— J'ai quelque chose à te demander.

— Tout ce que tu veux. Si je peux t'aider.

— J'aimerais que tu te renseignes sur Charles Pope.

— Quoi ? s'écria-t-elle en se redressant, son enthousiasme soudain envolé. Toi aussi, maintenant ? Tout le monde semble obsédé par ce misérable ! Oliver en devient fou !

— J'hésite à me ranger du côté de ton mari, mais il n'a pas tort. Ce M. Pope ne m'inspire pas confiance, mais je ne saurais dire pourquoi. Il exerce sur ma tante une certaine influence et, quand je suis passé à son bureau cet après-midi, j'y ai trouvé ta belle-mère. Ainsi que ma…

— Ta quoi ?

— Peu importe.

Sa gêne la fit sourire, une réaction à laquelle il ne s'attendait pas. Le fait est qu'elle savait quel nom il répugnait à prononcer. En un sens, elle se réjouissait de le voir ménager ses sentiments. Un jour, elle pourrait bien s'en servir contre lui.

— Pourquoi es-tu passé à son bureau ? A-t-il de l'emprise sur toi aussi ?

— J'aimerais comprendre pourquoi ils le courtisent tous. Pourquoi ils l'ont choisi *lui* pour protégé ?

— À ta place, tu veux dire ? rétorqua Susan en éclatant de rire.

— Je ne plaisante pas.

Le ton de John était à présent froid et cassant. Son humeur pouvait changer du tout au tout en un instant.

— Non, bien sûr.

Mais elle n'était pas sa créature. Elle se demandait déjà comment elle pourrait retourner la situation à son avantage.

— Ce qui me trouble le plus, poursuivit-il en lui tournant le dos pour s'asseoir au bord du lit, c'est pourquoi ils lui donnent tant d'argent.

Étudiant son profil, elle voyait combien toute cette histoire le perturbait.

— Comment se porte Lady Maria ?

— Pourquoi ?

— Sans raison particulière. Mais comme tu l'as vue cet après-midi…

Elle le défiait de le nier, mais il garda le silence. Tous deux savaient combien il détestait qu'elle s'immisce dans sa vie privée, mais il avait laissé entendre que sa fiancée se trouvait chez Charles, et Susan aimait le titiller. Elle pouvait aussi lui causer des ennuis si elle le décidait, ce qu'elle aimait lui rappeler de temps à autre.

— Elle se porte très bien. Ne devrais-tu pas songer à rentrer ?

Maria Grey n'était pas en si bonne posture à ce moment-là, tant elle peinait à prendre le dessus sur sa mère dans la querelle qui les opposait – et que John avait délibérément provoquée. Il avait trouvé le temps, avant de se rendre au Morley, de passer à son club sur St James et d'écrire une missive à Lady Templemore, se désolant qu'elle n'apprécie pas les courses hippiques. Il avait terminé sa lettre en lui proposant d'organiser une autre sortie sous peu.

— Pourquoi avez-vous dit à John que je n'aimais pas les courses de chevaux ?

Lady Templemore s'exprimait très calmement. Ce n'était pas une femme intelligente, mais son instinct affûté en matière de nature humaine lui soufflait qu'il se passait quelque chose qu'elle n'approuverait pas, si elle savait de quoi il s'agissait.

Maria se tortillait presque sous le regard de sa mère.

— Vous les aimez ?

— Autant que les autres activités futiles auxquelles les dames de notre rang doivent parfois s'adonner.

Maria fixait sa mère du regard.

— Alors répondez-lui que vous acceptez son invitation.

— En notre nom à toutes les deux ?

— Non, juste en votre nom.

Toutes deux savaient de quoi il était vraiment question, même si elles ne l'avaient pas encore formulé.

— J'espère que vous n'envisagez pas de revenir sur votre parole.

Lady Templemore attendit la réponse de sa fille, mais Maria se taisait. Elle demeurait assise en silence dans le charmant salon de sa mère, les mains jointes. Elle ne répondait rien, ce qui était de mauvais augure. Lady Templemore craignait ce retournement de situation depuis un moment et avait été tentée de faire revenir le frère de Maria d'Irlande, mais elle n'était pas certaine que Reggie se range à son avis. Après tout, il n'avait rien à retirer de la fortune de John. C'était plutôt elle, Corinne Templemore, qui comptait sur la position de son futur gendre pour lui apporter le confort et la sécurité qu'elle avait mérités pour ses vieux jours.

— Ne vous ai-je pas protégée depuis que vous êtes enfant ? Ne mériterais-je pas un peu de tranquillité à la fin de mon existence ? Vous n'aurez pas à attendre bien longtemps. Bientôt je ne pèserai plus sur vous.

Elle ravala un sanglot et se renversa dans la bergère damassée, espérant que ses paroles auraient l'effet désiré. Ce qui n'arriva pas.

— Maman, vous êtes forte comme un cheval et nous enterrerez tous. Quant à prendre soin de vous, je le ferai de mon mieux, n'ayez crainte.

Corinne se tamponna les yeux.

— Vous le ferez en épousant John Bellasis. C'est tout ce que je vous demande. Que lui reprochez-vous donc ?

— Je ne suis pas sûre de l'apprécier. Et je doute qu'il m'aime beaucoup.

Cela semblait à Maria un argument parfaitement recevable, mais sa mère n'était pas de cet avis.

— Peuh ! Sottises ! (Elle en avait terminé avec les larmes et reprenait la situation en main.) Un jeune couple apprend à s'aimer avec le temps. Je connaissais à peine votre père quand je l'ai épousé. Comment aurait-il pu en être autrement ? Nous n'étions pas autorisés à nous voir sans chaperon avant nos fiançailles. Même après, nous avions le droit de nous asseoir sur le même canapé, mais nos conversations devaient toujours être à portée de voix de notre entourage. Aucune jeune fille noble ne connaît son époux avant le mariage.

Maria observa sa mère sans ciller.

— Et votre union avec mon cher papa est le modèle que je dois reproduire avec John ?

C'était un coup bas, que Maria regretta aussitôt. Mais il allait bientôt falloir se faire à l'idée qu'elle n'allait pas épouser John Bellasis. Si elle avait eu des doutes jusque-là, c'était devenu une certitude cet après-midi. Aussi ferait-elle mieux de préparer le terrain.

Bien sûr, elle n'avait aucune preuve des intentions de Charles à son endroit. Aucune preuve orale du moins. Mais elle était convaincue que c'était son engagement qui le retenait de se déclarer. Elle n'était tout de même pas naïve au point de ne pas remarquer quand un homme s'intéressait à elle et elle pensait pouvoir rendre Charles digne des exigences de sa famille. Son frère ne l'inquiétait pas. Reggie n'avait jamais aimé l'idée de voir sa sœur devenir comtesse et ne la forcerait pas à le devenir contre son gré. Et elle était presque certaine qu'il apprécierait Charles. Non, la tâche la plus ardue serait de persuader sa mère qu'elle préférait devenir l'épouse du propriétaire d'une filature plutôt que celle d'un comte. Ce ne serait pas simple, elle en avait bien conscience. Mais chaque chose en son temps.

— Vous vous êtes engagée.

En écoutant les arguments de sa mère, Maria trouvait étrange d'avoir donné sa parole à John Bellasis. Qu'est-ce qui lui était passé par la tête ? Était-ce parce qu'elle n'avait jamais été amoureuse auparavant et comprenait aujourd'hui le sens de ce mot ? Était-elle amoureuse en ce moment ? Sans doute.

— Je ne serais pas la première à changer d'avis.

— Vous n'allez pas gâcher un brillant avenir. Je ne vous laisserai pas faire. Je vous l'interdis !

Exaspérée, Lady Templemore soupira. Face à son courroux, Maria décida de ne pas insister. Pour le moment. Elle devait faire graduellement comprendre à sa mère que le mariage tant désiré n'aurait pas lieu. Mais il ne servait à rien de presser les choses. Tout en formulant cette idée, Maria se surprit à sourire. Elle se rendait compte tout à coup qu'elle planifiait une mésalliance. Son cœur se mit à battre plus fort devant l'audace de ce projet, mais sa résolution était inébranlable.

En temps normal, Susan n'aurait pas accepté la proposition d'Anne de les accompagner à Glenville. Elle détestait cet endroit. Ni la grande demeure élisabéthaine ni les somptueux jardins au cœur du Somerset ne trouvaient grâce à ses yeux.

Tout d'abord, c'était un voyage long et ardu, qui réclamait une organisation minutieuse et une quantité considérable de parures de lit, car Quirk arrêterait la voiture dans plusieurs relais pour déjeuner, dîner, dormir et changer de chevaux à chaque étape. Le trajet prenait au moins deux jours, mais Anne Trenchard préférait en compter trois.

Elle se disait trop vieille pour être secouée comme un sac d'os et aimait faire des haltes régulières pour permettre à Agnes de se dégourdir les pattes. Une nouvelle ligne ferroviaire allait sans nul doute bientôt changer tout cela, mais ce n'était pas encore le cas. Susan se retrouvait ainsi coincée, à discuter des joies du jardinage pendant trois journées entières – parfois davantage –, sans parler des fois où l'attelage s'embourbait à cause de la pluie.

Mais la principale raison de sa réticence envers Glenville était qu'elle n'y trouvait aucun intérêt. Une fois là-bas, que faire ? Sinon écouter d'autres conversations sur le jardinage, faire des promenades dans les fameux jardins et prendre des repas interminables autour de la grande table. Parfois, des personnalités locales étaient invitées à dîner, toutes désireuses de rencontrer James Trenchard, dans l'espoir d'obtenir de lui quelques fonds pour financer leur cause. Dans la noblesse locale, les Trenchard ne connaissaient pratiquement personne. Comme tout le monde le sait, songea Susan avec ironie, l'ascension sociale est plus difficile à la campagne. À Londres, les gens ne vous étiquettent pas tant que vous êtes convenable et élégant. À la campagne, ils sont moins indulgents. Elle bâillait rien qu'à cette pensée.

Cette fois pourtant, John l'avait persuadée que ce séjour était une bonne idée. Pendant l'après-midi qu'ils avaient passé ensemble au lit, il lui avait exposé son plan. Susan devrait découvrir qui était Charles Pope et pourquoi James Trenchard était si déterminé à financer son affaire, sans parler de la curieuse alliance entre la tante de John et la belle-mère de Susan. Elle dénicherait sûrement des informations utiles à John Bellasis et l'idée qu'il lui soit redevable n'était pas pour lui déplaire.

Oliver fut sans doute le plus surpris quand Susan accepta d'aller passer un mois à la campagne avec ses parents. D'habitude, cette simple suggestion lui valait un déluge de sanglots et de récriminations. Il devait même se ruer chez son bijoutier et offrir un petit présent à son épouse pour l'amadouer. Mais pas cette fois.

La réaction de Susan l'enchanta. À dire vrai, il se demandait depuis quelque temps déjà s'il ne préférerait pas vivre à Glenville plutôt qu'à Londres. Il avait fait des efforts – réels à ses yeux – pour s'intéresser aux affaires de son père mais, en vérité, le mode de vie traditionnel d'un propriétaire terrien lui correspondait mieux. C'était tout naturel, d'ailleurs, puisqu'il avait reçu une éducation de gentleman. Il aimait la simplicité de la campagne et préférait aller chasser plutôt que passer de longues heures à étudier des plans et des comptes dans le bureau de son père ou de William Cubitt. Il s'imaginait se promener sur ses terres, converser avec ses métayers, écouter leurs inquiétudes. Il aurait l'impression d'être occupé, utile et compétent. À un moment, il avait accepté l'idée de ne pas s'établir à Glenville à la mort de ses parents, puisque Susan insisterait sûrement pour vivre dans une demeure plus grande et plus proche de Londres. Mais depuis peu, son épouse et lui vivaient chacun de leur côté, et il se demandait s'ils ne pouvaient pas parvenir à un arrangement. D'un autre côté, il n'avait pas d'héritier, or Glenville était le genre de domaine qui se transmettait de père en fils.

Son cœur vacilla quand la voiture franchit enfin les hautes grilles. Au bout de la longue allée se dressait une maison de deux étages en bien meilleur état que lorsque sa mère l'avait trouvée en 1825. Sur un rêve de grandeur, James avait demandé à sa femme de leur « trouver un domaine » à la campagne. Bien sûr, il s'attendait à la voir choisir une demeure de style, mais agréable et confortable, dans le Hertfordshire, le Surrey, ou un autre comté proche de Londres. Mais Anne avait d'autres ambitions. Dès qu'elle avait posé les yeux sur Glenville, magnifique exemple de la transition architecturale entre le gothique médiéval et la renaissance classique, avec ses jardins et son parc entourés de milliers d'hectares de champs, elle avait su que c'était ce qu'elle cherchait. Ce qu'elle avait toujours cherché, en un sens. Cela dit, la demeure avait aussi une grosse fuite dans le toit et toutes sortes de moisissures et d'insectes imaginables, si bien que James avait refusé. Ce n'était pas du tout ce qu'il avait en tête. Il ne voulait pas vivre dans le Somerset et préférait une maison qui n'avait pas besoin d'être entièrement reconstruite. Mais, sans doute pour la première fois de sa vie, Anne avait insisté.

Aujourd'hui, près de vingt ans plus tard, ils la voyaient tous les deux comme la plus grande réalisation d'Anne. Elle avait restauré minutieusement toute la bâtisse et était tombée amoureuse de ses bizarreries : les singes de pierre qui grimpaient aux pignons à volutes, les Neuf Preux dans leurs niches sur la façade. Par moments, James songeait que toute cette passion servait d'exutoire : à défaut de sauver sa propre fille, Anne avait au moins sauvé un illustre manoir. Et plus elle insufflait de vie et d'énergie dans la demeure, plus celle-ci devenait splendide.

Sa plus belle création était les jardins et, quand la voiture s'arrêta devant l'entrée, le chef jardinier, Hooper, l'attendait déjà. Mais avant d'aller le saluer, il fallait respecter les rituels. Turton, qui avait fait le voyage avant eux, s'avança pour leur ouvrir la porte.

— Madame, dit le majordome quand Anne descendit de voiture, la petite chienne dans les bras, j'espère que vous avez fait bon voyage ?

Son ton était légèrement blasé. Pour tout dire, il partageait l'opinion de Mme Oliver à propos de Glenville. Lui aussi détestait faire le voyage dans le sud, mais ce qu'il haïssait par-dessus tout, c'était la piètre qualité des domestiques locaux à qui il avait affaire pendant ces séjours fastidieux à la campagne. Contrairement à la plupart des aristocrates, dont la résidence principale était leur domaine, les Trenchard passaient le plus clair de l'année à Londres. Le gros du personnel restait là-bas, tandis qu'un groupe réduit allait de la capitale au Somerset. Turton, Ellis, Speer et Billy, le valet de pied, également chargé d'habiller Oliver, étaient les seuls à accompagner la famille à Glenville. La cuisinière, Mme Babbage, faisait à l'origine partie du voyage, mais les tensions et les disputes que son arrivée provoquait dans les cuisines perturbaient trop la maisonnée, si bien qu'Anne avait décidé d'employer une femme du voisinage, Mme Adams, une personne agréable qui ne réclamait pas des ingrédients de la capitale. En conséquence, les repas étaient plus simples à la campagne, le service plus lent, et Turton affichait en permanence cette mine sombre, comme s'il était au purgatoire.

— Merci, Turton. J'espère que vous vous êtes bien installés.

— Je fais de mon mieux, madame, étant donné les circonstances, répondit-il d'un air lugubre.

Anne n'avait aucune envie d'être submergée de problèmes domestiques dès son arrivée. Elle avait parfaitement conscience du mécontentement de Turton, mais elle était convaincue que pour survivre, Glenville avait besoin du soutien de la communauté locale, ce qui signifiait avant tout engager les fils et filles des fermiers et des employés des alentours. Où iraient les jeunes sinon ? C'était au domaine de leur fournir du travail et, si cela irritait Turton, c'était son problème, non celui d'Anne.

— Oh, Hooper, déclara-t-elle en se frottant les mains. Quelles nouvelles avez-vous à m'annoncer ?

— Ma chère, dit James Trenchard. Ne veux-tu pas d'abord entrer ? Tu dois être éreintée.

— Dans un instant. Je veux juste savoir ce qu'il est advenu du jardin en notre absence. De plus, Agnes a besoin de gambader.

— Ne te fatigue pas trop quand même, dit James avant de rentrer avec les autres.

Mais au fond, cela lui était égal. Il adorait voir sa femme heureuse et à Glenville elle était toujours au comble du bonheur.

Plus tard dans la soirée, ils prirent place à la table du dîner qui se tenait dans le cellier et la réserve réunis. La maison était trop ancienne pour disposer d'une véritable salle à manger, étant donné que ses premiers habitants mangeaient dans le grand salon. Mais Anne avait décidé que sa dévotion à l'ère élisabéthaine avait ses limites et, au moment de réparer le toit, ils avaient fait tomber le mur entre ces deux pièces pour créer un espace privé où la famille prendrait ses repas. Les murs avaient été lambrissés et un large foyer aménagé pour compléter les grandes baies qui donnaient sur la terrasse. Elle aimait d'autant plus cette salle qu'elle l'avait créée lorsqu'ils avaient pris possession du manoir.

Elle se dirigeait vers l'escalier quand Ellis lui courut après avec un châle.

— Vous allez en avoir besoin, madame.

Ellis était de bonne humeur. La campagne lui faisait toujours cet effet. Contrairement à Turton, elle aimait se sentir supérieure. Un plaisir rare à la ville, alors qu'ici, au cœur du Somerset, elle était un puits de science sur tout ce qui concernait le beau monde. Elle racontait les derniers événements londoniens, décrivait les nouvelles boutiques, détaillait les tendances de la mode. Rien ne lui plaisait davantage que de partager les derniers potins sur Lord Untel et Lady Unetelle avec les domestiques rassemblés dans l'office sous l'escalier. La charge de travail était également moins lourde à la campagne. Il y avait moins de réceptions, moins de sorties, et pratiquement aucune soirée où Ellis devait attendre le retour de sa maîtresse jusqu'au petit matin.

Quand Anne entra dans le salon, James trépignait près du feu. Elle savait ce que cela signifiait.

— Pourquoi ne sonnes-tu pas Turton ? On pourrait dîner tôt, si ce n'est pas trop compliqué pour le personnel, proposa-t-elle.

— Cela ne te dérangerait pas ?

Il tira vivement sur le cordon. Susan et Oliver étaient déjà descendus et elle comprit au premier regard que le babillage de sa belle-fille exaspérait son mari. Il espérait probablement trouver un peu de réconfort dans un verre de bordeaux. Anne observa sa bru. Elle paraissait en effet très animée. D'ordinaire, elle affichait un air morose à Glenville, mais ce soir elle avait fait un effort particulier. Elle portait une robe de soie jaune pâle, avec de jolies boucles d'oreille en émeraude, et Speer avait relevé ses cheveux en chignon.

Dès que Susan eut l'attention d'Anne, elle se lança :

— Vous ne devinerez jamais qui j'ai vu à Piccadilly l'autre jour.

Elle n'avait pas voulu aborder le sujet pendant leur pénible trajet, mais n'avait aucune raison de différer plus longtemps cette conversation.

— Je donne ma langue au chat, plaisanta Anne en caressant Agnes, assise près de sa chaise.

— M. Bellasis.

— Ah ? Le neveu de Lord Brockenhurst ?

— Lui-même. Nous l'avons rencontré chez les Brockenhurst à cette fameuse réception. Je marchais avec Speer, pour aller chez mon gantier, quand il est apparu.

— Ça alors !

Anne pressentait que cela les menait sur un terrain où elle n'était pas certaine de vouloir aller. Heureusement, le majordome entra à ce moment-là et, peu après, ils avaient tous pris place autour de la table de la salle à manger.

Susan garda le silence jusqu'à l'entrée. Mais dès que le valet de pied se fut éloigné, elle reprit :

— M. Bellasis m'a dit qu'il vous avait vue, avec sa tante, dans le bureau de M. Pope.

— Comment ? s'écria James en posant brutalement son couteau et sa fourchette.

— Oh ! (Susan porta la main à sa bouche d'un air faussement alarmé.) Ai-je dit quelque chose qu'il ne fallait pas ?

— Bien sûr que non, répondit Anne avec le plus grand calme. M. Trenchard s'intéresse à ce jeune homme, et Lady Brockenhurst a proposé de lui rendre visite, alors naturellement j'ai accepté. J'était curieuse.

— Pas autant que moi ! enragea Oliver.

Anne constata avec tristesse que son fils avait bu avant qu'elle n'arrive.

— Comment se fait-il que mon cher père s'intéresse plus aux activités de ce M. Pope qu'à nos réalisations pour Cubitt Town ?

— Ce que tu dis est faux.

Alors que James voulait réprimander Anne, il se retrouvait à en découdre avec son fils.

— J'apprécie M. Pope. Je trouve ses projets de développement judicieux et j'espère bien en retirer des profits. Je fais des investissements dans différents domaines, tu devrais le savoir maintenant.

— J'ose le croire, ricana Oliver. Mais je me demande si tu emmènes tous ces jeunes entrepreneurs déjeuner à ton club. Ou si Lady Brockenhurst parade avec toutes ses opportunités d'investissement dans son salon !

Sa réaction rendit James furieux.

— J'apprécie et j'admire M. Pope. Si seulement tu pouvais déployer la moitié de son énergie !

— Ne t'inquiète pas, mon cher père. (Oliver ne cherchait plus à maîtriser sa colère.) Je suis tout à fait conscient que M. Pope possède toutes les qualités qui font défaut à ton propre fils.

Susan s'abstint de jeter de l'huile sur le feu. Elle avait établi sans doute possible que M. Pope était une figure-clé, et pour le moins mystificatrice, au cœur de cette querelle, mais elle préférait ne pas aller plus loin. Mieux valait rester tranquillement assise et regarder son mari se tourner en ridicule.

— Assieds-toi, Oliver, intima Anne à son fils, qui s'était levé d'un bond et agitait un doigt vengeur vers son père, à la manière d'un prédicateur dans une foire de campagne.

— Certainement pas ! Turton ! Faites-moi monter mon dîner dans ma chambre. Je ne resterai pas ici à décevoir mon père.

Sur ces mots, il se rua hors de la pièce et claqua la porte derrière lui.

Après un silence, Anne reprit :

— Faites selon les vœux de M. Oliver, Turton. Demandez s'il vous plaît à Mme Adams de lui faire monter un plateau. (Elle se tourna ensuite vers sa belle-fille en s'efforçant de changer de ton.) Dites-moi, Susan, avez-vous des envies particulières pendant votre séjour ici ? Ou devrions-nous simplement planifier nos loisirs au jour le jour ?

Susan sourit. Tout en sachant à quoi s'en tenir, elle joua le jeu, en proposant diverses idées qui pourraient les divertir jusqu'à leur retour à Londres.

Cette nuit-là, James ne trouva pas le sommeil. À la respiration douce et régulière d'Anne, il comprit que la colère de leur fils au dîner n'avait pas empêché son épouse de s'endormir, mais ce n'était pas la seule raison. Anne s'était retirée tôt pour être sûre de fermer l'œil avant l'arrivée de

James, afin qu'il ne puisse pas la questionner sur sa visite à Bishopsgate. Il se doutait du stratagème mais renonça à la réveiller. À quoi jouait-elle ? Était-il le seul membre de cette famille à vouloir protéger ce qu'ils avaient construit ? Quant à Oliver, c'était un enfant gâté. Pour l'heure, il était jaloux de Charles, mais après Charles, ce serait quelqu'un d'autre. Qu'espérait-il au juste ? Que son père lui apporte tout sur un plateau d'argent ?

James secoua la tête. Il se rappelait combien son père avait travaillé dur quand il était petit. Combien lui-même avait trimé pour réussir. Il avait enduré les ordres méprisants des officiers pour qui il trouvait du pain, de la farine, du vin et des munitions dans les rues crasseuses de Bruxelles. Sans oublier les risques qu'il avait pris à leur retour à Londres. Il avait misé toutes ses économies sur les frères Cubitt et le développement du tout nouveau quartier de Belgravia – une aventure pour le moins périlleuse ! Combien de nuits sans sommeil, de journées d'angoisse, et voilà qu'il se retrouvait dans sa somptueuse demeure du Somerset, avec un fils ingrat et son épouse capricieuse qui trouvaient normal que lui, James Trenchard, leur prodigue l'opulence à laquelle ils s'étaient habitués. Comme il aimerait que Sophia soit à ses côtés ! Il l'avait toujours considérée comme sa véritable enfant : elle se moquait des barrières qui se dressaient devant elle et était déterminée à les détruire ou les franchir pour obtenir ce qu'elle jugeait lui revenir de droit. En vérité, elle ne l'avait jamais quitté. Depuis sa disparition, il se passait rarement plus de quelques minutes sans qu'il songe à elle, à son rire et ses taquineries, toujours pleines d'une profonde tendresse. Ce n'était pas la première fois qu'il sentait les larmes inonder ses joues à la pensée de sa chère enfant perdue.

Le reste de leur séjour à Glenville se déroula sans incident majeur, même si les relations entre père et fils demeuraient tendues. James avait interrogé Anne sur sa visite à Bishopsgate, et son épouse s'était justifiée : Lady Brockenhurst projetait d'aller voir Charles et elle avait jugé bon de l'accompagner. Elle aurait pu sauver les apparences, en cas d'indiscrétion de la comtesse, mais n'avait pas eu à le faire. James dut reconnaître que c'était là une raison valable, même s'il sentait qu'Anne s'habituait à l'idée que, dans un avenir proche, la vérité éclaterait au grand jour. En attendant, elle promenait sa chienne dans le parc, discutait de la saison à venir avec son jardinier et se couchait tôt.

Susan s'efforça de lui soutirer des informations, mais Anne était plus inflexible qu'il n'y paraissait et ne lui livra pas le moindre indice.

— Mais il doit bien y avoir une raison à l'intérêt de Père pour M. Pope ? tenta Susan un jour qu'elles flânaient ensemble sur le long chemin ombragé de tilleuls, Agnes dans leur sillage. Surtout que Lord et Lady Brockenhurst semblent le partager. Cela m'intrigue.

— Hélas, je ne peux satisfaire votre curiosité. Ils apprécient ce jeune homme et pensent que leur investissement sera rentable, voilà tout.

Susan était assez intelligente pour savoir que ce n'était pas la vérité, du moins pas *toute* la vérité, mais elle ne voyait pas comment en apprendre davantage. Elle avait bien essayé de tirer les vers du nez d'Ellis, mais cela lui avait valu une ferme rebuffade. Ellis était une femme fière, qui n'avait pas l'intention de se laisser amadouer par les cajoleries de Mme Oliver.

Au moment de retourner à Londres, le père et le fils se parlaient de nouveau, mais la plaie n'était manifestement pas refermée. Pour sa part, Susan avait survécu à son séjour champêtre et se demandait comment elle allait faire passer le peu qu'elle avait appris pour des informations cruciales auprès de John.

Elle n'eut pas longtemps à attendre pour recevoir une missive de John suggérant qu'ils se rencontrent par hasard à Green Park, aussi quitta-t-elle rapidement la maison avec Speer.

— Je sais que ce Pope est important pour M. Trenchard, mais je veux savoir pourquoi, insista John avec impatience.

— J'imagine que ça a un lien avec son affaire.

— Bah ! On voit bien que ce n'est pas uniquement une histoire d'argent.

Susan savait qu'il avait raison.

— Oliver était furieux. Il se considère relégué à la seconde place par ce rien du tout.

John ne put s'empêcher de ricaner.

— Je compatis toujours avec ton mari, bien sûr, ma chère, mais sa colère ne m'est d'aucune utilité.

— Non.

Susan avait conscience qu'elle ne répondait pas aux attentes de John et que ces interminables semaines passées à Glenville n'avaient pas eu le résultat escompté, mais quelque chose la troublait depuis leur dernier rendez-vous au Morley. Elle pensait lui en parler, pourtant sa fureur l'en dissuada. Même si elle ne pouvait le garder pour elle-même indéfiniment.

— Qu'y a-t-il ? Tu as l'air préoccupé.

— Vraiment ? Non, ce n'est rien, répondit-elle en secouant la tête.

Mais ce n'était pas rien. Et elle le savait parfaitement.

John suivit Susan jusqu'à Eaton Square sans qu'elle s'en rende compte. Elle était trop absorbée par sa conversation avec Speer, à qui elle demandait de chercher des rubans et des tissus pour justifier aux yeux d'Oliver leur sortie de l'après-midi.

Il attendit au coin de la rue, sous un réverbère, espérant qu'Ellis réussirait à s'éclipser une minute. Il était frustré par les maigres informations que Susan avait glanées pendant son séjour dans le Somerset, quoiqu'il n'en attendait guère plus, et avait confié à Ellis la mission d'interroger Dawson, la femme de chambre de sa tante, qui ne devait rien ignorer des secrets de la famille. Il lui avait indiqué quand et où il se posterait dans le square et enfin, au crépuscule, Ellis apparut. Dès qu'elle aperçut John, elle pressa le pas pour le rejoindre.

— Alors ? demanda-t-il sans préambule.

— Oh, monsieur, répondit-elle en se tordant les mains avec une servilité calculée. Je ne suis pas certaine d'avoir grand-chose à vous rapporter.

— Tu dois bien avoir quelque chose !

— Hélas, non, monsieur. Mlle Dawson n'est pas le genre de femme qu'on imaginait.

— Tu veux dire… qu'elle est loyale envers ses employeurs ?

John paraissait si incrédule qu'Ellis faillit rire. Elle se retint juste à temps.

— On dirait bien, monsieur.

John soupira bruyamment. Quelqu'un, quelque part, devait bien savoir quelque chose sur ce jeune homme.

— J'ai une autre mission pour toi.

— Bien sûr, monsieur.

Ellis aimait se rendre utile, même si elle ne pouvait guère l'aider. Cela augmentait ses pourboires.

— Dis à Turton de me retrouver à l'endroit habituel. À 19 heures demain soir.

— M. Turton aime être de retour à 19 heures, pour être prêt pour le dîner.

— À 18 heures alors.

Il avait tenté la voie féminine – les servantes friandes de commérages et les belles-filles curieuses – sans succès. Il était temps d'explorer une autre idée.

— N'oublie pas surtout.

Avant qu'elle ne puisse confirmer qu'il pouvait compter sur elle, il s'éloignait à grands pas dans la rue.

Charles Pope était en proie à un effroyable dilemme. Il se trouvait près de l'étang des jardins de Kensington, tenant la lettre qui lui avait été délivrée à son bureau. Il la tournait et la retournait, admiratif de la finesse et de la précision de l'écriture. À quoi bon être ici ? Qu'espérait-il obtenir, si ce n'est des ennuis ? Maria Grey lui avait écrit pour lui demander de la retrouver chez sa mère sur Chesham Street, mais il avait refusé. Un homme dans sa position ne pouvait rendre visite à une jeune femme de sa qualité, d'autant qu'elle était fiancée. Il lui avait donc envoyé un mot lui proposant une rencontre près de l'étang à 15 heures. C'était un lieu suffisamment public, et il n'y avait rien d'inconvenant à la croiser par hasard au cours d'une promenade, n'est-ce pas ?

À présent que l'heure approchait, ses nerfs le lâchaient. Comment pouvait-il prétendre l'aimer s'il était prêt à risquer sa réputation ? Mais même s'il se posait des questions, il devait à tout prix la revoir.

Un vent fort soufflait sur l'eau. Des vaguelettes léchaient la rive et clapotaient à ses pieds. Malgré la bise, de nombreuses dames flânaient, par groupes de deux ou trois, avec de jeunes enfants autour d'elles. D'autres garçons, plus âgés, se disputaient pour faire décoller un cerf-volant rouge, et derrière eux étaient rassemblées plusieurs gouvernantes attentives ; certaines poussaient les toutes nouvelles voitures d'enfants en osier, d'autres portaient des paquets.

Il s'assit sur un banc du parc et regarda les canards barboter dans l'eau tout en jetant des coups d'œil nerveux autour de lui, étudiant les visages des passants. Où était-elle ? Peut-être avait-elle décidé de ne pas venir. L'heure était dépassée de vingt minutes. Elle avait sûrement renoncé à cette idée. Elle s'était confiée à quelqu'un qui lui avait dit que c'était une folie. Il se leva. C'était idiot de sa part. Cette belle et brillante jeune femme était mille fois trop bien pour lui. À quoi bon perdre son temps ?

— Je suis vraiment navrée !

Il se retourna et la vit, vêtue d'un costume en tweed léger, la main agrippée à son chapeau qui menaçait d'être emporté par le vent.

— J'ai dû me dépêcher, dit-elle en reprenant son souffle, les yeux brillants et les joues roses. Échapper à Ryan a été plus difficile que je le pensais.

Puis elle rit, heureuse qu'il l'ait attendue, heureuse de ne pas l'avoir manqué comme elle le craignait. Tout était de nouveau merveilleux. Elle s'assit sur le banc, et il l'imita.

— Vous êtes venue seule ?

Charles aurait voulu avoir l'air moins choqué, mais elle jouait sa réputation.

— Bien sûr que je suis venue seule. Vous ne pensez pas que ma mère m'aurait laissée sortir si elle avait eu vent de mes intentions ? Et je ne peux pas faire confiance à Ryan. Elle rapporte tous mes faits et gestes à Maman. Vous avez tant de chance d'être un homme, monsieur Pope.

— Je suis plutôt heureux que vous n'en soyez pas un.

C'était les paroles les plus audacieuses qu'il lui ait jamais dites, et il se tut, surpris par son propre courage.

Elle rit de nouveau.

— Peut-être. Mais je suis plutôt fière de moi aujourd'hui. J'ai semé ma servante et hélé un cocher pour la première fois de ma vie. Que dites-vous de cela ?

Il ne pouvait se débarrasser de l'idée qu'il faisait peser sur elle une menace.

— Mais je ne vois pas quel bien pourrait ressortir de cet entretien. Certainement aucun pour vous. Vous avez pris un grand risque en venant ici.

— Vous admirez certainement les personnes qui prennent des risques, monsieur Pope ? demanda-t-elle en observant les canards.

— Je n'admirerais pas un homme qui permettrait à sa bien-aimée de ternir sa réputation.

Il n'avait pas remarqué qu'il s'était référé à elle, par voie de conséquence, comme à sa « bien-aimée ». Cela n'avait en revanche pas échappé à Maria.

— Parce que je suis fiancée ? dit-elle doucement.

— Oui, vous êtes fiancée. Mais même si vous ne l'étiez pas...

Il soupira. Il était temps d'insuffler un peu de réalité dans ce conte de fées.

— Je ne suis pas le genre d'hommes que Lady Templemore considérerait comme un prétendant convenable.

Il pensait par ces mots mettre un terme à cette conversation, au lieu de quoi son discours ouvrit un monde de possibilités.

— Êtes-vous l'un de mes prétendants ? lui demanda-t-elle en le regardant droit dans les yeux.

Il lui rendit son regard. À quoi bon mentir maintenant ?

— Lady Maria, je combattrais des dragons, je marcherais sur des charbons ardents, je traverserais la Vallée de la Mort, si je pensais avoir la moindre chance de conquérir votre cœur.

Cette déclaration la laissa sans voix. Elle avait grandi dans un monde différent du sien et était habituée aux discours fleuris, pas aux tirades passionnées. Elle comprenait à présent qu'elle avait fait naître chez cet homme droit un sentiment puissant, qui dépassait son contrôle. Il l'aimait de tout son être.

— Mon Dieu ! Il semblerait que nous ayons fait un grand pas en quelques phrases. Je vous en prie, appelez-moi Maria.

— Je ne peux pas. Je vous ai dit la vérité parce que vous la méritez, mais je pense que tout est impossible entre nous, même si tel était votre désir.

— C'est très possible au contraire, monsieur Pope. Charles. Soyez-en sûr.

Elle se rappelait sa dernière conversation froide et convenue avec John Bellasis, dans le boudoir de sa mère, et comparait les deux scènes avec stupeur. Voilà ce qu'est l'amour, songea-t-elle, pas cette litanie absurde de politesses et de compliments insipides.

Charles ne répondit pas. Il n'osait tout simplement pas observer ce beau visage, fier et plein d'espoir, par peur de perdre totalement son sang-froid. Quoi que Maria en dise, elle finirait par lui briser le cœur. Même si elle n'en avait nullement l'intention et était déterminée à se battre pour lui contre vents et marées, cela finirait forcément mal. Si elle déplorait son destin de femme, lui maudissait le jour où il était né le cousin orphelin d'un révérend de campagne.

Une silhouette qui remontait Broad Walk attira son attention.

— N'est-ce pas votre mère ? s'écria-t-il en se levant d'un bond.

À sa démarche et son air impatient, Charles avait immédiatement reconnu la femme qui les avait vus ensemble, sur le balcon des Brockenhurst. Il revoyait son expression réprobatrice. À ce moment-là déjà, il avait su que Lady Maria lui était inaccessible.

Elle pâlit.

— Ryan a dû rentrer tout droit à la maison et lui dire que je lui avais échappé. J'imagine qu'elle s'est renseignée auprès du cocher. Vous devez partir. Tout de suite.

— Je ne peux pas. Je ne peux pas vous laisser affronter seule l'orage.

Elle secoua vivement la tête.

— Pourquoi pas ? Je suis seule responsable. Et ne vous inquiétez pas. Elle ne va pas me manger. Mais ce n'est pas le bon moment pour vous présenter comme mon amant. Vous savez que j'ai raison. Alors partez !

Elle lui prit la main et la serra, puis Charles s'éloigna sur le chemin de gravier qui se perdait dans les buissons. Lady Templemore avait rejoint sa fille.

— Qui était cet homme ?

— Il était égaré. Je lui ai indiqué le chemin de Queen's Gate.

Elle n'était guère convaincante. Lady Templemore s'assit sur le banc.

— Ma chère, je pense qu'il est temps que nous ayons une petite conversation.

Charles n'entendit rien de cet échange, mais en devina aisément la teneur. Cela lui était égal. Alors qu'il pressait le pas en direction de Kensington Gore, sa poitrine était près d'éclater. Plus rien d'autre ne comptait, plus maintenant. Elle l'aimait. Et il l'aimait en retour. Elle l'avait appelé son amant. C'était tout ce qu'il désirait. Si elle lui brisait le cœur, cela en valait la peine, rien que pour cet instant. Ce qui se passerait ensuite, il n'en avait aucune idée, mais il était amoureux, et ses sentiments étaient partagés. Pour le moment, il était comblé.

8

Ressources passées et futures

Au moment d'entrer chez ses parents, John Bellasis s'arma de courage. Il ne savait pas au juste pourquoi la maison de Harley Street lui déplaisait tant. Peut-être parce qu'elle faisait si piètre figure, comparée au splendide palais de sa tante à Belgrave Square, et lui rappelait que ses origines n'étaient pas aussi distinguées qu'elles auraient dû l'être. Ou peut-être était-ce seulement parce que ses parents l'ennuyaient à mourir. C'étaient des gens insipides, sans éclat, englués dans des problèmes qu'ils se créaient eux-mêmes, et à vrai dire il lui tardait parfois que son père quitte la scène, ce qui aurait fait de lui l'héritier direct de son oncle. Quelle qu'en soit la raison, une certaine lassitude l'envahissait dès qu'il pénétrait en ces lieux.

Une invitation à déjeuner chez ses parents n'excitait guère son enthousiasme et, d'habitude, il inventait quelque prétexte pour y échapper : rendez-vous urgent, obligations auxquelles il ne pouvait se dérober. Mais il était une fois de plus en manque d'argent, aussi n'avait-il pas d'autre choix que de se montrer courtois envers sa mère, qui faisait toujours preuve d'indulgence à son égard et lui refusait rarement quoi que ce soit. Il ne s'agissait pas d'une grosse somme, mais il avait besoin d'un petit supplément pour tenir jusqu'à Noël, sans compter qu'il lui faudrait aussi rémunérer Ellis et Turton. En l'occurrence, c'était un bon investissement, se disait-il avec confiance. Une petite mise de départ, qui lui rapporterait gros ; du moins l'espérait-il.

Il ne savait pas exactement quelles informations le majordome et la femme de chambre pourraient glaner, mais son instinct lui disait que les Trenchard cachaient quelque chose. Tout éclaircissement au sujet de Charles Pope et de ce qui le liait à eux serait donc le bienvenu. John comptait davantage sur le majordome, dont la vénalité ne lui avait pas échappé ; c'était une prédisposition qu'il repérait facilement. En outre, Turton jouissait d'une plus grande liberté de mouvement chez les Trenchard que celle d'une simple femme de chambre. Il pouvait rôder à sa guise dans la maison et avait donc plus de chances de mettre la main sur des éléments-clés, qui resteraient hors de portée de la petite domesticité. Le territoire d'une femme de chambre était nettement plus restreint. Bien sûr, lors de leur rencontre, quand John lui avait suggéré de fouiller dans les papiers de M. Trenchard, Turton avait feint l'indignation mais, là encore, il était stupéfiant de voir combien une offre équivalant à six mois de gages pouvait être convaincante.

En entrant dans le petit salon situé à l'avant de la maison, John trouva son père en pleine lecture du *Times,* assis sur une chaise à haut dossier près de la fenêtre. Il avait encore l'espoir d'échapper à ce morne déjeuner familial, s'il pouvait trouver sa mère et aborder sans détour avec elle cette question financière. Encore fallait-il qu'elle soit à la maison.

— Mère n'est pas là ? demanda-t-il en parcourant la pièce du regard.

En vérité, il s'en dégageait une impression étrange. Presque tous les meubles, et a fortiori les portraits aux cadres dorés, paraissaient bien trop imposants, dans ce décor. De toute évidence, ces tables et ces fauteuils avaient dû précédemment occuper un espace bien plus vaste. Les lampes aussi semblaient encombrantes. Cette disproportion avait un côté étouffant et provoquait un sentiment de claustrophobie dont toute la maison était imprégnée.

— Votre mère assiste à une réunion de son comité, répondit Stephen en reposant le journal. En lien avec Old Nichol et ses bas-fonds.

— Old Nichol ? s'offusqua John en plissant le nez de dégoût. Pourquoi perd-elle son temps à s'occuper de ce ramassis puant de voleurs et de parieurs de combats de coqs ?

— Je l'ignore. Pour les sauver d'eux-mêmes, j'imagine. Vous la connaissez, remarqua Stephen en soupirant, puis il gratta son crâne chauve. Avant qu'elle n'en revienne, j'aimerais vous entretenir de quelque chose..., commença-t-il, puis il hésita et parut embarrassé, ce qui ne lui ressemblait pas. Cette dette envers Schmitt me cause toujours des ennuis.

— Je croyais que vous l'aviez payé.

— En effet. Le comte Sikorsky a été généreux, il m'a prêté quelques fonds au début de l'été et j'ai emprunté le reste à la banque. Mais c'était il y a six semaines et Sikorsky me demande des comptes. Bref, il veut que je lui rende son argent.

— Et cela vous surprend ?

— Vous m'avez parlé un jour d'un prêteur sur gages polonais, dit Stephen en ignorant la remarque de son fils.

— Un prêteur qui prend une commission de cinquante pour cent, précisa John. D'ailleurs, emprunter à un créancier pour en payer un autre..., poursuivit-il, mais il s'interrompit et s'assit en secouant la tête.

Voilà, ça devait arriver. Son père avait emprunté une énorme somme sans avoir les moyens de la rembourser. John avait refusé d'y penser, mais il fallait à présent regarder les choses en face. Lui-même se considérait comme quelqu'un d'irresponsable, pourtant les femmes étaient un vice bien plus inoffensif que la manie du jeu.

Stephen regardait par la fenêtre d'un air désespéré. Il était endetté jusqu'au cou et bientôt il rejoindrait ces vagabonds qui mendiaient aux coins des rues. Ce n'était plus qu'une question de jours. Ou bien il serait incarcéré à la prison de Marshalsea tant qu'il ne pourrait pas payer. Quelle ironie ! Dire que sa femme aidait les miséreux, alors que c'était plutôt chez elle qu'on aurait eu besoin de ses services.

Pour la première fois de sa vie, en le voyant avachi sur sa chaise, John se sentit sincèrement désolé pour son père. Après tout, Stephen n'y pouvait rien s'il était né en second. Consciemment ou non, John avait toujours considéré que tout était la faute de l'un ou l'autre de ses parents. C'était leur faute, s'ils n'habitaient pas à Lymington Park, ni dans une somptueuse demeure de Belgrave Square ; leur faute si lui, John, était le premier-né du fils cadet et non de l'aîné à qui revenait le titre. Il était enfant quand Edmund Bellasis mourut mais à présent, en toute honnêteté, il estimait que ce n'était que justice. Aujourd'hui c'était lui, l'héritier, et une solution à leurs malheurs se profilait. Autrement, il n'y aurait eu aucun espoir, ni pour lui ni pour ses parents.

— Tante Caroline devrait pouvoir vous aider, dit John en ôtant une peluche de son pantalon.

— Vous croyez ? Cela me surprendrait, répondit son père en se retournant, et il le regarda d'un air implorant. Je croyais que nous ne pouvions plus y compter.

— C'est ce que nous verrons, remarqua John en se frottant les mains. J'ai mis quelqu'un sur l'affaire, comme on dit.

— Vous voulez dire que vous cherchez toujours à percer à jour ce M. Pope ? s'enquit Stephen, dont le visage moite luisait à la lumière du soleil.

— En effet.

— Il est vrai que son emprise sur votre tante est très étrange, et même inconvenante, pour tout dire. Caroline cache quelque chose, ça ne fait aucun doute, déclara Stephen après avoir jeté quelques coups d'œil furtifs alentour.

— Je suis de cet avis, acquiesça John en se levant, un peu déconcerté par l'angoisse qu'il sentait chez son père. Quand j'aurai récolté des informations suffisantes, j'irai la trouver pour exiger des explications. J'en profiterai pour évoquer nos besoins d'argent en invoquant le fait qu'au sein d'une famille on doit se soutenir.

— Bon, mais soyez prudent.

— Vous pouvez y compter, confirma John.

— Si seulement Peregrine nous avait tirés d'affaire quand je l'ai sollicité, remarqua Stephen, pensant tout haut, mais son fils trouva qu'il dépassait les bornes.

— Si vous n'aviez pas joué de l'argent que vous ne possédiez pas, mon cher père, vous ne vous seriez pas mis vous-même dans cette situation, répliqua John. Car c'est vous qui avez des dettes, pas moi, que je sache. Envers l'un des créanciers les plus intraitables de Londres, qui plus est.

Mais Stephen n'en était plus à se défendre.

— Il faut que vous m'aidiez.

À cet instant, Grace entra dans la pièce.

— John, comme je suis contente de vous voir.

John regarda sa mère. Elle était vêtue d'une robe gris foncé à manches longues, ornée d'un simple jabot blanc. Toute sa garde-robe semblait conçue pour paraître à des réunions sérieuses comme celle d'aujourd'hui, ou lors de soirées dédiées à des œuvres de bienfaisance. En fait, elle aurait trouvé vulgaire de porter des tenues à la dernière mode en de telles circonstances et elle désapprouvait toujours ces femmes qui soupiraient avec commisération sur les souffrances des pauvres gens en arborant des vêtements dont le coût dépassait leurs ressources annuelles. D'ailleurs, l'aurait-elle voulu qu'elle n'aurait pu se le permettre.

— Comment allez-vous ? demanda-t-elle en faisant bouffer ses cheveux aplatis par son chapeau, puis elle s'avança pour embrasser son fils. Vous vous êtes fait si rare, cet été.

— Je vais très bien, merci, dit-il en embrassant sa mère tout en jetant un coup d'œil à son père. Comment s'est passée votre réunion ? s'enquit-il, car John usait toujours de son charme quand il désirait quelque chose.

— Décourageante, répondit-elle en pinçant les lèvres. Nous avons passé presque toute la matinée à parler du lundi noir.

— Le lundi noir ? Qu'est-ce donc ?

— Le jour où l'on doit payer son loyer. Il paraît que les queues devant les monts-de-piété font toute la longueur de la rue.

— Les monts-de-piété ? Qu'ont donc ces pauvres gens à mettre en gage ?

— Dieu seul le sait, soupira Grace en prenant place dans le fauteuil face à Stephen. Par ailleurs, je me demandais si vous aviez des nouvelles ? reprit-elle en scrutant son fils d'un regard inquisiteur.

— Quelle sorte de nouvelles ?

— Eh bien, pour dire les choses simplement, nous ne comprenons pas pourquoi l'annonce officielle de vos fiançailles tarde autant, déclara-t-elle en adressant un petit hochement de tête à son mari pour obtenir son soutien, mais Stephen était absorbé par ses propres soucis.

— Ma foi, je n'en ai aucune idée, répliqua John avec un haussement d'épaules. Pourquoi ne pas le demander à Lady Templemore ?

Grace ne dit rien, mais ses dernières paroles rendirent John pensif. Pourquoi l'annonce n'avait-elle toujours pas été faite ? Et une fois encore, dans quelle mesure avait-il envie que ce mariage ait lieu ? En tout cas, envie ou pas, John ne se laisserait sûrement pas éconduire.

En fait, une conversation très semblable se déroulait dans le salon de la résidence londonienne de Lady Templemore, à Chesham Place. C'était une pièce charmante qui tenait plus d'un boudoir que d'une salle de réception, car elle avait été à l'origine décorée dans le goût français par la mère devenue veuve de Lady Templemore. La maison était ensuite revenue à sa fille et, comme le défunt Lord Templemore n'avait jamais montré beaucoup d'intérêt pour Londres, la pièce n'avait pas subi de grand changement. Pour l'heure, malgré ce cadre harmonieux, une polémique acerbe opposait manifestement Lady Templemore et Maria, qui étaient assises l'une en face de l'autre tels deux champions d'échecs s'affrontant.

— Je vous le répète, je ne comprends pas pourquoi différer davantage alors que la question est réglée.

Des propos simples en apparence, mais le ton employé par Lady Templemore laissait penser que la question était loin d'être réglée et qu'elle le savait pertinemment.

— Et moi je vous le dis encore, à quoi bon faire comme si j'allais épouser John Bellasis alors que vous savez très bien que je n'en ferai rien ?

Maria ne se serait jamais décrite comme ayant un tempérament rebelle. Elle se conformait bien volontiers à la plupart des coutumes et traditions, mais elle avait vu de très près ce que produisait un mariage entre deux personnes mal assorties et n'avait nullement l'intention d'en prendre le chemin.

— Alors pourquoi avez-vous accepté sa demande ?

Là, Maria était bien forcée d'admettre que sa mère marquait des points. Pourquoi diable avait-elle dit oui à la demande de John ? Plus elle y réfléchissait, moins elle comprenait ce qui avait pu lui passer par la tête. On lui avait présenté cette union comme un moyen d'échapper à leur situation difficile, un refuge sûr. Elle savait que les ressources de sa mère s'épuisaient et que son frère ne pouvait lui donner que très peu d'argent. On le lui avait assez souvent répété. Et puis John était très bel homme, indéniablement. Mais était-elle donc si faible, si influençable ? Maria pouvait seulement supposer que, n'ayant encore jamais été amoureuse, elle n'avait pas prévu la force de ce sentiment quand il vous prenait. Comme maintenant.

— Que voulez-vous insinuer ? Auriez-vous rencontré quelqu'un d'autre, quelqu'un qui me serait inconnu et à qui iraient vos préférences ? reprit Corinne Templemore avec une grimace de dégoût.

— Je n'insinue rien du tout. Je vous dis juste que je n'épouserai pas John Bellasis.

— Vous ne réfléchissez pas, déclara Lady Templemore en secouant la tête. Une fois que John Bellasis aura hérité de son oncle, votre position vous permettra de faire une foule de choses intéressantes. Ce sera une belle vie, une vie enrichissante.

— Pour quelqu'un d'autre peut-être, mais pas pour moi.

— Je ne vous laisserai pas gâcher cette opportunité, décréta Lady Templemore en se levant. Je serais une mauvaise mère si je le permettais, poursuivit-elle en s'apprêtant à quitter la pièce.

— Que comptez-vous faire ? lui lança Maria, d'une voix qui montrait bien qu'elle comprenait que sa mère ne s'avouait pas vaincue et que la situation était loin d'être résolue.

— Vous le verrez.

Lady Templemore s'en fut dans un bruissement de jupes et Maria demeura seule.

Quand John Bellasis entra dans le pub, Turton était déjà assis à sa table habituelle du Horse and Groom devant un petit verre de gin. Le majordome lui fit un bref hochement de tête en guise de salut, mais ne se leva pas, ce qui, étant donné leurs positions respectives, aurait dû alerter John sur la suite des événements. John s'assit à la table, un peu essoufflé. Il se sentait coupable, sentiment rare chez lui.

Le déjeuner de Harley Street s'était révélé plus compliqué qu'il ne l'avait prévu et il lui avait fallu un peu de temps pour s'en remettre. En fin de compte, sa mère n'avait pas été en mesure de l'aider, non parce qu'elle s'y refusait, mais parce qu'elle n'en avait tout simplement pas les moyens. Mortifié, il était monté à l'étage pour prendre quelques affaires dans son ancienne chambre et avait découvert un carton rangé en haut de sa garde-robe. Il contenait un rafraîchissoir en argent massif, enveloppé de feutre vert et placé derrière quelques livres. Sa mère avait dû le cacher, peut-être parce qu'elle comptait un jour le donner à Emma… En tout cas, elle ne voulait pas que son mari et son fils le découvrent et la chambre inoccupée semblait l'endroit le plus sûr de la maison. John ressentit bien un peu de pitié pour elle, mais cela ne l'empêcha pas de prendre l'objet, car il avait un besoin urgent d'argent. Et donc, non sans mal, il réussit à le sortir en douce de la maison, héla un fiacre et se rendit tout droit à un mont-de-piété qu'il connaissait dans Shepherd Market, imitant ainsi les habitants d'Old Nichol. Il en avait obtenu une bonne somme, cent livres. Mais il avait beau se dire que c'était provisoire et qu'il reviendrait vite récupérer l'objet, c'était la première fois qu'il volait ses parents et il avait du mal à se faire à cette idée.

— Alors, dit-il au majordome. Avez-vous du nouveau ?

Turton trouvait que ce type de transaction méritait mieux que les vulgaires marchandages auxquels il se livrait d'habitude en rognant sur le prix du gibier, du bacon et autre charcutaille, et il voulut y mettre les formes.

— Bonjour, monsieur, répondit-il d'un air compassé. Puis-je vous offrir quelque chose à boire ?

— Merci. Je prendrai un cognac, répliqua John en gigotant sur sa chaise, comme gêné par l'argent qui alourdissait sa poche.

Pourvu que ce bonhomme pompeux ait récolté quelque chose qui vaille le coup, se dit-il. J'ai mieux à faire que de perdre mon jeudi après-midi dans ce pub miteux en compagnie d'un domestique.

Turton fit un signe vers l'autre bout de la salle et le barman leur apporta une grosse bouteille de cognac avec un petit verre. Il remplit le verre et laissa la bouteille avec le bouchon à moitié enfoncé, avant de s'en retourner d'un pas traînant. John vida le verre d'un trait. L'alcool le réconforta un peu en atténuant le sentiment de malaise qui avait suivi ce triste déjeuner, mélange d'irritation et de culpabilité. D'autant que pour couronner le tout, ses parents s'étaient obstinés à lui parler de Maria Grey. Or que pouvait-il faire ? Il revenait à Lady Templemore d'arrêter la date du mariage et de l'annoncer dans les journaux. La jeune fille est assez jolie, songea-t-il en se versant un autre verre, mais ne pourrais-je trouver un meilleur parti ? Turton émit un petit toussotement qui interrompit ses rêveries. Il était temps de revenir à leurs affaires.

— Alors ? répéta John.

— Eh bien..., commença Turton en jetant un coup d'œil anxieux vers la porte.

Sa nervosité pouvait s'expliquer. Certes le « Code sanglant » avait été abrogé vingt ans plus tôt ; les crimes commis par les domestiques à l'encontre de leurs maîtres n'étaient donc plus assimilés à de la petite trahison ni punis de mort. Mais il régnait toujours chez les classes possédantes une sorte de paranoïa : les domestiques étaient des étrangers qu'on laissait aller et venir à leur guise dans la maison de leurs employeurs, mais tout manquement à la confiance que ces derniers leur accordaient constituait une grave offense, lourde de conséquences. Turton ne serait peut-être pas pendu, mais il risquait fort d'aller en prison. Afin d'accéder aux papiers personnels de M. Trenchard, il avait « emprunté » un jeu de clés à Mme Frant et avait fouillé tous les tiroirs du bureau principal du maître avant de trouver la clé en bronze dont M. Trenchard se servait pour ouvrir son secrétaire. Une faute difficilement pardonnable.

Au fond, Amos Turton n'était pas dénué de conscience. Depuis bien des années, il travaillait dur pour la famille et éprouvait envers elle une certaine loyauté. À ses yeux, les chapardages qu'il s'autorisait avec la complicité de Mme Babbage n'y portaient pas atteinte. C'étaient les petits à-côtés du métier, dont il aurait été bien bête de se priver. Mais ouvrir des bureaux fermés à clé pour fouiller dans les affaires de son maître, c'était tout autre chose. Pourtant, en prenant de l'âge, Turton commençait à penser à sa retraite, et ses économies étaient bien loin de ce qu'il avait espéré mettre de côté à ce stade de sa vie. Habitué à un certain confort, il avait l'intention d'en jouir dans les années à venir. Donc, quand John l'avait abordé de nouveau, il était prêt cette fois à écouter ses propositions.

— Je ne dispose pas de beaucoup de temps, intervint John, qui s'impatientait.

Ce type avait-il quelque chose à lui vendre, oui ou non ?

— Et l'argent ?

— Ne vous inquiétez pas pour ça. J'ai ce qu'il faut sur moi, rétorqua John d'un air désinvolte en tapotant la poche de son manteau noir, sans mentionner qu'il venait de se procurer l'argent l'après-midi même, en chemin vers le pub.

— J'ai trouvé quelque chose, commença Turton en plongeant la main dans sa poche pour en tirer une vieille enveloppe brune, tandis que John se penchait en avant. Elle était rangée dans un tout petit tiroir fermé à clé…

John ne dit rien. Que lui importaient ces détails ?

— Cette lettre parle d'un enfant appelé Charles, reprit Turton, et là, John se redressa, tout ouïe. Elle dit que l'enfant progresse très bien dans ses études de la Bible, ce que M. Trenchard sera sûrement content d'apprendre.

— Ses études de la Bible ?

— Oui, confirma Turton. Son tuteur espère pouvoir le destiner à une carrière ecclésiastique. Le garçon semble avoir des dispositions pour les études. En tout cas, il est très assidu et travaille dur. L'auteur de la lettre espère rencontrer M. Trenchard pour le consulter sur les choix futurs concernant l'enfant dont il a la charge en matière d'éducation, car le besoin s'en fait sentir.

— Très bien, dit John, perplexe, en essayant de réfléchir.

Turton attendit un peu pour mieux ménager son effet.

— La lettre est signée du révérend Benjamin Pope, mais le garçon dont il est question n'est pas son fils.

— Qu'est-ce qui vous fait dire ça ?

— Cette façon qu'il a d'insister sur les progrès du garçon et d'en rendre scrupuleusement compte à M. Trenchard. Il écrit comme un employé rédigeant un rapport.

— Mais je croyais qu'on avait sollicité les conseils de M. Trenchard au moment où Charles Pope était arrivé à Londres pour tenter sa chance dans le monde des affaires. N'est-ce pas ainsi qu'ils se sont rencontrés en premier lieu ? Et vous me dites à présent que Trenchard s'est intéressé à lui dès son enfance en suivant de près son évolution ?

— Cela semble en effet être le cas, monsieur, confirma Turton.

— Montrez-moi.

John voulut prendre la lettre, mais Turton fut plus rapide et retint fermement l'enveloppe. Ce n'était pas un homme facile à duper et il ne faisait aucune confiance à M. Bellasis. Il voulait son argent, et il le voulait maintenant.

— Si vous posez la lettre sur la table, j'y déposerai l'argent, proposa John.

— Entendu, monsieur, répondit Turton en souriant, et il posa l'enveloppe en laissant sa main dessus.

John sortit une liasse de billets de sa poche et se mit à les compter sous la table. Le Horse and Groom n'était pas un endroit bien fréquenté et il eût été dangereux d'exhiber aux yeux de tous les cinquante livres, à savoir le prix convenu pour toute information substantielle concernant Charles Pope. Des hommes seraient prêts à tuer pour bien moins que cela.

John poussa discrètement l'argent sur la table.

— Merci beaucoup, monsieur, répondit Turton en ôtant sa main de la lettre.

John ouvrit l'enveloppe et commença à parcourir son contenu en bougeant un peu les lèvres à mesure qu'il vérifiait les informations que Turton lui avait données. C'était la preuve que le lien qui unissait Charles Pope aux Trenchard remontait à bien avant leur collaboration en affaires ; la preuve que Charles ne disait pas toute la vérité, en supposant qu'il la connaisse. Alors seulement le soupçon lui vint que Charles Pope était le fils de Trenchard et il s'étonna de ne pas y avoir pensé plus tôt. Il retourna la feuille de papier, puis regarda dans l'enveloppe.

— Où est l'autre page ? demanda-t-il en regardant Turton.

— L'autre page ?

— Ne me prenez pas pour un idiot ! s'énerva John, excité par l'alcool et sur le point de céder à la colère, toute honte bue. La première page, avec l'adresse de l'auteur de la lettre. Où habite le révérend Benjamin Pope ?

— Oh, cette page-là, monsieur, dit Turton en souriant d'un air contrit. Je crains fort qu'elle ne vous coûte encore cinquante livres.

John faillit bondir de son siège.

— Encore cinquante livres ! s'exclama-t-il, si bien que la moitié des clients du pub se tournèrent vers lui.

— Si vous pouviez baisser le ton, monsieur, dit Turton.

— Vous êtes une crapule ! lui cracha-t-il à la figure. Une crapule de la pire espèce !

— C'est possible, monsieur, mais mon offre demeure la même.

— Allez au diable avec votre offre !

— Aors vous voudrez bien m'excuser, monsieur Bellasis, répliqua le majordome en se levant. J'ai des choses à régler. Bonne journée, monsieur.

John et Stephen Bellasis n'étaient pas les seuls à remonter la piste de Charles Pope. Oliver Trenchard enquêtait aussi de son côté. La nuit, allongé dans son lit, il se laissait aller à ses ruminations. Qui était cet individu dont son père s'était entiché ? Pourquoi s'était-il immiscé dans sa vie pour prendre sa place, tel un coucou dans un nid ? À vrai dire, si chaque penny tombé dans les mains de Charles Pope restait en travers de la gorge d'Oliver, c'était surtout l'attention et l'affection que son père prodiguait à cet homme qui le blessaient, jusqu'à le rendre fou de rage. Il savait bien qu'il était une déception pour James. Jusque-là, il se disait pour se rassurer que n'importe quel fils l'aurait déçu. Il savait désormais que c'était faux.

Il aurait dû s'y attendre. Il n'avait jamais montré le moindre intérêt pour les affaires de son père. Tout comme lui, il voulait gagner de l'argent et faire sa place dans la bonne société, mais il n'était pas prêt à travailler pour l'obtenir. Les activités de la compagnie le laissaient indifférent et il se souciait peu de voir le projet de Cubitt Town se concrétiser. Pour la forme, il feignait de s'y intéresser, mais il sentait bien les regards que William Cubitt lui lançait quand ils étaient ensemble. Même le fait de savoir que son père s'était mis dans une situation délicate pour lui procurer un poste plus intéressant ne l'incitait pas à faire des efforts. D'ailleurs, il prévoyait depuis toujours de vendre le patrimoine de l'entreprise dès que son père aurait rendu son dernier souffle. Mais ses émotions devaient compter plus qu'il ne voulait bien le reconnaître, car il était bel et bien jaloux. Jaloux de Charles Pope et de l'affection de son père pour cet intrus. Il se disait que c'était à cause de l'argent, de la nécessité de protéger ce qui lui appartenait, pourtant ce n'était pas la vraie raison. Lui-même ne s'en rendait pas compte, mais c'était d'amour qu'il s'agissait, certes de manière obscure et détournée. Pour la première fois de sa vie, Oliver Trenchard voulait relever un défi. Il était décidé à découvrir qui était cet arriviste et à le détruire, s'il le pouvait.

James ne révélait jamais grand-chose sur ses divers investissements et son rôle dans les affaires de Charles Pope ne faisait pas exception à la règle. Pope avait acheté une filature et James essayait de l'aider à s'établir. C'était tout ce qu'Oliver avait pu lui soutirer. Pour finir, une remarque que sa mère avait faite par inadvertance tandis qu'ils se promenaient avec Agnes dans les jardins de Glenville avait retenu son attention. En vérité, elle semblait en savoir plus sur Charles Pope qu'il ne l'aurait cru. Ils parlaient de la nouvelle formule du football inventée à la Rugby School, durant la période où le grand Thomas Arnold en était le directeur.

— Pour ma part, je n'y ai jamais joué, disait Oliver. C'est un sport que je trouve brouillon et trop violent.

— Tu devrais en parler avec M. Pope. Il était dans l'école quand le Dr Arnold en était directeur.

Anne ne voyait pas ce qu'il y avait de dangereux dans cette révélation et, par un après-midi comme celui-ci, cela lui faisait plaisir d'évoquer Charles. De toute façon, la nouvelle de son lien avec les Brockenhurst éclaterait bientôt et Oliver apprendrait la vérité un jour ou l'autre.

— Comment le sais-tu ?

— C'est ton père qui me l'a dit. Il s'intéresse à M. Pope.

— Comme si je ne le savais pas, soupira Oliver.

Anne ne releva pas et se contenta de ramasser un bout de bois, qu'elle lança devant eux pour que la chienne aille le chercher. Ils approchaient du merveilleux clos des pêches qu'elle avait restauré, avec ses murs arrondis. Même en hiver, l'endroit était de toute beauté, dans la lumière de fin d'après-midi. Elle jeta un coup d'œil pour vérifier qu'Agnes était toujours avec eux.

— Et où donc M. Pope a-t-il fait ses études supérieures ? s'enquit Oliver d'un ton détaché, en prenant soin de cacher la rage qu'il ressentait.

— À Oxford. Au Lincoln College, je crois.

— Et ensuite ?

— On le destinait à l'Église, mais ses prédispositions le portant davantage vers le monde du commerce, il a déposé une candidature à la Schroders Bank, où il a fait ses preuves. C'est à cette époque que son père a demandé conseil à James et que ton père s'est pris d'intérêt pour lui.

— Manifestement, il n'a pas été déçu dans ses attentes, constata Oliver en luttant pour qu'aucune amertume ne filtre dans sa voix.

Plus il entendait vanter sa fulgurante ascension, plus il prenait en grippe ce Charles Pope, sa chance insolente, son aptitude pour les chiffres, l'amour qu'il portait à son travail.

— Je suppose que c'est ainsi qu'il a gagné de quoi acheter la filature, reprit-il.

— Oui, il a mis de l'argent de côté et, quand il a voulu fonder sa propre entreprise puis trouvé une filature à vendre à Manchester, James lui a apporté son soutien.

— Je suis certain que M. Pope lui en a été très reconnaissant.

— En effet.

Anne se demanda comment Oliver réagirait quand il découvrirait qu'il avait un neveu. Ce serait sûrement délicat, au début. En particulier parce qu'il serait soucieux de protéger la mémoire de Sophia. Mais avec le temps, ils s'adapteraient à cette nouvelle situation, Anne en était certaine. À condition qu'ils ne soient pas exclus de la scène. Se pourrait-il que les Brockenhurst veuillent s'accaparer Charles entièrement ?

En vérité, Anne prenait un grand plaisir à évoquer ces détails, car elle-même venait juste de les apprendre. Au fil de soirées calmes à Glenville, une fois qu'ils s'étaient retirés dans leurs chambres, elle avait abordé le sujet avec James en le priant de lui dire tout ce qu'il savait sur leur petit-fils. Et James, pour se faire pardonner, avait accepté. Il voulait rattraper le fait de tout lui avoir caché durant ces années. Il n'était pas de nature sournoise et ce fut pour lui un soulagement de se décharger de ce fardeau. Aussi Anne apprit-elle comment il était resté en relation avec le pasteur, qui l'avait tenu au courant pendant son enfance des progrès de Charles, ses points forts, ses faiblesses, si bien qu'il en était venu à connaître ce garçon dans les grandes lignes, même par personne interposée. À présent, Anne aussi avait l'impression de le connaître.

— Je crois bien qu'il va pleuvoir, dit-elle en regardant le ciel. Si nous rentrions ? Agnes déteste la pluie, comme tous les teckels.

Tandis qu'ils remontaient lentement les allées de gravier vers la maison, la petite chienne trottinant derrière eux, Anne décrivit à son fils les nouveaux aménagements qu'elle prévoyait pour le jardin. Quant à Oliver, il réfléchissait à la manière dont il pourrait se servir de ce qu'il venait d'apprendre pour nuire à Charles et causer sa perte.

Il n'y eut pas de pluie et, plus tard ce jour-là, Oliver sortit faire un tour à cheval. Il trouvait que quelque chose dans le rythme régulier du cheval aidait à démêler n'importe quel

problème. Effectivement, tout en rentrant au trot dans le crépuscule, il avait pris la décision de visiter Manchester. S'il y avait quelque chose à découvrir sur ce Charles Pope, ce serait dans la ville où il avait fait ses débuts dans les affaires. Quelle était sa réputation là-bas ? Le portrait qu'on faisait de cet homme semblait trop beau pour être honnête.

— Manchester ? s'étonna Anne quand ils se retrouvèrent au dîner ce soir-là.

— Pourquoi veux-tu aller à Manchester ? demanda James.

Leur air incrédule fit sourire Oliver.

— J'ai des gens à y voir. Et j'ai une ou deux idées que j'aimerais approfondir avant de vous en parler.

— Tu n'as pas l'intention d'abandonner Cubitt Town ? s'enquit James, qui supportait mal l'idée de s'être mis dans l'embarras en vain pour obtenir du travail à son fils.

— Non, non. Ne vous inquiétez pas. Ça n'a aucun rapport.

Sa réserve ne fit qu'attiser leur curiosité. Cette nuit-là, au lit, Susan lui posa la question en soufflant sa bougie.

— Que vas-tu faire au juste à Manchester ?

— M'occuper de mes affaires, répondit-il, puis il roula sur le flanc et glissa dans le sommeil.

Il voyagea sur la nouvelle ligne de chemin de fer reliant Londres à Birmingham qui s'était ouverte trois ans plus tôt et partait de Euston Station. Cette gare, il la connaissait bien, et pour cause : sa magnifique structure en verre et fer forgé avait été édifiée par William Cubitt et lui-même était présent à son inauguration, en juillet 1837. Mais le trajet de cinq heures et demie dans le compartiment brinquebalant, où s'engouffraient des flocons de suie dès qu'on abaissait une vitre, se révéla épuisant.

Il prit une ligne secondaire pour aller de Birmingham à Derby, dans un train encore plus inconfortable que le

précédent, et effectua le reste du trajet en voiture. Quand il entra, exténué, dans le Queen's Arms, un pub situé sur Sackville Street, il avait l'impression d'avoir parcouru la moitié du globe, mais n'en éprouva pas moins une certaine satisfaction.

La filature de Pope fut moins difficile à trouver qu'il ne l'avait craint. Le lendemain matin, il se rendit à Portland Street dont on lui avait dit que c'était le centre de production du coton ; là, au milieu des entrepôts et filatures récemment construits, il demanda son chemin et fut orienté vers David Street, où s'élevait un grand bâtiment en brique rouge portant le nom de Girton's Mill. Une fois entré, il attendit le directeur, un petit homme en manteau lustré qui se présenta à lui sous le nom d'Arthur Swift. Oui, c'était bien la filature de M. Pope. Non, M. Pope était à Londres. Que pouvait-il faire pour lui ?

Oliver expliqua qu'il était un ami de M. Charles Pope et qu'il avait espéré visiter les lieux durant son séjour à Manchester. Cela ne dérangeait pas M. Swift, qui se proposa de lui servir de guide. Ensemble, ils arpentèrent les différents ateliers bourdonnant d'activité.

— Tout ça m'a l'air de tourner rondement, commenta Oliver, et Swift confirma en hochant la tête avec enthousiasme.

— Oui, la filature marche très bien, tant qu'il nous parvient assez de matière première. Vous devez savoir que M. Pope a des projets à long terme et qu'il compte s'adjoindre un fournisseur dans le sous-continent indien, qui garantirait notre approvisionnement en coton brut.

— En effet, il m'en a parlé, dit Oliver en levant les yeux vers les hommes qui travaillaient sur les métiers à tisser. Alors, vous êtes tous satisfaits de la manière dont les choses se passent ici ? lança-t-il à la cantonade, pardessus le bruit des machines et, en l'entendant, les hommes s'interrompirent.

La question les ayant pris au dépourvu, il y eut d'abord un silence, suivi d'une sorte de rumeur d'assentiment général.

— Qu'est-ce qui vous a pris de leur demander ça ? s'insurgea Swift. Pourquoi ne seraient-ils pas satisfaits ?

— Oh, sans raison particulière. Par simple curiosité.

Soudain M. Swift se rendit compte avec quelque embarras qu'il n'avait reçu aucune instruction écrite lui demandant de recevoir ce M. Trenchard et qu'il l'avait accueilli dans leurs locaux sans que rien lui prouve qu'il était un ami de son employeur.

— Bien, j'espère que vous avez tout vu, monsieur. Quant à moi, je dois retourner à mes occupations, conclut-il d'un ton ferme.

Oliver comprit qu'il mettait ainsi un terme à la visite. Mais lui s'estimait satisfait. Il n'avait plus qu'à attendre de voir si la graine qu'il venait de semer germerait.

Tout sourires, il remercia son guide pour le temps qu'il lui avait si généreusement accordé et se retrouva bientôt dehors, dans David Street. Il acheta un journal et se posta bien en vue, devant la sortie des ateliers. Oliver avait choisi de faire sa visite peu avant la pause du déjeuner. Comme il l'avait escompté, pour changer de l'atmosphère poussiéreuse des ateliers qui leur encrassait les poumons, presque tous les ouvriers et ouvrières sortirent en plein air pour manger ce qu'ils avaient pu trouver parmi les maigres ressources de leur famille. Clignant des yeux à la lumière du jour, ils cherchèrent un endroit où s'asseoir, et certains installèrent même des petits tabourets sur le trottoir. Se détachant des autres, un homme traversa la rue pour rejoindre Oliver qui lisait son journal, adossé à un mur.

— Pourquoi nous avez-vous demandé si nous étions satisfaits, tout à l'heure ? commença le nouveau venu.

Plutôt fluet, comme beaucoup de ses collègues, mal rasé, il avait le teint pâlot de ceux qui ne voient guère la lumière du soleil.

— Eh bien, l'êtes-vous ?

— Pour ça non, alors ! s'exclama l'homme avec aigreur. Êtes-vous ici pour chercher des ennuis à M. Pope ? s'enquit-il en le scrutant.

Ils tâtaient chacun le terrain. Mais Oliver était venu de loin, il était bien décidé à ne pas repartir bredouille, et ne voyait pas ce qui l'obligeait à la prudence.

— Quel genre d'ennuis pourrais-je donc lui causer ? avança-t-il.

— Venez à la King's Head Tavern sur la place du Marché à 20 heures ce soir et vous le découvrirez, répondit l'homme d'un air farouche.

— Puis-je connaître votre nom ?

— Ne vous souciez pas de ça. J'y serai. Mais ce n'est pas avec moi que vous parlerez.

Oliver acquiesça. Après tout, quel besoin avait-il de connaître le nom de cet individu ? Il était entré en contact avec quelqu'un qui n'aimait manifestement pas Charles Pope et c'était pour cela qu'il avait fait ce voyage. Pour l'instant, les événements s'accordaient à son plan.

Ce soir-là, il trouva le pub assez facilement, mais les lieux étaient si bondés et enfumés qu'il eut du mal à se repérer. Alors une main lui toucha le coude. C'était l'homme qui l'avait abordé devant l'usine. Il lui fit signe et Oliver le suivit jusqu'à une table située dans un coin, où deux hommes plus âgés étaient assis.

— Bonjour. Je m'appelle Oliver Trenchard.

Cette fois, il était décidé à connaître ses interlocuteurs par leurs noms, et ils pourraient difficilement se dérober alors qu'il venait de se présenter.

— William Brent, dit le premier, un homme grassouillet à l'air prospère, mais dont la face rougeaude et luisante avait quelque chose de repoussant.

— Jacob Astley, intervint le second, plus maigre et plus vieux que son compagnon.

Des individus peu engageants, songea Oliver tout en s'asseyant face à eux. Il y avait un verre posé devant lui ainsi qu'un grand pichet de bière, dont il se servit.

— Très bien, messieurs, déclara-t-il d'un air avenant. Qu'avez-vous à me dire ?

— Qu'est-ce qui vous lie à Pope ? s'enquit directement M. Astley, sans lui rendre son sourire.

Manifestement, il n'éprouvait pas le besoin de donner un cours normal à leur conversation, comme Oliver l'avait fait. Il était ici avec en tête un but précis ou, plus vraisemblablement, de vieux comptes à régler.

— Puisque vous tenez à le savoir, répondit Oliver, sachez qu'un bon ami à moi a investi beaucoup d'argent dans l'affaire de M. Pope et je désirerais savoir s'il ne s'est pas ainsi exposé à des pertes sérieuses.

— Vous avez raison de vous en inquiéter, confirma Brent en hochant la tête. Il devrait retirer l'argent investi le plus tôt possible.

— Mais cela ruinerait M. Pope.

Oliver en doutait un peu, car il savait que Lady Brockenhurst interviendrait presque à coup sûr pour éviter le désastre, mais il avait envie d'évaluer le ressentiment que ces hommes portaient à Pope. Il ne fut pas déçu.

— Il le mérite amplement, commenta Astley en portant son verre à ses lèvres.

— Pourrais-je savoir pourquoi ?

— Vous savez qu'il a acheté la filature à la veuve du vieux Samuel Girton ?

— Je viens de l'apprendre.

— Nous avions un accord avec la vieille dame, mais il est venu chez elle la nuit et il l'a tellement effrayée en lui racontant des boniments sur la ruine et les dangers qui la menaçaient, dont lui seul pouvait la sauver, qu'elle a accepté d'annuler son engagement avec nous pour lui vendre l'usine.

— Je vois.

Oliver revit le jeune homme qui évoluait en souriant dans les salons de Lady Brockenhurst. Était-ce plausible ?

— Ce n'est pas tout, renchérit Brent. Il trompe les douaniers quand il importe du coton. Il paie pour que le coton soit sous-évalué au moment de l'embarquement et ne débourse ainsi que la moitié des taxes quand on le décharge ici.

— Ce n'est pas quelqu'un de confiance, dit Astley. Dites à votre ami de récupérer son argent tant qu'il le peut encore.

— Et vous, en quoi tout cela vous concerne-t-il ? demanda Oliver en s'adressant à l'homme qui l'avait fait venir jusqu'ici.

Ce dernier fit la grimace.

— J'aurais été nommé directeur de la filature, si MM. Brent et Astley avaient pu l'acquérir. Pope le savait, mais il m'a engagé pour travailler aux métiers avec les autres bons à rien, comme si je ne savais rien faire de mieux.

— Pourquoi avoir accepté ?

— Vous croyez peut-être que j'avais le choix ? J'ai une femme et quatre gosses à nourrir, s'énerva-t-il en serrant les mâchoires. Il m'a dit que c'était pour compenser la perte du poste que j'avais espéré.

— Et vous croyez que ce n'était pas la vraie raison ?

— Non, Pope n'a aucune gentillesse en lui. C'était juste pour m'humilier, parce qu'il savait bien que je serais forcé d'accepter.

Oliver les observa. Ce dernier point restait à prouver, il en était conscient, mais avec les autres informations, il avait de quoi passer à l'offensive : l'intimidation de la vieille dame, mais surtout les fraudes dont Charles s'était rendu coupable envers les douanes. De toutes, cette dernière accusation choquerait le plus son père.

— Jusqu'à quel point êtes-vous prêts à coucher par écrit ce que vous m'avez confié ? dit-il.

Brent jeta un coup d'œil à son camarade.

— Pas question qu'on aille témoigner devant une cour de justice. Ça, je ne le ferais pour personne.

— D'accord, consentit Oliver. En fait, j'ai juste besoin de ces informations pour convaincre mon ami qu'il a mal placé son argent. Elles ne seront pas divulguées. Au pire, il pourra supporter les pertes déjà encourues. Mais je veux surtout qu'il se retire de l'affaire et cesse ses investissements.

Après avoir consulté Astley du regard, Brent se décida et parla en leur nom à tous deux.

— Pour ça, nous sommes d'accord. Nous voulons chasser Pope pour récupérer l'entreprise, mais en attendant nous voudrions que le moins de gens possible soient victimes de ses manigances.

— Il sait y faire, fit remarquer Oliver. Les gens le trouvent charmant.

— Oui, tant qu'ils ne le connaissent pas, conclut Brent.

Le trajet de retour parut moins éprouvant à Oliver, sans doute parce qu'il avait obtenu ce qu'il voulait. Plus tôt dans la matinée, deux lettres lui avaient été remises au Queen's Arms, et il les avait soigneusement rangées dans sa poche. Si jamais ses bagages se perdaient en route, les lettres au moins seraient en lieu sûr. À Birmingham, en montant à bord du train pour Londres, il se sentait plutôt optimiste et se surprit à fredonner gaiement, sous les regards désapprobateurs de ses compagnons de voyage.

Lady Templemore n'était pas entrée dans la chambre de sa fille avec l'intention de la fouiller, mais juste pour vérifier si tout était propre et bien rangé. Ce fut du moins ce qu'elle se dit en ouvrant la porte. Maria était sortie se promener avec Ryan et les domestiques étaient en bas ; le moment lui semblait donc propice pour y jeter un coup d'œil.

Cette position fut plus dure à défendre quand elle eut constaté que l'écritoire de Maria placée sur la table sous la fenêtre était verrouillée. Or Corinne savait où la jeune fille gardait la clé. Elle n'en avait jamais informé Maria au cas où cela pourrait s'avérer utile un jour et elle avait déjà plus d'une fois parcouru les lettres de sa fille. Presque malgré elle, comme machinalement, elle tira le tiroir caché, prit la clé et ouvrit l'écritoire. Le petit fermoir en cuivre du couvercle était facile à actionner ; il suffisait de le soulever avec un doigt. Elle prit les lettres de Maria posées sur le cuir du bureau et les feuilleta. Elle connaissait la plupart des correspondants ; son propre fils, ainsi que des amies que Maria avaient rencontrées lors de ses deux premières saisons mondaines. Mais il y avait aussi une petite enveloppe qui l'intrigua. Elle était ornée d'armoiries que Corinne reconnut aussitôt.

La lettre était brève :

« Chère Maria, si vous voulez bien passer me prendre vendredi après-midi à 16 heures, je crois que nous pourrions organiser une autre visite à Bishopsgate. Caroline Brockenhurst. »

Corinne contempla le petit carré de papier crème. Qu'est-ce que cela signifiait ? Une autre visite… à Bishopsgate ? Elle savait qui travaillait à Bishopsgate. Quand Charles Pope s'était promené avec Maria et Ryan, la servante, jusqu'à la London Library, Ryan lui avait ensuite rapporté tout ce qu'il avait dit. Était-elle tombée par hasard sur la raison pour laquelle ses beaux projets se désagrégeaient subitement ? Et pourquoi Lady Brockenhurst organisait-elle une sortie avec Maria sans consulter sa mère au préalable ? Alors elle revit Lady Brockenhurst escortant M. Pope d'une pièce à l'autre durant sa soirée. Serait-ce une conspiration ? Sinon, pourquoi Maria ne lui avait-elle pas parlé de l'invitation ? Elle demeura pensive un moment. On était jeudi. La visite était donc prévue pour le lendemain après-midi. Elle avait vingt-quatre heures devant elle. Avec grand soin, Corinne Templemore replaça la lettre, verrouilla le bureau et rangea la clé à sa place. Ce faisant, elle prit deux décisions. La première était d'aller rendre visite à la comtesse au même moment que sa fille ; la deuxième la mena dans le salon bleu pâle du rez-de-chaussée jusqu'à son charmant bonheur-du-jour, devant lequel elle s'assit pour écrire. Une heure plus tard, elle sonna le valet de pied et lui donna deux enveloppes à porter à deux adresses différentes.

Oliver choisit de parler à son père de ses découvertes au bureau plutôt qu'à la maison. La veille au soir, au dîner qui avait suivi son retour, ils l'avaient questionné sur sa visite dans le nord, mais lui s'était juste extasié devant la taille et la prospérité du nouveau Manchester, sans rien dire d'important.

Le choc de ses révélations prendrait certainement son père au dépourvu et, pour le ménager, il valait mieux que cela se passe dans l'intimité de son bureau. Mais le lendemain matin, lorsque l'employé le fit entrer et que son père se leva pour l'accueillir, James ne parut nullement déconcerté par sa visite.

— C'est à propos de Manchester ?

— Qu'est-ce qui te fait dire ça ? s'étonna Oliver.

— Ton mystérieux voyage au nord, et son but secret. Puis ta demande de me voir en privé sans que nous soyons interrompus. De toute évidence, tu as quelque chose à me dire, et c'est sûrement en rapport avec ton expédition.

— En effet, confirma Oliver, d'un air si solennel que James faillit en rire.

— Ce que tu as l'air sérieux.

— Je le suis, Père.

En s'approchant du bureau, il parcourut du regard les boiseries, la grande carte de Cubitt Town et le portrait de sa sœur, accroché au-dessus de la cheminée, en remarquant qu'aucune représentation de lui-même ne figurait nulle part. Jamais on ne lui avait proposé de faire faire son portrait. Il prit place dans la chaise face à son père.

— J'ai certaines nouvelles, dont je ne suis pas sûr qu'elles te feront plaisir.

— Ah oui ? dit James en se rasseyant. Quel genre de nouvelles ?

— Cela concerne M. Pope.

James n'en fut guère surpris. Il soupçonnait depuis longtemps l'antagonisme de son fils envers Charles. L'amer souvenir de l'après-midi à l'Athenaeum suffisait à le lui rappeler. De toute évidence, Oliver était allé à Manchester déterrer des ragots pour essayer de salir la réputation de Charles.

— Continue, l'enjoignit James en poussant un léger soupir.

— Mon petit périple dans le nord s'est révélé fort instructif. En tout cas, j'espère qu'il te sera utile, commença Oliver et James se demanda combien de temps il lui faudrait pour en arriver au fait. Je suis allé visiter la filature de M. Pope.

— Girton's Mill ? C'est un bel endroit, n'est-ce pas ?

— Il se trouve que, par hasard, j'ai rencontré deux hommes qui avaient eu affaire à notre M. Pope, il y a quelque temps. M. Brent et M. Astley.

— Par hasard ?

— Pas tout à fait. Ayant appris que je connaissais M. Pope, ils m'ont abordé.

— J'ai comme l'impression que tu vas me dire quelque chose que je n'ai pas envie d'entendre.

— Oui, j'en ai peur, confirma Oliver, comme à regret. D'après eux, il aurait effrayé la pauvre veuve à qui il a acheté la filature pour l'inciter à conclure la vente avec lui, alors que la vieille dame s'était déjà engagée par ailleurs.

— Avec ces hommes, je parie.

— L'histoire en serait-elle moins vraie pour autant ?

James demeura silencieux.

— Il a aussi pris l'habitude de frauder avec les douaniers, poursuivit Oliver. Il fait sous-évaluer son coton avant le chargement en apposant sur les ballots de fausses étiquettes, puis il se soustrait ainsi à la moitié des taxes dues, quand le coton arrive en Angleterre.

— Nous payons trop de taxes.

— Veux-tu dire par là qu'il est normal de frauder, autrement dit de mentir et de voler ? s'indigna Oliver, qui voyait bien que son père était troublé par ce qu'il apprenait. Tiens-tu vraiment à t'associer à un truand et un tricheur ?

— Je n'y crois pas, déclara James en se levant.

Il comprenait que, en faisant ce voyage dans le nord, Oliver n'avait eu pour but que de discréditer Charles afin de lui retirer l'affection de son père. Mais ce n'était pas ce qu'il entendait sur Charles qui mettait James mal à l'aise. C'était la soudaine prise de conscience que ses rapports avec son fils étaient encore pires que ce qu'il craignait.

— Je vais le questionner à ce propos, dit-il.

— J'ai ici deux lettres, l'une de Brent et l'autre d'Astley. Je vais les laisser sur cette table. Ne t'inquiète pas. Ils n'ont aucun désir de témoigner contre Pope devant un tribunal. Ils ont été très clairs sur ce point. Mais ils trouvent eux aussi que tu devrais connaître la vérité.

— Leur réticence à raconter leurs histoires devant la cour n'a rien d'étonnant, souligna James avec humeur.

Quels étaient ces individus sans visage qui se permettaient de s'immiscer dans sa vie pour tenter de détruire sa confiance en l'homme qu'il aimait le plus au monde ?

— Je sais, c'est très déplaisant pour vous, Père. Je le regrette.

— Ah vraiment ? rétorqua James en scrutant la rue animée en contrebas. Je vais aller le voir.

— Je serais vous, je lirais d'abord les lettres.

— Je vais aller le voir, te dis-je, répéta James, signifiant ainsi à son fils qu'il valait mieux ne pas insister.

Les torts dont on accusait Pope étaient-ils vrais ou non ? Oliver n'était pas absolument certain que ces allégations soient fondées. Mais ce dont il était sûr, c'était que Pope devrait admettre qu'il connaissait ces hommes, ce qui, en soi, jouerait déjà contre lui. Oliver avait juste cherché à instiller le doute dans l'esprit de son père, après tout. Mais il s'était mépris sur la façon dont James réagirait à ces nouvelles.

James Trenchard n'attendit pas longtemps avant d'aller trouver son petit-fils ; il avait besoin de le voir confirmer son innocence.

— Comment votre fils a-t-il fait la connaissance de ces hommes ? demanda Charles en essayant de garder une voix posée.

James était assis, alors que le jeune homme marchait de long en large dans la pièce qui lui servait de bureau, tant ce qu'il venait d'entendre lui restait en travers de la gorge.

— Je l'ignore, répondit James.

— Mais il est allé visiter ma filature. Pourquoi ?

En fait, Charles était déjà au courant de cette visite, car Swift, son directeur, lui avait envoyé un télégramme pour l'en informer.

— Cela aussi je l'ignore, répondit James en haussant les épaules. Il devait bien avoir une raison.

Cette raison, il la connaissait. Son fils détestait Charles et l'attention que son père lui prodiguait, ce dont James se sentait responsable, du moins en partie.

Quant à Charles, il était en colère. Il n'avait jamais demandé à James sa protection. Il l'appréciait, mais il ne l'avait pas sollicitée, et voilà qu'on le punissait pour l'intérêt que James lui portait. Pourquoi ?

— Il fallait plus qu'une vague raison pour faire un tel trajet, reprit-il. Manifestement, votre fils avait un but bien précis pour aller jusqu'à Manchester. Était-ce de rencontrer ces hommes ?

— Je n'en suis pas certain. D'après lui, il est tombé sur eux une fois sur place. Je suppose qu'il n'y a rien de vrai dans ces allégations.

Charles était en proie à un dilemme. Il connaissait bien Brent et Astley. Ils avaient failli réussir à acheter sa filature à la vieille Mme Girton bien en dessous de sa valeur et Charles était intervenu juste à temps pour la sauver d'une grande perte financière. Puis il avait négocié afin de reprendre lui-même la filature, cela au prix du marché. Ils lui en voulaient à coup sûr de leur avoir coupé l'herbe sous le pied. Quant à l'histoire des fraudes avec la douane, elle était plus compliquée, et il se demandait comment ces hommes avaient pu l'apprendre. En vérité, il avait payé une cargaison de coton brut venant des Indes qu'il avait cru être de la même qualité que lors de la commande précédente, passée auprès du même fournisseur. Tous les papiers avaient donc été remplis en ce sens, cependant, à l'ouverture du chargement, il s'était aperçu qu'il y avait eu confusion, car le coton était d'une bien meilleure qualité. Il avait déclaré le changement aux douaniers et un paiement avait été effectué en compensation, mais l'incident avait bel et bien eu lieu. Ce n'était pas un mensonge.

Manifestement, Brent et Astley savaient qu'Oliver s'était rendu à Manchester pour chercher noise à Charles et ils lui avaient fourni des armes dans ce but. Il pourrait bien sûr expliquer tout cela à James, mais avait-il vraiment envie de monter M. Trenchard contre son propre fils ? Voulait-il récompenser la gentillesse de Trenchard et son soutien en détruisant sa famille ? Tel était son dilemme. Maintenant qu'il avait l'appui financier des Brockenhurst, il pourrait renoncer aux investissements de Trenchard. Certes, cette perte ralentirait les choses, mais ce retard pourrait se gérer. Brent et Astley avaient dû imaginer que, si l'argent de Trenchard lui était retiré, la filature devrait cesser ses activités commerciales et qu'ils pourraient alors la racheter à bas prix aux huissiers. Quoi qu'il arrive, ils seraient déçus.

Mais James s'impatientait.

— J'aimerais que vous me disiez qu'Oliver dit n'importe quoi ou bien qu'il y a une part de vérité dans ce qu'il m'a raconté.

Charles regarda une fois de plus les feuilles où toutes ces calomnies étaient inscrites noir sur blanc.

— Et ils ont donné ces lettres à Oliver pour qu'il vous les montre ?

— Apparemment. En lui précisant bien qu'ils n'iraient jamais témoigner devant la justice.

— Cela ne m'étonne guère, remarqua Charles et, un instant, sa colère faillit transparaître.

— Cela signifie-t-il que vous les connaissez de longue date et que nous ne devrions accorder aucun crédit à leurs propos ? Dites-le, et je rapporterai à Oliver que leurs accusations sont fausses.

— Non, ne faites pas ça, objecta Charles en se tournant face à son défenseur. Ces événements sont arrivés. Pas de la manière dont on vous les a rapportés, mais il y a une part de vérité dans ces histoires. Je ne voudrais pas que vous vous querelliez avec votre fils unique à cause de moi. Je pense que nous devrions songer à retirer votre argent de l'entreprise, même si cela ne pourra se faire en une seule fois.

Mais James s'était levé et il rôdait près de la porte.

— Je ne retirerai pas mon argent, affirma-t-il. Qu'est-ce qui vous a fait croire une chose pareille ?

— Je pense que vous le devriez, puisque votre fils n'est pas satisfait de notre association.

James demeura silencieux. C'était un vrai casse-tête. Il pouvait difficilement prétendre le contraire, alors que la seule vue de Charles rendait Oliver aussi féroce qu'un tigre souffrant d'une rage de dents. James n'avait aucune envie de rompre ses liens avec Charles, pas plus qu'il n'avait envie de se fâcher avec son seul enfant encore en vie. Et s'il laissait croire à Oliver que ses révélations avaient eu quelque effet, sans pour autant nuire à l'entreprise de son petit-fils ? Au bout d'un moment, les choses finiraient bien par se tasser… Comme c'était compliqué. Serait-ce plus simple pour tout le monde si Lady Brockenhurst avait dévoilé publiquement leur secret ? Charles prit son silence pour une approbation.

— Je procéderai par étapes et j'ajouterai dix pour cent pour compenser tous les dommages que j'ai pu vous causer, déclara-t-il.

— Quels dommages ? Je n'en vois aucun, protesta James. Et je ne reprendrai pas mon argent.

Une fois encore, il fut assailli par l'idée qu'il ferait mieux de révéler maintenant au garçon sa véritable identité. De toute façon, la vérité éclaterait bientôt, que cela lui plaise ou non. Pourtant il garda le silence.

Le reste de la journée, James Trenchard fut d'humeur maussade. Non parce qu'il avait douté de Charles. Certes, le jeune homme avait du tempérament, il devait même être assez entêté à ses heures et voulait qu'on lui laisse les coudées franches. Sa mère était comme ça. Mais malhonnête ? Jamais de la vie. À cette évocation de Sophia, James ne put s'empêcher de sourire. Il se rappela avec quelle obstination sa fille avait décidé qu'ils seraient invités au bal de la duchesse de Richmond, tant d'années en arrière. Rien n'aurait pu l'arrêter, d'ailleurs elle était arrivée à ses fins. Comme elle était belle ce soir-là, confiante, rayonnante, amoureuse... Il soupira en s'asseyant devant son bureau. Mais Charles avait aussi un père. Tenait-il également de lui ? Du vivant d'Edmund Bellasis, cela leur avait échappé, mais le jeune vicomte devait être quelqu'un de bien perfide pour avoir séduit une innocente jeune fille en manigançant un simulacre de mariage sous l'égide d'un faux prêtre. Et si Charles avait hérité la perfidie de son père ? Non, décida James en secouant la tête. Impossible. Ce n'était pas le Charles Pope qu'il connaissait.

Ce soir-là, Anne trouva son mari bien silencieux. Assis à la table du dîner, il resta muré dans le silence en chipotant ce qu'il y avait dans son assiette, tandis qu'Oliver et Susan discutaient de Manchester. En fait, vivement impressionné par sa modernité, Oliver avait des tas de choses à raconter sur la capitale du coton et évoquait avec animation ce qu'il y avait vu.

— Tu as donc été satisfait de ta visite ? s'enquit Anne.

— Oui, plutôt, répondit-il d'un ton soudain plus réservé, en jetant un coup d'œil à son père.

Quant à Susan, elle n'était guère plus bavarde que James et semblait ce soir-là très préoccupée, sans qu'on sache bien pourquoi. Elle touchait à peine aux plats et son verre demeurait plein. En réalité, si elle faisait mine d'écouter Oliver, c'était plus pour éviter elle-même d'avoir à parler que par réel intérêt pour ce qu'il racontait.

Plus tard, James se trouvait dans son dressing-room, bras écartés, tandis que Miles, son valet, défaisait les manchettes de sa chemise, quand son épouse frappa doucement à la porte avant d'entrer.

— Veuillez nous excuser, Miles, dit-elle en allant s'asseoir dans un coin sur une chaise rembourrée.

Elle prit Agnes, qui se roula douillettement en boule sur ses genoux.

— Bien sûr, madame, répondit Miles, avec une révérence.

Miles faisait preuve d'une certaine obséquiosité. Un an plus tôt, il avait quitté le gouffre à courants d'air qu'était le château de Lord Glenair, dans les Marches écossaises, pour venir s'installer dans la capitale, et il travaillait depuis peu pour la famille Trenchard. Il avait beau toucher deux fois le montant de son ancien salaire à leur service, il considérait encore sa place à Eaton Square comme une solution provisoire, le temps de trouver une maison plus raffinée correspondant mieux à ses exigences. Pourtant il s'acquittait de ses tâches avec efficacité.

— Voudriez-vous que je revienne, monsieur ? s'enquit-il.

— Non. Ce sera tout. Bonne nuit, répondit James.

Dès que le valet eut quitté la pièce, Anne se leva (au grand déplaisir d'Agnes qui grogna un peu), reposa la chienne sur la chaise, et alla aider son mari à se dévêtir.

— Tu n'as pas dit un mot de toute la soirée. Qu'est-il arrivé ? demanda-t-elle sans autre préambule.

— Tu tiens à le savoir ?

— Mais oui, j'y tiens beaucoup.

James lui raconta alors sa visite à Charles.

— Qu'a-t-il dit ? voulut-elle savoir.

— Il a reconnu qu'il y avait une part de vérité dans ces histoires, même si elles n'étaient pas exactes dans le détail, puis il a proposé de me rendre les sommes que j'avais investies, avec intérêts. Mais je sais ce qu'il y a derrière tout ça. Charles ne veut pas être à l'origine d'une brouille entre Oliver et moi, conclut-il en prenant une brosse sur sa coiffeuse, qu'il passa sur son crâne dégarni.

— Il n'a rien fait de mal, j'en suis certaine, déclara Anne.

Pourtant elle aussi, comme James, avait envie d'éclaircir la situation. Peut-être était-il temps de tout dire à Oliver. Elle ne se fiait pas à Susan pour garder un secret, sans se douter de tous ceux que cachait sa belle-fille, mais il fallait peut-être prendre le risque d'en passer par là. Alors que, pensive, elle regagnait sa chambre, il lui vint à l'esprit qu'elle pourrait avec profit s'adjoindre les services d'une alliée.

La voix du valet de pied résonna dans le salon.

— La comtesse de Templemore.

— Quoi ? s'étonna Caroline Brockenhurst, ce qui n'était pas le plus chaleureux des accueils, tandis que Lady Templemore s'avançait.

Caroline attendait Maria et voir la mère se substituer à la fille lui causa une vive contrariété. Mal à l'aise, elle envisagea un instant de dépêcher un messager pour avertir la jeune fille et la dissuader de venir, puis elle se ravisa, jugeant que ce n'était guère réaliste.

— Quelle agréable surprise, dit-elle pour se rattraper, en se levant pour souhaiter la bienvenue à sa visiteuse indésirable. On vient juste de servir le thé. Puis-je vous en proposer ?

— Merci, répondit Corinne en s'asseyant sur une jolie chaise Louis XV. J'accepterai bien volontiers une tasse de thé, dès que vous m'aurez dit ce que signifie ceci.

Sur ce, elle sortit de son réticule la lettre adressée à Maria et la tendit à la comtesse. Lady Brockenhurst resta un instant à contempler la lettre, sachant très bien de quoi il s'agissait.

— En effet, j'ai invité Maria à venir prendre le thé, dit-elle sans ciller. Elle devrait arriver d'un moment à l'autre.

— Pour organiser une sortie à Bishopsgate... qui ne serait pas la première, si je ne m'abuse ? insinua Lady Templemore.

— Votre fille est une très agréable compagne de promenade. Mais vous le savez mieux que moi, vous qui lui avez donné la meilleure éducation qui soit.

Entre-temps elle avait servi le thé et Corinne Templemore tenait une tasse entre ses mains.

— À qui rendez-vous donc visite à Bishopsgate ?

— Sommes-nous censées rendre visite à quelqu'un en particulier ? repartit Lady Brockenhurst d'un ton léger.

— C'est à vous de me le dire, rétorqua Lady Templemore d'un ton bien différent.

— Ma chère, quelque chose vous contrarie, visiblement. J'espère que vous me ferez l'amitié de me dire ce dont il s'agit.

Corinne se mit à rire et devant ce changement d'humeur déconcertant, Caroline se demanda si elle était dans son état normal.

— Bien au contraire, reprit Lady Templemore en plongeant la main dans son réticule pour en sortir une feuille de journal pliée. Je ne suis pas contrariée le moins du monde. J'ai quelque chose à fêter, figurez-vous, et j'espère que vous partagerez ma joie. Avez-vous lu le *Times* ce matin ? Ou la *Gazette* ?

— Nous ne recevons pas la *Gazette*, et je n'ai pas lu le *Times*. Pourquoi ? De quoi s'agit-il ?

Corinne Templemore lissa la feuille de journal et la lui tendit.

« Annonce des fiançailles de John Bellasis, Esq., fils de l'Honorable Révérend Stephen Bellasis et de Madame Bellasis, et de Lady Maria Grey, fille de la comtesse mère de Templemore et du défunt Lord Templemore. »

Caroline fixa l'annonce, en proie à une déception si cruelle qu'elle en resta sans voix.

— Alors, vous n'allez pas me féliciter ? lui lança Corinne en guettant sa réaction.

— Mais oui, bien sûr. Toutes mes félicitations. Une date a-t-elle été arrêtée ?

— Pas encore. Mais j'ai les longues fiançailles en horreur.

Avant que Caroline ne puisse répondre, le valet de pied entra à nouveau dans la pièce.

— Lady Maria Grey, annonça-t-il, tandis que la jeune fille s'avançait dans le salon.

En y découvrant sa mère, elle se figea sur place, mais reprit vite contenance.

— Je croyais que vous alliez voir Lady Stafford, cet après-midi, lui déclara-t-elle.

— Comme vous le voyez, j'ai changé d'idée, répliqua la mère en affichant le même détachement. Je voulais parler à Lady Brockenhurst de l'annonce.

Maria resta silencieuse.

— Félicitations, commenta Lady Brockenhurst, mais Maria ne dit toujours rien.

— Cessez de bouder, la tança Lady Templemore en perdant patience.

— Je ne boude pas. Je ne dis rien parce que je n'ai rien à dire.

Mais voilà que le valet de pied intervint à nouveau, coupant court à ces aigres échanges.

— Mme Trenchard, annonça-t-il cette fois, alors qu'Anne entrait dans la pièce.

— Bonté divine, dit Caroline en se levant. Décidément, quel après-midi !

Anne fut aussi interloquée que son hôtesse de trouver la mère et la fille réunies dans le salon.

— Si j'avais su que vous aviez du monde, j'aurais différé ma visite, s'excusa Anne.

— Mais non, pensez-vous, je suis ravie de vous voir, s'exclama Caroline, qui était en effet assez contente de voir Anne, pour une fois, car la tension entre la mère et la fille devenait oppressante. Puis-je vous présenter Mme Trenchard ? Voici Lady Templemore.

— Je crois que nous nous sommes vues lors d'une soirée ici même, il y a quelque temps, dit Anne aimablement.

— Ah oui ? Cela se peut, répondit Lady Templemore, qui cherchait comment prendre congé en emmenant sa fille avec elle avant qu'une nouvelle sortie à Bishopsgate ne soit organisée.

— Bonjour, madame Trenchard, la salua Maria en employant un ton amical pour la première fois depuis son arrivée.

— Bonjour, ma chère enfant. J'espère que vous allez bien, dit Anne en lui serrant la main.

Leur familiarité irrita passablement Lady Templemore. D'où Maria connaissait-elle ces gens et comment pouvait-elle agir ainsi en laissant sa propre mère dans l'ignorance ? Cette femme serait-elle là pour organiser une nouvelle visite à Bishopsgate ? Vers où la vie de sa fille dérivait-elle ? Elle avait l'impression qu'elle lui échappait.

— Nous célébrons les fiançailles de Lady Maria, déclara-t-elle.

— Ah oui ? fit Anne, aussi surprise que dépitée, car elle avait vraiment cru que cela n'arriverait pas.

— L'annonce est parue dans les journaux ce matin, précisa Corinne Templemore.

— Cela a dû m'échapper. Je regarderai mieux à mon retour.

Anne jeta un coup d'œil à Maria, mais elle ne lut rien de particulier sur son visage ni dans son regard. La jeune fille se contenta de prendre la tasse de thé que lui offrait Lady Brockenhurst, puis de la boire.

— Je vais vous laisser, dit Anne. Je reviendrai une autre fois.

— Non, n'en faites rien, objecta Lady Templemore en se levant. Nous partons. Nous avons beaucoup de choses à voir ensemble. Maria ?

Mais la jeune fille ne fit pas mine de se lever.

— Rentrez, Mère, dit-elle posément. Je voudrais profiter de l'occasion pour m'entretenir avec Lady Brockenhurst, qui doit avoir tant de choses à m'apprendre. Elle sera bientôt ma tante, vous le savez.

— C'est vrai, ma chère petite nièce, renchérit Caroline. Ne vous inquiétez pas, nous vous la renverrons en voiture un peu plus tard.

— Je puis rester, contra Lady Templemore.

— Mais non, voyons. Vous devez avoir des choses tellement plus importantes à régler. William, veuillez raccompagner Lady Templemore jusqu'à sa voiture, conclut-elle d'un ton péremptoire, telle une tsarine édictant un oukase.

Un instant, Lady Templemore parut près de s'insurger, mais elle se ravisa et prit congé, escortée par le valet. Les trois femmes se retrouvèrent seules.

— Je ne l'épouserai pas, si c'est à ça que vous pensez, déclara Maria.

Mais elle était à présent en terrain ami et n'avait pas à défendre sa position.

— Puis-je me permettre de dire que je m'en réjouis ? intervint Anne en se rasseyant.

— Et moi donc, ajouta Caroline. Même si je redoute la conversation que je ne manquerai pas d'avoir avec mon frère et ma belle-sœur. John vous aurait apporté une excellente position, mais la position n'est pas tout, et cela doit être vrai, venant de moi, ironisa-t-elle, ce qui les fit rire.

Pour Maria, ce fut un rire de soulagement.

— Comment va-t-il ? s'enquit-elle en s'empourprant.

Toutes surent de qui elle parlait.

— Très bien, je crois, dit Caroline. Mais je ne l'ai pas revu depuis notre visite. Et vous, madame Trenchard ?

— Moi non plus, je ne l'ai pas revu, répondit-elle, puis elle hésita.

Certes, la jeune fille était amoureuse de Charles et les derniers mots échangés le confirmaient encore. Mais Anne devrait-elle pour autant discuter de son petit-fils devant Maria ?

— Continuez, dit Caroline. Il n'est pas de bon ton de faire des mystères.

— Non, car cela n'intéresserait pas Lady Maria.

— Tout ce qui concerne M. Pope m'intéresse au plus haut point, protesta aussitôt la jeune fille.

Mais avant qu'elle ne puisse poursuivre, le valet revint.

— Qu'y a-t-il, William ? s'enquit Caroline.

— La comtesse de Templemore attend dans sa voiture que Lady Maria la rejoigne, madame.

— Merci, William. Lady Maria descendra dans un petit moment.

Comprenant qu'on le congédiait, le domestique quitta la pièce. Les trois femmes se regardèrent.

— Vous feriez mieux de partir, ma chère. Inutile de la contrarier davantage, dit la comtesse.

Maria se leva, montrant qu'elle acceptait cette fois de céder à sa mère, même si ce n'était que partie remise.

— Si vous le voyez, transmettez-lui mon affection. Et dites-lui de ne pas croire ce qu'il lira dans les journaux, ajouta-t-elle avant de quitter la pièce.

— À présent, racontez-moi, dit Caroline à Anne en se rasseyant, quand elles furent seules.

— Très bien. Mon fils s'est récemment rendu à Manchester. Je crois qu'il y est allé dans le seul but de trouver de quoi jeter le discrédit sur Charles. Là-bas, il a rencontré des hommes qui avaient eu des différends en affaires avec Charles. Ils l'ont accusé d'avoir acquis la filature en usant de tromperie et de frauder auprès du service des douanes.

— Je n'y crois pas, affirma la comtesse.

— Moi non plus, ni M. Trenchard. Mais ce qui affecte mon mari, c'est qu'Oliver semble mal intentionné envers Charles parce qu'il est jaloux des attentions que James a prodiguées à notre petit-fils. Dorénavant, Charles ne veut plus être une cause de mésentente entre le père et le fils.

— Autrement dit, reprit Caroline après un petit temps de réflexion, cette fâcheuse situation vous échappe et menace l'unité de votre famille. Je crois..., commença-t-elle, comme réfléchissant à mesure, je crois que je devrais reconnaître Charles.

— Que voulez-vous dire ? s'enquit Anne, en plein désarroi.

— Laissez-moi finir. Je sais qu'il n'y a rien de fondé dans ces absurdités, mais votre fils a manifestement l'intention de nuire à Charles et à sa réputation. Quelle qu'en soit la raison, il est remonté contre lui, et cela ne fera qu'empirer. De son côté, Maria Grey va subir la pression de sa mère, qui voudra la forcer à épouser mon vaurien de neveu. Tous ces imbroglios pourraient être résolus, si seulement vous nous permettiez de donner à Charles un nom et une position qui l'incluraient publiquement au sein de notre famille. Vous connaissez Henry Stephenson ? Il est le fils illégitime d'un duc, pourtant il a épousé la fille d'un comte et ils sont reçus partout. Nous savons déjà que Maria se battra bec et ongles jusqu'à ce qu'on lui permette d'épouser Charles. Certes, Lady Templemore ne sera pas contente, mais elle luttera moins farouchement quand elle saura que nous approuvons cette union et que sa fille sera toujours la bienvenue dans cette maison. Ma chère, veuillez y réfléchir, je vous en prie. Une bonne vie attend Charles, si vous me permettez de la lui donner. Faisons en sorte que cette grave crise débouche sur une solution.

Au fil de ce long discours, Anne sentit chaque fibre de son être se révolter contre cette idée. Mais à mesure qu'elle écoutait, elle fut forcée de reconnaître que les propos de la comtesse ne manquaient pas de logique. En l'occurrence, elle ne voyait pas quels arguments lui opposer, tout en sachant que James ne serait pas d'accord.

— Avez-vous l'intention de faire une sorte de déclaration publique ?

— Oh non, sûrement pas, répondit Lady Brockenhurst, qui faillit en rire. Je vais juste laisser la nouvelle se répandre. Je reconnaîtrai en privé que Charles est le fils d'Edmund, voilà tout, ajouta-t-elle en souriant, ravie de sa décision. Bien sûr, nous avons peu de temps. Je devrai en informer Lord Brockenhurst et reste à savoir comment nous annoncerons la nouvelle à Charles…, dit-elle en se dirigeant vers la porte ouverte sur le balcon.

— Et Sophia ? demanda Anne.

— En effet, il nous faut réfléchir à ce que nous allons faire à propos de Sophia.

— Quand vous révélerez à Charles qu'Edmund était son père, il vous posera fatalement des questions sur sa mère.

— Ne vaudrait-il pas mieux ne rien lui dire à ce sujet ? Ne serait-il pas préférable que son nom n'apparaisse pas publiquement ?

— En l'effaçant complètement de l'histoire, vous voulez dire ? répliqua Anne en scrutant la comtesse.

— Je ne songe qu'à son fils. Il peut avoir une belle vie et un beau mariage qui lui donnera accès à la haute société. Bien sûr, vous allez me dire que ces choses n'auraient pas compté pour Sophia…

— Non, intervint Anne spontanément, par souci d'honnêteté. Non, ces choses-là comptaient pour ma fille. Elle aurait apprécié ce que vous voulez faire pour Charles.

Lady Brockenhurst sourit, plus tendrement que d'habitude.

— C'est très gentil à vous. J'en suis touchée. Alors c'est entendu ?

— Je dois en parler à James, répondit Anne, tout en sachant d'avance que ce qu'ils pourraient dire l'un ou l'autre n'y changerait rien.

Quirk la ramena à Eaton Square. Plus tard en bas, à l'office, il rapporta à ses collègues combien elle était restée silencieuse, comme perdue dans ses pensées, durant le court trajet de retour.

À peine arrivée, Anne se rendit à la bibliothèque et trouva James à son bureau, occupé à lire.

— Elle va le lui dire, commença-t-elle en se tordant les mains avec angoisse. Lady Brockenhurst va reconnaître Charles comme son petit-fils. D'après elle, ce ne sera pas la fin du monde. Du moins pour eux. Tout enfant illégitime qu'il soit, la bonne société l'acceptera, dès lors qu'il fera partie de la famille Brockenhurst. Elle lui a déjà choisi une fiancée.

— Jamais Charles ne le supporterait.

Anne leva la main, cette fois encore poussée par le besoin d'être honnête.

— Charles aime cette jeune fille. Et moi aussi, à dire vrai. Elle est charmante. Mais cela l'éloignera encore davantage de nous.

— Et Sophia ? dit James en contemplant le feu. Quel sera son rôle dans cet heureux dénouement ?

— Lady Brockenhurst pense qu'elle devrait n'en jouer aucun. Charles sera le fils d'Edmund Bellasis et sa mère restera un amour mystérieux, évanoui dans les brumes du temps. Ainsi, la réputation de Sophia sera préservée et nous n'aurons aucun prix à payer.

— Sauf que nous l'aurons perdu.

— Qui aurons-nous perdu ? répéta Anne, sans comprendre. Tu parles de notre fille ?

Comment ma femme, d'habitude si futée et clairvoyante, ne le comprend-elle pas ? s'étonna James.

— Non, je parle de Charles. S'il est reconnu comme étant un Bellasis, alors, pour le bien de Sophia et de tous les gens concernés, nous devrons passer à l'arrière-plan, nous effacer et ne plus chercher à ce qu'il fasse partie de notre vie.

— Non, objecta Anne, en s'apercevant que ses joues étaient mouillées de larmes.

— Mais si, continua James, impitoyablement. Si la comtesse tient parole et ne révèle pas son nom, alors nous devons à Sophia de protéger sa mémoire. Plus nous verrions Charles, plus nous risquerions que quelqu'un fasse le lien. Si vraiment nous aimons notre fille, nous devons renoncer à notre petit-fils.

Anne fut soudain submergée de chagrin, comme si sa fille chérie mourait une nouvelle fois. James prit sa main dans la sienne pour tenter de lui donner la force de supporter le choc.

— Nous avons perdu Charles pour de bon en le cédant à la famille Brockenhurst, conclut-il. Nos chemins se séparent. Souhaitons-lui bonne chance et reprenons le cours de notre vie.

John Bellasis était furieux. Il détestait qu'on le mette au pied du mur, et supportait encore moins qu'un domestique, un vulgaire majordome, ait eu raison de lui. John se considérait comme un homme du monde, élégant, cultivé, raffiné, pourtant il n'avait pas vu venir le piège que ce type lui avait tendu. Frémissant de rage, il était assis à l'arrière de sa voiture, en chemin vers le village de Buckland dans le Surrey, où habitait le pasteur Pope. Pour finir, il avait dû payer à ce Turton les cinquante livres supplémentaires pour voir la première page de la lettre et ainsi obtenir l'adresse, une information capitale. Peut-être aurait-il pu découvrir lui-même de quelle paroisse ce Pope s'occupait, mais combien de temps lui aurait-il fallu ? Il s'en voulait de ne pas avoir lancé plus tôt toutes ces démarches. S'il désirait vraiment que cette situation soit payante pour lui et pour son père, il lui fallait interroger le pasteur Pope afin d'avoir tous les faits en main avant de se mesurer à sa tante.

En traversant le village, ils passèrent devant une mare aux canards, puis croisèrent toute une basse-cour de poules, oies et autres volailles grattant la terre, et John comprit mieux que jamais pourquoi il habitait Albany. Certains auraient trouvé ce cadre bucolique, avec son maréchal-ferrant en plein effort et, de l'autre côté de la place gazonnée, un charron courbé en deux, enfonçant des rayons dans le moyeu d'une roue, mais John n'était guère sensible à ce pittoresque. La campagne l'ennuyait à mourir et le grand air le faisait tousser.

Près d'une robuste église saxonne flanquée d'un grand cimetière, John trouva le presbytère. Avec sa roseraie et sa façade de pierre patinée, c'était une bâtisse assez charmante, quoique bien moins imposante que la demeure de son père à Lymington, ce qui le rassura ; il n'aurait pas apprécié d'être sur un pied d'égalité avec Charles Pope, quant à leurs maisons d'enfance respectives. Il donna ordre à son cocher d'attendre et remonta l'allée jusqu'à la porte d'entrée.

Une femme de charge lui ouvrit. Courbée, avec des cheveux gris ramenés sous une coiffe et un long nez crochu, elle lui fit penser au vautour qu'il avait vu au nouveau zoo scientifique de Regent's Park, un jour qu'un ami l'y avait emmené en visite privée. Il se présenta sous le nom de M. Sanderson, expliqua en deux mots les raisons de sa visite, et elle le conduisit jusqu'à un petit salon modeste, mais chaud et confortable. Un bon feu brûlait dans l'âtre. Au-dessus de la cheminée était accroché un pastel, qu'il reconnut aussitôt comme étant un portrait de Charles Pope plus jeune. Peut-être le portrait du révérend qu'il avait remarqué dans le bureau de Charles était-il du même artiste. C'était une image assez romantique, celle d'un jeune garçon à la chemise ouverte dont les cheveux bouclés retombaient joliment et dont le regard bleu dégageait une certaine intensité. John se sentit un peu mal à l'aise en le contemplant, étant donné ce qui l'avait amené ici.

— Bonjour, monsieur, dit alors une voix féminine, et John se retourna.

Une femme rondelette, qui devait avoir à peine la cinquantaine, se tenait sur le seuil, vêtue d'une simple robe noire sans ornements. Ses cheveux étaient ramenés sous une coiffe de veuve épinglée sur sa tête, d'où sortaient de petits frisottis qui encadraient son visage.

— Bonjour, madame.

Elle l'invita à s'asseoir près du feu.

— Que puis-je faire pour vous ?

— En fait, j'espérais m'entretenir avec votre époux.

— Dans ce cas, je crains que vous ayez fait ce trajet en vain. Le révérend Pope nous a quittés. Cela fera un an mardi prochain. En fait, vous avez de la chance de me trouver encore ici. Je dois bientôt partir pour laisser la place au prochain pasteur.

— Ce doit être éprouvant, pour vous, remarqua John en feignant la sollicitude.

— Oh non, pas du tout. Il m'a accordé un délai de douze mois, ce qui était très généreux de sa part. Vous n'avez pas à vous inquiéter. Mon fils me fait venir à Londres pour habiter avec lui. Ce sera pour moi une toute nouvelle aventure, ce qui est une chance, à ce stade de ma vie, conclut-elle en rougissant de plaisir à cette idée.

John était fâché contre lui-même. Pourquoi n'avait-il pas cherché à se renseigner plus tôt ? Il y eut du mouvement à la porte, et la vieille femme de charge entra dans la pièce d'une démarche chancelante en portant un plateau, qu'elle posa sur une table dans un coin. Dès qu'ils furent à nouveau seuls, Mme Pope se leva et commença à servir le thé.

— Puis-je néanmoins vous être utile en quelque chose ?

— Eh bien, c'est de votre fils que j'aimerais parler.

— Connaissez-vous mon fils, monsieur Sanderson ? s'enquit-elle en souriant.

— Oui, nous nous sommes rencontrés..., commença John, qui hésitait à mentir dès le début. Je suis allé à ses bureaux dans la City.

— Vous avez sur moi cet avantage, dit-elle, son doux regard empreint de fierté.

— Il réussit à merveille, remarqua John, conscient qu'il tirerait d'elle bien plus d'informations en se présentant comme un ami de Charles.

— En effet, confirma-t-elle d'un air ravi. Et il se lance aussi dans l'industrie du coton. C'est tellement loin de la voie à laquelle son père le destinait mais, Dieu merci, mon époux a vécu assez longtemps pour être témoin des réussites de Charles.

— Vous disiez que votre époux avait choisi une autre voie pour votre fils, au départ ?

— Oui, lui comme moi pensions que ses meilleures perspectives d'avenir étaient d'embrasser la carrière ecclésiastique mais, en grandissant, il est apparu que les vrais talents de Charles s'exerçaient dans un tout autre domaine, continua-t-elle avec un plaisir évident, au souvenir de ces jours heureux.

John sirota son thé.

— Vous avez dit « au départ » ? Pourquoi ?

Elle parut un peu déconcertée, sans voir encore aucune raison de se méfier.

— Eh bien, c'est-à-dire, au début, quand il est... quand il était bébé, et que nous avons commencé à songer à son éducation. C'était un si bon élève, dit-elle, visiblement satisfaite d'avoir su contourner cet écueil.

John décida de jouer le tout pour le tout.

— Avez-vous des enfants à vous, madame Pope, ou Charles est-il le seul dont vous ayez eu la charge ?

Comme elle le scrutait, il leva la main d'un geste d'excuse.

— J'aurais dû mieux m'expliquer. Il se trouve que je suis un ami de James Trenchard. En fait, c'est par ce biais que j'ai connu Charles.

— Ah, je vois, dit Mme Pope, dont la vigilance se relâcha à nouveau.

— C'est merveilleux de voir avec quelle générosité Trenchard a soutenu ce garçon dès le début.

— En effet, il s'est toujours montré très généreux.

— Était-il la seule personne à veiller sur le petit Charles, une fois que vous et votre mari l'avez recueilli ? Je me demandais juste s'il avait bénéficié d'autres protections. Avez-vous reçu d'autres subsides pour élever cet enfant ?

Enfin, Mme Pope sentit qu'il y avait anguille sous roche. Son front s'assombrit et elle reposa sa tasse.

— Qu'attendez-vous de moi exactement, monsieur ?

— Rien, en réalité, répondit John d'un ton désinvolte, car il avait déjà obtenu ce qu'il voulait et il lui importait peu que la situation se gâte. J'ai tellement entendu parler de vous par James que, passant dans la région, j'ai eu envie de vous rencontrer.

Mais elle avait repassé leur conversation dans sa tête et la percevait tout autrement, à présent.

— S'il en est ainsi, comment se fait-il que vous ignoriez le décès de mon mari ? rétorqua-t-elle en se levant. Je ne vous crois pas, monsieur. Je ne crois pas non plus que vous connaissiez Charles ou, en admettant que ce soit vrai, je doute que vous lui vouliez du bien. Tout bien réfléchi, je ne crois pas que M. Trenchard vous ait jamais parlé de nous, pas plus qu'il ne nous a parlé de vous. Cependant je ne manquerai pas de l'informer de votre visite.

John ayant donné un faux nom, cela ne l'inquiéta guère.

— Je suis désolé de vous avoir contrariée, madame Pope, mais si vous vouliez bien…

— Veuillez partir maintenant, monsieur.

Elle traversa la pièce pour aller sonner d'un coup sec et attendit d'un air sévère que la vieille servante apparaisse.

— Janet, M. Sanderson s'en va.

— Je regrette de vous avoir offensée, madame, dit John en se levant. Merci pour le thé.

Mais elle ne dit mot et se contenta d'attendre qu'il ait quitté la pièce. Alors elle s'assit à son bureau et commença à écrire frénétiquement sur une feuille de papier à lettres.

Susan Trenchard était venue à Isleworth rejoindre John dans le nid d'amour qui lui était devenu familier. Elle comptait s'expliquer avec lui, ou du moins lui confier ses craintes, mais il était trop préoccupé pour l'écouter. Il venait tout juste de lui en expliquer les raisons. Et si, en arrivant, Susan n'était pas très bien, ce qu'elle venait d'apprendre reléguait au second plan ses propres soucis.

— Tu plaisantes ? s'étonna Susan en roulant sur le flanc pour le dévisager.

— Non, je suis très sérieux. C'est ton beau-père, mais il n'en est pas moins homme, non ?

John regarda la pendule tout en caressant la peau douce et tiède de sa compagne. Il devrait s'habiller. Il avait un dîner de prévu qui l'obligeait à rentrer, pourtant il n'avait pas du tout envie de partir. Décidément, cette femme était devenue comme une habitude dont il aurait du mal à se défaire.

— M. Trenchard, père d'un bâtard ? s'exclama Susan, qui se mit à rire aux éclats et ses yeux brillèrent d'une lueur que John trouva, malgré lui, fascinante. Il est ennuyeux comme la pluie.

— Même les gens ennuyeux font l'amour.

— À qui le dis-tu ! ironisa Susan en pensant aux efforts besogneux d'Oliver, qui ne lui apportaient aucun plaisir. Et ce garçon, qu'est-il devenu ? Sait-on où il se trouve ?

— Tout cela remonte à vingt-six ans. C'est aujourd'hui un adulte. Et oui, je sais précisément où il vit, répondit John, d'humeur soudain beaucoup plus optimiste.

— Tu me taquines. Pourquoi ? L'ai-je rencontré ? Est-ce que je le connais ?

— Cela dépend. Connais-tu bien Charles Pope ?

— Charles Pope ? s'étonna Susan en se redressant soudain.

— Parfaitement.

— Remarque, ça pourrait expliquer bien des choses, dit-elle en s'adossant aux oreillers. L'humeur d'Oliver, par exemple. Il est fou de rage de voir tout ce que son père fait pour ce Charles Pope. M. Trenchard le soutient financièrement depuis son arrivée à Londres, il a investi de grosses sommes dans sa filature de Manchester et il le comble de faveurs. L'autre jour, Oliver les a trouvés déjeunant ensemble au club de son père. Et il faut entendre le père Trenchard parler de lui ! Si je ne le connaissais pas, je penserais qu'il en est amoureux, à voir ses airs attendris.

— Quelle horrible pensée, rétorqua John d'un air dégoûté. Et Mme Trenchard, soupçonne-t-elle quelque chose, à ton avis ?

— Je ne saurais dire. Elle aime bien Charles Pope, d'ailleurs tu l'as croisée, quand elle est allée lui rendre visite sur son lieu de travail. Mais la participation de son mari dans son entreprise pourrait suffire à expliquer son intérêt pour lui. Tu sais, ma belle-mère est quelqu'un de très secret, il est difficile de deviner ce qu'elle pense.

— Tu l'aimes bien ?

— Oui, je l'apprécie assez, répondit Susan après un petit temps de réflexion. Plus qu'elle-même ne m'apprécie. Si je devais emmener un membre de cette famille avec moi dans ma prochaine vie, ce serait elle.

— Ta prochaine vie ? Et quand commencera-t-elle ?

— Je ne le sais pas encore, répliqua Susan en s'humectant les lèvres d'un petit coup de langue qui les fit briller.

— Le fait que le père Trenchard ait caché ce secret tout ce temps à sa famille m'intrigue assez, reprit John tout en s'habillant. Presque tous les hommes l'auraient admis depuis longtemps. La moitié des grandes familles d'Angleterre ont reconnu des enfants illégitimes. Pourquoi pas les Trenchard ?

— Non, il n'aurait pas cette audace. Il se dit sans doute qu'il garde le secret pour épargner les sentiments de sa femme ou ceux d'Oliver, qui ne prendrait pas bien la nouvelle, ça, je puis te l'assurer. Mais ce n'est pas la vraie raison de son silence. Il craindrait de nuire à sa position sociale.

— Quelle position ? repartit John en riant.

— Eh bien, lui croit qu'il en a une. Du moins il l'espère, répondit-elle en riant aussi, mais soudain, elle redevint grave. Attends un peu. Si Pope est le bâtard de Trenchard, alors pourquoi la comtesse de Brockenhurst s'est-elle à ce point entichée de lui ? Rappelle-toi comment elle l'a exhibé dans ses salons, l'autre soir.

— C'est vrai, acquiesça John tout en boutonnant sa chemise, puis il se recoiffa à la va-vite devant la glace. Quel âge pouvait-elle avoir quand Charles est né ? Quarante et un ans ?

Susan le dévisagea, effarée. Comment pouvait-il suggérer pareille absurdité ?

— Ne sois pas ridicule.

— Pourquoi les Trenchard étaient-ils invités à cette soirée ? D'où Lady Brockenhurst les connaît-elle ? Ils ne sont pas du même monde, répliqua John.

— Je ne veux plus rien entendre, dit Susan en sautant du lit, et elle se mit à ramasser un à un ses dessous, éparpillés par terre.

Mais une fois lancé tel un chien à l'affût, John n'était pas prêt à abandonner cette piste.

— Pourquoi pas ? Cela expliquerait tout, non ? Y compris l'obligation de garder le secret ?

Elle le rejoignit et resta docilement immobile tandis qu'il laçait son corset.

— Il y a vingt-cinq ou vingt-six ans, déclara-t-elle, la comtesse de Brockenhurst devait être l'une des plus belles femmes d'Angleterre, fille d'un duc, sœur d'une duchesse, au sommet de son prestige et de son influence dans la haute société. Quant à James Trenchard, c'était un vulgaire fournisseur qui ravitaillait les troupes du duc de Wellington. Un petit homme rondouillard, issu du bas peuple, avec la face rougeaude d'un boucher. En outre, à cette époque, il n'était même pas riche. Pas comme il l'est devenu par la suite, en tout cas. Vilain comme il était, il lui aurait fallu être tsar de toutes les Russies pour attirer Lady Brockenhurst dans son lit.

Mais John ne fut pas convaincu par sa démonstration.

— Certes, mais c'était déjà un petit arriviste prêt à saisir tous les avantages qui s'offraient à lui pour avancer sur l'échelle sociale. Et quel meilleur tremplin pouvait-il trouver que ma chère tante ?

Susan avait enfilé sa robe et elle lui tourna le dos pour qu'il l'aide à l'agrafer.

— Tu ne devrais pas dire ce genre de choses, John. C'est dangereux.

— Et quand bien même ? Cela signifie-t-il pour autant que ce soit faux ? Trouve-moi donc une meilleure explication qui corresponde à tous les détails, toutes les circonstances ?

Susan ne dit rien. Elle le regarda enfiler ses bottes, prendre sa cape et s'apprêter à partir.

9

Le passé, un pays étranger

Assise à la table du petit déjeuner, Anne Trenchard mangeait ses œufs brouillés. James et elle étaient restés éveillés une partie de la nuit, à se demander quel comportement adopter quand Lady Brockenhurst reconnaîtrait Charles publiquement. Tout bien réfléchi, James avait raison. Ils perdraient Charles dès l'instant où la comtesse l'accueillerait dans sa famille. Ils ne pourraient jamais lui expliquer qui ils étaient, ni quel était leur lien de parenté, pas s'ils voulaient protéger la mémoire de Sophia. Ils se contenteraient d'investir dans l'affaire de Charles, ce qui ferait de James son bienfaiteur. C'était le seul lien qu'ils pourraient conserver avec lui. À condition de faire attention à ce que personne ne devine la vérité.

— Désirez-vous une autre tranche de pain grillé, madame ? proposa Turton.

— Pas pour moi, merci, mais peut-être pour Mme Oliver.

Le majordome hocha la tête et quitta la pièce pour transmettre les instructions. James et lui jugeaient excentrique qu'une femme mariée descende déjeuner le matin. Ils auraient préféré qu'elle réclame un plateau dans sa chambre, comme les autres dames de leur milieu, mais Anne voyait dans cette pratique une forme de paresse à laquelle elle ne pouvait se résoudre. James avait cessé de le lui suggérer. Elle remua les œufs dans son assiette sans porter la fourchette à sa bouche. Tout cela lui paraissait terriblement injuste, mais n'était-elle pas responsable de cette situation ? James et elle n'avaient-ils pas rejeté l'enfant et fait de lui un secret bien gardé ? N'était-ce pas elle qui avait vendu la mèche à Lady Brockenhurst ? Anne se demanda, pour la millième fois, si elle aurait pu sauver Sophia. Pourquoi sa merveilleuse enfant était-elle morte ? Et s'ils étaient restés à Londres ? S'ils avaient fait venir un médecin londonien à son chevet ? Elle ne savait pas si elle devait en vouloir à Dieu ou à elle-même.

Absorbée par ses pensées, à vouloir réécrire l'histoire, elle remarqua à peine que Susan entrait dans la salle à manger.

— Bonjour, Mère.

Anne leva les yeux et lui fit un signe de tête.

— Bonjour, ma chère.

Susan portait une charmante robe grise. Speer avait dû passer une bonne demi-heure à arranger ses cheveux, soigneusement tirés en arrière, à l'exception des anglaises qui encadraient son visage.

— Votre coiffure est très réussie.

— Merci.

Susan examina la nourriture sur les chauffe-plats, puis prit un siège.

— Turton, dit-elle au majordome qui venait d'entrer à son tour, je crois que je vais me contenter d'une tranche de pain et d'une tasse de café.

— Tout de suite, madame.

— Merci.

Elle jeta un coup d'œil à sa belle-mère et sourit. Anne lui rendit son sourire.

— Vous avez une matinée chargée ?

Susan hocha la tête.

— Plutôt, oui. Je vais d'abord faire les boutiques, puis j'ai un essayage de prévu, et ensuite un déjeuner.

À dire vrai, Susan ne se sentait pas très en forme. Voire pas en forme du tout. Mais elle était bonne comédienne et, tant qu'elle n'avait pas pris de décision, elle ne voulait donner aucun indice de son tracas.

— Où est Oliver ?

— Il fait une balade à cheval. Il est parti à l'aube, ce qui n'a pas été facile pour le palefrenier. Oliver voulait parader avec sa nouvelle monture dans le parc, ajouta-t-elle avant de faire un signe à Turton, qui était revenu avec un plateau de pain grillé.

— Merci, dit-elle en prenant une tranche, qu'elle se contenta de chipoter.

Anne étudia sa belle-fille.

— Vous avez l'air distraite, ma chère. Puis-je vous aider en quoi que ce soit ?

Susan secoua ses boucles.

— Non, ce n'est rien. Je réfléchis seulement à ce que j'ai à faire. Et je suis nerveuse en pensant à ma couturière. La jupe ne m'allait pas lors du dernier essayage, j'espère donc qu'elle a réussi à l'ajuster cette fois-ci.

— Eh bien, si ce n'est que ça.

Il se passait quelque chose. Anne se savait pas quoi, mais elle voyait bien que la jeune femme était préoccupée. En examinant Susan, elle remarqua que les lignes de son visage s'étaient adoucies et que ses pommettes étaient moins saillantes qu'avant. Aurait-elle pris du poids ? songea Anne. Cela expliquerait pourquoi elle ne mangeait pas. Elle décida de ne faire aucun commentaire. Quoi de plus déplaisant que de s'entendre dire que l'on a grossi ? Susan leva les yeux, sentant sur elle le regard de sa belle-mère. Mais avant qu'elle ne puisse prononcer une parole, Turton était de retour avec une enveloppe sur un plateau d'argent.

— Excusez-moi, madame, dit-il en s'éclaircissant la gorge. Ceci est arrivé pour vous.

— Merci, Turton, répondit Anne en prenant le pli.

Elle regarda le timbre Penny Red, une belle innovation, et vérifia le lieu d'expédition – Faversham, dans le Kent –, tentant de se rappeler qui elle connaissait dans cette ville.

— Je vais vous laisser à votre courrier, dit Susan en se levant.

En vérité, elle sentait la menace d'une nausée et préférait être seule dans sa chambre, au cas où son instinct ne la trompait pas. Mentir n'était pas simple, pensa-t-elle. Et ce n'était pas la première fois qu'elle se faisait cette remarque.

— Passez une bonne journée, répondit Anne en relevant la tête. Avec qui allez-vous déjeuner, au fait ?

Mais Susan avait déjà quitté la pièce.

La lettre venait de Jane Croft, l'ancienne femme de chambre de Sophia, au temps de Bruxelles. D'après les souvenirs d'Anne, Jane était une gentille fille, que Sophia aimait beaucoup. Elles n'en avaient pas discuté à l'époque mais, étant donné sa position, la domestique avait certainement deviné la grossesse de Sophia, même si elle n'en avait jamais dit un mot, ni avant ni après sa mort. Il était prévu que, pendant qu'Anne et Sophia se retireraient dans le Derbyshire, Croft resterait à Londres aux frais des Trenchard jusqu'au retour de sa maîtresse. Malheureusement, Sophia n'était jamais revenue et la femme de chambre avait dû trouver une autre place, hors de la capitale. Mais ils s'étaient quittés en bons termes et les Trenchard avaient même été désolés de son départ. La jeune femme était bien sûr partie avec d'excellentes références et une généreuse gratification. La dernière fois qu'Anne avait eu de ses nouvelles, Croft travaillait comme gouvernante dans une famille du Kent, les Longworth de Sydenham Park. Leur demeure se situait sans doute près de Faversham.

Anne débuta sa lecture, puis s'arrêta net. Certes, elle était étonnée de recevoir une lettre de Jane après tant d'années, mais elle fut plus stupéfaite encore par son contenu.

Croft lui écrivait qu'Ellis et elle étaient restées en contact et correspondaient régulièrement. La gouvernante s'inquiétait d'une rumeur dont Ellis lui avait fait part dans sa dernière épître, à propos d'un jeune homme du nom de Charles Pope. « Je préférerais ne pas aborder ce sujet par écrit, madame, et avoir l'occasion d'en discuter avec vous en personne. » Anne relut ces derniers mots avec un sentiment de malaise au creux de l'estomac.

Au début, elle fut tout bonnement furieuse contre Ellis. De quel droit sa femme de chambre parlait-elle de Charles dans ses échanges avec Jane Croft ? Que pouvait-elle bien dire à son sujet ? Pourquoi mentionner le jeune entrepreneur que M. Trenchard avait pris sous son aile ? Pourquoi une domestique écrirait-elle cela à une autre ? Puis il lui vint à l'esprit qu'Ellis avait peut-être écouté aux portes, voire épié sa maîtresse, et surpris l'une de ses conversations privées avec son mari. À cette pensée, un poing glacé se referma sur son cœur. En effet, Ellis se comportait bizarrement depuis quelques mois – et que cachait cette histoire d'éventail prétendument perdu ? Anne leva les yeux. Turton avait repris sa place près de la cheminée.

— Pouvez-vous demander à Ellis de me rejoindre dans le salon ?

Turton accueillit la requête avec son habituel regard impassible.

— Certainement, madame.

Quand la femme de chambre pénétra dans la pièce, elle comprit immédiatement qu'il ne s'agissait pas d'une simple discussion à propos d'une robe ou d'un ornement de chapeau.

— Pouvez-vous fermer la porte ?

La voix d'Anne était froide et formelle. Tout en s'exécutant, Ellis réfléchit à ce qui avait pu la trahir. Avait-elle été vue en train de parler à M. Bellasis ? Quelqu'un à la taverne les connaissait-il tous les deux ? Elle avait beau se creuser les méninges pour trouver une explication plausible à leur entrevue, elle n'en voyait aucune. Elle fit de nouveau face à sa maîtresse.

— Ellis…, j'ai reçu une lettre de Jane Croft.

— Ah, oui, madame ?

Ellis s'autorisa à se détendre légèrement. Elle ignorait de quoi il s'agissait, mais cela ne pouvait concerner M. Bellasis, puisqu'elle n'avait pas écrit un mot à son sujet.

— Pourquoi lui avez-vous parlé de M. Pope ?

L'espace d'un instant, la femme de chambre demeura interdite. Pourquoi avait-elle parlé de M. Pope à Jane dans sa lettre ? Sans doute avait-elle raconté que le maître s'intéressait à lui. Quoi d'autre ?

— Je crois avoir mentionné que le maître était très bon pour son jeune protégé, madame. Rien de plus. Je suis désolée que cela vous déplaise. Je ne voulais pas vous offenser.

Son air indigné était très crédible. Anne l'observa attentivement. Peut-être n'était-ce rien, après tout. James avait bel et bien fait preuve d'un intérêt inhabituel pour le commerce de Charles. Tout le monde le savait à l'office, non ? Elle se sentait déjà un peu rassurée, mais il restait une autre énigme à résoudre.

— Pendant que je vous tiens. Pourquoi êtes-vous allée chercher chez Lady Brockenhurst un éventail qui n'a jamais été perdu ?

Ellis la dévisagea. Comment Mme Trenchard était-elle au courant ? C'était sûrement cette imbécile heureuse de Dawson qui l'avait trahie. Elle prit une expression chagrinée.

— Ce n'est pas là toute l'histoire, madame.

— Ah non ? De quoi s'agit-il alors ?

— Vous avez admiré la coiffure de la comtesse, le soir de la réception. Alors je suis allée voir sa femme de chambre pour lui demander des conseils.

Anne fronça les sourcils.

— Je ne me rappelle pas avoir dit quoi que ce soit sur la coiffure de Lady Brockenhurst.

— Oh, mais si, madame. Et je voulais juste vous faire plaisir.

Ellis affichait à présent un air blessé. Cela sembla produire l'effet désiré.

— Et l'éventail ?

— C'est à cause de mon manque d'ordre, madame. Je ne trouvais plus l'éventail quand nous sommes rentrées et j'ai cru que vous l'aviez oublié là-bas.

— Pourquoi ne pas m'avoir posé la question ?

Ellis sourit, pressentant que la partie était gagnée.

— Je ne voulais pas vous déranger et je comptais me rendre là-bas de toute façon, pour cette histoire de coiffure.

— Où était l'éventail finalement ?

— Je l'avais rangé dans le mauvais tiroir, madame. J'étais si épuisée quand vous êtes rentrée que je n'avais sûrement plus toute ma tête.

C'était bien trouvé. Anne se sentait toujours un peu coupable de faire veiller sa femme de chambre jusqu'au petit matin uniquement pour l'aider à se déshabiller. Et Ellis le savait.

— Très bien. Mais à l'avenir, réfléchissez-y à deux fois avant de parler des activités de cette famille dans votre correspondance.

Anne était convaincue à présent d'avoir réagi de manière excessive.

— Vous pouvez disposer. (Ellis se dirigea vers la porte.) Une dernière chose. (La domestique s'arrêta.) Croft va nous rendre visite sous peu. J'aimerais qu'elle passe la nuit ici si elle le souhaite. Pouvez-vous prévenir Mme Frant ?

— Quand vient-elle, madame ?

— Je ne sais pas exactement. Dans les prochains jours. Elle part rejoindre son frère en Amérique.

— Très bien, madame, dit Ellis avant de quitter la pièce.

Elle referma la porte du salon avec un petit soupir de soulagement. Elle avait limité les dégâts. Mais leur échange suscitait plus de questions que de réponses. Ellis avait à peine mentionné Pope dans sa lettre, pourtant Jane avait jugé bon d'en parler à la femme qu'elle avait servie vingt-cinq ans auparavant. Pourquoi ? Et pourquoi sa maîtresse s'était-elle emportée ainsi, alors que le contenu de sa propre lettre ne présentait aucun intérêt particulier ? Voilà qui méritait d'être rapporté immédiatement à M. Bellasis. Et si cela ne valait pas quelques pièces, elle ne s'appelait pas Mary Ellis !

— Monsieur Turton ! s'écria Ellis en descendant l'escalier. J'ai un mot à vous dire !

Turton n'aimait pas être interpellé de la sorte, mais l'air pressé d'Ellis l'incita à obtempérer. Le fait est que cette femme et lui étaient tous deux à la solde de John Bellasis, et elle pouvait l'envoyer en prison si elle le désirait. Il la fit entrer dans son bureau et ferma la porte.

— Jane Croft a écrit à notre maîtresse et va bientôt venir ici.

— Qui est Jane Croft ?

— C'était la femme de chambre de leur fille il y a bien longtemps. Elle a quitté la famille après la mort de Mlle Sophia.

— Je ne vois pas le rapport avec moi, s'impatienta Turton.

— Je suis restée en contact avec Jane et, l'autre jour, j'ai mentionné M. Pope dans une de mes lettres.

À présent, le majordome avait l'air passablement choqué.

— Pourquoi avez-vous fait une chose pareille ?

Ellis secoua la tête.

— Sans raison particulière. J'ai seulement dit que M. Trenchard avait un nouveau protégé. Mais Jane a aussitôt écrit à notre maîtresse à ce sujet et a été invitée à séjourner à Londres.

Turton réfléchit un moment. Bien sûr, il en savait plus qu'Ellis à propos du lien de Charles Pope avec la famille. La lettre qu'il avait volée pour le compte de M. Bellasis établissait clairement que le jeune M. Pope était le fils de M. Trenchard, mais même lui ne voyait pas quel rôle l'ancienne domestique pouvait jouer dans cette intrigue.

La femme de chambre interrompit ses réflexions.

— On devrait en parler à M. Bellasis.

Il acquiesça. Même s'il se demandait en quoi cela pourrait bien l'intéresser. Cela dit, c'était peut-être pour Turton le moyen de regagner les bonnes grâces de M. Bellasis. Ce dernier ne lui avait toujours pas pardonné le prix exorbitant demandé en échange la lettre écrite par le père adoptif de Charles Pope.

— Vous avez raison. Je vais y aller.

— Non, laissez-moi faire, rétorqua Ellis car, s'il y avait un pourboire à la clé, elle comptait bien l'empocher. Je vais lui répéter ce que notre maîtresse m'a dit, c'est plus simple. Vous allez devoir me trouver une excuse si jamais elle a besoin de moi en mon absence.

Turton hocha la tête.

— Je lui dirai que vous avez eu un impératif.

Ellis approuva. Si elle se doutait déjà que tout n'était pas rose entre le majordome et leur employeur secret, à présent c'était une certitude.

Maria Grey lisait sur un banc de Belgrave Square quand elle leva les yeux et vit sa mère approcher. Elles n'habitaient pas ici, mais comme Chesham Street était tout proche, elles avaient réussi à obtenir une clé des jardins, un privilège qu'elles appréciaient à sa juste valeur. Ryan, sa femme de chambre, était assise un peu plus loin, occupée à tricoter. La jeune femme était si habituée à se sentir comme une prisonnière constamment sous surveillance qu'elle ne le remarquait presque plus. Lady Templemore marqua une pause pour admirer sa fille. Maria était vêtue d'une robe rouge foncé, à la taille cintrée et aux manches longues. On aurait dit une princesse attendant son preux chevalier de retour des Croisades. Elle était très jolie. Cela ne faisait aucun doute, et tout pouvait encore bien se passer si Corinne Templemore parvenait à contrôler sa fille un peu plus longtemps.

— Que faites-vous ?

— Je lis, répondit Maria en montrant son livre.

— Pas un roman, j'espère.

Mais elle souriait.

— De la poésie. *Adonaïs* de Shelley. *Une élégie sur la mort de John Keats.*

— Très impressionnant.

Lady Templemore s'assit près de la jeune femme. Il était important de maîtriser ses nerfs, de ne pas crier, de ne pas lui faire de reproches, simplement de garder son calme jusqu'à ce que la situation soit réglée.

— J'ai de bonnes nouvelles.

— Lesquelles ?

— Louisa m'a écrit pour vous inviter dans le Northumberland.

— Le Northumberland ?

Lady Templemore hocha vivement la tête.

— Comme je vous envie ! Belford doit être merveilleux à cette période de l'année.

Maria regarda sa mère avec stupeur.

— Que ferai-je dans le Northumberland ?

— Que faites-vous ici ? Vous promener, monter à cheval, lire – ce que vous aimez.

Elle continua de pérorer, comme si ce voyage était une fantastique perspective, que l'on ne pouvait que lui envier.

— Comme j'aimerais m'éloigner de Londres, avec toute cette poussière et ce brouillard. Réfléchissez. Vous pourrez marcher sur les falaises, contempler la mer...

Elle s'interrompit comme pour laisser flotter dans l'air ces images séduisantes.

Bien sûr, sa fille savait où elle voulait en venir.

— Je ne veux pas quitter Londres, Mère. Pas en ce moment.

— Bien sûr que si.

— Non, répliqua Maria en secouant vigoureusement la tête. Je n'irai pas.

Corinne prit la main de sa fille.

— Ma chère... Me permettrez-vous de vous dire ce qui est le mieux pour vous ? Seulement pour cette fois ? demanda-t-elle en accompagnant ses paroles d'un sourire plein de tendresse. Je m'occupe de tout préparer pour votre retour. Comme vos amies vont vous envier !

— Que voulez-vous préparer ?

— Votre mariage, pardi ! Nous allons faire un essayage avant votre départ. Ensuite, quand votre robe sera prête, on vous l'apportera à Bedford. Et nous pourrons faire les derniers ajustements à votre retour. Nous aurons un jour ou deux pour nous assurer que tout est prêt.

Maria referma soigneusement son livre.

— Avez-vous choisi une date ?

Lady Templemore souriait intérieurement. Sa fille semblait accepter son sort. Elle avait redouté des larmes et des récriminations, or c'était tout le contraire.

— En effet. J'ai écrit au révérend Bellasis et nous sommes convenus de choisir un mercredi au début du mois de décembre. Ainsi, vous passerez tout l'automne dans le nord et reviendrez sereine et heureuse à l'idée de la nouvelle aventure qui vous attend.

— C'est John Bellasis, ma nouvelle aventure ?

— Le mariage est toujours une aventure pour une jeune fille.

Maria hocha solennellement la tête.

— Et quand va-t-elle débuter ?

— Ils voulaient que la réception ait lieu à Lymington mais, sauf objection de votre part, je préconiserais plutôt Brockenhurst House. Nous ne pouvons pas tout transbahuter en Irlande et nous ne possédons pas de notre côté de domaine assez vaste pour un tel événement. Cela dit, j'aime les mariages londoniens, c'est bien moins de tracas pour tout le monde. Un beau mariage à Belgravia. Cette idée m'enchante !

Elle leva les yeux vers la rangée de fenêtres que l'on apercevait à travers les arbres, au premier étage de la maison. C'était la salle de bal où se tiendrait l'événement qui assurerait leur avenir à toutes les deux.

— C'est très gentil de la part de Lord Brockenhurst, commenta Maria.

Lady Templemore hocha la tête d'un air rêveur.

— Apparemment, il se réjouit d'organiser la réception dans l'une ou l'autre maison. Le choix de John le ravit, m'a-t-il dit, et il est comblé de vous accueillir dans la famille.

Le ton de la conversation était si naturel que Corinne s'autorisa à penser que, finalement, tout allait bien se passer.

— Et Lady Brockenhurst ? Qu'en pense-t-elle ?

Corinne observa sa fille, mais celle-ci avait le regard fixé devant elle et ne montrait aucun signe de tension ni d'angoisse. C'est une question anodine, se dit-elle. Inutile de chercher plus loin.

— Je suis certaine qu'elle sera enthousiaste

— Mais vous ne lui en avez pas encore parlé ?

— Pas encore, non. Je vais lui envoyer un mot pour organiser un essayage demain matin. Nous ferions mieux de ne pas perdre de temps.

Sur le trajet de retour à Chesham Place avec sa mère, Maria était paralysée par la peur. Certes, elle était habituée à une surveillance permanente, mais pas à la terreur qui venait de la saisir. Les cris des enfants qui jouaient dans le square, les oiseaux, les conversations des passants s'estompèrent autour d'elle, jusqu'à ce qu'elle n'entende plus rien d'autre que son cœur, battant à tout rompre. Elle se mordit fortement la lèvre inférieure et planta ses ongles dans sa paume. Elle devait réfléchir, et vite. Il était hors de question d'épouser cet homme. Plutôt mourir ! Jusque-là, ce projet absurde élaboré par sa mère lui avait paru si lointain, si nébuleux. Mais aujourd'hui, il était sur le point de se concrétiser. Elle aurait préféré ne même pas y penser. Pourtant elle n'avait pas le choix. Car une chose était certaine : elle devait agir avant qu'il ne soit trop tard.

John Bellasis avait deviné le secret de Jane Croft. À peine Ellis lui avait-elle raconté l'incident de la matinée qu'il comprit que c'était là la pièce manquante du puzzle. Jane Croft était la mère de Charles Pope. Quand ils vivaient à Bruxelles, vingt-cinq ans auparavant, James Trenchard et elle…

— Était-elle jolie, cette Jane Croft ? demanda-t-il, prenant Ellis de court. Quand elle était jeune ?

— Assez jolie, j'imagine. Oui. Pourquoi ?

Ellis était absorbée par ses propres pensées. Où voulait-il en venir ?

Grâce à ce qu'il venait d'apprendre à propos de Jane, John comprenait aussi la raison de sa visite à Londres : elle venait voir son fils. Elle veut le voir avant de partir pour l'Amérique, songea-t-il. Savoir quel homme il est devenu avant de quitter l'Angleterre pour toujours.

Il se tourna vers la domestique qui patientait.

— Et avant la mort de Mlle Sophia, cette Jane Croft a été logée, nourrie et blanchie pendant plusieurs semaines, alors qu'elle ne travaillait pas ? C'est bien ça ?

— Elle ne travaillait pas parce que sa maîtresse était partie dans le nord.

John hocha la tête, tandis que son cerveau fonctionnait à toute allure. Ils l'ont gardée avec eux pour lui permettre de se reposer jusqu'à ce que l'heure soit venue, se dit-il. Puis ils l'ont envoyée quelque part pour la naissance du bébé. James Trenchard s'est occupé de tout, mais il devait avoir la complicité de sa femme. Mme Trenchard était forcément au courant. Était-elle furieuse ? Ou lui avait-elle accordé son pardon ? Sans doute, si Croft demandait à revoir aujourd'hui son ancienne maîtresse, vingt-cinq ans après l'avoir trahie. Mais il ne confia pas le fruit de ses réflexions à Ellis, qui trouvait le silence de plus en plus pesant.

— Je dois y retourner, monsieur, sinon on va remarquer mon absence.

Ellis ne bougeait pas. Elle espérait un pourboire qu'elle ne partagerait pas avec Turton.

— Préviens-moi dès qu'elle arrive à Londres. Fais-la parler et fouille ses affaires. Il faut que tu découvres tout ce qu'elle sait au sujet de M. Pope.

Il était dans un état d'agitation extrême. Bien sûr, il restait une question à résoudre et sans doute, par bien des aspects, était-ce la plus importante. Quel rôle Lady Brockenhurst jouait-elle dans tout cela ? Il n'était pas surpris d'apprendre qu'elle n'était pas la mère de Charles Pope. Susan avait raison sur ce point. Comment Trenchard et elle auraient-ils pu se fréquenter ? Mais il existait forcément un lien entre eux. Et Jane Croft était peut-être la clé de l'énigme. Une clé qui pourrait lui rapporter gros. Il était prêt à parier son dernier penny là-dessus.

— Sauve-toi. Et préviens-moi dès que tu sais quelque chose.

Mais Ellis ne bougeait pas et tous deux savaient pourquoi. Enfin, il palpa ses poches et lui donna une guinée. Elle la prit et s'éloigna vivement, dépassant la silhouette qui s'était glissée dans l'embrasure d'une porte pour ne pas être reconnue.

Susan Trenchard courut vers la porte des appartements de John. Il se trouvait encore au pied de l'escalier quand elle arriva.

— J'ai failli me faire prendre ! Je viens de croiser la femme de chambre de ma belle-mère.

— Tu aurais dû me prévenir de ta venue.

— Je l'ai fait. Tu devais nous préparer le déjeuner.

— Ne t'inquiète pas, je vais envoyer quelqu'un nous acheter de quoi nous restaurer.

Il se mit à grimper les marches. Il détestait recevoir chez lui, car il avait l'impression que ses modestes appartements donnaient une mauvaise image de lui-même.

— Pourquoi es-tu là ? Quelle est l'urgence ?

Susan leva les yeux vers lui.

— Eh bien, je ne vais pas te le dire dans l'escalier.

Elle attendrait d'être en sécurité chez lui pour parler. Dieu seul savait ce qui se produirait alors.

Ellis ne s'était jamais considérée comme chanceuse. À ses yeux, être destinée à servir les autres n'avait rien d'enviable, sans compter qu'elle avait dû se battre à chaque étape de son existence. Mais le jour de l'arrivée à Eaton Square de Jane Croft, qui venait rendre visite à Mme Trenchard, Ellis sentit qu'enfin elle avait de bons atouts en main.

Elle avait bien réfléchi au plan de John Bellasis depuis leur entretien. L'après-midi de la venue de Croft, Ellis s'arrangerait pour passer du temps avec son amie, afin de découvrir ce qu'elle savait sur Charles Pope. Elle devrait aussi trouver le moyen de fouiller ses affaires avant que l'ancienne femme de chambre ne parle à Anne Trenchard. Voilà qui n'était pas aisé à exécuter, mais il y avait une grosse récompense à la clé, M. Bellasis avait bien insisté sur ce point.

Finalement, Ellis eut de la chance. Croft arriva à peine quelques minutes après le départ de Mme Trenchard, qui se rendait à une vente de charité sur Park Lane et ne rentrerait pas avant deux bonnes heures.

Les années n'ont pas été trop dures pour Jane Croft, songea Ellis en examinant son amie de la tête aux pieds. Autrefois, l'ancienne femme de chambre était si séduisante qu'elle faisait tourner les têtes des soldats à Bruxelles, quand la jeune Mlle Sophia et elle se promenaient dans les rues de la ville, avec l'insouciance de la jeunesse. En temps de guerre, Ellis n'était pas seule à l'avoir remarqué, les gens devenaient téméraires et impétueux, comme si la menace de la mort les incitait à profiter pleinement de leur passage sur terre.

— Tu as l'air en forme. Tu n'as presque pas pris une ride.

— Merci, répondit Croft en nouant ses cheveux bruns, qui grisonnaient à peine aux tempes. Toi non plus, mentit-elle poliment.

— Mme Trenchard ne rentrera pas avant deux ou trois heures. Je vais demander du pain et du fromage à Mme Babbage, et on pourra bavarder un peu.

Elle lui fit signe de s'asseoir dans un coin de la salle des employés pendant qu'elle allait donner des instructions.

— Merci. C'est gentil de ta part, dit Croft, qui ne soupçonnait rien.

Peu après, elles échangèrent les dernières nouvelles autour d'une collation et d'un verre de cidre. Depuis qu'elle avait quitté le service des Trenchard, Croft avait bien mené sa barque et beaucoup aimé son travail de gouvernante, avec les responsabilités et le revenu supplémentaire qui l'accompagnaient.

— J'ai entendu dire que tu partais pour l'Amérique ?

Croft sourit. Une grande aventure l'attendait.

— Mon frère a émigré en Amérique il y a déjà plusieurs années, peu de temps après notre retour de Bruxelles, et il gère aujourd'hui une affaire prospère dans l'industrie du bâtiment.

— Où s'est-il établi ?

— À New York. La ville s'est beaucoup développée depuis le début du siècle et il a profité de son essor. Il est en train de se construire une nouvelle maison dans une rue appelée la Cinquième Avenue et il veut que je vienne m'en occuper.

— Comme domestique ?

— Comme sa sœur. Il ne s'est jamais marié.

Ellis haussa un sourcil.

— Il n'est pas trop tard, s'il est devenu aussi riche que tu le dis.

— Nous en avons parlé. Même s'il prenait une épouse, il voudrait que je vive sous leur toit.

La femme de chambre se sentait de plus en plus jalouse. Croft allait quitter le service et diriger une belle maison dans un pays inconnu. Quelle injustice ! Pendant ce temps, Ellis continuerait à faire des courbettes et à jouer les espionnes et les voleuses pour gagner quelques piécettes. Cela semblait terriblement injuste.

— J'espère que tu t'habitueras au climat, dit-elle avec aigreur. Il paraît que les températures extrêmes sont difficiles à supporter.

— Je devrai m'en accommoder, répondit Croft, bien consciente de la jalousie de son amie. Bien sûr, je vais devoir choisir comment occuper mon temps libre. Je n'ai pas l'habitude d'en avoir.

— C'est un sacré problème en effet, railla Ellis en se forçant à sourire. Quand part ton bateau ?

— Jeudi. Je vais demain matin à Liverpool. Je ne suis pas pressée, mais j'ai déjà fait envoyer tous mes bagages à mon hôtel là-bas – sauf un. Je passerai une nuit sur place, avant d'embarquer le matin suivant.

Ellis était tentée de gâcher son plaisir un peu trop manifeste, mais elle se retint. L'enjeu était bien trop important.

— Pourquoi voulais-tu voir Mme Trenchard ?

— Oh ! Rien d'important, prétendit Croft en haussant les épaules.

Elle hésitait à en dire davantage.

— Tu sais que tu m'as attiré des ennuis quand tu lui as dit que j'avais parlé de M. Pope dans ma lettre, remarqua Ellis plus blessée que contrariée.

— Non, je n'en savais rien. Je suis vraiment désolée.

— Alors je crois que tu me dois une explication.

Croft hocha la tête sans se méfier. À ses yeux, Ellis était seulement une amie un peu envieuse.

— Je triais de vieilles lettres et des souvenirs pour me débarrasser de tout ce que je ne voulais pas garder éternellement. Tu vois ce que je veux dire.

— Bien sûr.

— Alors, je suis tombée sur des papiers de Mlle Sophia que je voulais rendre à sa famille. Je ne sais pas si ta maîtresse les conservera, mais je ne me sentais pas en droit de les détruire. Alors je me suis dit : pourquoi ne pas les lui porter en personne avant mon départ ? Je suppose qu'elle va les jeter au feu dès que j'aurai quitté la pièce.

— Tu as fait un bien long voyage rien que pour quelques papiers ?

— Pas vraiment. Londres est sur le chemin de Liverpool. Et puis je n'étais pas venue à la capitale depuis des années. J'ai entendu parler des constructions de M. Trenchard. J'en ai même lu des descriptions dans les journaux, mais j'avais envie de voir de mes propres yeux ce qu'est devenue la ville avant de partir. Vois-tu, je ne sais pas si je reviendrai un jour.

Ellis sut aussitôt qu'elle tenait sa chance.

— Bien sûr, je comprends. Et tu sais quoi ? Si tu pars tout de suite, tu as le temps de visiter la ville avant le retour de ma maîtresse. Elle ne reviendra pas avant au moins deux heures. Je vais te donner une liste des rues et des parcs qui valent le détour.

Croft hocha la tête, mais ses gestes trahissaient sa nervosité.

— J'imagine que tu ne peux pas venir avec moi ? Ça fait bien longtemps que je ne me suis pas promenée dans les rues de Londres.

Ellis laissa échapper un petit rire.

— Si seulement j'avais cette chance ! J'ai du travail par-dessus la tête ! Mais ne t'inquiète pas. Je te donnerai de l'argent si tu veux, pour faire un tour en fiacre.

— Merci, j'ai de l'argent, déclina Croft.

— Alors profite de l'occasion ! Elle ne se reproduira pas.

— C'est bien vrai. Que dois-je faire de mon bagage ?

— Je vais demander à un valet de le monter dans notre chambre à l'étage. Tu dormiras avec moi ce soir.

Sur ces mots, Croft se leva et alla chercher sa pèlerine, pendue dans le couloir.

Cinq minutes plus tard, Ellis porta la valise dans la chambre de Turton et les deux comparses se précipitèrent pour en fouiller le contenu.

En peu de temps, ils avaient trouvé ce qu'ils cherchaient. Une pochette en cuir contenant une liasse de lettres, ainsi que d'autres papiers.

— Il faut faire vite, dit Ellis en regardant le majordome qui parcourait les documents avec précaution.

Turton réfléchissait.

— Qu'est-ce qu'il va nous donner pour les avoir ?

— On ne peut pas les voler, sinon on va se faire prendre dès que notre maîtresse rentrera à la maison et demandera à les voir. Il faut en faire des copies tout de suite, avant qu'elle ne revienne !

Il ne paraissait pas convaincu.

— Mais est-ce qu'il va nous payer assez ?

— Monsieur Turton, s'impatienta Ellis, je ne sais pas pourquoi vous vous êtes brouillé avec M. Bellasis, mais cela altère votre jugement. Pas le mien ! C'est pour nous une occasion en or. Nous marchanderons plus tard. Pour le moment, nous devons faire des copies, car croyez-moi, il les voudra ! Ensuite nous rangerons les originaux à leur place et personne ne s'apercevra de la supercherie.

— Pourquoi ne pas faire les copies vous-même ?

— Parce que…

Ellis se tut. Elle allait dire qu'elle ne savait pas écrire, mais ce n'était pas vrai. Elle en était tout à fait capable. Mais pas assez bien pour M. Bellasis. Ce qui l'agaçait, c'était que Turton le savait.

Le majordome l'observait, ravi de sa petite victoire.

— Très bien. Je vais reproduire ces pages aussi vite que je le peux et vous les porterez à M. Bellasis. Mais donnez-les-lui seulement quand vous vous serez mis d'accord sur un prix. À moins que vous ne vouliez que je m'en charge.

— Non. S'il est en colère contre vous, il sera moins disposé à ouvrir sa bourse.

Turton acquiesça. Cela paraissait censé.

Sa décision prise, il ne perdit pas une minute. Il s'installa à son bureau avec une plume et un encrier, pendant qu'Ellis montait la garde. Il griffonna en silence sur l'épais papier blanc, recopiant tous les documents un à un. Son travail terminé, il fit un signe de tête à Ellis.

— Remettez les originaux en place et apportez-lui ceci.

— Alors, ces lettres valent-elles quelque chose, d'après vous ?

Turton réfléchit un moment.

— Elles valent une fortune ou rien du tout.

— Comment ça ? s'enquit Ellis, perplexe.

Mais il ne s'expliqua pas davantage et lui tendit la pochette en cuir pour qu'elle la remette à sa place avant de monter la valise dans sa chambre, dans la partie du grenier réservée aux domestiques.

Une demi-heure plus tard, Ellis se tenait dans la cour d'entrée d'Albany quand un valet vint l'informer que M. Bellasis était chez lui et allait la recevoir.

La réaction de John à la lecture des documents ne fut pas exactement celle qu'elle escomptait. Il les parcourut sans un mot, pendant qu'elle attendait près de la porte. Puis il les relut, le visage figé comme celui d'une statue. Elle n'aurait su dire s'il était satisfait, fasciné ou horrifié. Enfin, il leva les yeux.

— Où sont les originaux ?

— Dans la valise de Mlle Croft. Dans ma chambre au grenier.

— Va les chercher.

Son ton était celui d'un commandant en chef donnant l'ordre de charger.

— Je ne peux pas, objecta Ellis. Elle saura que je les ai pris. Et que m'arrivera-t-il après ?

— Tu crois que ça m'intéresse ? Va les chercher tout de suite. Je te donnerai mille livres à titre compensatoire si tu perds ta place.

Un moment, Ellis n'en crut pas ses oreilles. Combien ? Mille livres, plus d'argent qu'elle n'en avait jamais rêvé, pour des papiers que Croft avait décrits comme sans importance ? Elle le dévisagea, stupéfaite.

— Je ne me suis pas bien fait comprendre ? ajouta John et elle hocha la tête, sans faire un mouvement. Alors dépêche-toi !

Son ordre la tira de sa torpeur. Elle ouvrit la porte à la volée et descendit l'escalier à toute vitesse. Sur le trottoir, elle se mit à courir et traversa Piccadilly en trombe, s'attirant les regards surpris des passants.

Quand elle regagna la porte du numéro 110, elle haletait et dut reprendre plusieurs fois sa respiration. Turton était toujours dans son bureau.

— Ça s'est bien passé ? demanda-t-il dès qu'elle entra.

Elle ignora sa question.

— Jane Croft est revenue ?

— Oui, depuis vingt minutes. Un quart d'heure seulement avant madame.

Le cœur d'Ellis cognait dans sa poitrine.

— Madame est rentrée ?

— Oui. Elle a demandé après toi. Je lui ai dit que tu étais sortie, mais ça n'a pas eu l'air de la déranger. Elle est montée dans sa chambre pour ôter sa cape et son chapeau puis est allée tout droit au salon.

— Alors Jane… ?

La voix d'Ellis se voila.

— Elle est avec elle en ce moment même. Madame l'a fait appeler dès qu'elle a été installée dans le salon et Mlle Croft l'a aussitôt rejointe.

Il restait donc un dernier espoir. Si Croft était directement montée, peut-être avait-elle laissé les documents dans ses affaires. Sans un mot, Ellis tourna les talons et grimpa les marches deux à deux, dépassant l'étage des salons, puis celui des chambres de la famille, pour atteindre enfin les combles. Elle se précipita dans sa chambre, mais la valise était ouverte et la pochette en cuir avait disparu.

Mille livres. Jamais Mary Ellis n'avait été aussi près de gagner pareille somme.

Anne était ravie de revoir l'ancienne femme de chambre de Sophia. En retrouvant Jane, certes plus âgée, mais guère changée, Anne se rappela combien elle l'appréciait autrefois. Leur discussion les ramena toutes les deux à une époque heureuse. Elle invita la domestique – qui n'en était plus une – à s'asseoir à côté d'elle. Elle avait demandé à ce qu'on leur serve une liqueur et offrait à présent un verre à sa visiteuse.

— Vous souvenez-vous du célèbre bal de la duchesse ? demanda Anne.

— Comment l'oublier ? On m'en a si souvent parlé par la suite.

Elle prit une gorgée. La liqueur était un peu âpre, mais c'était un tel honneur de boire un verre avec la maîtresse de maison qu'elle s'en moquait.

— Et je me souviens comme Mlle Sophia était belle et sa robe splendide, dit Croft avec un sourire.

— Sa coiffure était si jolie, ajouta Anne, perdue dans sa propre rêverie.

— J'avais passé un temps fou à l'arranger, remarqua Croft, et toutes deux éclatèrent de rire.

C'est bon de rire et non de pleurer, pour une fois, songea Anne. Partager leurs souvenirs communs de Sophia avant de se dire adieu. Mais cette évocation lui fit prendre un air grave.

— Elle était bouleversée ce soir-là, quand nous sommes rentrées à la maison.

— C'est vrai, répliqua l'ancienne domestique, sans en dire davantage.

Anna la regarda avec attention.

— C'était il y a bien longtemps… Je suis ravie d'apprendre que vous avez réussi depuis. Je suis sûre qu'une vie passionnante vous attend en Amérique. Et puisque nous ne reverrons sans doute jamais…

— Vous avez raison, madame, nous ne nous reverrons pas.

Le regard d'Anne se perdit dans la contemplation des flammes.

— Non. Eh bien…, je me demandais si nous pourrions être honnêtes l'une envers l'autre en ces derniers instants.

— Certainement, madame.

— Savez-vous ce qui s'est passé ce soir-là au bal ?

Croft hocha la tête. C'était étrange d'avoir cette conversation avec une femme devant qui elle s'inclinait autrefois. À croire qu'elles étaient sur un pied d'égalité. Ce qui, concernant ce sujet, était vrai.

— Je sais que Lord Bellasis, que nous prenions tous pour un vrai gentleman, a piégé et trahi Sophia, et qu'elle l'a appris ce soir-là, répondit-elle.

— Étiez-vous au courant du projet de mariage ?

— Non.

L'ancienne employée tenait à lui dire qu'elle n'était entrée dans le secret que lorsque Sophia le lui avait avoué.

— Elle ne m'en a parlé qu'une fois qu'elle a su que ce n'était qu'une mascarade. Et bien sûr ce n'est que par la suite qu'elle a découvert…

Croft but une gorgée de liqueur et baissa les yeux.

— … qu'elle a découvert qu'elle était enceinte, termina Anne.

Il était tout aussi étrange pour Anne d'évoquer ce sujet avec quelqu'un d'autre que son mari et Lady Brockenhurst. Cela ne lui était encore jamais arrivé.

— Je lui ai conseillé de tout vous dire, madame. Immédiatement. Mais elle était comme perdue, incapable de penser clairement.

— Elle a fini par me l'avouer.

— Oui.

Elles se regardaient, conscientes de partager des secrets connus d'elles seules. Et de James. Même Lady Brockenhurst, qui croyait tout savoir, n'avait pas rencontré Sophia, si bien qu'il lui manquait la moitié de l'histoire.

— Elle me l'a avoué à temps pour que je prenne des dispositions, poursuivit Anne. Nous sommes parties dans le nord et tout aurait pu bien se passer, si…

— Si elle ne nous avait pas quittés.

Les yeux de Croft brillaient d'émotion et Anne vit une larme rouler sur la joue de l'ancienne complice de sa fille. Elle lui était reconnaissante de pleurer son enfant perdue.

— J'imagine que le bébé est devenu adulte à présent. Habite-t-il toujours avec le révérend Pope ? Ou bien à Londres ? Je suppose que c'est le jeune M. Pope dont Mlle Ellis m'a parlé ?

— Mais comment étiez-vous au courant pour le révérend Pope ?

Croft la regarda.

— Je suis désolée, madame. Je ne sais pas si vous voulez discuter de ce sujet.

— Continuez, je vous en prie.

Quand elle s'exprima de nouveau, son invitée prit un ton d'excuse, rouvrant les portes d'un lointain passé.

— Voyez-vous, Mlle Sophia m'a écrit régulièrement, madame. Jusqu'à la fin. On parlait du bébé, de l'avenir, et elle m'a appris qu'il allait vivre avec les Pope dans le Surrey. Je crois me rappeler que Mme Pope n'avait pas d'enfant, même si j'ai perdu la lettre où elle me le précise.

Anne était éberluée.

— Alors vous savez tout.

— Je n'en ai parlé à personne. La main sur le cœur, affirma Croft en joignant le geste à la parole. Et jamais je ne le ferai.

— Ne vous inquiétez pas. Cela me réconforte au contraire. De pouvoir en parler à quelqu'un.

Croft prit alors la pochette de cuir et la posa sur ses genoux.

— Voici des documents, madame... L'un d'eux atteste de la fausse cérémonie. Il est signé par l'homme qui se fit passer pour un prêtre. Un certain Bouverie. Il tiendrait lieu de certificat de mariage, si ce n'était un mensonge. Et aussi une lettre de Bouverie expliquant que le jeune couple s'est marié à Bruxelles, loin de chez eux. (Elle se tut et prit deux feuilles de papier.) Elle me les a données ce fameux soir à Bruxelles, après être rentrée du bal, et m'a dit de les brûler. Mais je ne l'ai jamais fait. Je n'en ai pas eu le courage. Il me semblait que ce n'était pas à moi de les détruire.

— Je comprends.

Anne prit le document et le parcourut.

— Mais je quitte le pays bientôt et, quand Mlle Ellis a mentionné M. Pope dans sa lettre, j'ai pensé qu'il valait mieux tout vous remettre en mains propres, ajouta Croft. Vous voudrez peut-être les mettre en lieu sûr. Ou les brûler. Ce n'est pas à moi d'en décider.

Sur ces mots, elle lui tendit la pochette.

— Merci Croft – ou devrais-je vous appeler mademoiselle Croft à présent –, c'est très généreux et attentionné de votre part. Et le reste ? demanda Anne en regardant à l'intérieur.

— Des lettres que m'a envoyées Mlle Sophia à propos de ses projets pour le bébé, la description du médecin et de la sage-femme, ce genre de choses. Je ne voulais pas risquer de tomber raide morte et de les voir récupérer par des étrangers. Encore une fois, elles sont mieux entre vos mains. J'en ai gardé une pour me souvenir d'elle, mais elle ne contient rien d'équivoque.

Anne sourit, de nouveau envahie par l'émotion, puis contempla les enveloppes. Elle fit lentement courir ses doigts sur chaque lettre. Chère Sophia... Aujourd'hui encore, la simple vision de son écriture vive, généreuse, ornementée, la faisait chavirer. Elle était flamboyante à l'image de Sophia. Anne la revoyait, assise à son bureau, sa plume à la main.

— Merci, répéta-t-elle en regardant sa visiteuse. Je suis très touchée. Il nous reste si peu de choses de Mlle Sophia, voyez-vous. Si peu de souvenirs. C'est merveilleux qu'une partie d'elle nous soit rendu après toutes ces années.

Ce soir-là, seule dans sa chambre, Anne lut et relut la correspondance de sa fille en laissant couler ses larmes. Pourtant elle entendait la voix de sa fille au travers des phrases, et l'amour bouleversant qu'elle éprouvait pour son enfant disparue la rendait presque heureuse. Elle n'en parlerait pas tout de suite à James et garderait ces lettres pour elle pendant un temps. Aussi les rangea-t-elle dans une commode de sa chambre, avant l'arrivée de James.

Oliver était impatient de déjeuner avec son père à l'Athenaeum. Fouiller le passé douteux de Pope s'était révélé coûteux et fatigant, mais cela avait porté ses fruits et il espérait à présent un rapprochement entre son père et lui. Après tout, il lui avait rendu service en lui permettant de se retirer du jeu avant d'être ridiculisé par Pope et son maudit coton. James lui avait dit que Charles n'avait pas nié les accusations, un fait des plus intéressants. Les lettres confirmaient la culpabilité de Pope, bien sûr, pourtant Oliver s'attendait à ce qu'il tente de se justifier par quelque moyen scabreux. Apparemment non. Tant mieux. Il était temps pour Oliver et James d'aller de l'avant, dans un tout nouvel esprit familial, empreint d'amour et de projet commun.

— Bonjour, monsieur, dit l'employé du club en prenant la canne au pommeau d'argent et le chapeau en soie d'Oliver.

Il appréciait la classe de cet endroit et s'y trouvait à son aise. Il suivit le serviteur dans le couloir, dépassa le large escalier et pénétra dans une immense salle à manger aux superbes portes-fenêtres. Les lambris sombres et les épais tapis bruns créaient une ambiance intime et discrète dans la pièce pourtant spacieuse.

— Père ! s'exclama-t-il en faisant signe à James, qui l'attendait à une table ronde dans un coin.

Son père se leva pour l'accueillir.

— Oliver, dit-il avec un sourire jovial. Je suis content de te voir. J'espère que tu as faim.

James voulait mettre son fils de bonne humeur. Ces derniers mois avaient été douloureux et il espérait évacuer la tension qui persistait entre eux. Mais ce jour-là, il n'était pas certain d'y parvenir, étant donné ce qu'il allait lui annoncer.

— Absolument, répondit Oliver en se frottant les mains.

James se rendait compte à quel point son fils était confiant et optimiste, et savait pertinemment pourquoi. Pourtant, il laisserait Oliver aborder le sujet.

Ils prirent les menus.

— Où étais-tu ce matin ? demanda James.

— Je faisais du cheval. C'est une belle journée et Rotten Row était bondé, mais je suis très satisfait de mon nouveau hongre.

— Je pensais te voir à la réunion de Gray's Inn Road.

— Quelle réunion ? rétorqua Oliver en étudiant sa carte. Qu'est-ce que de la « souris » ?

— C'est de l'agneau. (James soupira.) Nous avons discuté des différentes étapes du développement. On ne t'avait pas prévenu ?

— Si, sans doute. (Oliver héla un employé.) On commande à boire ?

James le regarda demander une bouteille de chablis pour commencer, suivie d'une bouteille de bordeaux. Pourquoi son fils se révélait-il toujours aussi décevant ? Il avait réussi à l'inclure dans l'un des projets les plus passionnants du moment, or Oliver n'affichait pas une once d'intérêt. Bien sûr, l'entreprise n'en était pas à son stade le plus fascinant – draguer une immense étendue marécageuse dans les quartiers de l'East End –, mais le problème était plus profond. Oliver ne semblait pas comprendre qu'un véritable épanouissement sur cette terre se gagne grâce au travail. Une existence constituée d'une succession de plaisirs éphémères ne satisfait personne. Il faut avoir un but, une raison d'exister.

Si Oliver avait lu dans ses pensées, il aurait protesté. Il désirait bel et bien se jeter à corps perdu dans la vie, mais pas dans celle que son père avait planifiée pour lui. En réalité, il souhaitait s'installer à Glenville et ne venir à Londres que pour les mondanités. Son rêve était de gérer ses terres, discuter avec ses métayers et jouer un rôle dans le comté. Quel mal à cela ? Était-ce si peu honorable ? Non. Son père était incapable d'apprécier des valeurs différentes des siennes. Voilà ce qu'Oliver lui aurait répondu et il fallait reconnaître qu'il n'avait pas tout à fait tort. Tout en sirotant leur verre de vin, chacun savait que le spectre de Charles Pope rôdait entre eux et que le sujet serait immanquablement abordé. Finalement, Oliver ne put résister davantage.

— Alors, dit-il en coupant sa viande, as-tu laissé tomber M. Pope sans difficulté ?

— Que veux-tu dire ?

— D'après toi ? Toi qui attaches tant d'importance à l'honnêteté dans les transactions commerciales… Ne me dis pas que tu as revu tes exigences à la baisse ?

— Je reconnais que je n'ai pas retiré mes fonds de la société, répondit prudemment James. Ça reste un bon investissement.

Oliver se figea.

— Et les lettres que je t'ai données ? demanda-t-il d'un ton acerbe. Tu as dit que tu avais confronté Pope et qu'il n'avait pas nié les faits !

— C'est vrai.

James avait choisi la perdrix et le regrettait.

— Eh bien alors ?

— Je pense que toute cette histoire n'était pas très… juste, répondit James d'une voix sucrée.

S'il avait voulu dompter un animal sauvage, il n'aurait pas été plus charmeur.

— Je ne comprends pas. Tu veux dire que ce n'étaient que des mensonges ? Dans ce cas, je suis un menteur ? C'est ça ?

— Non, répliqua James dans une tentative d'apaisement, je sais que toi, tu n'as pas menti…

— Si les auteurs de ces lettres n'avaient pas dit la vérité, Pope se serait défendu.

— Je n'en suis pas si sûr. Tu sais, quand on est dans le commerce…

Olivier fit la grimace. Pourquoi son père ne laissait-il pas sa famille oublier ses débuts dans le petit commerce ? Était-ce trop lui demander ?

— Quand on est dans les affaires, répéta son père à dessein, on sent instinctivement les gens. Pope ne frauderait jamais les douanes. Ce n'est pas son genre.

— Encore une fois, pourquoi n'a-t-il pas nié ? répéta Oliver en triturant sa serviette.

— Baisse la voix, dit James, car plusieurs convives jetaient des coups d'œil vers leur table.

— Peux-tu répondre à ma question ?

Oliver parlait encore plus fort et avait jeté son couteau et sa fourchette dans son assiette. James n'avait pas besoin de regarder autour de lui pour savoir qu'ils étaient le centre de l'attention de la salle et seraient le sujet de conversations animées dans la bibliothèque, après le repas. Exactement ce qu'il craignait.

— Très bien. Si tu insistes. Je crois que Charles Pope ne souhaitait pas être un motif de querelle entre toi et moi. Il ne s'est pas défendu parce qu'il ne voulait pas s'interposer entre nous.

— Mais il est déjà entre nous, n'est-ce pas, Père ? Ce M. Pope ? Il est entre nous depuis un bon moment ! (Oliver repoussa son siège et se leva, bouillant de rage.) Bien sûr que tu t'es rangé de son côté. Comment ai-je pu croire un seul instant que cela se passerait autrement ? Bien le bonjour, Père ! Je vous souhaite tout le bonheur du monde avec votre M. Pope ! cracha-t-il d'un air venimeux. Demandez-lui de vous consoler ! Car je ne suis plus votre fils.

La salle était silencieuse. Quand Oliver se tourna, il vit au moins une douzaine d'yeux rivés sur lui.

— Allez tous au diable !

Puis, relevant fièrement la tête, il quitta le club à grands pas.

Au même moment, dans son bureau, Charles contemplait le portrait de son père adoptif. Je devrais être euphorique, pensa-t-il. C'était un tournant dans sa carrière. Son commerce bénéficiait des fonds nécessaires et tout était prêt pour son départ pour les Indes. Mais il ne voulait pas quitter Londres maintenant et ses projets avaient perdu de leur éclat. Ou plutôt, c'était Maria Grey qu'il ne voulait pas quitter. Il prit son stylo. Était-il réellement prêt à sacrifier tout ce pour quoi il avait travaillé si dur ? Et cela pour une femme qu'il ne pourrait jamais épouser ? Comme la vie était cruelle ! Comment en était-il arrivé là ? Tomber amoureux d'une femme promise à un autre. Pire. Une femme totalement inaccessible. La misère et l'humiliation l'attendaient. Il leva de nouveau les yeux sur le tableau. Quel conseil cet homme sage lui aurait-il donné ?

— Pardonnez-moi, monsieur ?

Un employé se tenait à la porte, une enveloppe à la main.

— Oui ?

— Ceci est arrivé pour vous, monsieur. Par messager. Il a dit que c'était urgent.

— Merci. (Charles prit la lettre et jeta un coup d'œil à l'écriture.) Le messager est toujours là ?

— Non, monsieur.

— Merci, répéta Charles, attendant que l'employé sorte pour la décacheter.

« Mon cher Charles… (Il lui semblait entendre sa voix.) J'ai besoin de vous voir immédiatement. Je serai à la librairie Hatchard jusqu'à 16 heures cet après-midi. Venez, je vous en prie. Affectueusement, Maria Grey. »

Il contempla le message un moment, puis s'empressa de tirer sa montre de sa poche, le cœur battant à tout rompre. Il était déjà 15 h 15. Le temps lui était compté. Il saisit son manteau et se rua hors de son bureau sous le regard médusé de ses collaborateurs.

Il avait quarante-cinq minutes pour atteindre Piccadilly. Il descendit l'escalier en trombe et examina fiévreusement les alentours. Hélas, pas le moindre fiacre en vue. Une foule d'hommes et de femmes se pressaient autour de lui pour se rendre à leur travail. Quel était le chemin le plus court jusqu'à Piccadilly ? S'il se mettait à courir, arriverait-il à temps ? Ses paumes étaient moites et sa poitrine l'oppressait. La frustration le gagnait. Il se mit à courir sur le trottoir, puis changea d'avis et se rua sur la chaussée, cherchant désespérément une voiture libre.

— Eh ! cria un gros homme sur un chariot. Dégagez de là !

— Seigneur ! implora Charles en se ruant vers le marché de Leadenhall. Si vous m'aidez à trouver un fiacre, je ne vous demanderai plus jamais rien !

Et alors, comme il tournait au coin de Threadneedle Street, son vœu fut exaucé.

— Par ici ! Ici ! cria-t-il en agitant les bras.

— Où allez-vous, monsieur ? demanda le cocher en s'arrêtant.

— Chez Hatchard, à Piccadilly, dit Charles en s'affalant dans la banquette en cuir, le cœur tambourinant dans sa poitrine. Le plus vite possible, s'il vous plaît !

Il ferma les yeux. Merci mon Dieu, marmonna-t-il. Bien sûr, il demanderait à son créateur d'autres faveurs, et il le savait.

Il était 15 h 55 quand Charles arriva enfin devant la librairie. Il sauta de la voiture, donna un pourboire au cocher, s'engouffra par les doubles portes du grand magasin aux larges vitrines et s'arrêta net. Où était-elle ? Il ne se rappelait pas que l'endroit était si grand et, à cette heure de la journée, il était rempli de femmes coiffées de chapeaux qui leur masquaient en partie le visage. Il consulta de nouveau sa montre. Elle l'avait sûrement attendu. Elle se doutait qu'il allait venir, n'est-ce pas ?

Mais où la trouver ? Il longea les bibliothèques chargées d'œuvres de fiction, se frayant un passage entre les larges jupes soutenues par de lourds jupons. Il essaya de la reconnaître sous les coiffes des femmes qui lisaient les yeux baissés et l'appela doucement.

— Maria ? Maria ?

Une fille lui sourit, mais la plupart des clientes lui jetaient des regards circonspects et s'écartaient discrètement. Il prit un exemplaire de *Mansfield Park*, de Jane Austen, et fit semblant de l'examiner, tout en parcourant les allées. Où pouvait-elle bien être ? Qu'aimait-elle ? Quel sujet pouvait l'intéresser ?

Soudain, il s'écria à voix haute :

— Les Indes !

Son cri effraya plusieurs dames.

— Veuillez m'excuser, dit-il en se précipitant vers un employé qui rangeait une étagère toute proche Où puis-je trouver un ouvrage sur les Indes ?

— Histoire et géographie de l'Empire, répondit l'employé avec une moue de dédain face à son ignorance. Deuxième étage.

Charles bondit dans l'escalier comme un coureur de sprint, quand soudain, il la vit, debout dans une alcôve, occupée à feuilleter un livre. Comme elle ne l'avait pas remarqué, il s'offrit le luxe de l'admirer. Elle était vêtue d'une jupe et d'une veste couleur fauve, avec un chapeau assorti, le tout agrémenté de soie verte. Son visage, concentré sur sa lecture, était encore plus charmant que dans son souvenir. Même si je la trouve magnifique dans mon imagination, songea-t-il avec une sorte d'émerveillement, quand je la revois, elle est plus belle encore.

Puis elle leva les yeux, comme consciente de la présence du jeune homme.

— Charles, dit-elle en serrant le livre sur son cœur. Je pensais que vous ne viendriez jamais.

— Je n'ai eu votre message que peu après 15 heures. Je n'ai pas cessé de courir depuis.

— Le messager a dû s'arrêter en chemin, le misérable.

Mais elle souriait. Charles était là. Tout se passerait bien à présent. Elle avait placé sa paume dans la sienne pour le saluer, mais il ne lui avait pas rendu sa main. Maintenant, elle se rappelait pourquoi elle l'avait fait venir et lâcha prise.

— Vous devez m'aider.

Elle parlait avec une sorte d'urgence qui lui fit aussitôt comprendre la gravité du sujet.

— Tout ce que vous voudrez.

Maria voulut lui dire toute la vérité.

— Mère veut m'envoyer chez ma cousine dans le Northumberland pour m'éloigner de Londres pendant qu'elle organise mon mariage avec John Bellasis. Elle a déjà fixé la date.

Agacée de sentir les larmes rouler sur ses joues, elle s'essuya rageusement les yeux et secoua la tête pour se débarrasser de toute faiblesse.

Au mépris des convenances, Charles lui passa le bras autour des épaules.

— Je suis là maintenant, dit-il doucement, comme si sa présence faisait toute la différence.

Elle le regarda avec l'air d'un soldat prêt à se battre.

— Sauvons-nous ensemble. Laissons tout derrière nous.

— Oh ! Maria.

Son émotion était à son comble. Toutes les fibres de son être voulaient lui dire qu'il l'aimait depuis la première fois qu'il l'avait vue sur ce balcon, à la soirée de Lady Brockenhurst. Il voulait lui dire qu'il ne désirait rien de plus au monde que de s'enfuir avec elle. Partir et ne jamais revenir. Il effleura sa douce joue de sa main.

— C'est impossible. Vous le savez bien.

Elle fit un pas en arrière, comme s'il l'avait giflée.

— Pourquoi pas ?

Il soupira. Plusieurs clientes observaient ces deux amants, dont la jeune femme au bord des larmes. Il avait le sentiment désagréable qu'elles se délectaient du spectacle.

— Je ne serai pas le responsable de votre ruine. Si vous vous enfuyez avec un marchand de l'East End, toutes les portes de Londres se fermeront à vous. Comment pourrais-je vous faire cela ? Si je vous aime ?

— Si vous m'aimez ?

— Parce que je vous aime. Je ne serai pas l'instrument de votre chute, répéta-t-il en secouant tristement la tête. (Il regarda de nouveau autour d'eux.) Ce simple rendez-vous peut vous attirer des ennuis. Comment vous êtes-vous débarrassée de votre femme de chambre ?

— Je l'ai semée. Je commence à être douée pour ça, ajouta-t-elle sur un ton plus chagriné que taquin. Alors que suggérez-vous ? Que je meure vieille fille ? Parce que je n'épouserai pas John Bellasis, même si ma mère m'enferme dans une tour et me nourrit de pain et d'eau jusqu'à la fin de mes jours.

Il ne put s'empêcher de sourire face à son esprit combatif.

— Nous ferions mieux de partir. Il ne faut pas attirer l'attention.

— Qui s'en soucie ?

Son chagrin s'était envolé. À présent, elle était sur la défensive.

— Moi.

Charles se creusait les méninges. Que pouvait-il faire pour protéger Maria et ne pas jeter sur elle l'opprobre ? Puis, tout à coup, la réponse lui parut évidente.

— Venez avec moi, déclara-t-il, déterminé. J'ai une idée.

— Une bonne idée, j'espère ?

Elle retrouvait déjà le moral. Charles ne voulait peut-être pas s'échapper avec elle, mais il ne l'abandonnerait sûrement pas.

— Je crois. Je l'espère. Nous le saurons très vite.

Sur ce, il la guida vers l'escalier.

Il était 16 h 30 quand le fiacre s'arrêta devant Brockenhurst House, à Belgrave Square. Maria et Charles descendirent de voiture, réglèrent la course et se dirigèrent vers la porte.

— La comtesse saura quoi faire, assura Charles en montant les marches. Je ne prétends pas bien la connaître, mais elle vous aime beaucoup et moi aussi, je pense. Elle aura sans doute une idée.

Maria était moins convaincue.

— Tout cela est sans doute vrai, mais John est le neveu de son mari et, dans notre monde, la lignée l'emporte toujours sur l'amitié.

Un valet en livrée leur ouvrit la porte et, au vu des servantes qui prenaient les pelisses des dames et des valets de pied en faction près de l'escalier, ils comprirent que la maison était remplie de monde.

— Que se passe-t-il ? s'enquit Charles.

— Madame la comtesse reçoit pour le thé, monsieur. N'avez-vous pas été invité ? ajouta-t-il avec un froncement de sourcils.

Il avait laissé entrer le couple en supposant que c'était la raison de sa présence.

— Je suis sûr qu'elle sera enchantée de nous voir, dit Charles posément.

Le valet accepta sa réponse sans se départir de son malaise. Et si ces jeunes gens n'avaient pas été invités à dessein ? Il se demanda quelle alternative – les renvoyer quand ils étaient les bienvenus ou les laisser entrer alors qu'ils n'avaient rien à faire ici – lui causerait le plus d'ennuis. Finalement, il se rappela que tous deux avaient déjà été reçus par la comtesse et préféra les faire monter. Il fit un signe de tête au valet posté au pied des marches.

— Veuillez conduire M. Pope et Lady Maria Grey au salon.

Tous deux se dirigèrent vers l'escalier.

— Je suis impressionné qu'il se rappelle nos noms, dit Charles.

— C'est son travail, répliqua Maria. Mais est-ce une bonne idée d'être venus ici ?

Parvenus à l'entrée de la salle de réception des Brockenhurst, composée de deux salons réunis par une double porte, ils constatèrent que la majorité des invités étaient des dames. Heureusement, quelques hommes se trouvaient parmi elles, au milieu des rires et des conversations, leurs costumes noirs bien visibles au cœur d'une mer colorée de jupons, tels des nénuphars sur un lac. Des domestiques circulaient parmi les invités avec des plateaux chargés de sandwiches, de pâtisseries et de tasses de thé. Une ou deux dames levèrent les yeux sur les nouveaux venus avec curiosité.

— Où allons-nous la trouver ? demanda Maria.

— Ici même, répondit Lady Brockenhurst.

Ils se retournèrent et découvrirent la comtesse, souriante, sans doute un peu surprise.

— Nous sommes vraiment désolés de nous imposer dans votre réception, Lady Brockenhurst…

Mais Charles n'en dit pas davantage.

— Ne dites pas de bêtises ! Je suis ravie de vous voir, rétorqua-t-elle, se délectant de sa présence. Je vous aurais invités tous les deux si j'avais su que cela pouvait vous amuser.

Elle portait une robe de damas rose pâle au liséré de dentelle, agrémentée d'une collerette. Une tenue un peu stricte, mais très élégante. Seule Maria savait que la comtesse portait cette couleur depuis peu.

— Nous avons besoin de vos conseils, dit Charles.

— Je suis flattée.

— Mais vous ne voudrez peut-être pas nous aider, intervint Maria, nettement moins optimiste, et serez sans doute tentée de soutenir l'autre bord.

— Devrai-je prendre parti ? (Le sourcil de Caroline Brockenhurst se haussa en un accent ironique.) Comme c'est intéressant. Voulez-vous m'accompagner dans mon boudoir, ma chère ?

Maria fut légèrement prise de court.

— Pouvez-vous laisser vos invités ?

— Oh, certainement.

Lady Brockenhurst savait ce qui allait suivre, puisqu'elle l'attendait depuis un certain temps. Elle savait aussi comment elle avait l'intention de régler le problème.

— Et Charles ?

— M. Pope peut rester. Cela ne sera pas long. Vous ne nous en tiendrez pas rigueur, n'est-ce pas ?

— Bien sûr que non, répondit Charles.

Il était soulagé que leur hôtesse semble encline à les aider.

Les deux femmes se dirigèrent vers une porte différente de celle par laquelle ils étaient entrés. Puis la comtesse se retourna vers Charles.

— Je dois vous prévenir, monsieur Pope, que Lady Templemore est attendue.

Maria croisa le regard de Charles. Ce n'était pas ce qu'ils voulaient entendre.

— Me voilà donc prévenu.

À ce moment précis, Lady Templemore se tenait à l'autre extrémité du double salon. On l'avait informée au rez-de-chaussée que sa fille était déjà arrivée, accompagnée de M. Pope, une nouvelle qu'elle avait accueillie dans un silence contrit. Elle avait imaginé un tour de la sorte quand Ryan lui avait dit que Maria l'avait semée. Mais les retrouver tous les deux ici était un choc. Cela signifiait certainement que Lady Brockenhurst était leur alliée, et pourtant comment cela serait-ce possible ? Corinne Templemore se refusait à imaginer une telle trahison de la part de son amie de longue date. Jusqu'à ce que, bien sûr, elle voie Maria quitter la pièce avec une Caroline souriante, tandis que M. Pope se retrouvait parmi les beautés vieillissantes. Certaines dames lui adressèrent un signe de tête, mais elle n'alla en saluer aucune. Parmi elles, assise sur une bergère damassée, était installée une femme distinguée de près de soixante ans. Vêtue d'une robe de soie bleue aux lisérés dorés, elle portait un rang de perles irisées avec des boucles d'oreilles assorties. Ses cheveux bouclés étaient joliment relevés et elle avait un éventail de plumes entre les mains.

— Lady Templemore, lui dit-elle, comment vous portez-vous ?

Elle avait remarqué que le regard de Corinne n'avait pas quitté le jeune homme à l'autre bout du salon et était curieuse. L'immobilité de cette femme la fascinait. Se pourrait-il qu'il s'agisse là d'une relation coupable ? Une romance d'été ? Quelle que soit la vérité, il était évident qu'une intrigue se jouait sous ses yeux, ce qui l'enchantait.

Corinne observa son interlocutrice, qui venait d'interrompre ses réflexions.

— Madame la duchesse, comme vous devez vous réjouir de la mode que vous avez lancée. Le thé d'après-midi nous survivra toutes.

La duchesse de Bedford accepta le compliment avec humilité.

— Vous êtes bien aimable, mais nous ne savons jamais ce qui est fait pour durer, répliqua-t-elle en suivant le regard de Lady Templemore, toujours fixé sur la silhouette du séduisant jeune homme au loin.

Corinne sourit avec froideur.

— Peut-être pas, dit-elle d'une voix si âpre que la duchesse comprit aussitôt que son obsession pour ce sombre jeune homme n'avait rien d'une passion cachée. Mais nous savons parfois ce qui ne durera jamais. Pas si je peux l'empêcher.

Sur ces mots, elle glissa à travers la foule, en regardant droit devant elle jusqu'à se retrouver face à Charles Pope.

Absorbé par la conversation avec sa voisine, il ne la remarqua pas tout de suite. Alors elle prit la parole :

— Monsieur Pope.

Il se tourna vers elle.

— Lady Templemore, bonjour.

Il remercia silencieusement Lady Brockenhurst de l'avoir prévenu, sans quoi le choc se serait lu sur son visage.

— J'aurais dû me douter que vous étiez impliqué, dit-elle d'un ton implacable.

— Impliqué dans quoi ?

— Ne me mentez pas.

Charles sentit un calme étrange envahir tout son être. Il avait toujours su que le jour viendrait où il devrait affronter la mère de Maria. Même quand il se disait que Maria était inaccessible, il pressentait, tout au fond de lui, qu'il aurait à livrer cette bataille.

— Je ne suis pas un menteur, répondit-il aussi poliment que possible. Je vous dirai tout ce que vous voulez savoir. Je l'ai rencontrée chez Hatchard. Elle était bouleversée, alors je l'ai amenée ici. Elle est avec Lady Brockenhurst en ce moment.

— Je sais que vous vous êtes rencontrés en secret. N'allez pas croire le contraire. Je suis au courant de tout.

Corinne avait baissé la voix, pourtant quelques femmes s'éloignèrent, conscientes que cet échange allait au-delà d'une conversation de salon, ce qui incita leur entourage à leur donner un peu d'espace.

Bien sûr, Corinne n'était pas au courant de tout, mais elle en savait assez long. Après leur première rencontre, Ryan, la femme de chambre, lui avait fourni suffisamment d'informations pour qu'elle puisse mener son enquête. Il ne lui avait pas fallu longtemps pour établir que le jeune homme était le fils d'un révérend de campagne, qui débutait une carrière dans le commerce. L'idée même qu'il se croie digne de courtiser sa fille était pour Corinne Templemore un affront.

Charles, conscient des regards curieux dont ils étaient l'objet, parlait lui aussi à voix basse, mais il s'efforça de répondre avec fermeté. Il n'avait pas l'intention de se laisser malmener par cette femme, quel que soit son rang.

— Nous nous sommes rencontrés plusieurs fois, c'est vrai, mais ce n'était pas un secret.

Bien sûr, il faisait un peu l'ingénu et le savait. Ce rendez-vous dans les jardins de Kensington, par exemple, avait beau avoir eu lieu en public, il n'en restait pas moins secret. Sinon pourquoi s'était-il enfui comme un voleur à l'arrivée de Lady Templemore ? Il se rassurait en se disant que ce n'était pas à lui de révéler leur amour à sa mère. C'était à Maria de s'en charger, quand elle jugerait le moment opportun. Après tout, elle pouvait changer d'avis, même si cela lui paraissait peu probable. Si elle était prête à s'enfuir avec lui, elle serait assez forte pour affronter sa propre mère.

La colère de Corinne remontait à plus loin. Jolie et bien née, mais sans fortune, elle aurait pu mener une existence agréable si elle n'avait été mariée à seize ans à un homme qui, dès l'instant où ils avaient quitté l'église, avait semblé dans un état de rage permanent. En conséquence, elle avait passé près de trente ans dans une maison glaciale au beau milieu de nulle part, à éviter les insultes de son mari. Son mauvais caractère avait même causé sa mort. Lors d'une partie de chasse, son cheval avait refusé de franchir un obstacle et le comte l'avait fouetté si violemment que l'animal avait désarçonné son cavalier. Son crâne avait heurté un rocher et ce fut la fin du cinquième comte de Templemore. Libérée de ce fardeau, elle avait vu en John Bellasis un havre de paix bien mérité, qu'elle attendait avec impatience. Du moins jusqu'à ce que cet homme surgi de nulle part vienne bouleverser ses plans.

Mais Corinne avait été bien mal avisée de chercher la confrontation avec Charles. Si elle s'était montrée plus modérée, si elle avait choisi de l'amadouer et de faire appel à son sens de l'honneur, elle aurait peut-être pu espérer le faire renoncer à tout espoir. Alors qu'une attaque frontale eût l'effet inverse. En observant le visage acariâtre de son interlocutrice, il songea que, par une surprenante ironie du sort, Lady Templemore venait de le faire changer d'avis. L'idée la ferait enrager, pourtant c'était la vérité. Il avait rejeté la supplique de Maria dans la libraire parce qu'il croyait de son devoir de la faire renoncer à lui pour éviter le scandale, mais cette femme impérieuse et arrogante altérait son raisonnement. En réalité, si Maria était revenue à cet instant et lui avait demandé à nouveau de s'enfuir avec elle, il aurait probablement accepté.

Quoi qu'il en soit, Corinne Templemore n'était pas venue là pour régler ses comptes avec cet impertinent personnage. Elle craignait que sa rage ne l'emporte sur sa raison et qu'elle ne provoque une scène qui ferait le tour de Belgravia avant la tombée du jour. Dans un effort suprême pour apaiser ses nerfs, elle lissa la soie mauve de sa jupe. Puis, une fois certaine de maîtriser sa colère, elle le regarda une dernière fois.

— Monsieur Pope. Je suis navrée de m'être emportée contre vous.

— Je vous en prie. (Il leva la main pour balayer son inquiétude.) Oubliez cela.

— Vous m'avez mal comprise. J'en suis désolée uniquement parce que vous risqueriez de ne pas tenir compte de ce que je vais vous dire. Oser imaginer quoi que ce soit entre ma fille et vous est ou criminel, ou incroyablement stupide. À vous de choisir.

Elle attendit sa réponse.

Charles la regarda posément.

— Maria et moi…

— *Lady* Maria, le reprit-elle.

Il prit une grande inspiration avant de poursuivre.

— Lady Maria et moi…

Mais elle l'interrompit de nouveau :

— Monsieur Pope, il n'y a pas de « Lady Maria et moi ». C'est une chose impensable. Voilà ce que vous devez comprendre : ma fille vous est aussi inaccessible que les étoiles. Pour votre propre bien comme pour le sien, oubliez-la. Si vous avez une once d'honneur en vous, laissez-la tranquille.

Cela dit, elle tourna les talons et traversa le salon pour s'asseoir à côté de la duchesse. Elle prit une assiette et une tasse à un valet qui passait par là, puis se mit à converser avec sa voisine, sans un regard pour l'homme qu'elle avait tenté de briser.

Dès que les deux femmes furent dans son boudoir, Caroline ferma la porte et fit signe à son invitée de prendre un siège.

— Je suppose que c'est à propos du neveu de mon mari ?

Maria hocha la tête.

— En partie, oui. Je ne l'épouserai pas, quoi qu'en dise Mère.

C'était au tour de Caroline d'acquiescer.

— Vous avez été assez claire sur ce point quand nous avons appris vos fiançailles dans le journal.

— La situation a empiré depuis.

Tout en parlant, Maria étudia le ravissant boudoir au mobilier délicat, et les flammes qui brillaient dans l'âtre. Des invitations étaient coincées dans le cadre doré d'un miroir. Un motif à moitié brodé, dans un cadre rond, reposait sur la table de travail. Les livres, les fleurs, et les lettres ajoutaient au charme désordonné du lieu. Comme l'existence de Lady Brockenhurst paraît sereine, songea-t-elle. Simple, enviable. Puis elle se rappela que le fils unique de son hôtesse était mort.

Caroline la regardait.

— Vous mettez ma patience à l'épreuve.

— Bien sûr.

Maria s'éclaircit la gorge. Il était temps de raconter son histoire.

— Mère m'a donné l'ordre de quitter Londres pour séjourner chez ma cousine, Mme Meredith, dans le Northumberland.

— Et cela vous serait très pénible ?

— Ce n'est pas cela. J'aime bien ma cousine. Mais Mère veut s'occuper des préparatifs de mon mariage en mon absence, pour pouvoir me marier quelques jours après mon retour.

Caroline réfléchit un instant. Ainsi, elle avait raison. Tout allait bientôt basculer. Le moment qu'elle avait si souvent imaginé était arrivé. Et elle savait exactement ce qu'elle devait faire. Elle éprouva un léger sentiment de culpabilité à l'idée de briser sa promesse à Anne Trenchard mais, en toute honnêteté, comment l'éviter ? Cette dernière lui pardonnerait quand elle serait au courant des faits.

— Maria, j'ai à vous dire un secret que je ne peux révéler à Charles Pope. Il finira lui aussi par tout savoir, je vous le promets.

— Pourquoi ne pas le lui confier tout de suite ?

— Parce que ce secret le concerne et naturellement, il sera plus traumatisant pour lui que pour vous. Et je dois tout lui expliquer en présence de Lord Brockenhurst, qui est à la campagne. Vous serez là également quand je lui dirai la vérité, mais vous ne devrez rien lui répéter avant. Il me faut votre parole.

C'étaient sans doute les mots les plus intrigants que Maria ait jamais entendus.

— Très bien..., approuva-t-elle prudemment. S'il finit par l'apprendre.

— Je vous le dis maintenant parce que cela risque d'avoir des conséquences sur votre propre situation. Pas comme votre mère le souhaiterait, mais votre position sera bien différente et il se pourrait qu'elle change d'avis.

Lady Brockenhurst s'était très clairement rangée de son côté.

— Que dois-je faire en attendant ?

— Vous resterez avec moi ici, dans cette maison.

L'absolue détermination avec laquelle la comtesse s'exprimait était pour le moins troublante. Elle ne faisait aucun mystère de son soutien aux amants et ne semblait pas douter de pouvoir les aider à obtenir gain de cause.

Maria secoua la tête, comme pour balayer les rêves scintillants qui s'insinuaient dans son esprit et son cœur.

— Mère ne changera pas d'avis à propos de Charles. J'aimerais croire qu'elle en est capable, mais c'est impossible. Si nous voulons être ensemble, nous devons nous enfuir et vivre notre propre vie, loin d'elle.

— Que pense Charles de ce plan ?

— Il n'est pas d'accord. (Maria se leva pour se poster à la fenêtre et observa les voitures des invités garées dans le square.) Il refuse d'être la cause d'un scandale qui ternirait ma réputation.

— Je n'en attendais pas moins de lui.

Maria se retourna vers elle.

— Peut-être. Mais vous voyez bien que c'est sans espoir.

Lady Brockenhurst sourit. Elle ne paraissait pas comprendre l'impasse dans laquelle ils se trouvaient.

— Asseyez-vous, ma chère, et écoutez-moi. (Et quand Maria se fut assise sur le petit canapé de satin près de son fauteuil, elle poursuivit :) Je pense que vous savez que Lord Brockenhurst et moi avons eu un fils, Edmund, qui est mort à Waterloo.

— En effet, et j'en suis désolée.

Comme c'était étrange, se dit Caroline, de pouvoir de nouveau parler d'Edmund avec bonheur, et pas seulement derrière un voile de larmes. Elle regarda cette jeune femme qu'elle désirait, à partir d'aujourd'hui, voir jouer un rôle central dans son existence.

— Eh bien, avant de mourir…

10

Le passé ressurgit

Dans la bibliothèque du club de l'Armée et de la Marine, situé à St James's Square, John Bellasis était assis dans un profond fauteuil en cuir et buvait du café tout en lisant pour la première fois le *Punch,* un nouveau magazine dont il avait beaucoup entendu parler. Vêtu d'un pantalon jaune pâle à la dernière mode, d'un gilet bleu turquoise, d'une chemise blanche et d'une redingote noire, il avait particulièrement soigné son apparence. Cet après-midi-là, il attendait un ami, Hugo Wentworth, et tenait à lui faire bonne impression, afin que ce dernier ne se doute pas qu'il traversait une mauvaise passe.

Wentworth était membre de ce club qui s'était ouvert seulement quatre ans plus tôt, en 1837, année qui avait vu la jeune reine Victoria accéder au trône. En tant qu'officier du 52e régiment d'infanterie légère, il était éligible, mais John ne l'enviait pas. Comme l'adhésion au club se limitait aux militaires de carrière, John trouvait les conversations des plus plates, lorsqu'il fréquentait les lieux. Quant à la nourriture, elle laissait beaucoup à désirer. Ce n'était pas pour rien que le capitaine Higginson Duff avait appelé le club « The Rag[1] ». Au retour d'une période de service,

1. Mot signifiant aussi bien « haillon » que « blague » en anglais.

il avait qualifié le médiocre souper qu'on lui avait servi de « *Rag and Famish affair* ». Or le Rag and Famish était une sordide maison de jeu, bien connue du père de John et tristement célèbre pour ses dîners infects et ses salles d'une propreté douteuse. La remarque était donc insultante. Pourtant les membres avaient choisi de la prendre avec humour et depuis le club avait été surnommé « The Rag ».

— Bellasis ! Te voilà ! s'écria Hugo Wentworth d'une voix tonitruante, en pointant John du doigt.

Sur ce, il traversa le salon, resplendissant dans son uniforme, et le tapis turc ne suffit pas à étouffer le martèlement de ses lourdes bottes.

— John, tu es splendide. Tu as le chic pour t'habiller.

— Je t'en prie, répliqua John. Chacun sait qu'aucune tenue civile ne peut rivaliser avec le prestige de l'uniforme, mon cher Hugo.

— Dis-moi, est-il trop tôt pour prendre un verre de madère ?

— Il n'est jamais trop tôt pour ce genre de choses, répondit John, tout en se demandant combien de temps encore ils devraient échanger des banalités avant d'évoquer l'affaire qui l'avait amené en ces lieux.

— Parfait, dit Hugo, puis il fit signe à un serveur, qui s'approcha. Du madère, s'il vous plaît. Pour deux.

— Alors, quoi de neuf ? dit John en prenant son mal en patience.

— Je viens juste d'apprendre que je pars pour les Bermudes, annonça Hugo d'un ton plus grave. Je dois dire que ça ne m'enchante guère. Je ne supporte pas la chaleur. Enfin, qui vivra verra… Au fait, j'ai vu l'annonce de tes fiançailles dans le *Times*. Félicitations. C'est une jeune femme charmante.

— Oui, j'ai beaucoup de chance.

— Et le mariage est pour quand ?

— Bientôt, je pense.

Son manque d'enthousiasme fit comprendre au capitaine Wentworth qu'il était temps d'en venir au fait.

— Bon, déclara-t-il en sortant une pochette dont il tira des papiers. J'ai fait la petite recherche que tu m'as demandée.

— Et alors ? s'enquit John en se redressant dans son fauteuil.

Depuis qu'il avait lu les copies qu'Ellis lui avait apportées, il n'était plus lui-même. Comme elle n'était pas revenue plus tard ce jour-là avec les originaux, il avait compris que les informations attestées par ces documents ne pourraient être détruites, ni cachées. Dans la première de ses lettres, Sophia parlait à sa femme de chambre de l'enfant qu'elle avait mis au monde. Un enfant qu'on allait confier à une certaine famille Pope dès sa naissance. Jusque-là, rien de surprenant. John avait deviné depuis longtemps que Charles Pope était lié par le sang à l'un ou l'autre des acteurs principaux de ce drame familial. Il avait d'abord cru que Charles était le fils de James Trenchard. Or il s'avérait qu'il était l'enfant de la fille de Trenchard. Fort bien. Le père avait tenu à garder le secret pour protéger la réputation de sa fille, ce qui était compréhensible. Les lettres lui avaient aussi permis d'ajouter la pièce manquante au puzzle. Le père du bébé de Sophia Trenchard était Edmund Bellasis, le cousin de John. Dès lors, tout s'expliquait : la protection offerte par Trenchard à Charles Pope, l'affection manifeste de Lady Brockenhurst pour le jeune homme. Il n'y avait rien de surprenant dans cette révélation, bien au contraire : pour la première fois depuis que Pope était entré dans leurs vies, tout s'éclaircissait.

Ensuite, il avait lu le reste des documents. Le premier était le certificat de mariage d'une cérémonie ayant eu lieu à Bruxelles. Hors de lui, il avait aussitôt envoyé Ellis récupérer les originaux en lui promettant de lui donner mille livres en échange, une somme ridicule à ses yeux. La servante s'était empressée de rentrer et John s'apprêtait à lire le reste des documents en s'exhortant au calme, quand soudain il s'était retrouvé face à une énigme. Si vraiment un mariage avait été célébré, Sophia et Edmund étaient donc bien mari et femme. Dans ce cas, quelle nécessité y avait-il eu à cacher l'existence de l'enfant et à le placer chez les Pope ? Pourquoi le garçon n'avait-il pas été élevé par ses grands-parents dans le faste de Lymington Park ? Pourquoi n'avait-il pas été reconnu à son tour comme héritier de son grand-père et du titre de vicomte Bellasis, supplantant ainsi Stephen et John dans la lignée ? Il sortit les dernières lettres de la pochette et y trouva la réponse. Dans ces lettres, Sophia Trenchard parlait de l'horreur et de la honte d'avoir été « dupée ». Était-ce possible ? Ce mariage n'avait-il été qu'une mascarade et ce certificat était-il un faux ? Bellasis avait-il trompé la jeune fille en lui faisant croire que la cérémonie avait bien eu lieu ? Oui, il devait en être ainsi. Aucune autre explication ne pouvait correspondre aux faits. Dans ce cas, qui était ce Richard Bouverie qui avait signé le faux certificat de mariage et rédigé la lettre expliquant pourquoi la cérémonie s'était déroulée à Bruxelles ? Était-ce un compagnon d'armes de Bellasis, l'un de ses camarades de régiment ? Sinon, comment expliquer sa présence parmi les autres officiers, ce soir-là ? En tout cas, une chose était claire. Sophia avait cru que Bouverie avait endossé le rôle de pasteur afin qu'Edmund puisse amener la jeune fille à coucher avec lui.

Mais avant de s'en réjouir, puis de décider ce qu'il devrait faire par la suite, John devait s'assurer que Bouverie était bien un imposteur. Il lui en fallait la preuve formelle. Alors seulement il serait rasséréné et capable de réfléchir. Quand Ellis n'était pas réapparue et qu'il avait compris qu'il ne pourrait pas brûler les originaux dans l'âtre de son modeste salon, comme il l'avait espéré, John s'était affalé sur le canapé en agrippant une bouteille de cognac et il s'était creusé la tête toute la nuit. Enfin, aux premières lueurs du jour, il s'était souvenu de son ami Hugo Wentworth, capitaine dans le 52e d'infanterie légère, et prétendument historien militaire. Or Bellasis était dans le 52e quand il était mort et Wentworth pourrait sûrement vérifier dans leurs dossiers si Bouverie faisait lui-même partie de ce régiment. En conséquence, il avait écrit à Hugo en ne lui fournissant que les informations qu'il jugeait strictement nécessaires et en le priant de se livrer pour lui à « une petite recherche », au nom de leur vieille amitié.

D'où ce rendez-vous.

— Bon, dit Hugo en se tapotant la poitrine. J'ai sur moi ta lettre me demandant de me renseigner sur Richard Bouverie, fils cadet de Lord Tidworth. Il était en effet capitaine dans le 52e d'infanterie légère avec ton cousin, Lord Bellasis. Ils sont morts ensemble à Waterloo.

À ces mots, John éprouva un immense soulagement. Ainsi Edmund s'était conduit comme une fripouille, son compagnon d'armes ne valait guère mieux et Sophia avait été séduite. Charles Pope était le fruit de cette liaison illégitime et John se retrouvait donc seul héritier.

— Et si nous prenions un autre verre ? proposa-t-il en souriant à Wentworth.

— Pourquoi pas ? Mais ce n'est pas tout, ajouta Hugo en dépliant une feuille couverte de sa petite écriture serrée.

John sentit un grand froid l'envahir.

— Comment ça, ce n'est pas tout ?

Hugo se racla la gorge et se mit à lire ses notes.

— Le capitaine Bouverie a quitté l'armée en 1802, après la signature du traité d'Amiens avec Napoléon, et il est ensuite entré dans les ordres.

— Mais tu as dit qu'il avait combattu à Waterloo ?

— Oui, mais voilà, reprit Hugo en lissant la feuille de papier d'un air enjoué.

Visiblement, il était persuadé d'avoir déterré quelque chose d'extraordinaire.

— Continue, dit John d'une voix froide comme la tombe.

— Apparemment, Bouverie aurait décidé de réintégrer son régiment, le 52e d'infanterie légère, juste après que Napoléon se fut échappé de l'île d'Elbe, en février 1815.

— Mais était-ce toléré, pour un membre de l'Église ?

— Eh bien oui, manifestement. Peut-être son père a-t-il usé de son influence ? Va savoir. En tout cas, il fut bien réadmis au sein de son régiment. Une belle illustration de l'Église militante, conclut Hugo en riant, ravi de son trait d'humour. N'empêche, ce devait être un gars courageux. Quand Napoléon est rentré sur Paris sans essuyer le moindre coup de feu, Bouverie a dû comprendre que les grandes puissances ne pourraient tolérer son retour et qu'une bataille était imminente. De toute évidence, il a estimé que son devoir était de lutter pour son pays.

John sentait son cœur battre à tout rompre. Il demeura silencieux, le temps de se reprendre.

— Mais avait-il le pouvoir de célébrer un mariage alors qu'il était redevenu officier ? s'enquit-il.

— Absolument. Il était pasteur avant le début des combats, et pasteur il mourut.

— En conséquence, tout mariage qu'il aurait célébré à Bruxelles avant la bataille est légal ?

— Oui, il n'y a donc pas lieu de s'inquiéter. Les mariés en question étaient sans conteste époux devant la loi. J'espère que cela met un terme à tes inquiétudes…, conclut-il. C'est une bonne nouvelle, ajouta-t-il, comme John ne réagissait toujours pas, et il fit signe au serveur en désignant leurs verres.

Celui-ci revint bientôt avec la carafe de madère.

— Surtout, ne me remercie pas d'avoir pris cette peine, reprit Hugo. Cela m'a vraiment amusé. J'ai même pensé à écrire quelque chose sur cette époque. Reste à savoir si je saurais m'y astreindre…

Comme John ne disait toujours rien, son silence finit par intriguer Hugo, qui essaya encore de relancer la conversation.

— Pourrais-je connaître le nom des intéressés ? Y a-t-il une bonne histoire derrière ce mariage et cette petite enquête que tu m'as demandée ?

À ces mots, John sortit enfin de sa stupeur.

— Oh non. Cela concerne juste un vague parent. L'épouse est morte en couches et le père a été tué dans la bataille. Leur fils s'interrogeait sur son propre statut, et j'ai voulu le rassurer, répondit John d'un air facétieux, qui fit rire son compagnon.

— Eh bien, tu peux lui dire qu'il n'a plus à s'inquiéter. Il est aussi légitime que la petite princesse elle-même.

Dans son salon privé de Brockenhurst House, Caroline s'occupait de nettoyer ses pinceaux. Devant elle, il y avait un chevalet, une grande toile et une palette de couleurs disposées en cercle qui allaient des bruns, bleus et verts à diverses nuances de jaune, rose et blanc. Sur le plateau posé à côté d'elle se trouvaient tout un tas de chiffons, ainsi qu'un assortiment de couteaux et de brosses de différentes largeurs, formes et épaisseurs.

— Ne bougez pas, dit-elle, et son regard passa de la toile à Maria, qui était assise sur un divan couleur pêche. Voilà un moment que je n'ai pas fait de peinture à l'huile et je crains d'être un peu rouillée.

À dire vrai, Caroline aimait bien avoir Maria chez elle. À l'origine, elle avait accueilli la jeune fille par affection pour son petit-fils, pour lui offrir protection, mais le temps passant il lui fallait reconnaître que la compagnie de Maria lui était très agréable. Elle apposa une touche de lumière sur le joli visage qui commençait à émerger de la toile. Depuis la mort d'Edmund, elle s'était sentie bien seule, même s'il n'était pas dans son tempérament de l'admettre. Assise ici avec Maria, elle avait l'impression qu'un grand poids lui était enlevé. C'était comme si le monde reprenait vie, après vingt-cinq années d'amère solitude.

Cela dit, ses projets avaient tourné court. Au début, lorsque Maria lui avait demandé son aide, Caroline comptait l'emmener à Lymington et inviter Charles à les rejoindre. Elle aurait alors révélé à son mari et à son petit-fils toute la vérité. Mais le lendemain de sa réception, elle avait reçu une lettre de Peregrine, qui était à la campagne, la prévenant qu'il allait chasser dans le Yorkshire et qu'il reviendrait par Londres. Maria et elle étaient donc restées à Belgrave Square en attendant le retour de Lord Brockenhurst.

— Avez-vous eu des nouvelles de votre mère ? s'informa Caroline.

— Non, aucune, répondit Maria. Elle va revenir un de ces jours avec Reggie ou quelqu'un d'autre pour m'emmener de force.

— Alors nous résisterons vigoureusement et nous l'en empêcherons. D'ailleurs, Reggie prendrait-il parti pour sa mère ou pour sa sœur, à votre avis ?

Maria sourit. En effet, elle pensait pouvoir compter sur l'appui de son frère, si l'on devait en arriver là.

Il y eut du bruit à la porte.

— Qu'y a-t-il, Jenkins ? s'enquit Lady Brockenhurst.

— Lady Templemore est dans le hall et demande à vous voir, madame.

Le majordome en savait assez pour ne pas avoir conduit la comtesse directement au salon.

— Quand on parle du loup, dit Caroline en regardant Maria.

— Oui. Il faudra bien l'affronter tôt ou tard, alors autant que ce soit maintenant, répondit la jeune fille, et elle se leva en arrangeant ses jupes.

— Veuillez conduire Lady Templemore au salon, finit par dire son hôtesse à Jenkins après un petit temps de réflexion, et le majordome s'inclina avant de quitter la pièce. Peut-être feriez-vous mieux de rester ici, suggéra Caroline en ôtant sa blouse de peintre, et elle vérifia son apparence dans le miroir accroché au-dessus de la cheminée.

— Non, dit Maria. C'est ma bataille et non la vôtre. Je vais à sa rencontre.

— Eh bien, vous ne serez pas seule, déclara Caroline, et les deux femmes traversèrent ensemble la galerie pour faire face à l'ennemi.

Les colonnes de marbre vert qui reliaient la balustrade de l'escalier au plafond décoré de moulures prirent soudain aux yeux de Maria un aspect cérémonieux, à mesure qu'elles avançaient. Comme si nous nous rendions au tribunal, songea-t-elle.

Lorsque Caroline entra dans la pièce, Lady Templemore était déjà assise sur une bergère Louis XV damassée. En la voyant raide comme un piquet, semblant soudain très seule, Caroline ressentit un léger pincement de culpabilité.

— Puis-je vous offrir quelque chose ? lui proposa-t-elle, aussi aimablement qu'elle le put.

— Oui, rendez-moi ma fille, répondit Lady Templemore, sans l'ombre d'un sourire.

À cet instant, Maria entra. Elle s'était arrêtée devant une glace de la galerie pour se recoiffer avant d'aller affronter le regard de sa mère.

— Me voici, Mère.

— Je suis venue vous ramener à la maison.

— Non, Mère.

Son ton catégorique jeta soudain un grand froid, car ce refus était inattendu, et même choquant, et Lady Templemore n'avait jamais douté qu'elle pourrait récupérer sa propre fille quand elle le désirerait.

Elle fut la première à rompre le silence.

— Ma chère…

— Non, Mère. Je ne rentrerai pas à la maison. Pas pour l'instant, en tout cas.

Corinne Templemore lutta pour garder contenance.

— Mais si la chose vient à se savoir… ce qui ne manquera pas de se produire, qu'est-ce que les gens vont penser ? invoqua-t-elle.

À voir Maria si calme, l'estime que Lady Brockenhurst avait pour elle s'en trouva encore grandie.

— Ils penseront que je séjourne chez la tante de mon fiancé, ce qu'ils trouveront parfaitement normal, répondit la jeune fille. Cependant, nous annoncerons bientôt que ce mariage-là n'aura pas lieu. Et que je me marierai avec M. Charles Pope. Cela les intéressera fort, à n'en pas douter, et ils commenteront la chose tout à loisir. Qui est donc ce M. Pope, diront-ils, et cela les distraira jusqu'à ce qu'un nouveau scandale éclate, fugue amoureuse, faillite d'un grand patron de la City. Alors nous passerons au second plan et la vie continuera.

Quand elle eut fini, assise sur un sofa, Maria joignit les mains d'un air décidé et les laissa reposer sur ses genoux.

Lady Templemore contempla sa fille ou plutôt la créature qui avait pris sa place. Mais au lieu de lui répondre, elle se tourna vers Lady Brockenhurst.

— C'est votre œuvre, lui dit-elle. Vous avez corrompu mon enfant.

— Si tel est le résultat, je ne m'en plains pas, répondit Lady Brockenhurst.

Mais Corinne Templemore n'en avait pas terminé.

— Pourquoi faites-vous ça ? Est-ce par jalousie envers moi ? Mes enfants sont en vie, alors que votre fils est mort et enterré. C'est cela ?

Elle s'était exprimée d'une voix calme, au timbre agréable, ce qui était bien plus déconcertant que si elle avait hurlé en s'arrachant les cheveux. Il fallut un moment à Caroline Brockenhurst pour retrouver son souffle.

— Corinne, commença-t-elle, mais Lady Templemore la fit taire d'un geste de la main.

— S'il vous plaît. Seuls mes amis ont le droit de m'appeler par mon prénom.

— Mère, nous ne sommes pas à une foire d'empoigne, comme des voyous des rues se battant entre eux.

— Je préférerais de loin être attaquée par des voyous que par ma propre fille.

Maria se leva, consciente qu'il lui fallait tenter de dénouer la situation maintenant. Sinon, sa mère et elle seraient dans une impasse.

— Mère, je vous en prie, dit-elle d'un ton aussi posé que possible. Je rentrerai à la maison quand vous aurez eu le temps d'accepter que le projet de mariage que vous aviez conçu pour John Bellasis et moi ne se réalisera pas. Lorsque vous vous serez faite à cette idée, je suis certaine que nous retrouverons vite notre bonne entente.

— Afin que vous puissiez épouser M. Pope ? répliqua sa mère, d'un ton qui n'avait rien d'encourageant.

— Oui, Mère, dit Maria en soupirant. En l'occurrence, ce mariage vous apparaîtra peut-être sous un meilleur jour que vous ne le pensez.

Elle jeta un coup d'œil à Caroline, dans l'espoir que sor hôtesse prendrait le relais, car elle ne savait jusqu'où aller sans trop en dire.

— Maria a raison, confirma Lady Brockenhurst. M. Pope est d'origine moins obscure qu'on pourrait le croire.

— Ah oui ? dit Lady Templemore.

— Il semblerait que son père était le fils d'un comte.

Il y eut un silence, le temps pour Corinne d'assimiler cette surprenante déclaration.

— Le père était-il illégitime ? Ou M. Pope lui-même est-il un bâtard ? Car je ne vois pas d'autre explication à ce que vous venez de me révéler, en admettant que ce soit vrai.

Lady Brockenhurst inspira profondément. Elle n'était pas encore prête à abattre toutes ses cartes.

— Puis-je vous rappeler que, il y a une quinzaine d'années, le fils illégitime du duc de Norfolk a épousé la fille du comte d'Albermarle, et qu'aujourd'hui ils sont reçus partout ?

— Et vous pensez que parce que les Stephenson s'en sont bien sortis, Charles Pope fera de même ? riposta Lady Templemore, d'un air plus que sceptique.

— Et pourquoi pas ? dit Caroline d'une voix douce, presque implorante.

Venant d'elle, cette sorte de supplique surprit Maria, même si elle en connaissait les raisons. Mais Lady Templemore répondit en assenant ses arguments avec une logique implacable.

— D'abord, parce que le duc a élevé Henry Stephenson comme son propre fils et qu'il l'a reconnu comme tel dès sa naissance. Ensuite, parce que Lady Mary Keppel n'a pas rompu ses fiançailles avec un comte afin de l'épouser, que je sache. Vos manigances ont privé ma fille d'une position qui lui aurait permis de faire un peu de bien en ce monde. J'espère que vous êtes fière de vous.

— Je crois que je pourrai faire tout autant de bien une fois mariée à Charles, repartit Maria, qui commençait à s'irriter de l'intransigeance de sa mère.

C'en fut trop pour Lady Templemore qui se leva, droite comme un I, et Caroline fut impressionnée malgré elle par son maintien digne, son élégance, la sévérité inflexible qui se dégageait d'elle.

— Alors il faudra vous passer de l'aide de votre mère, ma chère, car je ne veux plus entendre parler de vous.

Aussitôt rentrée, j'enverrai Ryan vous porter vos affaires ici. Vous pourrez la garder comme femme de chambre, mais cela sera à vos frais. Sinon, je lui donnerai son congé. Je demanderai à M. Smyth de chez Hoare's de vous écrire à propos des rentes dépendant du fidéicommis de votre père et, à l'avenir, vous communiquerez avec lui, plus avec moi. Or donc, ma chère, je vous libère en rompant les liens qui nous unissent. Voguez donc à la dérive en menant votre propre barque. Quant à vous, conclut-elle en se tournant vers Caroline, les yeux brillant de haine, vous m'avez volé ma fille et ruiné ma vie. Pour cela, je vous maudis.

Sur ces mots, elle sortit de la pièce d'un pas déterminé et descendit le grand escalier, laissant Maria et Lady Brockenhurst seules, et silencieuses.

Susan Trenchard n'aurait su définir l'humeur dans laquelle elle se trouvait. Elle se sentait par moments pleine d'espoir, comme si sa vie allait s'améliorer, puis tout semblait s'assombrir autour d'elle, et elle avait alors l'impression de se tenir, toute tremblante, au bord du gouffre.

Lors de sa dernière visite à Albany, elle avait informé John qu'elle pensait être enceinte. Elle lui en avait parlé dès qu'ils avaient franchi le seuil de son petit salon, après avoir monté l'escalier. Certes la nouvelle l'avait déconcerté, surpris même, mais sa réaction n'avait rien eu d'hostile.

— Je te croyais stérile, dit-il. Je pensais donc que ça réglait la question.

C'était une étrange expression.

— Qu'entends-tu par « régler la question » ?

— Je suppose que tu en es sûre ? demanda-t-il, en esquivant sa remarque.

— Pratiquement sûre, oui. Même si je n'ai pas encore consulté de médecin pour le confirmer.

— Tu devrais peut-être. En connais-tu un auquel tu puisses te fier ?

— Pourquoi ? Je suis une femme mariée, dit-elle, intriguée, en le dévisageant. Mon état n'a rien d'inavouable.

— C'est juste. Mais va chez un praticien qui saura que faire.

De nouveau, ses paroles lui parurent étranges, mais elle voyait bien qu'il était distrait. Elle savait que la femme de chambre de sa belle-mère venait juste de partir, quand elle était arrivée ; John avait dû apprendre quelque chose qui accaparait son attention, sans doute au sujet du mystérieux M. Pope, supposa-t-elle.

Quoi qu'il en soit, ils étaient convenus que Susan prendrait rendez-vous un certain jour avec son médecin, puis qu'elle rejoindrait John à son appartement d'Albany, où il l'attendrait. Mais le jour venu, il n'était pas chez lui. Son domestique l'avait fait entrer et invitée à s'asseoir dans un fauteuil du salon où elle avait dû patienter, recroquevillée auprès d'un maigre feu. Selon le domestique, John avait un rendez-vous à St James qui avait dû se prolonger plus que prévu, mais il ne tarderait plus guère. Plus guère… c'était bien vague. Cela faisait maintenant près d'une heure que Susan attendait.

L'absence de John lui donnait le temps de réfléchir à sa situation. Qu'espérait-elle au juste ? Qu'il l'épouserait et la sauverait de la terne maison Trenchard ? Oui, en rêve… Car maintenant que les premiers feux de la passion avaient décliné, elle était trop intelligente pour croire qu'elle serait l'heureuse élue, celle qu'il choisirait pour devenir la prochaine comtesse de Brockenhurst. Une fille de marchand, divorcée, ne s'inscrirait pas facilement dans l'histoire de la dynastie Bellasis. En outre, combien de temps prendrait un divorce ? Pourraient-ils trouver un membre du Parlement assez complaisant pour déposer un projet de loi d'intérêt privé, qui prononce la dissolution de leur mariage ? Et il restait fort improbable que ce jugement soit rendu avant la naissance du bébé.

Alors, que voulait-elle en second lieu ? Être la maîtresse attitrée de John ? Prendre une maison quelque part et élever l'enfant qu'il aurait reconnu comme étant le sien ? Quand l'oncle de John serait mort, l'argent ne manquerait pas, ce qui faciliterait ce genre d'arrangement. Pourtant... pourtant... Susan n'était pas du tout certaine que cela lui conviendrait, car elle devrait dès lors vivre en marge de la bonne société, même d'un niveau aussi bas que celle qu'elle fréquentait depuis son entrée dans la famille Trenchard. Mais pourrait-elle supporter de rester avec Oliver et aurait-elle même cette possibilité ? Oliver Trenchard n'était peut-être pas un génie, mais il saurait que l'enfant n'était pas de lui. Ils n'avaient pas fait l'amour depuis des mois. Il y avait une certaine ironie dans cette découverte : durant des années, elle avait vécu en femme stérile sous le regard apitoyé de son entourage, alors qu'elle était fertile. L'anomalie devait donc venir d'Oliver, même s'il n'avait jamais voulu même l'envisager. Oui, peut-être qu'accepter le rôle de femme entretenue par John était le meilleur choix qui s'offrait à elle.

Enfin, la porte s'ouvrit.

— Eh bien ? dit John en entrant dans la pièce.

— J'attends depuis presque une heure.

— Me voici. Alors ?

Elle n'insista pas, sachant qu'il était vain d'escompter de John Bellasis qu'il se sente dans son tort et présente des excuses.

— J'ai fait ce que tu m'as demandé. J'ai vu un médecin et je suis enceinte. De trois mois au moins.

Il ôta son chapeau et le jeta d'un geste impatient.

— Mais va-t-il s'en occuper ? Ou l'a-t-il déjà fait ?

Ces mots la blessèrent comme un coup de couteau. *Va-t-il s'en occuper ?* Au fil de ses réflexions, Susan avait toujours tenu compte de l'enfant et de son existence. Pas une seule fois elle n'avait songé à s'en débarrasser. Voilà dix ans qu'elle espérait tomber enceinte, et maintenant qu'elle l'était, John voulait qu'elle risque sa vie pour le faire passer ? Pire, il semblait que pour lui la chose allait de soi et qu'il n'y avait même pas lieu d'en discuter.

— Bien sûr que non ! contra-t-elle, puis elle se tut et garda le silence, le temps de se reprendre. Je ne veux pas le perdre. Comment as-tu pu l'imaginer ? N'éprouves-tu aucun sentiment ?

John la regarda d'un air perplexe.

— Des sentiments ? Pourquoi diable en aurais-je ?

— Parce que tu es le père.

— Ah oui ? Qu'est-ce qui me le prouve ? Tu as couché avec moi à la première occasion. Devrais-je juger d'après ton attitude que tu te prends pour une nouvelle Mme Walewska, prude et pure jusqu'au jour où elle croisa le regard de l'Empereur ?

Il partit d'un rire cruel et se versa un verre de cognac qu'il avala d'un trait.

— Tu sais qu'il est de toi.

— Je ne sais rien du tout, objecta-t-il en se resservant. C'est ton problème, pas le mien. Par amitié, je te donnerai de quoi régler les frais mais, si tu refuses, là s'arrêtera ma responsabilité, conclut-il avant de s'affaler dans un fauteuil.

Susan le dévisagea. L'espace d'un instant, sa rage fut telle qu'elle eut l'impression d'avoir avalé du feu, mais elle réussit à se dominer. Si elle se mettait à crier, elle ne tirerait rien de lui ; en femme avisée, elle le savait. Mais y avait-il encore un moyen de le gagner à sa cause ? Il lui faudrait jouer serré et faire preuve de prudence.

— Est-ce que tu vas bien ? dit-elle en changeant de sujet. Tu sembles préoccupé.

Il la regarda, surpris par sa soudaine gentillesse.

— Parce que tu t'en soucies ?

— John, je ne puis parler pour toi, répondit-elle avec un sourire enjôleur, mais je suis amoureuse de toi depuis des mois. Ton bonheur compte plus pour moi que tout au monde. Bien sûr que je m'en soucie.

Tout en parlant, elle s'émerveillait de sa propre duplicité. Mais ses paroles produisirent visiblement l'effet escompté. Comme les hommes sont faibles, se dit-elle. Une petite caresse et ils vous mangent dans la main. Comme des chiens.

— Alors, me confieras-tu ce qui t'inquiète ? insista-t-elle avec douceur.

Il soupira et s'enfonça dans le fauteuil, mains croisées derrière la tête.

— J'ai tout perdu.

— Allons, ce n'est sûrement pas aussi catastrophique.

— Ah oui ? Je n'ai plus rien. Je ne suis plus rien. Et je serai toujours un moins que rien.

Il se leva et s'approcha de la fenêtre. Son appartement donnait sur la cour située devant le bâtiment et il observa en contrebas les gens qui vaquaient à leurs tâches quotidiennes, tandis que sa vie à lui semblait s'être envolée en fumée.

Susan commençait à comprendre qu'elle avait affaire à autre chose qu'à un simple accès de mauvaise humeur.

— Que s'est-il passé ?

— J'ai découvert qu'en définitive je ne serai pas le prochain comte de Brockenhurst. Je n'hériterai pas de la fortune de mon oncle, de Lymington Park, ni de Brockenhurst House. En fait, je n'hériterai de rien du tout.

Peu lui importait que Susan soit au courant. Anne et James Trenchard devaient avoir récupéré les papiers de Sophia et, bientôt, ils auraient pris connaissance de leur contenu. Alors, ils apprendraient la vérité et la feraient connaître au monde entier.

— Je ne comprends pas, dit Susan, sidérée par cette incroyable nouvelle, qui reléguait pour un temps au second plan ses propres soucis.

— C'est cet homme, Charles Pope, qui est l'héritier. Ce type est une vraie calamité. Il serait le petit-fils de mes oncle et tante, semble-t-il.

— Mais je croyais qu'il était le fils de mon beau-père ? C'est ce que tu m'avais dit.

— C'est ce que j'ai cru. Mais non. Il est le fils de mon cousin Edmund.

— Mais alors, pourquoi n'a-t-il pas été reconnu comme tel ? Pourquoi porte-t-il le nom de Pope ? Ne devrait-il pas être… quel est le titre, déjà ?

— Vicomte. Vicomte Bellasis.

— Oui. Pourquoi n'est-il pas le vicomte Bellasis ?

— Il l'est, sauf qu'il ne le sait pas, repartit John avec un rire amer. Ils ont tous cru qu'il était illégitime. C'est pourquoi il a été écarté et élevé sous un faux nom, loin de Londres.

— Quand ont-ils découvert la vérité ? s'enquit Susan, l'esprit en ébullition tant ces rebondissements excitaient sa curiosité.

— C'est moi qui ai découvert la vérité. Eux l'ignorent encore. Un mariage a été célébré entre Edmund et la fille des Trenchard. À Bruxelles, avant Waterloo. Mais la famille a cru que c'était une mascarade, montée par le vicomte Bellasis pour la séduire, avec la complicité de l'un de ses camarades.

Susan cligna des yeux, comme éblouie par tant de révélations. Sophia, la sœur d'Oliver, dont le souvenir était pieusement vénéré dans cette maison, avait été séduite. Sauf qu'en fin de compte elle ne l'avait pas été. Du moins, pas avant d'être mariée. Cela faisait beaucoup de choses à assimiler d'un seul coup.

— Tu dis qu'ils ignorent encore la vérité ?

— Oui, je le pense. Vois-tu, j'ai demandé à un ami de vérifier si ce mariage était légal, ce qu'il m'a confirmé, dit-il en sortant une liasse de papiers de sa poche intérieure.

Mais eux croient toujours que le pasteur qui présida à la cérémonie était en réalité un soldat complice de la duperie et donc que le mariage n'était pas valide. Alors qu'en fait ce gars était à la fois soldat et pasteur anglican, aussi étrange que cela puisse paraître. J'en ai la preuve ici même.

— Et tu n'as pas brûlé ces papiers ? Pourquoi donc, puisqu'ils ne le savent pas encore ?

— Ha ! s'exclama-t-il en riant. Cela n'aurait servi à rien. Figure-toi que je n'ai que des copies du certificat de mariage. Les originaux sont entre leurs mains.

— Mais puisqu'ils n'ont pas eu la preuve que t'a donnée ton ami…

— Ils découvriront forcément la vérité.

Ce fut alors que Susan vit l'occasion de saisir sa chance. Loin d'anéantir ses propres espérances, la déroute de John lui offrait en fait l'opportunité de construire son avenir. Une perspective qui lui sembla cette fois tout à fait réaliste.

— John, avança-t-elle avec prudence, si tout cela est vrai et que tu n'as plus droit au titre…

— Ni à l'argent.

— Ni à l'argent. Alors pourquoi ne pas m'épouser ? Je sais que tu ne m'aurais pas choisie si tu étais devenu chef de famille et héritier en titre, mais à présent tu seras le fils du fils cadet. Cela change la donne. Je peux divorcer d'Oliver et aller m'installer chez mon père. Il a de l'argent plus qu'il n'en faut et je suis enfant unique. J'hériterai de tout. Nous pourrions avoir la belle vie, tous les deux. Nous serions à l'aise. Nous pourrions avoir d'autres enfants. Tu pourrais obtenir un brevet d'officier dans l'armée ou bien nous pourrions acheter des terres. Il existe peut-être des partis issus d'un meilleur milieu que le mien, mais il en est peu qui puissent subvenir à tes besoins aussi bien que moi…

Elle s'interrompit, convaincue d'avoir parfaitement plaidé sa cause. Elle aurait un époux issu de la bonne société, et lui aurait les moyens de vivre sur un grand pied, en gentleman. Étant donné la situation, il n'avait rien à y perdre et tout à y gagner, non ?

John la dévisagea pendant ce qui sembla être à Susan une éternité. Puis il rejeta la tête en arrière et partit d'un fou rire démentiel, inextinguible, jusqu'à en avoir les larmes aux yeux. Quand il se fut calmé, il se tourna face à elle.

— Tu t'imagines que moi, John Bellasis, neveu du comte de Brockenhurst, dont les aïeux participèrent aux croisades et à toutes les grandes batailles ayant depuis secoué l'Europe, j'irais convoler en justes noces avec... (S'interrompant, il la toisa d'un regard dur et froid comme la pierre.) Avec la fille divorcée d'un vulgaire marchand ?

Sous le choc, Susan recula, le soufflé coupé, comme si on l'avait aspergée d'eau glacée. Lui se remit à rire. Comme s'il déversait la détresse due à la ruine de toutes ses espérances dans ce rire cruel, presque hystérique, avec l'humour du désespéré.

Susan eut l'impression d'avoir reçu une gifle. Elle se leva en portant les mains à ses joues, le cœur battant à tout rompre.

Mais John n'en avait pas terminé.

— Voyez-vous, ma chère, c'est un grand mariage qu'il me faut. Maintenant plus que jamais. Pas avec Maria Grey, ses petits airs de sainte nitouche et sa bourse vide. Non, un grand mariage, vous m'entendez ? dit-il en la vouvoyant, comme s'ils n'avaient jamais été intimes. Désolé, mais pour vous, c'est la fin de l'histoire. Pauvre petite Susan Trenchard, fille de commerçant, conclut-il en secouant la tête. Pauvre petite grue ambitieuse. Quelle plaisanterie.

Susan resta un moment sans parler, sans bouger, le temps de retrouver la maîtrise de son corps et de sa voix. Alors seulement elle prit la parole.

— Pourrais-tu prier ton domestique de m'appeler un fiacre ? Je le suivrai aussitôt.

— Pourquoi ne pas descendre en héler un toi-même ?

— Je t'en prie, John. Inutile de nous séparer en mauvais termes.

Fut-ce un reste infime de décence et d'honneur qui le fit grommeler « très bien », et quitter la pièce pour en donner l'ordre à son domestique ? Dès qu'il fut parti, Susan s'empara des papiers restés près du fauteuil de John, les enfouit dans son réticule et s'empressa de gagner la sortie. Elle avait descendu la moitié de l'escalier quand elle l'entendit l'appeler, mais elle dévala le reste des marches et traversa la cour devant l'immeuble en courant pour rejoindre la rue. Une minute plus tard, elle était dans un fiacre, en chemin vers chez elle. Quand John surgit sur le trottoir et regarda avec fureur des deux côtés de Piccadilly, Susan s'éloigna de la fenêtre et se renfonça sur la banquette.

Oliver Trenchard se trouvait à Eaton Square, dans la bibliothèque de James, où il buvait du cognac en feuilletant le *Times*. Son père en aurait sans doute jugé autrement mais, d'après lui, il avait eu une journée bien remplie, même si ce n'était ni par le bureau ni par son travail pour les frères Cubitt. Durant presque toute la matinée, il avait fait un tour à cheval dans Hyde Park, puis il était passé chez son tailleur de Savile Row pour confirmer la commande d'un modèle de culotte de cheval pour la chasse, avant de déjeuner à Wilton Crescent ; après quoi, il avait rejoint un groupe d'amis pour une partie de whist. Pourtant Oliver n'avait pas un tempérament de joueur. Il supportait mal que ses pertes dépassent ses gains. Son père regrettait qu'il n'ait pas un esprit plus entreprenant mais, par ailleurs, Oliver n'avait pas de vices particuliers. Certes il buvait quand il était malheureux. Et les femmes auraient pu être sa seule véritable tentation, si seulement l'image de son épouse ne l'avait hanté. Dès qu'il envisageait de se rendre à un rendez-vous galant, elle était là, avec son sourire hautain et son regard aguicheur qu'elle destinait à d'autres que lui. Alors il renonçait à ses projets et rentrait chez lui. Quel soulagement ce serait de parvenir à la chasser de son esprit, à l'oublier, se disait-il en s'installant dans son fauteuil et en portant le verre de cognac à ses lèvres, espérant éviter autant son père que Susan.

Malgré le fait qu'ils habitaient sous le même toit, Oliver avait réussi à ne pas croiser son père depuis cet éprouvant déjeuner au club. Chaque matin, il quittait délibérément la maison bien après que James fut parti travailler et il rentrait souvent aux premières heures du jour, en espérant que ses parents seraient encore couchés et bien au chaud dans leur lit. Pourtant, ce jour-là, il s'était mépris, persuadé que James était sorti dîner. Et voilà que, au moment où il posait son verre pour plier le journal, son père entra dans la pièce.

James se figea. Manifestement, lui non plus ne s'attendait pas à trouver son fils ici.

— Tu lis le *Times* ? demanda-t-il avec une certaine gaucherie, car il lui était difficile d'être à l'aise, après le long silence qui s'était installé entre eux.

— Sauf si tu veux le lire, Père ? répondit poliment Oliver.

— Non, non. Continue. Je suis venu chercher un livre. Sais-tu où est ta mère ?

— En haut. Elle était fatiguée, après sa longue promenade de l'après-midi et a préféré se reposer avant le dîner.

— Bon, constata James en hochant la tête. Donc tu veux bien lui parler, à elle ?

— Je n'ai aucun différend avec elle, répliqua posément Oliver.

— Seulement avec moi.

James sentit entre eux les tensions s'exacerber. Oliver et lui s'affronteraient-ils enfin, après avoir différé la chose aussi longtemps ?

— Toi et Charles Pope, rectifia Oliver.

C'était là un mystère que James ne parvenait pas à comprendre.

— Et tu le détestes au point d'avoir traversé l'Angleterre juste pour tenter de ruiner sa réputation ?

— Était-elle encore à sauver ? ironisa Oliver en reniflant avec dédain, et il revint à son journal.

— As-tu donné de l'argent à ces types de Manchester ? Pour écrire les lettres ? lui demanda James d'un ton exigeant.

— Je n'en ai pas eu besoin. Ils voulaient sa perte autant que moi.

— Mais pourquoi ?

James secoua la tête d'un air incrédule en contemplant son fils, cet oisif qui lisait dans une bibliothèque digne des plus grandes maisons, avec ses rayons de livres reliés dont les dos luisaient à la lumière des lampes à huile, son bureau marqueté, et un portrait de George III accroché au-dessus de la cheminée. Une oasis de civilisation en plein cœur de la ville. Comment imaginer cadre plus agréable ? se disait James en revoyant les murs nus et les taudis délabrés de sa jeunesse. Et qu'avait fait Oliver pour le gagner ? Rien. Était-il jamais satisfait, heureux, content ?

— Donc tu es délibérément allé à Manchester pour trouver quelque chose, n'importe quoi, qui puisse nuire à M. Pope et ternir l'opinion que je me fais de lui ?

— Oui, répondit tout net Oliver, qui ne voyait pas l'intérêt de chercher des faux-fuyants.

— Mais pourquoi donc souhaites-tu la ruine d'un homme qui ne t'a jamais rien fait ? s'enquit James, perplexe.

— Jamais rien fait ? répéta Oliver avec stupéfaction. Il m'a volé mon père et il s'apprête à me dépouiller de ma fortune. Ce n'est rien ?

James grogna d'indignation.

— C'est absurde.

Mais cette fois, Oliver était décidé à tout déballer. Son père voulait savoir ce qu'il y avait derrière sa haine de Pope ? Très bien. Il le lui dirait.

— Tu prodigues toute ton attention à ce nouveau venu, cet étranger, cet arriviste ! Tu lui donnes ton argent et tu fais sans cesse son éloge !

— Je crois en lui.

— Soit, dit Oliver, qui sanglotait presque et sentit qu'il commençait à trembler. Mais bon sang, tu n'as jamais cru en moi ! Tu ne m'as jamais soutenu, tu ne t'es jamais soucié de moi, tu n'as jamais écouté ce que je disais…

James sentit une boule de colère se former dans sa poitrine.

— Puis-je te rappeler que j'ai mis en danger mon amitié avec les Cubitt, les hommes que je respecte le plus au monde, pour t'assurer une carrière ? Et quelle est ma récompense ? Te voir manquer chaque réunion, chaque rendez-vous, pour aller faire du cheval, chasser, te promener dans le parc ! N'ai-je pas de quoi être déçu ? Ne suis-je pas en droit de trouver que mon fils ne mérite pas le mal que je me suis donné ?

Oliver dévisagea son père, cet homme vulgaire, insignifiant, avec sa face rougeaude et ses vêtements trop étriqués, qui connaissait si peu les plaisirs raffinés de la vie. C'était étrange. Il le méprisait. Et pourtant, il avait un besoin maladif de gagner son estime. Oliver ne comprenait pas lui-même où il en était, mais il ne pouvait plus garder sous silence ce qui le tourmentait le plus.

— Je suis désolé, Père, mais je ne puis échanger ma place contre celle de Sophia. C'est ce que tu aurais préféré, nous le savons tous les deux. Mais je ne peux pas la faire sortir du tombeau et y descendre à sa place. C'est hors de ma portée.

Sur ce, il ouvrit la porte avec violence et laissa James tout seul, dans la lumière vacillante venant du foyer.

Tandis que Speer la coiffait avant le dîner, Susan était d'un calme inhabituel. La femme de chambre se doutait que les choses avaient mal tourné entre sa maîtresse et M. Bellasis, mais elle ne pouvait que se livrer à des conjectures. Elle savait que Mme Oliver était enceinte, un état impossible à dissimuler à sa femme de chambre, et elle était également certaine que M. Bellasis était le père, puisque dix années de mariage avec M. Oliver n'avaient même pas donné lieu à une fausse couche. En tout cas, si M. Bellasis et sa maîtresse avaient abordé la question l'après-midi, il semblait évident que tous les rêves d'avenir qu'avait pu nourrir Mme Oliver en s'imaginant vivre avec M. Bellasis étaient réduits à néant.

— Êtes-vous prête à vous habiller, madame ? demanda Speer.

— Un peu plus tard. J'ai d'abord quelque chose à régler. Pouvez-vous me trouver une feuille de papier et un ruban ?

Susan attendit patiemment que la femme de chambre revienne avec ce qu'elle lui avait réclamé. Alors elle sortit de son réticule une liasse de documents, les enroula dans la feuille de papier blanc, noua le ruban, et le scella avec de la cire.

— Je voudrais que vous écriviez là-dessus, indiqua-t-elle en se tournant vers Speer. Écrivez juste : James Trenchard Esquire.

— Mais pourquoi, madame ?

— Peu importe. M. Trenchard ne connaît pas votre écriture. La mienne, si. Inutile de vous demander d'être discrète. Vous en savez déjà assez pour me faire pendre.

Loin d'être rassurée, la femme de chambre s'assit pourtant devant le secrétaire situé dans le coin de la chambre et s'exécuta. Susan la remercia, prit le rouleau et quitta la chambre.

James était presque habillé quand il entendit frapper à la porte de son dressing-room.

— Qui est-ce ?

— Moi, Père.

Autant qu'il s'en souvienne, Susan ne lui avait jamais rendu visite en ce lieu. Comme il ne lui restait plus qu'à enfiler son pardessus pour compléter sa tenue, il lui ouvrit la porte, la fit entrer et congédia son valet.

— Que puis-je faire pour vous ? lui dit-il.

— On m'a donné ça dans la rue, alors que je me dirigeais vers l'entrée de la maison, déclara-t-elle en lui tendant le rouleau.

Remarquant ses yeux baissés et son air modeste, une attitude surprenante chez elle, James éprouva une vague méfiance. Il observa le rouleau qu'elle lui avait remis.

— Et qui vous l'a donné ?

— Un jeune garçon. Il est parti sans demander son reste.

— Comme c'est étrange.

Ayant ouvert l'enveloppe, il commença à inspecter son contenu. À mesure qu'il parcourait les pages, le sang parut se retirer de son visage. Enfin, il revint à Susan.

— Ce garçon, était-ce un domestique ? Un coursier ?

— Je ne saurais dire.

James garda un long moment le silence.

— Je dois aller voir Mme Trenchard, déclara-t-il enfin.

— Il y a autre chose, dont je voulais vous informer, l'avertit sa belle-fille en rassemblant son courage.

Susan misait tout sur ce prochain coup de dés. Elle s'était promis d'annoncer la chose en prenant un air pudique et en rougissant un peu, sans en faire trop. Le moment était venu… Elle inspira profondément.

— Je vais avoir un bébé.

Soudain le bonheur de James fut décuplé, triplé, quadruplé. En un éclair, le nom de sa fille était sauvé de la disgrâce, son petit-fils hériterait d'une grande position, et son fils, second du nom, aurait aussi un héritier. Il crut un instant qu'il allait littéralement exploser de joie. Sa belle-fille l'avait rejoint depuis seulement deux ou trois minutes et, en ce bref laps de temps, sa vie avait changé du tout au tout.

— Oh, ma chère enfant, en êtes-vous certaine ?

— Oui. À présent, Père, allez retrouver votre épouse.

— Puis-je le lui dire ?

— Bien sûr.

Dans l'ensemble, Susan était plutôt soulagée en retournant à sa chambre, où elle trouva Speer occupée à étaler sa robe de soirée. Elle avait précipité la perte de John Bellasis, ce qui était son principal objectif. Si avant ce soir les Trenchard ne connaissaient pas la vérité, c'était chose faite, à présent. Ensuite, il s'agissait pour elle de sauver sa propre réputation. Certes, l'issue du plan qu'elle avait ourdi restait incertaine, pourtant elle se réjouissait de voir le dénouement approcher.

John Bellasis se maudissait de n'avoir pas brûlé la preuve de la nomination de Bouverie comme pasteur. Pourquoi diable l'avait-il gardée ? S'il l'avait détruite, Susan n'aurait eu à leur montrer que les copies des documents qu'Anne Trenchard avait déjà en sa possession. Qui sait combien de temps encore les Trenchard auraient continué à croire que le mariage n'avait été qu'une comédie ? Et voilà que, à cause de sa stupidité, il était perdu et que tout échappait à son contrôle, par la faute de cette femme aux prétentions ridicules. S'il avait pu l'étrangler là, tout de suite, il l'aurait fait sans regret.

Sur une impulsion, John prit un fiacre pour se rendre à Eaton Square mais, en descendant de voiture, il hésita. S'il sonnait à la porte, qu'arriverait-il ? On le ferait entrer et quelqu'un le recevrait, qui ne serait sans doute pas Susan…

Que dirait-il alors ? Quelques minutes plus tard, il décida de ne pas s'attarder davantage devant la grille qui protégeait les jardins du square au risque d'être repéré par un membre de la famille ou par un domestique. Il tourna donc le coin de la rue en direction du Horse and Groom, le pub où il rejoignait toujours Turton. Si le majordome y était, il pourrait essayer de le persuader de… quoi faire ? Récupérer les papiers ? Qu'est-ce que cela changerait ? Susan avait déjà dû montrer les documents à la famille et tous devaient savoir maintenant que Bouverie n'était pas un imposteur. Ils pourraient facilement trouver d'autres preuves pour appuyer leurs revendications. Très bien. Il n'avait plus qu'à boire un verre histoire de se détendre un peu, puis il reviendrait à pied à Albany. Peut-être que vingt minutes de marche dans l'air frais du soir calmeraient un peu sa fureur. Il poussa la porte du pub et regarda autour de lui.

Ce ne fut pas Turton qu'il vit, adossé au bar qui courait tout le long de la salle basse et enfumée mais Oliver Trenchard, buvant apparemment un verre de whisky. En le voyant, John Bellasis eut une idée. Une idée folle, peut-être, mais aux grands maux les grands remèdes. Il savait par Susan qu'Oliver haïssait Charles Pope de l'avoir éloigné de son père pour le supplanter, croyait-il, et qu'il ferait n'importe quoi pour s'en débarrasser. Il savait de surcroît par son ex-maîtresse que Pope regrettait d'avoir suscité sans le vouloir une querelle entre Oliver et son père. Oliver avait raconté à son épouse que Pope n'avait pas nié les accusations qu'il avait réunies contre lui, mais que James n'avait pas cru pour autant en leur bien-fondé. Susan avait eu assez de jugeote pour résoudre cette énigme, ainsi qu'elle l'avait confié à John. Manifestement, Charles Pope était gêné d'avoir été une cause de discorde entre le fils et le père, et il s'efforçait de ne pas empirer les choses. John fronça les sourcils. Pourrait-il utiliser cette querelle à son profit ? Pope ne ferait-il pas tout son possible pour favoriser un rapprochement entre le père Trenchard et son fils ? Et si lui, John, faisait d'Oliver son instrument ?

Le plan continua à se former dans son esprit. Oliver voulait se débarrasser de Pope et ne s'en cachait pas. Il l'avait dénigré auprès d'un bon nombre de gens, dont sa femme. Si quelque chose arrivait à Charles Pope, Oliver Trenchard ne serait-il pas le premier à être suspecté ? Et si l'on pouvait trouver la preuve qu'Oliver et Pope étaient convenus d'un rendez-vous…

À cet instant, Oliver regarda dans sa direction et cligna des yeux, croyant à une illusion. Mais non, c'était bien John Bellasis qui semblait l'observer, près de l'entrée du pub.

— Monsieur Bellasis ? Que diable faites-vous dans ce bouge sordide ?

— J'avais besoin de prendre un verre pour me calmer l'esprit.

— Vous calmer ? remarqua Oliver, intrigué.

John s'approcha et vint lui-même s'adosser négligemment au bar, à côté d'Oliver.

— Charles Pope, ça vous dit sûrement quelque chose ? lança-t-il, et il sourit intérieurement en voyant le visage de son compagnon rougir de colère.

— Si j'entends ce nom encore une fois…

John fit signe au barman de leur servir deux verres de whisky.

— J'aimerais bien lui donner une leçon dont il se souvienne jusqu'à la fin de ses jours, déclara-t-il.

— Et moi donc, dit Oliver en hochant la tête.

— C'est vrai ? s'enquit John en prenant son verre et en le vidant d'un trait. Parce que vous pourriez m'aider, si le cœur vous en dit.

Le tenancier observait les deux hommes accoudés au bar, qui se parlaient à voix basse, têtes baissées. De quoi pouvaient-ils bien causer, ces deux-là ? Il les avait déjà vus ici, mais jamais ensemble.

Lorsque James entra dans la chambre de sa femme, Anne se faisait coiffer par Ellis.

— Pourrais-je te voir en tête à tête un petit moment ? demanda-t-il.

— Merci, Ellis, revenez dans une dizaine de minutes, dit Anne à la femme de chambre, qui s'empressa de sortir.

Une fois la porte close, elle se tourna vers son mari.

— Qu'y a-t-il ? Qu'est-il arrivé ?

— Regarde, répondit-il en posant les papiers devant elle.

— Où t'es-tu procuré ces documents ? dit-elle après avoir feuilleté les premières pages.

— Un jeune garçon les a remis à Susan alors qu'elle rentrait. Ce ne sont que des copies.

— Je sais que ce sont des copies, rétorqua Anne en se levant. J'ai les originaux.

Elle se pencha, ouvrit la commode pour en sortir les papiers que Jane Croft lui avait confiés et les lui tendit sans un mot.

— Pourquoi ne m'en as-tu rien dit ? s'indigna James, visiblement blessé.

Anne ne lui en donna pas la vraie raison. En fait, elle avait eu envie de garder pour elle ces choses qui faisaient partie de Sophia et de sa vie. Juste un petit moment, s'était-elle dit, en prévoyant de les montrer à James un peu plus tard.

— Il s'agit, entre autres, du faux certificat de mariage de Sophia. Notre fille avait dit à sa femme de chambre de brûler ces papiers, quand nous étions à Bruxelles, mais Croft ne l'a jamais fait. Elle est venue ici pour me les remettre en mains propres alors qu'elle était en partance pour l'Amérique. Cela n'apporte rien de nouveau.

James regarda sa femme un moment avant de parler. Ce qu'il s'apprêtait à lui révéler était si effarant qu'il en restait sans voix.

— Si quelque chose m'a échappé, dis-moi ce dont il s'agit, s'il te plaît, reprit Anne, déconcertée par son silence, et elle s'assit en attendant patiemment qu'il se décide à parler.

— Voilà ce qui te manquait, dit enfin James en sortant une feuille de la liasse de papiers. Ce n'est pas une copie, et ce document-là, tu ne l'as encore jamais vu... Quelqu'un a enquêté sur l'homme qui avait célébré le faux mariage. Un certain Richard Bouverie, ou plutôt, l'honorable révérend Richard Bouverie. Car figure-toi que cet homme était pasteur, avant de réintégrer l'armée ; par conséquent, il était tout à fait qualifié pour célébrer ce mariage. Autrement dit, cette cérémonie n'était pas une mascarade. Sophia était bien Lady Bellasis quand elle est morte et Charles est un enfant légitime.

— Et Edmund était un homme d'honneur, ajouta Anne, en sentant ses yeux s'emplir de larmes.

Dire qu'ils avaient calomnié ce jeune homme courageux, qui était sans doute impétueux, et même un peu fou, mais qui avait sincèrement aimé leur fille et souhaité faire son bonheur. Demain, j'irai à l'Église pour faire dire des prières en son nom, se promit Anne.

— C'est tout toi, de penser à ça, dit James.

Mais lui aussi était heureux d'avoir à l'origine pensé du bien de ce jeune homme, sans lui prêter de mauvaises intentions. Finalement, il n'était pas si loin de la vérité.

Dire qu'il avait passé ces vingt-cinq dernières années à se reprocher les malheurs qui avaient frappé sa fille ! Il se demandait à présent pourquoi il s'était si facilement laissé convaincre, sans aller chercher plus loin. Pourquoi avaient-ils souscrit au jugement sans appel de Sophia sur Richard Bouverie, quand elle l'avait vu devant la demeure des Richmond et l'avait pris pour un imposteur ? Mais il est si facile de voir les choses sous un autre jour, avec le recul.

Anne contemplait toujours les documents étalés devant elle sur sa coiffeuse.

— Tu disais que c'est Susan qui les avait récupérés ?

— Oui, un jeune garçon l'a soudain abordée dans la rue en voyant qu'elle se dirigeait vers la maison et il les lui a remis avant de disparaître.

— Je connais cette écriture..., commença Anne mais, à cet instant, la porte s'ouvrit sur Ellis, et elle n'eut pas le temps d'approfondir.

— Êtes-vous disponible, madame ?

Anne lui fit signe d'entrer et James se mit à rassembler les papiers tandis qu'Ellis traversait la pièce pour rejoindre sa maîtresse. Soudain, la femme de chambre reconnut les copies posées sur la coiffeuse, et elle se figea sur place en poussant un cri étouffé.

En voyant sa réaction, Anne se rappela que c'était Ellis qui avait accueilli Croft à son arrivée et elle comprit aussitôt.

— Qu'avez-vous à me dire, Ellis ? De toute évidence, vous connaissez ces papiers.

Comme la domestique bredouillait des propos incohérents, Anne l'interrompit.

— Ce sont les copies de documents que Croft m'avait remis. Dites-moi par qui elles ont été faites et à quel usage ? insista Anne en observant cette femme qui la servait depuis trente ans et dont elle savait pourtant si peu de choses.

Aurait-elle trahi sa patronne au bout de trente années de service, si les rôles avaient été inversés ? Anne en doutait, mais elle n'avait jamais eu à supporter les vicissitudes et les humiliations répétées qui étaient si souvent le lot de la vie d'une domestique.

— Si vous avez quelque chose à dire pour votre défense, c'est le moment, intervint James avec impatience.

En pleine tourmente, Ellis s'efforçait de trouver comment se sortir de cette mauvaise passe. Elle aurait dû insister pour que M. Bellasis brûle les copies devant elle après les avoir lues. Mais lui aurait-il obéi ? Sans doute pas. En tout cas, c'était fichu, elle avait bel et bien perdu son travail, mais il lui fallait au moins tenter d'éviter la prison.

— C'est M. Turton qui les a pris dans le sac de Mlle Croft et qui en a fait des copies.

— Sur l'ordre de qui ?

Ellis réfléchit. Elle avait menti en accusant Turton d'avoir pris les papiers, mais à quoi bon s'enfoncer davantage dans le mensonge ? Cela lui rapporterait-il quelque chose, de couvrir M. Bellasis ? Non. Il ne lui verserait plus rien, dorénavant. Qu'aurait-il à y gagner ? À présent, il lui fallait penser à ses références. Comment décrocherait-elle une nouvelle place sans en avoir ? Mme Trenchard ne voudrait pas lui en donner, c'était certain. Ellis se mit à pleurnicher, comme elle savait si bien le faire, en cas de besoin.

— Je regrette tellement, madame. Si j'avais su que cela pourrait vous nuire, je ne m'en serais jamais mêlée.

— Vous avez vu Turton copier les lettres de Mlle Sophia et vous n'avez jamais pensé que cela pourrait me porter préjudice ? remarqua Anne en durcissant le ton.

— La question, c'est de savoir à qui ces copies étaient destinées, intervint James, qui arpentait la pièce, à bout de patience.

— Je sais que vous ne me garderez pas, monsieur, répondit Ellis en essayant de gagner du temps. Pourtant je ne suis pas une mauvaise femme.

— Une brave femme non plus, rétorqua Anne d'un ton acerbe.

— J'ai été faible, je le reconnais. Mais si je pars sans références, je n'aurai plus qu'à mendier dans les rues pour ne pas mourir de faim.

James comprit aussitôt, avant son épouse, où Ellis voulait en venir et il prit la situation en main.

— Vous laissez entendre que, si nous vous donnions des références, vous nous diriez qui a demandé ces copies, c'est bien ça ?

C'était exactement ça, aussi Ellis garda-t-elle le silence. Elle resta plantée devant eux, les yeux baissés.

— Très bien, dit James en faisant signe à sa femme de ne pas intervenir. Nous vous donnerons des références. Ne comptez pas qu'elles vanteront vos mérites, mais elles vous permettront au moins de trouver un emploi rémunéré.

Ellis soupira de soulagement et se félicita d'avoir eu la présence d'esprit de négocier avec le peu d'atouts qui lui restait en main.

— C'est M. Turton qui a fait ces copies pour M. Bellasis.

— John Bellasis ? s'étonna Anne, le neveu de Lady Brockenhurst ?

— Oui, madame.

— Mais oui, cela tombe sous le sens, remarqua James après un instant de réflexion. John Bellasis. C'est sûrement lui qui se sera renseigné sur Richard Bouverie, ce que nous aurions dû faire il y a vingt ans. Si Bouverie se révélait être un imposteur, John Bellasis gardait toutes ses chances de devenir comte à la mort de son oncle. Mais si Bouverie était bien pasteur, c'en était fini de lui et de son brillant avenir, conclut James, qui avait un instant oublié la présence d'Ellis.

Anne le ramena au présent en toussotant discrètement.

— Quel a été votre rôle dans tout ça, Ellis ? dit-elle à la femme de chambre.

Ellis hésita. Jusqu'où pouvait-elle aller dans ses révélations ? Elle avait obtenu la garantie de partir avec des références et elle connaissait assez les Trenchard pour savoir qu'ils ne reviendraient pas sur la parole donnée. Mais rien ne l'obligeait à leur en dire plus.

— M. Turton m'a chargée d'apporter les copies chez M. Bellasis.

— Très bien, fit Anne. Vous pourrez rester ici cette nuit, mais vous partirez dès demain, avec vos références. Maintenant, sortez.

Ellis leur fit une courbette et quitta la pièce en refermant doucement la porte derrière elle. Ça pourrait être pire, pensa-t-elle en descendant l'escalier. Entre son bon salaire et les primes versées par M. Bellasis, elle avait quelques économies. Elle finirait bien par trouver une place chez quelqu'un qui négligerait, par bêtise ou par égoïsme, de fouiller dans son passé.

Quand ils furent seuls, James Trenchard prit la main de sa femme dans les siennes.

— Nous ne devons en parler à personne. Ni à Charles Pope, ni aux Brockenhurst, ni à la famille. Il faut absolument faire vérifier et revérifier ces informations sur le pasteur pour nous assurer que le mariage de Sopia était légal. Puis vérifier également qu'il a dûment été enregistré par les services concernés. Je ne veux surtout pas donner de faux espoirs à quiconque.

Anne acquiesça. Certes, elle était heureuse. Elle débordait de joie. Mais certains éléments de l'histoire demeuraient flous. Puisque John Bellasis avait pris la peine de faire des recherches sur le mariage, pourquoi n'avait-il pas gardé ces informations secrètes dès lors qu'il avait appris sa validité ? Edmund, Sophia, Bouverie étant morts, la seule preuve, c'était ce document portant sur des recherches qu'il avait lui-même demandées et, s'il l'avait brûlé, personne n'en aurait jamais rien su. Alors pourquoi l'avait-il laissé échapper à son contrôle avec tant d'imprudence ? Et quel était ce jeune garçon qui avait remis tous ces papiers à Susan dans la rue ?

— Il y a autre chose, dit James, en la ramenant au présent. Avec tout ça, la nouvelle m'est sortie de la tête, mais elle va te combler de joie… Susan est enceinte, déclara-t-il après un petit silence, pour mieux ménager son effet.

Cette nouvelle apporta la réponse à la question qu'Anne venait de se poser.

— Ah vraiment ? dit Anne en feignant d'en être ravie, et James le confirma en souriant jusqu'aux oreilles.

— Oui. Elle vient juste de me l'annoncer. Au bout de dix ans de vie commune sans résultat, nous avions tous renoncé à y croire. Et voilà qu'elle va avoir un bébé. N'est-ce pas extraordinaire ?

— Extraordinaire, c'est le mot, approuva Anne.

Oliver rentra tard et lorsqu'il passa voir Susan dans sa chambre elle était fin prête.

— Je descends, annonça-t-elle.

— Je t'en prie. Vous pouvez commencez à dîner sans moi.

Il avait l'air en colère. James et lui s'étaient-ils encore querellés ? En le voyant chanceler et se retenir au montant de la porte pour recouvrer l'équilibre, Susan comprit qu'il était ivre. Très bien. Elle descendrait la première pour se trouver seule un moment avec ses beaux-parents. Elle avait l'impression d'avancer à tâtons en cherchant une issue qui lui permettrait d'échapper au désastre. Si elle parvenait à obtenir leur appui, il lui faudrait ensuite s'occuper d'Oliver, ce qui ne serait pas une mince affaire. Mais il ne servait à rien de lui parler tant qu'il serait dans cet état. Courage, se dit Susan. Il lui manquait peut-être d'autres qualités, mais celle-ci ne lui faisait pas défaut.

Quand elle entra dans le salon, ses beaux-parents attendaient. Elle s'approcha d'Anne, le ventre noué, connaissant la finesse d'esprit de sa belle-mère et son discernement quant à la nature humaine. D'eux tous, c'était elle qui avait le plus de chances de deviner la vérité.

— Père vous l'a-t-il dit ? s'enquit-elle, en guettant sa réaction.

— Oui. Félicitations, confirma Anne d'un ton qui manquait singulièrement d'entrain, tout en considérant sa belle-fille d'un œil neuf.

— Allons ! s'écria James du fond de la pièce. Tu peux l'embrasser !

Anne se pencha et embrassa sa belle-fille du bout des lèvres.

— Oliver risque d'être un peu en retard, annonça Susan. Il vient seulement de rentrer. Il m'a dit que nous pouvions commencer sans lui.

— Oh, je pense que nous pouvons attendre, répondit Anne avec froideur. James ? As-tu parlé à Turton ?

— Non, pas encore. Je pensais le faire après dîner. Tu trouves ça un peu lâche de ma part ?

— Il est important qu'il l'apprenne de toi et non d'Ellis, même s'il est peut-être déjà trop tard.

— Oui, tu as raison, approuva son mari d'un bref hochement de tête. Je suppose que nous ferions mieux de lui donner aussi des références, puisque Ellis en aura. Je profiterai d'être en bas pour rapporter deux bouteilles de champagne.

Il s'éclipsa et les deux femmes se retrouvèrent seules.

Susan avait particulièrement soigné sa tenue. Elle portait un chemisier en mousseline de soie d'un brun pâle tirant sur le roux et une large jupe en soie de la même nuance, un peu plus sombre. Ses cheveux étaient coiffés en chignon agrémenté de boucles retombant joliment devant ses oreilles. L'effet recherché était d'une simplicité de bon aloi : une femme honnête et respectable, pilier de la bonne société. Cela n'échappa pas à sa belle-mère.

— Si nous allions nous asseoir ? proposa Anne.

Quand elles furent installées sur deux chaises dorées, de chaque côté de la cheminée en marbre, Anne attaqua aussitôt.

— Pourquoi John Bellasis vous a-t-il donné ces papiers ? demanda-t-elle de but en blanc.

Pour Susan, ce fut un tel choc qu'elle en eut le souffle coupé.

Cependant, elle se retint juste à temps de mentir. De toute évidence, sa belle-mère avait deviné la vérité, du moins en partie, et son intuition dictait à la jeune femme qu'elle aurait plus de chances de s'en sortir en parlant franchement, plutôt que de se cacher derrière des mensonges.

— Il ne me les a pas donnés. Je les ai pris, avoua-t-elle.

Anne hocha la tête. Effectivement, elle appréciait que Susan n'eût pas cherché à la tromper davantage.

— Puis-je vous demander pourquoi ?

— Il m'a dit qu'ils prouvaient que Charles Pope était un enfant légitime, ce qui faisait de ce jeune homme l'héritier de son oncle. Dès que ces papiers tomberaient entre les mains des gens concernés, lui, John, perdrait tout. Vous n'étiez sûrement pas au courant. Sinon, pourquoi aurait-on laissé Charles Pope s'échiner à monter cette obscure filature dans le nord ?

— Nous savions qu'il y avait eu un mariage, mais nous avons cru qu'il n'était pas valide. Que c'était une sorte de mascarade.

— D'après John, dès que vous verriez les lettres d'origine, vous feriez vérifier les faits et vous apprendriez la vérité.

— C'est ce que nous aurions dû faire il y a vingt-cinq ans, soupira Anne. Et voilà que M. Bellasis vient de nous rendre ce service. Quelle ironie, vraiment. S'il avait laissé les choses en état, nous n'en aurions sans doute rien su.

Anne venait tout juste d'en prendre conscience et cela lui donna presque le vertige.

— Mais pourquoi avez-vous cherché à lui nuire ? Puisque vous étiez amants ? reprit-elle.

L'audace de la question frappa encore Susan de stupeur. Au point où elle en était, seule la vérité pourrait la tirer d'embarras.

— Je comptais divorcer d'Oliver, puis que John Bellasis m'épouserait. Tant que je croyais qu'il deviendrait un jour Lord Brockenhurst, je n'avais jamais osé y songer. Mais ces nouvelles révélations changeaient la donne. Il n'était plus dès lors que le fils désargenté d'un fils cadet. Et j'avais largement de quoi nous faire vivre tous les deux. L'idée ne semblait plus si saugrenue.

— En effet, approuva Anne, comme si elles discutaient des mérites et défauts d'une nouvelle cuisinière. Dans sa situation, qu'aurait-il pu espérer de mieux ?

— Eh bien figurez-vous qu'il m'a ri au nez, en se moquant de ma présomption.

Susan s'était laissé éblouir par ce bel homme distingué, comprit Anne. Ils s'étaient connus alors qu'elle était seule, mal aimée, et se croyait incapable d'enfanter.

— Je comprends, dit-elle à sa belle-fille. Malgré tout, vous devez être soulagée de savoir que vous n'êtes pas stérile.

— Si j'avais su que le problème venait d'Oliver et non de moi, aurais-je été plus prudente ? répondit Susan, avec l'ombre d'un sourire.

Comme cette conversation lui semblait étrange... Elle regarda le cadre agréable qui l'entourait, ses couleurs harmonieuses, ses meubles polis, ses tableaux, cette pièce qu'elle connaissait si bien et qu'elle ne verrait pourtant plus jamais sous le même jour. Voilà qu'Anne et elle parlaient d'égale à égale à présent, en amies, même... C'était sidérant, même si Susan avait toujours eu plus d'estime pour Anne que pour les autres membres de la famille.

— C'est bien là le problème, Oliver est incapable de concevoir des enfants, reprit Anne, d'un air plus grave, et Susan fut sensible au regret poignant qu'elle devinait chez sa belle-mère.

— Il ne peut en concevoir avec moi, semble-t-il, nuança-t-elle, par compassion. Napoléon n'avait pu avoir d'enfant avec Joséphine, pourtant il a eu un fils de Marie-Louise.

— Oliver n'est pas Napoléon, répliqua Anne d'un ton sans appel, puis elle se mit à réfléchir.

Dans le silence qui suivit, on n'entendit que le tic-tac de la pendule de la cheminée et les braises qui croulaient sous les bûches, dans le foyer. Anne revint à Susan, qu'elle regarda droit dans les yeux.

— Je veux savoir exactement quels sont les termes du marché que vous proposez.

— Quel marché ? s'étonna Susan, qui n'avait pas encore considéré les choses sous cet angle.

— Désirez-vous rester avec Oliver, maintenant que votre histoire avec John Bellasis n'a plus d'avenir ?

Susan sentit son cœur battre fort dans sa poitrine. Les prochaines minutes décideraient de son sort.

— Oui, j'aimerais rester dans cette famille, affirma-t-elle.

Un jappement soudain les fit sursauter. Agnes, qui dormait devant le foyer, s'était réveillée et se frottait contre les jupes d'Anne pour que sa maîtresse la prenne sur ses genoux. Quand la chienne fut bien installée, Anne poursuivit.

— Comment comptez-vous faire, avec Oliver ? Il va savoir que l'enfant n'est pas de lui.

— Oui, il s'en doutera. Mais laissez-moi m'en occuper.

— Alors qu'attendez-vous de nous ? De James et de moi ? s'enquit Anne, curieuse de voir à quel point Susan avait planifié les choses.

En fait, si plan il y avait, Susan l'élaborait au fur et à mesure, mais elle avait assez de panache pour donner l'impression que tout avait été soigneusement prémédité.

— Je voudrais qu'Oliver constate combien cette nouvelle comble son père de joie et de fierté. Cela fait longtemps qu'il n'a pas rendu son père heureux.

Anne resta un moment silencieuse, assez longtemps pour que Susan se demande si cette conversation presque irréelle était arrivée à son terme. Mais sa belle-mère finit par reprendre la parole.

— Si je comprends bien, vous voulez qu'Oliver se rende compte qu'il a tout intérêt à reconnaître l'enfant comme étant le sien ?

— Il aura tout à y gagner, confirma Susan, qui commençait elle-même à y croire.

— Je ferai de mon mieux, acquiesça Anne. Et je garderai votre secret, à une condition. Vous devrez aller vivre à Glenville.

Susan la regarda, interloquée. Vivre dans le Somerset ? À deux jours de la capitale, si ce n'est trois ?

— Vivre à Glenville ? répéta-t-elle, comme si cette demande concernait forcément quelqu'un d'autre.

— Oui. Allez habiter là-bas, et je garderai votre secret.

C'était plus un ordre qu'une question et Susan commençait à comprendre qu'elle n'avait guère le choix. En fait, Anne lui dictait ses conditions et elle n'en avait pas terminé.

— Il est temps pour nous d'admettre qu'Oliver ne s'épanouira jamais dans la carrière que James lui destinait. Il ne se fera jamais un nom dans la construction, ni dans le commerce. Très bien. Laissons-le devenir un gentleman-farmer, comme il le désire. Qui sait ? Peut-être réussira-t-il.

En vérité, la perte de Glenville était pour elle un crève-cœur. C'était comme perdre un membre, ou pire, la moitié de sa vie. Glenville était son amour et sa joie, mais elle savait que le domaine serait pour son fils comme une rédemption, et donc, elle le lui céderait.

— Je continuerai à y séjourner, mais plus comme maîtresse des lieux, ajouta-t-elle. À partir d'aujourd'hui, ce sera votre rôle. Si vous voulez bien l'accepter.

Susan savait que les jeux étaient faits. Elle se trouvait à la croisée des chemins. Et quel contraste entre les voies qui s'ouvraient à elle ! D'un côté, être une femme divorcée, adultère, encombrée d'un bâtard, vivant en exil, seule, rejetée par tous, exclue même des milieux les plus modestes. De l'autre, devenir la maîtresse d'un grand domaine du sud-ouest du pays, épouse et mère respectable amenée à jouer un rôle dans la bonne société du comté. Le choix n'était donc pas difficile. Pourtant…

— Pourrai-je venir à Londres pour la saison des mondanités ?

Anne sourit, pour la première fois depuis que Susan était entrée dans la pièce.

— Oui. Vous viendrez ici durant deux mois chaque année.

— Et pourrai-je vous rendre visite à l'occasion ?

— Vous le pourrez. Mais à mon avis, vous serez surprise de voir combien la vie à la campagne vous plaira, une fois que vous l'aurez adoptée… J'ai une autre condition, ajouta Anne après un petit silence.

Susan se crispa Jusque-là, c'était un arrangement qui pouvait lui convenir et auquel elle devait de toute façon se soumettre.

— James ne doit jamais l'apprendre, déclara Anne. Ce bébé sera son petit-fils ou sa petite-fille, et il ne doit jamais rien soupçonner d'autre.

— S'il n'en tient qu'à moi, il n'aura jamais le moindre doute, promit Susan, et je ferai de mon mieux pour qu'Oliver ne nous trahisse jamais. Mais à mon tour de poser une condition.

— Êtes-vous en position de le faire ? s'étonna Anne.

— En l'occurrence, je la crois légitime. Oliver ne doit jamais soupçonner que vous connaissez la vérité. Seuls lui et moi serons censés détenir le secret qui entoure la conception de cet enfant. Ce n'est qu'ainsi qu'il conservera sa dignité.

— Je le comprends, acquiesça Anne. Vous avez ma parole.

— Ta parole ? À quel sujet ? s'enquit James en entrant dans la pièce.

Sa voix les fit tressailllir, mais Anne savait maîtriser ses réactions.

— Qu'ils disposeront désormais de Glenville pour leur propre usage. Un enfant devrait grandir à la campagne. As-tu trouvé le champagne ?

— J'ai demandé qu'on nous l'apporte à la fin du dîner.

Avec quelle facilité elle parvenait à détourner son attention ! Avant que James n'ait pu faire d'autre commentaire, la porte s'ouvrit et Oliver entra. Il s'était changé et aspergé le visage d'eau froide, ce qui semblait l'avoir un peu dégrisé, au grand soulagement de Susan, même si d'étranges pensées l'assaillirent en regardant son mari. Quand elle s'endormirait ce soir, son sort serait scellé.

En le voyant entrer dans la pièce, James laissa éclater sa joie.

— Bravo, mon cher fils ! Toutes mes félicitations ! s'écria-t-il en souriant jusqu'aux oreilles, et il serra si fort le jeune homme dans ses bras qu'il ne vit pas son air stupéfait.

Oliver interrogea sa mère du regard, mais elle ne lui laissa pas le temps de poser des questions.

— Quelle merveilleuse nouvelle, Oliver. Susan et moi en avons discuté, et autant te le dire dès à présent : Glenville va être à toi. Tu devras quitter ton travail sur Londres pour te retirer dans le Somerset.

— Comment ça ? Tu n'as jamais dit qu'il devrait se retirer des affaires, intervint James en libérant son fils, mais Anne lui fit signe de se taire et s'approcha de lui tout en parlant.

— Ce n'est pas l'argent qui manque. Alors pourquoi s'obstiner ? Que cherchons-nous à prouver à la fin ? Oliver est né pour être propriétaire terrien, pas homme d'affaires.

Anne scruta intensément son mari. Elle savait que c'était l'un de ces moments cruciaux dans une vie de couple où une décision majeure se prend, presque par hasard, et qui va tout changer. Depuis qu'Oliver était petit garçon, James avait voulu que son fils marche dans ses pas, et à quoi cela les avait-il menés ? À l'échec et au ressentiment, au point que le père et le fils en étaient arrivés à ne plus se parler.

— Ne pourrais-tu pas l'admirer au lieu de toujours être déçu ? glissa-t-elle à l'oreille de James. Mène donc tes affaires avec Charles. Laisse Oliver suivre son propre chemin.

James la dévisagea et il lui fit un hochement de tête presque imperceptible ; mais il montrait ainsi qu'il se rendait à ses raisons.

— Merci, mon Dieu, murmura-t-elle dans un souffle, sans bien savoir si elle s'adressait à son Créateur ou à son mari.

— Que se passe-t-il ? Je ne comprends rien à ce que vous racontez, dit Oliver, au comble de la perplexité.

C'était comme si, en un instant, tous ses rêves devenaient réalité. Mais par quel miracle ?

— Peut-être que ta mère a raison, répondit James en soupirant. Un enfant devrait grandir à la campagne.

Oliver n'en crut pas ses oreilles.

— Un enfant… ?

— Inutile de garder la chose pour nous plus longtemps, mon chéri, intervint alors Susan d'une voix posée. Je le leur ai dit. Ils sont si heureux pour nous, et Mère veut nous donner Glenville. Nous pourrons y vivre en famille.

Puis elle se répandit en un flot de paroles, telle une jeune fille tout excitée à l'idée d'aller à son premier bal, créant ainsi un mur sonore derrière lequel Oliver pourrait rassembler ses idées. En voyant son mari s'assombrir, elle redoubla d'enthousiasme.

— N'est-ce pas merveilleux ? N'est-ce pas ce que tu as toujours désiré ? dit-elle en plongeant son regard dans le sien pour le tenir sous son emprise, comme M. Mesmer traitant un sujet lors d'une transe hypnoptique.

Elle se rapprocha de lui et l'étreignit.

— Ne dis rien, lui chuchota-t-elle à l'oreille tout en lui pressant le bras. Nous en discuterons plus tard, mais si tu parles maintenant, nous risquons de tout perdre et cette chance ne se présentera plus jamais à nous. Garde le silence.

Oliver se raidit mais, pour une fois, il l'écouta et resta silencieux. Il prendrait le temps de réfléchir, avant d'abattre la hache sur le cou de son épouse.

M. Turton était décidément très en colère. Cela faisait plus de vingt ans qu'il servait cette famille et voilà qu'on le jetait à la rue comme un malpropre. Juste avant que le dîner ne soit annoncé, le maître lui avait ordonné de partir au matin et, depuis, il était resté assis en bas, à l'office. Les autres domestiques l'évitaient, à part Mlle Ellis, renvoyée elle aussi. Les deux compagnons d'infortune goûtaient une bouteille du meilleur margaux que Turton ait pu trouver à la cave.

— Buvez donc, lui dit-il. J'irai en chercher une autre, au besoin.

Ellis dégustait le délicieux nectar. Certes elle appréciait le bon vin, mais elle n'aimait pas l'ivresse. Quand on était saoul, on ne se contrôlait plus, et c'était une chose qu'elle ne se permettrait jamais.

— Où comptez-vous aller ? lui demanda-t-elle.

— J'ai un cousin à Shoreditch. Je pourrai séjourner là-bas quelque temps. Quelques jours, en tout cas, histoire de voir venir, répondit Turton, en fulminant de rage.

— Tout ça, c'est à cause de Mme Oliver. Si elle n'avait pas fourré son nez là-dedans, nous n'en serions pas là.

— Ah bon ? s'étonna le majordome. Je ne vois pas en quoi elle en est responsable. D'après Mlle Speer, c'est un jeune garçon qui lui a fourré les papiers dans les mains, en pleine rue. Qu'était-elle censée faire ?

Ellis leva les yeux au ciel d'un air exaspéré.

— Je n'y crois pas une seconde. Mme Oliver n'est pas un parangon de vertu, loin de là. À votre avis, comment se fait-il qu'elle tombe enceinte maintenant, après avoir couché pendant dix ans avec M. Oliver sans aucun résultat ?

— Elle est enceinte ? Comment le savez-vous ? s'enquit Turton avec stupeur.

— Ce n'est pas à une femme de chambre qu'on pose ce genre de question, déclara Ellis, qui vida son verre et prit la bouteille pour se resservir. Croyez-moi sur parole. Mme Oliver et M. Bellasis ont pris du bon temps ensemble.

— M. Bellasis ?

Turton avait l'impression de s'être endormi au spectacle et d'avoir tout raté.

— Quand j'ai apporté les papiers chez lui, j'ai vu Mme Oliver au moment où je partais. Elle s'est vite cachée, mais je l'ai bien reconnue, confirma Ellis en hochant la tête d'un air averti. Cette histoire de garçon, c'est du vent. Elle a pris ces papiers pour le punir. Remarquez, je n'en suis pas autrement surprise. Elle aurait voulu qu'ils restent ensemble, mais vous pensez bien que M. Bellasis n'allait pas s'acoquiner avec la fille d'un commerçant, conclut Ellis avec un rire moqueur.

— Je vois..., répondit Turton, pensif. Et n'y aurait-il pas quelque chose à tirer de tout cela, mademoiselle Ellis ? Quelque chose qui pourrait nous être utile ?

Elle le dévisagea, tout en le rejoignant par la pensée.

— À mon avis, il n'y a rien à tirer de lui, monsieur Turton. Qu'est-ce que ça peut bien faire à un John Bellasis, que le monde entier sache que Mme Oliver n'est qu'une traînée ? Quant à elle, oui, elle pourrait bien acheter notre silence. Si nous attendons un peu, jusqu'à la naissance du bébé...

— Je vous le déconseille.

La voix les fit tressaillir. Ils s'étaient crus seuls dans la pièce. Or Speer était sur le seuil et elle s'avança.

— Que faites-vous ici, mademoiselle Speer ? Est-ce que vous nous espionnez ? répliqua aussitôt Turton, avec l'autorité dont il jouissait depuis tant d'années au sein de cette maison.

— Excusez-moi, monsieur Turton, mais vous n'êtes plus majordome. Vous avez été renvoyé, riposta Speer en élevant la voix, de sorte que les mots semblèrent presque résonner contre les murs. N'allez pas croire que j'irai encore obéir à vos ordres. Il n'en est pas question.

C'était une facette de Speer qu'ils n'avaient encore jamais vue. Elle s'assit à la table, parfaitement à l'aise, comme si elle se sentait chez elle, ce qui n'était plus le cas pour eux. Quand elle reprit la parole, ce fut d'une voix douce, en susurrant, un peu à la manière d'un chat qui ronronne.

— Si l'un de vous s'approche encore de Mme Oliver, par lettre ou en personne, je vous dénoncerai à la police pour vol. Je témoignerai contre vous et vous purgerez votre peine en prison. Ensuite, vous ne trouverez plus jamais d'emplois comme domestique.

Il y eut un moment de silence complet, puis Ellis intervint :

— Qu'est-ce que j'aurais volé ?

— Des provisions dans la cuisine de Mme Babbage. Vous vous êtes tous les deux servis sans vergogne. Vin, viande, et j'en passe. Au fil des années, vous avez dû dérober pour des centaines de livres de provisions, en les revendant à votre profit.

— Ce n'est pas vrai ! protesta Ellis avec colère, car si elle avait mal agi, espionné, et même menti, jamais elle n'avait été une voleuse.

— Peut-être, dit Speer. Mais Mme Babbage témoignera contre vous. Et s'il y a enquête, on saura que des quantités de vivres ont disparu pendant que vous étiez tous les deux en service dans cette maison. Croyez-vous donc que Mme Babbage irait témoigner contre elle-même ? conclut Speer en souriant.

À cet instant, pour la première fois, Turton se rendit compte que, avec son travail, il avait perdu tout pouvoir.

Il finit donc par hocher la tête. La cuisinière n'irait jamais s'incriminer, surtout pas pour le sauver, ni sauver Mlle Ellis, qui l'avait toujours traitée en inférieure.

— Je vais me coucher, déclara Turton en se dressant, mais Speer n'en avait pas tout à fait terminé.

— Il me faut votre parole, à tous les deux, que nous n'entendrons plus jamais parler de vous, dès que vous aurez quitté cette maison.

Ellis considéra cette femme assise bien droite, d'un air calme et posé, qui les traitait de haut, assurée d'être en position de force.

— Elle se débarrassera de vous, mademoiselle Speer, lui fit-elle remarquer. Vous en savez trop. Elle ne voudra pas traîner ce boulet derrière elle, les années à venir.

Mlle Speer réfléchit un moment.

— Peut-être, convint-elle. Mais si elle me demande de partir, je ne m'y résoudrai qu'en échange ae références qui m'obtiendraient une place à Buckingham Palace.

C'était vrai, et donc Ellis ne tenta pas de répliquer.

— Pour l'heure, reprit Speer, je suis à son service et j'ai pour tâche de la protéger des gens de votre espèce.

Ellis jeta un coup d'œil à M. Turton. Dire qu'ils n'avaient jamais prêté la moindre attention à cette rien du tout, et voilà qu'elle leur dictait leur conduite.

L'ancien majordome parla le premier.

— Soyez tranquille, mademoiselle Speer. Vous n'entendrez plus jamais parler de moi à l'avenir, promit-il, puis il lui adressa un petit salut et quitta la pièce.

— Tu as gagné, salope, dit Ellis.

Sur ce, elle se leva et le suivit. L'insulte laissa Speer de marbre. Elle était d'une autre trempe. Comment faire savoir à Mme Oliver ce que j'ai fait pour elle ? se demanda-t-elle. Il devait bien y avoir un moyen. Elle savait qu'il y avait une part de vérité dans ce que Mlle Ellis avait dit et que Mme Oliver finirait par se séparer d'elle pour engager une femme de chambre qui n'aurait aucun souvenir de M. Bellasis, ni de cette époque de sa vie. Mais si cette heure venait, Speer savait aussi qu'elle en sortirait la tête haute. Pour l'instant, M. Turton et Mlle Ellis avaient quitté la scène pour de bon, et c'est elle qui occupait la place.

Susan monta se coucher la première. La soirée s'était poursuivie sur une note plutôt joyeuse, surtout grâce à James, le seul dans la pièce à ne se douter de rien. Les autres, Susan, Oliver et Anne, connaissaient la vérité, et ce fut un exercice assez épuisant pour eux de porter des toasts et de boire du champagne tout en feignant la bonne humeur. Susan se retira dès qu'elle put le faire décemment. Elle savait la scène qui se profilait et n'eut pas longtemps à attendre.

— De qui est-il ?

Contre toute logique, le dîner semblait avoir complètement dégrisé Oliver.

Susan observa son mari, qui se tenait sur le seuil de la chambre. C'était le dernier obstacle. Si elle pouvait l'écarter, la route lui serait ouverte. Elle avait envoyé Speer en bas et était déjà au lit quand il apparut. Il prit soin de fermer la porte et s'approcha d'elle. Manifestement, quoi qu'il pense de la situation, il ne voulait pas risquer d'être entendu par des oreilles indiscrètes.

— Quelle importance ? répondit Susan, qui s'était préparée à la confrontation. Ta femme attend un enfant. Tes parents sont heureux. La vie dont tu as toujours rêvé s'offre à toi.

— Tu veux dire que je dois accepter ?

— Tu ne le veux pas ?

Il ne tenait pas en place et marchait de long en large en regardant les livres sur les étagères, les bibelots sur son bureau, tout en pensant à haute voix.

— Comment saurai-je que le mystérieux personnage du père absent ne fera pas partie de notre vie, dorénavant ? Devrai-je le tolérer ? Devrai-je jouer au mari complaisant ?

— Non. Je ne te révélerai pas son nom, car il est sans importance. Mais je ne le reverrai jamais, s'il n'en tient qu'à moi.

— J'aurais dû m'y attendre. Ça devait arriver tôt ou tard. Toi, avec tes petits airs enjôleurs, toujours à faire du charme au premier venu en te rendant ridicule. Je t'ai vue faire. Des dizaines de fois.

En temps normal, elle se serait vengée par une remarque acerbe. Elle avait l'esprit plus vif qu'Oliver et parvenait toujours à avoir le dessus. Mais cette fois, elle resta silencieuse en se fiant à son instinct pour la guider, lui dicter l'allure à laquelle elle devait avancer. Au bout d'un moment, Oliver s'affala près du feu, sur une chaise. Les flammes projetaient sur lui une lueur dansante qui le faisait paraître presque irréel.

— Ne me diras-tu pas au moins que tu regrettes ? dit-il.

Susan s'arma de courage pour entamer la partie la plus audacieuse de sa plaidoirie. Elle avait eu le temps d'y réfléchir.

— Non, je ne le regrette pas, parce que j'ai fait ce que j'avais prévu de faire. J'attends un enfant, notre enfant. C'était mon but initial, et j'y suis parvenue.

Oliver grogna d'un air narquois.

— Tu ne vas pas me dire que tu l'as fait exprès, que c'était un acte délibéré ?

— Est-ce que tu m'as déjà vue agir avec impétuosité, sans réfléchir ? rétorqua-t-elle en tentant de le dévisager et elle sut à son maintien qu'il commençait à l'écouter malgré lui.

— Tu as cru que je ne pourrais jamais te faire un enfant, c'est ça ?

— Cela faisait plus de dix ans que tu essayais.

— Mais nous pensions que tu en étais responsable.

— En effet, et nous savons maintenant que ce n'était pas le cas.

Avait-elle réussi à désamorcer la rage, la jalousie, les coups de colère qu'elle redoutait ?

— Tu comprends, poursuivit-elle prudemment, je devais m'assurer que cela venait de moi et non de toi.

— Et voilà le résultat, conclut-il, sans qu'elle puisse déchiffrer son visage.

— Oui. Voilà le résultat. J'attends un enfant, notre enfant. Qu'il soit fille ou garçon, tu auras un héritier. Voudrais-tu consacrer ta vie à Glenville, la maison, le domaine, en sachant que tu n'auras personne à qui le léguer ? Est-ce vraiment ainsi que tu vois l'avenir ?

— Je veux un enfant qui soit de moi.

— Et tu l'auras. C'est ce que je veux aussi. Et c'est ce que je te donnerai. Si je n'avais pas agi de la sorte, tu serais resté pour toujours sans descendance.

Apparemment, ces derniers mots portèrent, car Oliver demeura silencieux. De chaque côté du manteau de cheminée, il y avait deux portraits ovales au pastel, de lui-même et de Sophia étant enfants. Elle devait avoir dans les six ans et lui, quatre ans à peine, avec un col en dentelle ornant sa petite veste de laine. Il contempla cette image de lui-même tant d'années en arrière. Il avait un vague souvenir de l'artiste, qui l'avait récompensé d'avoir sagement gardé la pose en lui donnant une orange. Susan continuait à lui parler, tandis qu'il restait dos tourné.

— À Glenville, nous rouvrirons les chambres d'enfant fermées depuis que ta mère a acheté la maison. Tu pourras apprendre au petit à monter à cheval, nager, pêcher, tirer, si c'est un garçon. Si tu veux devenir père un jour, Oliver, c'est le seul moyen.

Quand il se retourna, elle fut presque interdite de voir qu'il avait les larmes aux yeux.

— Vas-tu prétendre que tu l'as fait pour moi ?

— Je l'ai fait pour nous, répondit-elle.

Susan sentit alors qu'elle avait repris les rênes et pouvait à présent diriger à sa guise leurs échanges.

— Nous nous lassions l'un de l'autre, ainsi que de notre vie commune. Ce manque d'enfant nous rendait un peu plus tristes chaque jour. Je savais que nous ne tarderions plus guère à nous séparer. Dès lors, quel serait l'avenir, pour toi comme pour moi ?

— Pourquoi ne m'as-tu pas parlé de tes intentions ?

— Pour deux raisons. D'abord, il se pouvait que je sois stérile, auquel cas rien n'en serait sorti et cela t'aurait encore éloigné de moi.

— Et ensuite ?

— Tu me l'aurais interdit. Or nous allons être parents, Oliver. Cela n'en valait-il pas la peine ?

Il ne dit rien, mais elle le vit s'essuyer les yeux à la dérobée. À la vérité, elle avait touché Oliver au plus profond et libéré l'homme qui se cachait d'elle depuis des années, au moins la moitié de leur vie commune. Elle attendait, sans bouger ou presque, ses mains reposant sur la courtepointe, tandis qu'il marchait de long en large sur le tapis brodé au pied de son lit. On entendit des chiens se bagarrer dans la rue au-dehors et il alla à la fenêtre voir ce qui se passait.

Il allait lui pardonner. Il le sut alors. Avait-elle fait tout cela pour lui ou pour elle ? Il ne le savait pas au juste. En tout cas, il était convaincu qu'elle n'avait pas juste pris un amant qui l'avait ensuite laissée choir. Cela, il ne l'aurait pas supporté. Et elle avait raison. La vie qu'il désirait depuis des années était maintenant à sa portée et c'était une belle vie…

— Une chose, déclara-t-il sans se retourner, toujours face aux fenêtres.

— Dis-moi, dit-elle en sentant le soulagement l'envahir peu à peu.

— À partir de ce soir, nous ne ferons plus jamais allusion au fait que l'enfant n'est pas de moi. Pas même entre nous.

Susan sentit ses épaules se relâcher et son souffle lui revenir, plus libre, plus profond. Elle s'enfonça dans les oreillers bordés de dentelle.

— Pourquoi voudrais-je revenir là-dessus ? répondit-elle d'une voix pleine de tendresse. C'est ton enfant, mon chéri. Qui pourrait trouver à y redire ?

Alors il vint à elle, lui saisit les mains et se pencha pour l'embrasser sur la bouche. La chose la rebuta bien un peu, mais Susan savait prendre sur elle. Certes, cet homme ne l'attirait pas, au point qu'elle se demandait ce qui avait pu la séduire en lui. Il ne lui plaisait pas et elle ne goûtait pas sa compagnie. Mais il lui fallait gagner son affection, si elle voulait réussir sa vie sur cette terre. Très bien. Elle apprendrait à l'apprécier. Elle dominerait même la répulsion qu'elle éprouvait à l'idée de faire l'amour avec lui. Après tout, il avait dû lui plaire un peu, autrefois. Il se trompait, bien sûr. Oui, elle avait pris un amant, John Bellasis, et s'était laissé piéger ; mais cette version-là avait disparu à présent, elle s'était comme volatilisée, et Susan saurait peu à peu façonner sa propre histoire, celle du sacrifice qu'elle avait fait pour leur ramener un enfant, qu'ils pourraient aimer et élever ensemble. Elle estima qu'il ne lui faudrait guère plus d'une année pour y croire tout à fait. Avec des efforts, elle pourrait même oublier la vérité. Sur cette pensée, elle lui offrit sa bouche avec passion, comme elle savait si bien le faire. Au début, quand Oliver y fourra la langue, elle lui sembla désagréablement épaisse, gardant encore le goût âcre du vin, mais Susan n'en avait cure.

Elle était hors de danger.

11

Héritage

Caroline Brockenhurst contempla sa visiteuse avec stupeur.

— Je ne comprends pas, murmura-t-elle enfin.

Anne n'en était pas surprise. Il s'agissait d'une nouvelle étourdissante. Elle avait longuement réfléchi au meilleur moyen d'exposer la situation et en était venue à la conclusion qu'il valait mieux tout lui relater d'une traite.

— Nous savons maintenant que votre fils Edmund était légalement marié à ma fille Sophia avant son décès. Charles Pope est son fils légitime. En fait, il ne s'appelle pas Charles Pope, mais Charles Bellasis et, pour être exact, il est le vicomte Bellasis, héritier de son grand-père.

James Trenchard était rentré à la maison ce jour-là au comble du bonheur. Il avait dans la main la preuve qu'il attendait. Ses avocats avaient fait enregistrer le mariage, et il avait été accepté par le Comité des Privilèges. Certes, cette dernière procédure n'était pas encore finalisée, mais les hommes de loi avaient examiné les preuves et ne prévoyaient aucune difficulté. En d'autres termes, il était inutile de garder le secret plus longtemps. Anne avait décidé d'en aviser immédiatement Lady Brockenhurst. Elle s'était donc rendue à pied à Belgravia où elle l'avait trouvée seule. À présent, tout était dit.

Caroline Brockenhurst s'assit en silence, l'esprit agité d'une foule de pensées. Edmund s'était-il vraiment marié sans le leur avouer ? Avec la fille du ravitailleur de Wellington ? Au début, elle ressentit une profonde indignation. Comment une telle mésalliance avait-elle pu se produire ? Cette fille devait être une débauchée. Certes, Sophia était belle. La duchesse, sa sœur, le lui avait maintes fois répété, mais la jeune fille était forcément une intrigante. Puis une vérité plus essentielle s'imposa à elle. Peregrine et elle avaient un héritier légitime. Un héritier travailleur, talentueux et intelligent. Bien sûr, il devrait abandonner le commerce sur-le-champ, mais cela ne poserait pas de problème. Il pourrait employer ses talents à l'administration de Lymington et de leurs autres domaines. Sans oublier les propriétés de Londres, dont personne ne s'était occupé depuis au moins un siècle. Il aurait tant à faire ! Elle se concentra de nouveau sur sa visiteuse. Toutes deux n'étaient pas amies, pas exactement, mais elles n'étaient pas non plus ennemies. Elles avaient une chose bien trop précieuse en commun.

— Et il ne sait rien ? Charles, je veux dire.

— Non. James voulait s'assurer qu'aucun obstacle ne viendrait tout gâcher.

— Je vois. Eh bien, nous lui enverrons un message demain à la première heure. Venez dîner demain soir. Nous lui annoncerons alors la nouvelle tous ensemble.

— Et Lord Brockenhurst ? Où se trouve-t-il en ce moment ?

— Il est à la chasse. Dans le Yorkshire. Il sera de retour demain, d'après ce qu'il m'a dit. Je vais lui envoyer un télégramme pour lui confirmer de revenir à Londres et de ne pas aller dans le Hampshire. (Elle marqua une pause.) Vous dites que M. Trenchard a réussi à faire enregistrer le mariage, mais comment a-t-il justifié le nom de famille de votre fille sur l'acte de naissance ?

Anne sourit.

— Un mari est le père légal de tous les enfants nés pendant son mariage.

— Même si le père est mort ?

— Si un enfant naît dans les neuf mois qui suivent le décès du mari, celui-ci est légalement considéré comme le père, même si l'épouse n'a pas pris le nom marital et si l'enfant ne porte pas le patronyme du père.

— Un mari ne peut-il pas répudier un bébé ?

Anne prit le temps de réfléchir.

— Il existe sans doute des procédures en ce sens mais, dans le cas présent, il suffit de regarder Charles pour savoir qui est son géniteur.

— C'est vrai, approuva la comtesse.

Un sentiment de soulagement et de joie pure l'envahit peu à peu. Peregrine et elle avaient un héritier, qu'ils admiraient grandement, un homme sur le point de fonder une famille qu'ils pourraient chérir.

Anne devait entretenir des pensées similaires, car elle demanda brusquement :

— Où est Lady Maria ? Que sait-elle au juste ?

Caroline hocha la tête.

— Je lui ai confié que Charles était notre petit-fils. J'espérais apaiser les inquiétudes de sa mère, en vain. C'est tout ce qu'elle sait.

Elle lissa sa jupe, savourant la nouvelle qu'elle allait annoncer à la jeune femme dès son retour.

— Où est-elle ? s'enquit Anne.

— Avec Lady Templemore. Son frère est arrivé d'Irlande hier soir et un valet lui a apporté une invitation ce matin. Elle est allée dîner avec eux, avec l'intention de voir son frère et le supplier de plaider sa cause. Je lui enverrais bien un message pour lui faire savoir que c'est inutile à présent, mais je suppose que les choses doivent suivre leur cours.

Reginald Grey, sixième comte de Templemore, était un homme de principes, quoique moins passionné dans ses convictions que ne l'était sa sœur. Il était séduisant dans son genre, et d'une grande honnêteté, parfois un peu rigide. Cela dit, il aimait sincèrement sa sœur. Maria et lui avaient partagé des moments difficiles durant leur enfance, accroupis à l'étage, derrière la balustrade du palier, à écouter les disputes de leurs parents. Ces années troubles avaient forgé entre eux un lien fort, qui ne se briserait pas facilement, comme leur mère fut forcée de le constater. Les trois membres de la famille étaient assis dans le salon de Lady Templemore, dans une ambiance pour le moins tendue.

— Comment cela se passe-t-il à la maison ? interrogea Maria, désireuse d'engager la conversation.

L'échancrure brodée de sa robe de soie vert pâle mettait en valeur la perfection de ses épaules et de sa poitrine – ce qui était sans effet sur son frère.

— Très bien. Nous avons perdu deux métayers récemment, mais j'ai repris leurs terres en main. Je pense exploiter quatre cents hectares moi-même. Et j'ai décidé de réorganiser la bibliothèque. Dès mon retour, un homme viendra voir s'il peut installer de nouvelles étagères et descendre le manteau de la cheminée de la chambre bleue. Je pense que le résultat serait très réussi.

Maria l'écoutait attentivement, pour montrer qu'elle était une adulte responsable, capable de faire ses propres choix.

— Je suis sûre que papa aurait adoré l'idée.

— Votre père n'a jamais ouvert un livre de sa vie, rétorqua Lady Templemore. Pas s'il pouvait l'éviter.

Elle se leva pour arranger les statuettes en porcelaine de Saxe sur la cheminée. Elle ne leur faciliterait pas la tâche.

Reggie Templemore préféra ne pas différer plus longtemps le sujet.

— J'ai cru comprendre, dans vos lettres, que vous étiez toutes les deux en froid.

Lady Templemore cessa de manipuler les objets.

— Vous avez parfaitement compris.

Maria décida de prendre le taureau par les cornes.

— J'ai rencontré l'homme que je vais épouser. J'espère que j'aurai ta permission et ta bénédiction. J'aimerais marcher jusqu'à l'autel à ton bras. Mais si tu n'approuves pas, sache que je n'en épouserai aucun autre.

Reggie leva les mains comme pour calmer un cheval effrayé.

— Hé là ! dit-il avec un sourire. Inutile de t'emporter, il n'y a que nous trois ici.

— Maria rejette une incroyable opportunité, qui transformerait nos vies à toutes les deux. Elle ne peut pas s'attendre à obtenir mon aval.

Corinne retourna à son fauteuil. Si le moment de la confrontation était arrivé, elle comptait bien faire entendre sa voix.

Reggie attendit que les esprits s'apaisent.

— Je ne connais pas cet homme, bien sûr. Et je suis navré que Maria décline l'offre qui lui est faite, mais j'avoue ne pas éprouver le moindre regret à ne pas avoir John Bellasis pour beau-frère. Sa personnalité n'a jamais été à la hauteur de son rang.

— Merci, répondit Maria comme si son frère avait déjà gagné la partie. Il ne m'aime pas et moi non plus. Il n'y a rien d'autre à ajouter.

— Alors pourquoi avez-vous accepté sa proposition ? demanda sa mère.

— Parce que vous m avez donné le sentiment que, si je refusais, je serais une mauvaise fille.

— Évidemment ! Rejetez la faute sur moi, comme toujours.

Elle soupira et se renversa dans son fauteuil. Elle peinait à le croire, mais Lady Templemore avait la sensation pénible que la situation échappait à son contrôle. Elle avait espéré que son fils ramènerait sa sœur à la raison, alors qu'il semblait au contraire avoir pris le parti de Maria.

— Je crois que vous ne saisissez pas, Reggie. L'homme qu'elle a choisi pour mari est un bâtard et vulgaire commerçant.

Il était difficile de définir lequel des deux termes était le plus insultant.

— Vous ne mâchez pas vos mots, Mère, fit remarquer Reggie, que le ton de la conversation rendait mal à l'aise. Maria ?

Naturellement, ces accusations peinaient la jeune femme, d'autant qu'elles étaient proches de la vérité. Quand elle reprit la parole, elle corrigea les faits mais ne put les nier :

— Il est vrai qu'il est le fils illégitime d'un noble, accueilli par la famille de son père. Il est aussi le propriétaire respecté d'une filature de coton de Manchester, qui projette de développer son affaire. (Elle prenait de l'assurance à mesure qu'elle parlait.) Tu l'apprécieras énormément, ajouta-t-elle pour faire bonne mesure. J'en suis certaine.

En effet, elle était convaincue d'avoir raison sur ce point.

Reggie fut touché par l'enthousiasme de sa sœur. Manifestement, elle considérait cet homme comme l'égal de John Bellasis dans la grande balance de l'univers. Lui-même aurait aimé qu'il en soit ainsi.

— Pouvons-nous connaître le nom de ce noble personnage qui semble si satisfait d'avoir un fils illégitime ?

Maria hésita. Elle ne se sentait pas le droit de nommer les Brockenhurst, du moins pas sans leur permission.

— En fait, son père est mort. Ce sont ses grands-parents qui l'ont accueilli dans leur famille. Mais je n'ai pas la liberté de révéler leur identité.

Voir sa fille se persuader que cet homme sans avenir pouvait égaler son ancien prétendant était un comble pour Corinne. Elle se tourna pour faire face à ses deux enfants.

— Mais certainement, quand vous le comparez à John Bellasis…

— Mère… (Même Reggie se lassait de l'obstination de sa mère.) John Bellasis n'est plus dans la course et nous ne pourrons rien changer à cela, même si nous le voulons.

— Et nous ne le voulons pas ! déclara Maria avec force.

— Mais un marchand ?

Corinne n'abandonnerait pas sans combattre.

— Il y a huit ans…

— Vraiment, Maria, vous n'allez pas reprendre l'exemple des Stephenson.

— Non, pas cette fois. Je voulais seulement vous rappeler que Lady Charlotte Bertie a épousé John Guest, un simple maître de forges…

Maria s'était documentée. Elle pouvait lister toutes les mésalliances de l'histoire récente de Londres.

— … et ils sont reçus dans toutes les bonnes familles.

Sa mère se s'avouerait pas aussi facilement vaincue.

— M. Guest était également très riche et membre du Parlement. M. Pope n'est ni l'un ni l'autre.

— Mais il sera un jour les deux !

Bien sûr, Maria ne savait même pas si Charles souhaitait entrer au Parlement, mais il n'était pas question de laisser l'avantage à un maître de forges gallois.

— Et vous dites que ses grands-parents sont heureux de le recevoir, mais que son père est décédé ?

Maria observa nerveusement sa mère. En avait-elle trop dit ? Lady Templemore avait-elle deviné le lien avec les Brockenhurst ? Pourquoi avait-elle été si précise ? Mais avant de pouvoir ajouter quoi que ce soit, la porte s'ouvrit et le majordome apparut. Le dîner, semblait-il, était servi.

— Merci, Stratton, nous descendons dans un moment.

Reggie parlait avec l'assurance du maître de maison, même s'il n'était presque jamais là.

Sa mère l'observa avec surprise. Ne voyant aucune raison de s'attarder, elle avait ajusté un grand châle sur ses épaules pour se préparer à la fraîcheur de la salle à manger. Le domestique avait hoché la tête et s'était retiré, les laissant seuls à nouveau.

— Je souhaite rencontrer ce M. Pope, reprit Reggie. Je vais lui envoyer un message dans la matinée et je suis sûr qu'il aura un peu de temps à m'accorder…

— Bien sûr qu'il en aura ! s'écria Maria en notant mentalement de faire parvenir un mot à Bishopsgate avant son frère.

Reggie poursuivit son discours. Pour un homme de vingt ans, il faisait preuve d'une grande autorité et Maria était fière de son frère.

— Je vais écouter ce qu'il a à dire et, Mère, je ne peux pas promettre de vous soutenir si l'homme en question est un gentleman. Nous devrions plutôt discuter d'un arrangement possible, grâce auquel M. Pope pourrait assurer l'avenir de Maria et serait le bienvenu dans notre famille.

Corinne prit un air outragé.

— Donc, vous jetez l'éponge.

Reggie ne se laissa pas impressionner.

— Je me montre réaliste. Si Maria refuse tout autre prétendant, voyons si au moins nous pouvons nous entendre avec celui-là. Au final, Mère, j'ai peur que le choix soit simple. Voulez-vous vous entendre avec vos enfants ou partir en guerre contre eux ? Bien, si nous passions à table ?

Susan Trenchard inspectait sa chambre. Toutes leurs affaires étaient déjà empaquetées, excepté les vêtements dont elle aurait besoin pour le voyage. Ils allaient vivre dans le Somerset. Anne lui avait déconseillé d'effectuer un si long trajet à un stade plus avancé de sa grossesse, aussi avaient-ils décidé de partir maintenant. Susan n'avait aucune envie d'entreprendre ce périple, et leur future vie à la campagne ne l'enchantait guère, mais elle s'était résignée à son sort. Un grand dessein les attendait : prendre possession de la maison et du domaine et bien sûr préparer la nurserie, même si, par superstition, elle ne la décorerait pas avant la naissance du bébé. La seule ombre au tableau était Oliver. Respectant leur accord, ni l'un ni l'autre n'avaient reparlé de la paternité du bébé depuis ce fameux soir et Susan comptait bien s'en tenir là. Mais Oliver semblait préoccupé, voire chagriné, à tel point qu'elle se demandait si elle n'allait pas regretter sa décision. Il avait son caractère, et elle priait pour qu'il ne s'en prenne pas à elle désormais.

Une valise était encore ouverte dans un coin, pour les derniers effets. Tout le reste avait été chargé dans la grande voiture de poste venue du Somerset qui les attendait dans un bâtiment derrière la maison. Un garçon la surveillerait toute la nuit et ils prendraient la route au matin, juste après le petit déjeuner. Contrairement à sa belle-mère, elle comptait gagner Glenville en deux jours, c'est pourquoi ils devaient partir très tôt. Alors qu'elle examinait les habits qu'elle avait préparés pour le voyage, la porte s'ouvrit et Oliver entra.

— Es-tu prête à descendre ?

Elle hocha la tête. Elle portait une robe grise toute simple, idéale pour la nuit qu'ils passeraient à l'auberge. Elle était convenable, mais pas aussi formelle que James l'exigeait habituellement.

— Ce n'est sûrement pas une bonne idée, mais j'ai gardé un collier en argent qui rehaussera ma toilette. Speer l'a pris pour le nettoyer et ne va pas tarder à revenir.

Oliver l'écoutait à peine. Il hocha la tête sans faire de commentaire et parcourut la pièce du regard.

— Londres te manquera-t-il ?

— Nous reviendrons pour la saison des mondanités, répondit-elle gaiement, décidée à être, dorénavant, une épouse heureuse.

— C'est dans bien longtemps !

Mais Oliver n'était ni sarcastique, ni en colère, ni même sous l'emprise de l'alcool. Plutôt mélancolique. Peut-être s'inquiétait-il pour elle. Il se laissa tomber dans un fauteuil près de l'âtre et regarda autour de lui comme s'il cherchait quelque chose, sans qu'elle puisse deviner quoi.

Elle sourit.

— J'aimerais que tu me dises ce qui te tracasse.

Il ne la contredit pas, ce qui confirma les doutes de Susan.

— Tu ne comprendrais pas.

— Je suis sûre du contraire…

La porte s'ouvrit à ce moment-là et la femme de chambre entra avec le collier de Susan. Peu après, elle le refermait autour du cou de sa maîtresse. Le couple était prêt pour le dîner.

Charles Pope se trouvait en plein dilemme. Il venait d'installer sa mère à Londres, dans l'une des chambres qu'il avait louées pour eux deux à High Holborn. Mme Pope vivait à Londres depuis moins d'une semaine et, bien que ravie de sa nouvelle existence, elle était nerveuse à l'idée de se retrouver seule dans le bruit et la fureur de la ville moderne, après tout ce temps passé à la campagne. Il désirait rentrer pour veiller à son confort, du moins pour quelques jours encore, mais ne pouvait détacher son regard du message qui lui avait été porté une heure plus tôt.

Cher monsieur Pope,

Accepteriez-vous de passer un moment en ma compagnie ce soir ? Peut-être cela vous semblera-t-il difficile, après notre dernière entrevue, quand j'ai laissé la colère prendre le pas sur les bonnes manières. Mais je crois que nous ferions le bonheur d'un homme qui nous est cher, si nous parvenions à régler nos différends. J'en suis responsable et je vous serais très reconnaissant d'accepter ma proposition. Je serai au Black Raven sur Allhallows Lane à 23 heures. Je ne peux m'y rendre plus tôt car je suis attendu ailleurs et je préférerais régler ce malentendu au plus vite.

Bien à vous,
Oliver Trenchard

Charles avait relu la lettre plusieurs fois. Elle n'était pas datée et ne mentionnait pas d'adresse, mais il n'avait aucune raison de douter de son authenticité. James lui avait montré des rapports rédigés par Oliver sur l'Île aux Chiens, et l'écriture semblait correspondre. Il savait pertinemment qu'il était la cause de troubles entre le père et le fils. Être un motif de discorde au sein de la famille Trenchard était une bien piètre expression de sa gratitude, après tout ce que James avait fait pour lui. Un moment, il pensa à apporter la lettre à Eaton Square, mais cela ne risquait-il pas de produire un effet pervers ? Attirer l'attention de James sur la querelle sans avoir cherché de solution pour y mettre un terme ? Il n'avait jamais entendu parler de la taverne indiquée, mais connaissait Allhallows Lane, une ruelle étroite non loin de Bishopsgate, en bordure du fleuve, où il pouvait se rendre à pied depuis le bureau. Pourquoi un rendez-vous si tardif ? Mais une objection concernant l'heure du rendez-vous pourrait être considérée comme un refus d'arranger la situation, alors qu'en vérité c'était son vœu le plus cher.

Finalement, il décida de regagner sa chambre, dîner avec sa mère et se rendre ensuite à Allhallows Lane. Sa mère irait se coucher dès son départ, peut-être même avant, et sa logeuse et sa servante seraient là pour veiller sur elle. Sa décision prise, il alla chercher son manteau.

Pendant le dîner, Maria, son frère et sa mère s'en étaient tenus à des sujets consensuels. Ils étaient servis par le majordome et l'unique valet de pied, et Corinne ne souhaitait pas informer les domestiques des contentieux dont souffrait la famille. Ils avaient discuté des projets de Reggie pour Balligrey, évoqué leurs amis et relations en Irlande, mais Maria et sa mère ne pouvaient oublier la bataille dans laquelle elles étaient engagées et dont une seule sortirait victorieuse.

— Tu es si secret, déclara Maria à son frère sur le ton de la plaisanterie. Tu n'as donc rien à nous raconter sur ta vie privée ?

Reggie prit son verre en souriant.

— L'expérience m'a appris à ne jamais dévoiler mon jeu.

— Voilà qui semble prometteur. N'est-ce pas, Mère ?

Mais Lady Templemore n'était pas disposée à se laisser distraire par des badinages quand de pénibles pensées la tracassaient.

— Je suis sûre que Reggie se confiera dès qu'il l'aura décidé, dit-elle en faisant signe au valet qu'ils avaient terminé.

Le domestique s'approcha pour débarrasser les assiettes.

— J'aimerais tant en savoir plus, insista Maria, qui n'était pas parvenue à en tirer davantage de son frère, sinon que la fille de certains amis de leurs parents était

« tout à fait charmante » et qu'il « se pourrait » qu'il en résulte quelque chose.

— Si ses parents sont vraiment de vieux amis, ce sera un baume pour mon âme blessée, commenta Corinne sans aller plus loin, quand les employés eurent momentanément quitté la pièce.

Ce n'est que plus tard, quand ils furent de nouveau dans le salon et que les serviteurs eurent terminé leur service, qu'elle se résolut à prendre la parole.

— C'est d'accord…

Maria fut prise au dépourvu au moment où elle se servait une tasse de café.

— Que voulez-vous dire ?

— J'attendrai le verdict de Reggie. S'il apprécie votre M. Pope, s'il approuve votre union, alors je me rangerai à son avis. Après tout, il est le chef de famille. C'est lui qui devra supporter cet homme s'il devient son beau-frère. Je ne serai bientôt plus de ce monde, alors en quoi mon opinion vous intéresserait-elle ?

Elle s'assit sur le canapé avec un soupir, feignant un vague malaise, et saisit son éventail sur la table près d'elle.

Un instant, Maria et Reggie restèrent sans réaction. Puis la fille se jeta à genoux devant sa mère et lui embrassa les mains.

— Vous ne le regretterez pas, Mère, dit-elle, les joues baignées de larmes.

— Je le regrette déjà, répliqua Lady Templemore. Mais je ne peux pas lutter contre mes deux enfants. Je suis trop faible. Je m'efforcerai de l'aimer, cet homme qui a volé l'avenir de ma fille.

Maria leva les yeux sur elle.

— Il ne l'a pas volé, Mère. Je lui ai donné mon avenir de mon plein gré.

Au moins, sa mère ne retira pas ses mains et, si elle versa quelques larmes sur son paradis perdu ce soir-là dans son lit, tout bien considéré, Corinne Templemore préférait rester en bons termes avec ses enfants. Du vivant de leur père, ils avaient eu une existence difficile et elle ne voulait plus désormais qu'un conflit les oppose.

Les fruits avaient été servis dans un magnifique centre de table en argent, avec plusieurs paniers autour d'une vasque remplie de roses, de prunes, de raisins et de nectarines. L'ensemble était joliment éclairé par les candélabres disposés à chaque extrémité de la table. On dirait une peinture du Caravage, songea Anne. Mme Babbage pouvait se montrer très créative quand elle le voulait. Elle avait commandé à la cuisinière un bon repas avant qu'Oliver et Susan ne prennent la route et, pour être honnête, se réjouissait que Susan ait convaincu son fils de suivre son plan. Anne tiendrait sa promesse et ne reparlerait jamais de la paternité de l'enfant. L'espace d'un instant, elle avait pensé dire à Caroline Brockenhurst que, dorénavant, tous les petits-enfants d'Anne auraient du sang Bellasis, mais cela risquait de revenir aux oreilles de James, ce qu'elle voulait éviter à tout prix. Ainsi, le secret de Susan était bien gardé et Anne se félicitait de la tournure des événements. Elle n'était pas très attachée à sa belle-fille, mais elle la trouvait intelligente et pleine de ressources, quand elle y mettait du sien. De plus, la menace du scandale semblait l'avoir arrachée à sa bulle d'égoïsme pour l'obliger à affronter les dures réalités de sa nouvelle existence. Le Dr Johnson avait écrit qu'un homme condamné à la pendaison avait l'esprit étonnamment perspicace, et peut-être en était-il de même avec le couperet de la déchéance. Anne était désolée de perdre Glenville. Elle s'y rendrait de temps à autre, mais moins souvent et ce ne serait plus son royaume. La reine Susan régnerait désormais sur ses terres. Mais ce sacrifice était nécessaire pour que son fils vive sa propre vie et non celle de son père.

Mais en observant son fils à table, Anne sentit que quelque chose le troublait. Elle avait essayé de l'interroger plusieurs fois les jours précédents, sans succès. Il l'avait assurée que tout allait bien, pourtant…

— As-tu vu M. Pope récemment, Père ?

Les paroles d'Oliver prirent James par surprise, tant il savait combien son fils détestait Charles Pope et évitait soigneusement de mentionner son nom. À sa connaissance, Oliver n'était pas au courant de la véritable identité de Charles, et il trouvait normal que l'intéressé soit informé le premier, ou du moins en même temps que les autres. Bien sûr, James ignorait le rôle de Susan dans toute cette affaire et Anne n'avait pas l'intention de la trahir. Aussi se réjouissait-il à l'idée qu'Oliver apprenne la vérité, en même temps que Charles, Lord Brockenhurst et les Templemore, au dîner prévu le lendemain soir.

Après un silence, le temps pour lui de réfléchir à l'étrangeté de la question, James regarda son fils.

— Qu'entends-tu par « récemment » ?

— La semaine passée.

Oliver mangeait une pêche et son menton dégoulinait de jus. Susan voulut lui en faire la remarque, puis se ravisa. C'était son menton, après tout.

— Non, dit James. Il a emménagé dans un logement plus grand pour accueillir sa mère… (Il surprit le regard d'Anne et se corrigea.)… Mme Pope, qui est venue vivre avec lui. Il savait qu'il aurait besoin de temps pour qu'elle s'habitue à son nouvel environnement.

— Sais-tu où ils habitent ?

James secoua la tête et cessa de peler sa pêche, surpris par le tour que prenait la conversation.

— À Holborn, il me semble. Pourquoi ?

— Sans raison particulière.

Anne surprit Billy en train d'étudier Oliver avec curiosité. Le domestique rougit quand il se sentit observé. Elle devrait l'appeler Watson, maintenant qu'il était le nouveau majordome. Tout comme le reste de la famille.

— Tu dois bien avoir une raison, insista son père.

James prend ce ton tranchant parce qu'il s'attend à devoir de nouveau défendre Charles contre l'acrimonie d'Oliver, songea Anne. Mais ce dernier ne montrait aucune agressivité. En fait, il paraissait plutôt inquiet.

— Oliver, veux-tu me suivre, s'il te plaît ?

James reposa son couteau et se leva en jetant sa serviette sur la table. Il guida son fils vers la bibliothèque, où tous deux s'assirent en silence. Dès qu'il eut refermé la porte, James prit la parole.

— Bien, dis-moi ce qui se passe. Pourquoi es-tu préoccupé et que vient faire Charles Pope là-dedans ?

En un sens, maintenant que son père l'interrogeait, Oliver était heureux de pouvoir se soulager de son fardeau : il s'était rendu au Horse and Groom dans un état de fureur indescriptible… et John Bellasis l'avait abordé.

— Il savait à quel point j'en voulais à Pope, et il s'est mis à me questionner. Il voulait en apprendre plus sur lui, sans doute parce que, comme tu le sais, Pope est le protégé de sa tante. Peut-être qu'il était jaloux. Moi, je l'étais.

— Mais que s'est-il passé ? Qu'a-t-il fait ?

Anxieux, avec le besoin de s'occuper les mains, James saisit le tisonnier et remua les braises dans l'âtre.

Oliver ne parla pas tout de suite. Il se demandait comment présenter la situation sous un jour favorable. Mais c'était impossible.

— Il a prétendu vouloir donner une leçon à Pope.

— Quel genre de leçon ?

— Je ne sais pas. J'étais plutôt éméché. Et j'étais furieux contre Pope.

— Inutile de me parler de tes ressentiments envers Charles Pope. Je les connais déjà.

Son ton n'avait rien de conciliant mais, maintenant qu'Oliver était lancé, autant aller jusqu'au bout.

— Il m'a demandé d'écrire à M. Pope. Il ne pouvait pas lui adresser le message lui-même, parce que, Pope ne l'appréciant pas, il ne lui répondrait pas. Mais si je lui faisais part de mes regrets et lui proposais de nous réconcilier pour te plaire, Pope accepterait de me rencontrer.

— *Pour me plaire ?* répéta James, incrédule.

— Bellasis savait que tu étais malheureux que je m'en sois pris à ton protégé. Encore une fois, je ne sais pas d'où il tient ses informations. Pour finir, j'ai griffonné un mot à son attention et je suis parti.

James n'en croyait pas ses oreilles.

— Tu as écrit une lettre pour attirer Charles Pope dans un lieu où il… quoi ? Il va se faire passer à tabac ? Par les sbires de M. Bellasis ? C'est bien ça ?

— J'étais ivre, je te l'ai dit.

— Pas au point de ne pas pouvoir tenir une plume ! Pour l'amour du ciel !

La colère de James venait d'anéantir le précieux sentiment de paix qu'Oliver ressentait depuis que Susan et lui avaient décidé de s'installer à Glenville. Voilà qu'il était de nouveau une déception, un échec, un imbécile.

— Quand doit avoir lieu ce rendez-vous ?

— Il ne l'a pas précisé. Il ne m'a pas laissé inscrire la date pour noter lui-même le jour de son choix. J'imagine qu'il a prévu un comité d'accueil et s'est assuré que tout était prêt. C'est pourquoi je t'ai demandé si tu avais eu des nouvelles de M. Pope.

— Où deviez-vous vous rencontrer ? Ou plutôt, où doit-il rencontrer Bellasis ?

Depuis le jour où il avait conclu ce marché, Oliver avait l'impression de garder un dangereux secret dans une bouteille. Il n'avait pas voulu reconnaître combien il avait été stupide, mais c'était évident. À présent, le secret empoisonné s'était échappé de la flasque et avait entièrement envahi son esprit.

— Je ne m'en souviens pas.

— Eh bien, fais un effort !

James alla vivement sonner. Quand le valet arriva à pas pressés de la salle à manger, il lui cria avant même qu'il n'ouvre la porte :

— Prévenez Quirk d'atteler la voiture ! La calèche ! Il faut nous dépêcher.

— Mais pour aller où ? demanda Oliver, éberlué. Tu ne connais pas son adresse, et je ne me rappelle pas l'endroit indiqué dans le message. Et pourquoi cela aurait-il lieu ce soir ?

James le regarda.

— Si ça s'est déjà produit et s'il est gravement blessé, je ne te le pardonnerai jamais. Mais s'il ne s'est encore rien passé, nous devons le prévenir, quitte à attendre toute la nuit devant son bureau. Allons, réfléchis : où doit se tenir ce rendez-vous ? À la City ? En dehors de Londres ? Tu dois bien en avoir une petite idée !

Oliver fouilla sa mémoire.

— Je crois que c'était à la City. Oui, parce qu'il a dit que Pope pourrait s'y rendre à pied depuis son lieu de travail.

— Alors nous allons commencer par Bishopsgate. Va chercher ton manteau pendant que je préviens ta mère.

James se dirigea vers la porte.

— Père..., l'arrêta Oliver, et James s'arrêta. Je suis désolé.

Oliver était sincère. Son visage exprimait ses plus profonds regrets.

— Tu le seras bien plus si jamais il lui est arrivé malheur.

John Bellasis frissonna. Était-ce à cause du froid ou à l'idée de ce qui l'attendait ? Difficile de trancher. Il avait renvoyé son fiacre à quelques rues d'Allhallows Street, préférant ne donner aucune indication de sa destination au cocher, et marchait à présent dans l'East End, seul, en pleine nuit.

Quand Oliver Trenchard l'avait quitté ce fameux soir au Horse and Groom, il avait mis la lettre de côté, persuadé qu'il ne s'en servirait jamais. Cela l'absoudrait, en un sens, d'avoir formulé ce projet. Bien sûr, il savait pourquoi il avait demandé à Oliver de l'écrire. À l'instant même où il avait vu le fils Trenchard dans la taverne, il avait su que c'était là sa chance de se débarrasser du seul obstacle qui s'opposait à son bonheur personnel. Pourtant, il hésitait encore.

Il avait attendu jour après jour une convocation de son oncle. Son père et lui seraient-ils invités à Brockenhurst House pour être informés d'une nouvelle susceptible de bouleverser leur avenir ? Mais elle n'était jamais arrivée. Pas de publication dans le journal. Pas de lettre de tante Caroline. Rien. Les Trenchard devaient connaître la vérité à présent, puisqu'il leur en avait lui-même donné la preuve, à son cuisant regret. Puis il songea qu'ils devaient attendre que, sur le plan légal, tout soit absolument sûr. Ils ne mettraient sans doute personne au courant, pas même les Brockenhurst, avant que la requête de Charles Pope ne puisse être validée par un tribunal. Si bien que, s'il mettait son plan à exécution, s'il en trouvait le courage – car c'était bien le courage qui lui faisait défaut –, il devait agir avant toute annonce officielle. La mort d'un vicomte, héritier d'un comte, ferait les gros titres de tous les journaux, alors que la disparition d'un marchand de coton, qui se lançait à peine dans les affaires, occuperait tout juste une colonne en bas de page.

Malgré tout, il ne parvenait pas à se décider. Seul dans ses appartements, il restait assis, la lettre d'Oliver à la main, à s'interroger. Était-il capable de réparer la terrible injustice qui venait de s'abattre sur lui ? Manquait-il réellement de bravoure ? Avait-il peur de la prison, de la potence ? Mais s'il n'agissait pas, laissant tous ses rêves brisés et piétinés à ses pieds, la vie qui l'attendait valait-elle mieux que la corde ?

Ces derniers jours, il était resté enfermé chez lui. Il avait dîné seul, servi par son domestique silencieux dont les gages, songea-t-il avec une pointe d'ironie, ne seraient peut-être bientôt plus payés. Il buvait seul et en grandes quantités, persuadé que même ce mode de vie simple – comparé à celui de beaucoup de ses contemporains plus fortunés – serait menacé à l'instant même où la nouvelle se répandrait et qu'il ne serait plus un héritier promis à un brillant avenir, mais un homme croulant sous les dettes sans aucun revenu. Ses débiteurs l'encercleraient tels des requins, décidés à s'emparer du peu d'argent qui lui restait, et son père ne pourrait rien pour le sauver. En effet, les problèmes de Stephen étaient pires que ceux de son fils. Ce serait la ruine pour tous les deux, et ensuite ? La déchéance les pousserait à s'exiler à Paris ou à Calais, à vivoter grâce à la misérable pension que Charles Pope (il ne parvenait pas à le considérer comme son cousin Charles Bellasis) voudrait bien lui allouer ? N'était-il pas préférable de tenter sa chance, de relever un défi qui se solderait par le triomphe ou le bourreau ?

Toutes ces réflexions l'avaient emmené jusqu'au petit matin de ce même jour, après une nuit sans sommeil. La lettre posée devant lui, il imita de son mieux l'écriture du mot « Pope » sur l'enveloppe, qu'il scella à la cire. Puis il sortit et attendit d'être à bonne distance d'Albany pour héler un fiacre, donnant au cocher, avec un pourboire, l'adresse du bureau de Pope pour y porter la missive.

En s'éloignant, il se dit que l'homme était peut-être une fripouille qui empocherait l'argent, détruirait l'enveloppe et prendrait le premier passager venu.

Ainsi soit-il, si tel est mon destin, pensa-t-il. Malgré tout, il devait arriver tôt au Black Raven, évaluer la distance entre la taverne et le fleuve, et mettre son plan à exécution. Une fois de plus, il passa toute la journée dans sa chambre, allongé sur son lit ou faisant les cent pas. De temps à autre, il songeait à abandonner la partie. Laisser Charles se rendre à la taverne et n'y trouver personne. Il demanderait à voir Oliver Trenchard, bien sûr, mais pas John Bellasis. L'aubergiste hausserait les épaules. Charles rentrerait chez lui et se lèverait le lendemain matin, prêt à s'emparer de tout ce qui aurait dû appartenir à John. À cette dernière pensée, sa résolution fut prise. Même s'il échouait, il aurait tout tenté. Il ne se soumettrait pas à la cruauté des dieux sans se battre.

— Je serai en retard ce soir, Roger, dit-il au domestique qui l'aida à enfiler sa redingote. Ne m'attendez pas avant le petit matin. Mais si je ne suis pas rentré à 8 heures, vous pourrez commencer à vous inquiéter de moi.

— Où devrais-je vous chercher, monsieur ?

John se contenta de secouer la tête sans ajouter un mot.

— Un meurtre ?

L'effarement d'Oliver, à la suggestion de son père, était sincère. James avait beau être dans un état de rage indescriptible, il s'en rendit compte.

Oliver pensait que Charles Pope ne risquait pas grand-chose. Certes, John Bellasis le haïssait sûrement encore plus que lui, mais il ne pouvait s'agir que d'une bonne leçon. Et Bellasis s'en tirerait sans encombre. Il engagerait des hommes pour faire le sale boulot. Ces derniers disparaîtraient sans laisser de traces et l'affaire serait bientôt oubliée. Mais commettre un meurtre ? Les soupçons de son père lui semblaient aberrants. John Bellasis, assassiner Charles Pope ?

— Mais pourquoi ?

Le trajet jusqu'à Bishopsgate était long et James ne voyait aucune raison de lui taire la vérité plus longtemps. Tandis que le fiacre s'enfonçait dans les rues éclairées au gaz, il lui raconta toute l'histoire : le mariage à Bruxelles, la méprise de Sophia, la trahison, la véritable identité de Charles. Surtout, il évoqua la menace que constituait John Bellasis, lequel n'hériterait de Lord Brockenhurst que si Charles disparaissait pour toujours.

Oliver garda le silence un moment. Puis soupira.

— Tu aurais dû me le dire. Bien avant de savoir qui était vraiment Charles Pope. Bien né ou bâtard, il restait mon neveu et j'avais le droit d'être mis au courant.

— Nous étions inquiets pour la réputation de Sophia.

— Tu crois que je n'aurais pas su garder le silence pour protéger le nom de ma sœur ?

Pour une fois, James ne répondit pas, tant les reproches d'Oliver étaient justifiés. Il avait fait la même erreur avec Anne et s'en repentait. Pourquoi ne faisait-il pas confiance à sa propre famille ? C'était sa faiblesse, et non la leur, qui l'avait empêché de parler. Il s'affaissa sur la banquette, emporté par la voiture dans la nuit.

Maria rentra de Chesham Place à Belgrave Square à pied, en compagnie du valet de sa mère. Une voiture était inutile pour un trajet aussi bref et elle voulait profiter de la fraîcheur du soir. Le cœur et le pas légers, elle aurait probablement renvoyé son escorte si cela n'avait déplu à sa mère, qu'elle ne souhaitait contrarier pour rien au monde. Elle avait eu raison de penser que Reggie l'aiderait à régler la situation. À présent, bien sûr, Charles devait réussir son examen de passage auprès de son frère, mais elle était confiante sur ce point. Après tout, c'était un gentleman. Pas un parti brillant, certes, mais un gentleman. Et un homme intelligent, travailleur, doué de toutes les qualités que Reggie valorisait. Et pour être honnête, elle était touchée, très touchée même, par la manière dont sa mère avait rendu les armes.

Dans leur opposition, Maria avait été forte et déterminée. En quittant la maison familiale, elle avait conscience d'avoir semé la discorde entre Corinne et sa vieille amie, Lady Brockenhurst. Maria s'était montrée froide et intransigeante quand sa mère avait plaidé en faveur de John Bellasis, lui demandant pourquoi cet homme qui tenait tant à elle n'était pas là pour défendre sa cause. Mais elle répugnait à se quereller avec son unique parent encore vivant. Son père était un homme dur, avec ses enfants comme avec son épouse, et à sa mort, même s'ils ne l'admettraient jamais, tous trois avaient été soulagés de lui avoir survécu. Comme elle, Reggie pensait que leur mère avait mérité quelques années de paix et Maria souffrait de se disputer avec elle. Mais il était trop tard. Elle ne doutait pas que dès que sa mère connaîtrait Charles, elle l'aimerait. Peut-être avec retenue au début, mais elle finirait par se laisser fléchir. Et qu'il apprécie ou non Lady Templemore, il la protégerait et veillerait à son confort, si bien qu'en définitive ce mariage présenterait les mêmes avantages que si elle avait épousé John. Ils seraient, dès lors, une famille unie, ce que Maria désirait plus que tout.

À Brockenhurst House, le veilleur de nuit lui ouvrit. Il passait la nuit sur un siège en cuir dans un coin du vestibule, les yeux grands ouverts, du moins selon ses dires, jusqu'à ce qu'il soit relevé de son service à 8 heures par le majordome. Elle renvoya le valet de sa mère et se dirigea vers l'escalier après avoir salué le domestique. Ce dernier avait un message pour elle.

— La comtesse vous attend, madame. Dans son boudoir.

Maria ne cacha pas sa surprise.

— Elle n'est pas allée se coucher ?

— Non, madame, répondit-il posément. Elle vous fait dire qu'elle vous attend.

— Très bien, je vous remercie.

Maria s'empressa de monter.

Charles sortit sur le pas de sa porte et prit une profonde inspiration. L'air frais le revigora après la soirée avec sa mère dans le salon légèrement surchauffé. Il était néanmoins heureux d'avoir passé un moment avec elle. Mme Pope était ravie de sa nouvelle vie, et sa confiance en l'avenir, pour tout ce qui concernait les projets de Charles, avait le don de le rassurer. Elle était persuadée que son réseau commercial s'étendrait bientôt dans le monde entier et qu'il ferait fortune. Elle ne doutait pas non plus qu'il achèterait une maison dans le quartier le plus huppé de Londres et qu'elle s'en occuperait – jusqu'à l'arrivée de son épouse, bien entendu. Et apparemment, tout cela se produirait très prochainement.

Naturellement, Charles lui avait répondu qu'il pensait avoir déjà trouvé sa future femme, mais il s'était montré prudent dans ses propos, pour ne pas donner l'impression à sa mère qu'elle serait un poids. Marié ou non, il voulait l'inclure dans son existence et était certain que Maria partagerait son sentiment. Aussi lui dit-il simplement qu'il souhaitait qu'elle la rencontre. Mme Pope en fut enchantée.

— Me diras-tu son nom ?

— Maria Grey. Tu l'aimeras beaucoup.

— J'en suis certaine, puisqu'elle te plaît.

— Tout n'est pas encore décidé.

— Pourquoi, si c'est la jeune fille de ton choix ?

Le petit salon à leur disposition était charmant, pour de simples chambres de location à Holborn, avec ses rideaux de chintz et le canapé boutonné sur lequel sa mère était assise, près de sa table de travail. Devant le silence de son fils, elle interrompit sa broderie, l'aiguille en l'air.

Il fit une légère grimace.

— La situation n'est pas simple. Sa mère est veuve et se montre naturellement protectrice envers sa fille. Elle n'est pas entièrement convaincue que je corresponde à son idée du gendre idéal.

Mme Pope rit.

— Alors c'est une veuve bien stupide ! Si elle avait le moindre bon sens, elle aurait embrassé le sol sous tes pas au moment où tu franchissais le seuil de sa maison.

Charles ne voulait pas faire de sa mère une ennemie de sa future belle-famille.

— Lady Templemore a ses raisons. Maria était promise à un autre prétendant et on ne peut guère la critiquer de vouloir que sa fille respecte sa parole.

— Eh bien moi, je la critique, cette *Lady Templemore* !

L'emphase dédaigneuse avec laquelle elle avait prononcé son nom était un autre indice de troubles à venir.

Charles regrettait d'avoir fait part à sa mère de ses difficultés.

— Si cette jeune fille a compris que son autre soupirant ne t'arrivait pas à la cheville, c'est qu'elle n'est pas idiote. Sa mère ferait bien de suivre son exemple.

Elle avait repris sa broderie mais avec une pointe d'agacement et piquait le tissu comme s'il lui résistait.

— Pourquoi son nom est-il Templemore si la jeune fille s'appelle Grey ?

— Templemore était le titre de feu son mari. Grey est leur nom de famille.

— Lord Templemore ?

— Le comte de Templemore, pour être exact.

Les gestes de sa mère se détendirent à mesure que ces paroles faisaient sens dans son esprit. Ainsi, Charles était sur le point de faire un grand mariage. Ce n'était pas une surprise. À ses yeux, il avait toujours été brillant dans tout ce qu'il entreprenait. Mais cette nouvelle fut une source de joie toute particulière pour Mme Pope, qui se serait néanmoins sentie coupable de l'admettre.

— Je me moque bien qu'il soit le roi de Templemore ! s'écria-t-elle en délaissant son ouvrage. Ils ont beaucoup de chance de t'avoir.

Charles avait décidé d'en rester là.

À présent, Charles était en route pour son rendez-vous avec Oliver Trenchard. Il avait préféré marcher. Rien ne pressait. Il allait tous les matins à son bureau à pied, à moins d'avoir un impératif, et sa destination était toute proche.

Oliver semblait vouloir lui tendre la main et, si tel était le cas, Charles était déterminé à la saisir. Depuis ce déjeuner à l'Athenaeum, où la jalousie d'Oliver – car il s'agissait certainement de jalousie – s'était si clairement exprimée, Charles avait eu l'impression que sa relation avec James était entachée. De plus, les tentatives d'Oliver de le discréditer auprès de M. Trenchard, grâce aux accusations mensongères de ces scélérats de Brent et Astley, étaient la preuve que sa fureur ne s'était nullement apaisée. Quant à savoir si Oliver avait des raisons d'être en colère, et si James était coupable de négliger son fils au profit d'un jeune inconnu, Charles ne se permettait pas d'en juger. Quoi qu'il en soit, tous se porteraient mieux s'ils parvenaient à s'entendre. Charles appréciait énormément le soutien et l'aide de James Trenchard. Il voyait bien le côté ridicule de l'homme – son besoin de se distinguer, sa soif de promotion sociale, autant de traits de caractère qui lui étaient étrangers – mais il percevait aussi chez lui une grande intelligence. James avait le sens des affaires et était doué d'une intuition rare, que Charles n'avait jamais rencontrée chez personne d'autre. Cela ne l'étonnait guère que James soit parti de rien et ait grimpé l'échelle sociale de l'Angleterre du XIXe siècle. Son enseignement ferait gagner à Charles plusieurs années sur le chemin de la réussite et il comptait bien en bénéficier. Il lui en était sincèrement reconnaissant.

Charles venait de dépasser son bureau et descendait vers le fleuve. La journée, Bishopsgate bruissait d'activité. Ses rues étaient encombrées de voitures et ses trottoirs d'une foule d'hommes et de femmes très occupés. Mais la nuit, le quartier était étrangement calme. On croisait quelques passants, ivrognes, mendiants, et même une ou deux prostituées, ce qui était surprenant dans ce quartier désert. Mais pour le reste, Charles ne voyait que de grands immeubles, sombres et inquiétants. Un moment, il pensa faire demi-tour, manquer le rendez-vous et rentrer chez lui. Une impulsion, nette et inexplicable. Avec un haussement d'épaules, il chassa cette pensée, remonta son col contre la bise et continua sa route.

Le cœur de Maria cognait dans sa poitrine. Pas à cause des brillantes perspectives de Charles – John Bellasis lui avait offert la même position, qu'elle avait rejetée –, mais parce que sa mère avait accepté Charles avant de connaître tous les faits. Si Reggie n'était pas venu, si leur antagonisme s'était poursuivi jusqu'à ce soir, elle aurait toujours estimé que sa mère avait changé d'avis à cause des nouvelles possibilités d'avenir de Charles. À présent, elle savait que Corinne avait accepté son futur époux tel qu'il était, non pas par intérêt, mais par amour pour ses enfants. Lady Brockenhurst le pensait aussi.

— Je savais qu'elle changerait d'avis. Je vous l'avais dit !

Elles étaient assises dans le boudoir, devant un bon feu. Pour fêter l'événement, Caroline avait demandé deux verres d'un sauternes qu'elle affectionnait. Ni l'une ni l'autre ne voulaient se coucher.

— Oui, vous me l'aviez dit, mais je n'y croyais pas.

— Eh bien, je suis heureuse que votre mère vous ait démontré combien elle vous aimait, et maintenant elle va recevoir sa récompense. Elle doit venir dîner demain soir. Surtout ne lui dévoilez rien ! Cela gâcherait la surprise.

Maria porta le verre aux fines dorures à ses lèvres.

— Et Charles n'est toujours pas au courant ?

— M. Trenchard ne voulait rien lui dire avant que tout ait été vérifié par ses avocats. C'est très avisé de sa part.

Il n'était pas simple pour Caroline de dire du bien de James Trenchard, mais le fait est que tous deux étaient désormais légalement apparentés. Du moins partageaient-ils un petit-fils, une idée à laquelle elle devait s'habituer.

Maria perçut la réticence de son hôtesse.

— Charles m'a assuré que M. Trenchard avait de nombreuses qualités. Il l'admire énormément.

Caroline réfléchit un moment.

— Alors je vais tâcher d'en faire autant.

— J'apprécie sa femme, affirma Maria.

— Oui, elle est plutôt agréable.

Ce n'était pas la plus exubérante des marques d'estime, mais c'était un début. En vérité, Caroline appréciait Anne qui, contrairement à son mari, semblait indifférente à leur ascension sociale et aux opinions des autres sur sa famille. Son désintérêt des conventions lui conférait une forme de distinction naturelle, dont son mari ferait bien de s'inspirer. Caroline devrait demander à Charles de prendre en main l'éducation de son grand-père.

— Avez-vous été surprise d'apprendre que votre fils s'était marié en cachette ?

Ces paroles à peine prononcées, Maria les regretta aussitôt. Pourquoi rouvrir ces plaies aujourd'hui ? Bien sûr, son hôtesse avait été étonnée, choquée, voire blessée par cette découverte et, même si l'histoire se terminait bien, ces sentiments ne s'effaceraient jamais complètement.

Caroline était toute à ses pensées.

— Je ne sais pas quoi vous répondre. À l'évidence, la jeune fille ne nous aurait pas paru convenable, Edmund le savait. Il préférait nous mettre devant le fait accompli plutôt que de solliciter une approbation qu'il n'aurait pas obtenue. Je devrais sans doute l'admirer pour ça. Edmund était notre fils, mais nous n'avons pas pour autant brisé sa liberté d'esprit. Je m'interroge néanmoins : cette jeune fille n'était-elle pas une intrigante, poussée par un père vaniteux à utiliser ses charmes pour parvenir à ses fins ?

Elle se tut, absorbée par la contemplation des flammes. Un instant, ses paroles furent comme suspendues dans l'air entre elles. Puis Maria reprit la parole.

— Quelle importance aujourd'hui ?

Sa voix parut arracher Caroline à sa rêverie. La question était pertinente, Lady Brockenhurst fut forcée de l'admettre. Quelle importance aujourd'hui ? La mère de John, Grace, était bien née, mais cela faisait-il de lui un héritier plus convenable que Charles ? Non. Mille fois non. Sophia Trenchard possédait manifestement autant d'esprit que de force de caractère, sans parler de sa beauté. Edmund ne se serait pas laissé prendre – si tel était le dessein de Sophia –, si elle n'avait été qu'un joli minois. Caroline était très attachée à son mari, mais Peregrine n'était pas un homme ambitieux. Né pour occuper un rang qui lui convenait, il n'avait cependant aucun but particulier dans l'existence. Charles, lui, avait des rêves et formerait des projets pour le domaine et la famille, Caroline en était convaincue. Et quand elle observait ses deux grands-pères, elle savait lequel des deux lui avait transmis cette détermination à réussir. Elle se tourna vers Maria et sourit.

— Vous avez raison, cela n'a plus d'importance. Ce qui compte, c'est l'avenir que Charles et vous allez bâtir ensemble.

— Et vous avez l'intention de tout lui révéler demain ?

— Cela me rappelle que je ne leur ai pas envoyé de mot. Je vais l'écrire ce soir et le faire porter à Bishopsgate à la première heure demain.

— Et ma mère ?

— Je vais aussi la faire prévenir. Une soirée riche en révélations nous attend.

Dès que la voiture s'arrêta devant les bureaux, James sauta sur la chaussée et alla tambouriner à la porte, jusqu'à ce qu'une fenêtre s'ouvre et qu'une tête ébouriffée apparaisse à l'étage. C'était l'employé de Charles. Une des conditions de son embauche était qu'il habite sur place. Le jeune homme reconnut la voix de James et, quelques minutes plus tard, il les accueillait dans le bureau en chemise de nuit, se démenant pour allumer des bougies.

Mais il ne pouvait rien pour eux.

— M. Pope a un engagement ce soir. Un mot est arrivé plus tôt dans la journée. Mais je ne saurais vous dire où il devait se rendre.

— Ce message, grogna James, que l'impatience rendait hargneux, a-t-il précisé qui l'a écrit ?

— Non, monsieur Trenchard. Mais il avait l'air satisfait. Il s'agissait de régler un différend. Il n'a rien dit d'autre.

— Et il ne vous a donné aucun indice du lieu de son rendez-vous ?

Oliver était tout aussi anxieux, mais son ton était plus modéré. Il savait qu'il était inutile d'effrayer le malheureux. Pourtant, il désirait ardemment des réponses. Si son père avait raison et si un meurtre était sur le point d'être commis, cela ne faisait-il pas de lui un complice ? N'avait-il pas attiré la victime sur le lieu du crime ? Il ne savait pas ce qu'il éprouvait pour Charles Pope maintenant qu'il connaissait la vérité, mais il était certain de ne pas souhaiter sa mort.

— Savez-vous quoi que ce soit qui pourrait nous aider à le trouver ? Je pense que ce n'est pas très loin de ce bureau.

L'employé se gratta la tête.

— Il est rentré chez lui pour dîner avec sa mère. Elle vient d'arriver à Londres. Cela dit, ils n'habitent pas très loin. (Il cogita une minute.) Vous avez raison, monsieur. Il a parlé d'un endroit près du fleuve...

— Mon Dieu ! hoqueta James.

— Attendez, dit Oliver. Connaissez-vous une rue... laissez-moi réfléchir. All Saints ? All Fellows ?

— Allhallows Lane ? proposa l'employé.

Oliver poussa un cri.

— Voilà ! Allhallows Lane. Et il y a une taverne là-bas. Le Black... Swan ?

— Le Back Raven. Oui, je connais un établissement du nom de Black Raven.

L'employé priait pour que ces hommes trouvent ce qu'ils cherchent et qu'il puisse retourner se coucher.

James hocha la tête.

— Descendez pour indiquer la route à notre cocher.

— C'est facile à expliquer...

— Descendez ! le pressa-t-il, entraînant les deux hommes dans son sillage.

La Tamise était nappée de brume quand Charles arriva dans la ruelle pavée qui menait à la taverne. L'humidité imprégnait sa redingote et le faisait grelotter, et il rabattit les pans de son vêtement. Il connaissait Allhallows Lane, mais pas de nuit, quand les odeurs de caniveau se mêlaient aux relents de poisson venant du marché de Billingsgate. Il scruta la rue. Une pancarte faiblement éclairée par une lanterne indiquait Black Raven. Plus il progressait dans la ruelle, plus il trouvait étrange qu'Oliver ait choisi ce lieu pour le rencontrer. Peut-être avait-il décidé, par courtoisie, de faire le trajet depuis Eaton Square, plutôt que d'obliger

Charles à traverser la moitié de Londres. Mais tout de même…

Il poussa la porte. C'était un bâtiment long et bas, à l'encadrement de bois sombre typique de l'architecture élisabéthaine, legs d'un passé révolu, à présent enclavé dans la cité moderne. Ravagé par le temps, le lieu semblait davantage fréquenté par les voleurs et les brigands que par le fils ambitieux d'un riche entrepreneur immobilier. Ce n'était pas non plus le genre d'établissement pour lequel on avait envie de traverser toute la ville. Oliver avait dû en entendre parler et se méprendre sur sa réputation. Malgré tout, Charles s'aventura à l'intérieur.

Alors qu'il fouillait du regard l'épais nuage de fumée, il fut frappé par l'odeur âcre de bière mêlée de sueur. Ses yeux le piquaient et il porta son mouchoir à son nez. La salle était bondée et peu éclairée, en dépit des nombreuses bougies collées sur les barils de bière ou fichées dans le goulot des bouteilles de vin. La plupart des bancs en bois étaient occupés par des hommes habillés de manteaux râpeux et chaussés de bottes, leurs conversations étouffées par la sciure répandue sur le sol. Mais Charles n'eut pas longtemps à attendre. Il n'était pas là depuis une minute qu'une silhouette se levait d'une alcôve et venait à sa rencontre. L'homme portait une redingote qui le couvrait presque entièrement et un chapeau enfoncé sur les sourcils.

— Pope ? dit-il en passant. Venez avec moi.

Perplexe, Charles suivit l'étranger dans la rue, mais l'homme ne s'arrêta pas et marcha vers le fleuve. Finalement, Charles fit halte.

— Je n'irai pas plus loin, monsieur, tant que vous ne m'aurez pas dit qui vous êtes et ce que vous me voulez.

L'homme se retourna.

— Mon cher ami, je suis désolé. Je devais sortir de ce repaire de bandits. Je ne pouvais plus respirer et j'ai pensé que vous ne souhaitiez pas non plus vous y attarder.

Charles plissa les yeux.

— Monsieur Bellasis ?

Il n'en revenait pas. Bellasis était le dernier homme qu'il s'attendait à voir là.

— Que faites-vous ici ? Et où est Olivier Trenchard ? C'est lui que je devais rencontrer.

— Moi aussi.

Le ton de John était doucereux. Il avait pris sa décision et se rendit compte, à sa grande surprise, que la présence de Charles n'affaiblissait en rien sa détermination. Il ne flancherait pas. Il lui suffisait d'attirer son homme vers le fleuve.

— Oliver Trenchard m'a envoyé un mot pour me proposer de le retrouver ici. Mais pourquoi diable avoir choisi un tel trou à rats ?

— Sans doute parce que c'était plus pratique pour moi, expliqua Charles. Vous vous rappelez que mes bureaux sont tout proches.

— Bien sûr. C'est sûrement la raison.

Ce qui ne répondait à aucune des questions qui se bousculaient dans la tête de Charles.

— Je ne comprends pas pourquoi vous êtes ici. Trenchard et moi avions une affaire personnelle à régler. Quel est votre rôle là-dedans ?

John hocha la tête, comme s'il intégrait l'information.

— J'imagine qu'il souhaitait nous voir nous réconcilier.

Charles le regarda. Depuis que ses yeux s'étaient habitués à la pénombre, il distinguait les traits de John. Malgré son discours amical, l'expression de l'homme était aussi hautaine et arrogante que d'habitude, avec son regard glacial et ses lèvres retroussées.

— Je ne savais pas que nous étions en froid, monsieur.

Ce qu'il ne remarqua pas, c'est que Bellasis s'était rapproché de la Tamise et que, sans réfléchir, Charles l'avait suivi. Ils n'eurent qu'à traverser la route pour en atteindre le bord. Un long parapet courait le long du fleuve et s'enfonçait dans l'eau. Ils se tenaient sur ce qui devait être autrefois une colline, si bien que la Tamise coulait à au moins trois mètres en contrebas. La rivière était profonde à cet endroit. John le voyait à la puissance du courant. Il avait choisi la taverne précisément pour ces raisons.

— J'ai bien peur que nous ayons un différend, monsieur Pope. Ce que je regrette, ajouta-t-il avec un sourire.

Charles l'observait. Sa voix semblait presque étranglée et ses mots distordus. Il aurait préféré qu'il y ait du monde autour d'eux.

— Alors j'espère que nous allons le résoudre, monsieur, répondit-il en souriant, comme si cette conversation était normale.

— Hélas, c'est impossible, marmonna John, puisque ce problème ne peut être résolu que par votre…

— Par ma quoi ?

— Par votre mort.

Sur ces mots, John l'empoigna d'un mouvement brusque et le projeta vers le muret. Pris de court, Charles résista comme un beau diable, mais son agresseur lui avait fait perdre l'équilibre et le mur l'obligeait à fléchir les genoux. Le combat avait décuplé les forces de Bellasis. Il était sûr de lui à présent. S'il échouait à tuer Charles, il serait pendu. Au prix d'un dernier effort, il crocheta la jambe de sa victime, qu'il poussa d'un coup violent dans la poitrine, avant de le lâcher. Charles tomba à la renverse, par-dessus le parapet, dans le vide. Son corps plongea dans l'eau glacée et il se sentit étouffé par une boue visqueuse. Attiré vers le fond par son épais manteau lourd comme du plomb, il tenta désespérément de se défaire de ses chaussures, de se rattraper à quelque chose, n'importe quoi. Mais il n'y avait rien d'autre que le mur de brique, John le savait bien.

Bellasis fouilla les ténèbres. Charles les avait-il déjà quittés ? Était-ce sa tête là, ou bien une ondulation, un morceau de bois ? Il était tellement concentré qu'il n'entendit pas les bruits de pas précipités derrière lui. Deux mains se plaquèrent sur ses épaules et le firent pivoter sur lui-même. Il se retrouva face à James Trenchard et son fils.

— Où est-il ? Qu'avez-vous fait ?

— Qui donc ? De quoi parlez-vous ?

John ne tressaillit pas. Si Charles était mort, ils n'avaient rien contre lui. Il pouvait encore s'en sortir. Tous les indices accuseraient Oliver et le témoignage de James ne vaudrait rien, du moins selon John. Puis un cri déchira la nuit.

— Au secours !

La voix désincarnée avait surgi des ténèbres comme l'appel d'un défunt depuis l'au-delà.

Sans un mot, James se débarrassa de son manteau et ses chaussures, et plongea dans les eaux sombres. Quand ils entendirent les éclaboussures et les cris en dessous d'eux, Oliver et John se regardèrent fixement.

— Laissez-les, déclara John d'une voix incandescente. Laissez-les partir. Votre père a eu une bonne vie, mais c'est votre tour. Vous aurez un immense héritage, tout comme moi. Libérons-nous de ces deux hommes.

Oliver hésita. John le sentit. Il perçut sa faiblesse, car Oliver Trenchard était un homme faible.

— Ne vous inquiétez pas. C'est un vieil homme, ça ne va pas prendre longtemps. Vous savez que c'est le mieux. Pour nous tous.

Jusqu'à la fin de ses jours, Oliver lutterait pour comprendre comment il avait pu envisager une telle chose ne serait-ce qu'une seconde. Il n'en reparlerait jamais, mais ne pourrait l'oublier. La mort de Charles Pope ne lui avait pas semblé une grande perte à ce moment-là, quant à être débarrassé de son père, jouir de sa fortune sans avoir à subir ses reproches et sa désapprobation…

— Non ! hurla Oliver.

Il ôta vivement sa redingote et rejoignit son père dans l'eau. James était affaibli par le froid. Il avait sauté sans réfléchir et John Bellasis avait raison, il ne tiendrait pas longtemps. Mais Oliver l'atteignit avant qu'il ne coule. Il saisit son père sous les aisselles et se mit à nager vers le bord du fleuve, ordonnant à Charles de les suivre en s'accrochant à sa taille. Comment réussit-il à les ramener tous les deux jusqu'au mur ? Il n'en avait aucune idée. Peut-être était-ce la culpabilité qui lui avait donné une telle force, ou le souvenir de l'odieuse pensée qui l'avait traversé, un bref instant. Le mur abrupt serait resté un obstacle infranchissable, alors même qu'Oliver cherchait vainement une prise sur sa surface lisse et glissante, si le brouhaha n'avait attiré les clients de la taverne sur les lieux. Un homme avait accouru avec une corde.

James fut remonté le premier, puis Charles, puis Oliver, et tous trois se retrouvèrent assis côte à côte, à tousser en crachant de l'eau, après avoir échappé de peu à la mort. Quand John Bellasis comprit que les trois hommes étaient sauvés, il s'éclipsa. Il s'était reculé à mesure que la foule grossissait, puis s'évanouit dans les ténèbres. Ses victimes avaient beau être sonnées, si quelqu'un avait été témoin de la rixe, ils n'auraient eu aucun scrupule à livrer John aux policiers, sûrement déjà en route. Il ôta sa cape et son chapeau, les jeta dans une canalisation, et retrouva son chemin jusqu'à Bishopsgate, où il héla un fiacre et disparut.

Anne ne se rappelait pas son rêve. Seulement qu'il était heureux quand, secouée par Mme Frant, elle fut forcée d'ouvrir les yeux.

— Venez tout de suite, madame ! Il y a eu un accident.

Après cela, quel ne fut pas son soulagement de découvrir dans la bibliothèque James, Oliver et Charles, tous trois trempés jusqu'aux os mais vivants ! C'était Charles qui paraissait le plus mal en point. Comme les domestiques étaient tous réveillés à présent, elle sonna Billy et Miles, le valet de son mari, qui aidèrent les trois hommes à gagner l'étage, pendant que les autres serviteurs préparaient les bains. Pendant ce temps, elle-même courut dans les cuisines pour faire réchauffer un peu de soupe. Personne n'osait déranger Mme Babbage, aussi Anne et l'intendante se débrouillèrent-elles seules, puis cette dernière emporta les bols sur un plateau.

Lavé et séché, Charles était au lit, vêtu d'une chemise d'Oliver. À l'évidence, il était épuisé et déboussolé, mais indemne. Ce que lui avait raconté James avait suffi à Anne pour comprendre ce qui s'était passé.

— Je ne vois toujours pas pourquoi John Bellasis voulait me tuer. Qui suis-je pour lui ? Et lui pour moi ?

Pour Charles, le cauchemar qu'ils venaient de vivre n'avait aucun sens.

Un moment, Anne songea à lui dire la vérité, mais il était tard et Charles paraissait confus. Il valait sûrement mieux attendre qu'il soit capable de digérer la nouvelle.

— Nous en discuterons demain matin. Tout d'abord, nous devons décider si oui ou non il faut prévenir les gendarmes. C'est à vous de choisir.

— Si je comprenais son geste, je saurais quoi faire, rétorqua Charles.

Aussi remirent-ils leur décision au lendemain.

Plus tard ce soir-là, Anne en discuta avec James.

— On ne peut pas livrer Bellasis à la police sans prévenir les Brockenhurst. Ce sont eux qui devront en supporter les conséquences quand l'histoire sera rendue publique.

James enrageait encore de ce qu'ils venaient d'endurer.

— Tu n'étais pas là quand il a essayé de tuer Charles, qui serait mort si on n'était pas arrivés à temps !

— Je sais, dit-elle en serrant la main de son mari. Tu as sauvé notre petit-fils et je me rangerai à ton avis, quoi que Charles et toi décidiez.

— Oliver nous a sauvés tous les deux. Je coulais pour la troisième fois.

Anne sourit.

— Alors Dieu bénisse Oliver d'être un fils si loyal.

Elle n'en saurait jamais plus sur cette mésaventure.

Oliver était dans un tout autre état d'esprit. Susan s'était réveillée alors qu'il était soutenu par Billy, puis il s'était baigné et mis au lit, mais son mari gardait obstinément le silence, refusant de répondre à ses questions. Ce fut finalement le domestique qui lui relata les péripéties de la soirée. Enfin Billy s'en alla.

— Je vais annuler la voiture pour demain, déclara Susan. Nous allons rester un jour de plus, le temps que tu te reposes.

Comme il ne disait toujours rien, elle demanda aussi doucement que possible :

— Y a-t-il quelque chose que tu ne me dis pas ?

À sa grande surprise, Oliver éclata en sanglots, la prit dans ses bras et la serra de toutes ses forces, comme si son cœur allait éclater. Elle lui caressa les cheveux et lui souffla des paroles de réconfort, convaincue désormais que ses projets allaient se réaliser et que, sous peu, son mari serait de nouveau entièrement sous son contrôle.

Lady Brockenhurst avait choisi de recevoir tous ses invités dans le grand salon. Elle voulait fêter dignement l'événement et les valets avaient pour instruction de porter leur livrée. Les Trenchard étaient arrivés les premiers, de manière assez prévisible, James dansant presque de joie à la perspective de ce dîner. Caroline s'était préparée à son euphorie et avait chargé Maria de le distraire jusqu'à ce que commence la soirée.

Lord Brockenhurst était rentré, comme promis, et ne comprenait pas la raison de tous ces préparatifs.

— Mais que célèbre-t-on ? demanda-t-il plusieurs fois, sans obtenir de réponse de sa femme.

Comme il n'avait rien suivi de l'affaire, il apprendrait la nouvelle en même temps que Charles et les autres Caroline avait écrit à Stephen et à Grace plutôt que de les contraindre à être témoins de leur propre humiliation. Elle n'admirait aucun des membres de cette famille, mais éprouvait de la peine pour eux. C'était la fin de leur vie dorée puisque, une fois la vérité révélée, ils perdraient tout leur crédit. Et même si Peregrine était disposé à les renflouer de temps à autre, il ne financerait plus leurs mauvaises habitudes. En résumé, maintenant que John n'héritait plus, ils devraient apprendre à vivre modestement.

Se présenta ensuite Lady Templemore avec son fils, que Caroline n'avait pratiquement pas revu depuis qu'il était enfant.

— M. Pope est-il déjà là ? demanda Reggie avec curiosité.

— Non, répondit James. Il a dormi chez nous la nuit dernière et est repassé chez lui chercher Mme Pope. Elle sera des nôtres pour le dîner.

Reggie accueillit cette information avec plus de joie que sa mère, qui concéda néanmoins qu'il valait sûrement mieux « affronter le pire maintenant ». Quand Charles en personne entra dans le salon, Mme Pope à son bras, et que les invités furent enfin tous réunis, Caroline les pria de venir dans la salle à manger.

— Vous faites durer le plaisir, n'est-ce pas ? s'enquit Peregrine, sans cependant soulever d'objections.

Sa femme profitait en effet du moment, car cette soirée serait de celles qu'ils n'oublieraient pas.

Quand Stephen Bellasis lut la lettre de Caroline, il se sentit mal. Un instant, il pensa être réellement malade, mais la nausée se dissipa et il resta assis là, à regarder dans le vide, la feuille de papier entre ses mains tremblantes.

— Que se passe-t-il ? interrogea Grace.

Pour toute réponse, il lui tendit la lettre et regarda le sang se retirer du visage de son épouse. Enfin, elle brisa le silence.

— Alors voilà pourquoi il est parti. Il était sûrement au courant.

— Peut-être le lui ont-ils dit.

Grace hocha la tête.

— Peregrine a dû lui écrire. Ce ne serait que justice.

— Justice ! Depuis quand Peregrine a-t-il le moindre sens de l'équité ?

Mais il avait beau prendre un ton dédaigneux, au fond de lui, il était terrifié. Aurait-il une influence sur Peregrine maintenant qu'il n'était plus le père de son héritier ? Bien sûr que non. Ils étaient condamnés à vivre dans l'ombre désormais, sans statut, sans importance. Pas étonnant que John soit parti.

Ils avaient trouvé un mot devant leur porte – John l'avait déposé lui-même, ou un domestique s'en était chargé, qui sait ? Il quittait Londres, leur écrivait-il. Et l'Angleterre. Ils pouvaient disposer de ses appartements, garder ce qu'ils voulaient et vendre le reste. Il ne reviendrait pas. Dès qu'il serait installé, il leur ferait savoir où il était. En l'apprenant, Stephen eut l'impression que quelqu'un avait cassé le fil d'un collier et éparpillé les perles de leur vie un peu partout. Et maintenant, la lettre de Caroline détruisait leurs derniers espoirs. Qui était ce Charles Pope ? Un petit marchand sournois qui avait brisé leurs existences et volé leurs rêves.

— Au moins, nous savons maintenant pourquoi Caroline faisait un tel cas de lui.

— Non, pas du tout, rétorqua Grace. S'il est l'héritier légitime, pourquoi l'avoir caché depuis sa naissance ? Nous ne savons rien. Si ce n'est que John est parti et ne reviendra pas.

Elle pleurait en disant ces mots, pleurait le départ de son fils, la ruine de son avenir, la perte de tout ce qui leur était cher. Dès que la nouvelle se répandrait dans les rues de Londres, le dernier de leurs crédits serait épuisé et les prêteurs sur gages se jetteraient sur eux. Harley Street devrait sans doute être sacrifié, même si sa vente ne suffirait pas à couvrir leurs dettes. Ils se réfugieraient dans le presbytère de Lymington et Grace ferait de son mieux pour éloigner Stephen de la tentation, ce qui ne serait pas chose facile. La vérité, c'est qu'ils étaient désormais des mendiants et ne pourraient pas faire les difficiles. Pour survivre, ils se contenteraient des miettes laissées par Peregrine. Voilà ce qui les attendait.

Grace se leva.

— Je monte. Ne tardez pas trop. Et essayez de dormir. La situation nous paraîtra peut-être moins désespérée demain matin.

Elle n'y croyait pas elle-même, pas plus que lui. Avant d'aller se coucher, elle décida de jeter un coup d'œil au rafraîchissoir en argent qu'elle conservait depuis des années dans l'ancienne chambre de John, pour les jours de disette. L'heure était venue de s'en servir. Elle le ferait sortir de la maison dès le lendemain, les huissiers pouvant leur tomber dessus à tout moment. Mais quand elle pénétra dans la pièce, elle vit tout de suite que les boîtes au-dessus de la garde-robe avaient été déplacées, et comprit, non sans peine, que le précieux seau avait disparu. Ce n'était pas une surprise. Leur dernier objet de valeur s'était évanoui avec leur chance. Bien, songea-t-elle, j'espère qu'il en fera bon usage.

Mais en regagnant la chambre sombre et morne qui l'attendait, Grace savait que ce ne serait pas le cas.

Charles était sous le choc, naturellement. Tandis qu'il écoutait le récit de son hôtesse, toutes les pièces du puzzle se mettaient en place. Il se demandait maintenant pourquoi il n'avait jamais pensé à un lien de parenté pour expliquer la détermination de James à le voir réussir et celle de Caroline à investir dans les activités d'un jeune et obscur aventurier. Il n'aurait jamais deviné la vérité, ni son rang légitime, mais aurait pu s'interroger bien plus tôt sur un quelconque lien du sang.

Son étourdissement était à la mesure de celui de Lady Templemore, qui peinait à croire pareil miracle : l'amère pilule qu'elle s'était résignée à avaler s'était transformée en nectar. Bien entendu, quand Maria avait parlé du comte dont le fils était mort, elle avait soupçonné Charles d'avoir du sang Bellasis, mais n'en avait rien laissé paraître afin de punir Caroline, tant elle était en colère que sa fille soit sacrifiée et offerte au bâtard de la famille. À présent, tout était différent. La position à laquelle elle aspirait tant pour elle et sa fille chérie lui était acquise, cette fois couronnée par l'amour. Elle avait envie de chanter, de danser et de rire, au lieu de quoi elle tempéra son enthousiasme, pour ne pas passer pour une femme cupide, avide de distinctions qu'elle ne méritait pas. Elle se contenta donc de hocher plaisamment la tête et de sourire aux mots d'esprit de Charles, car elle voyait bien maintenant que Maria avait raison et que le jeune homme était séduisant, très séduisant même, ce que par un fait étrange, elle n'avait pas remarqué auparavant.

Reggie Templemore était ravi lui aussi, mais sa joie était plus simple et plus mesurée que celle de Lady Templemore. Il avait été appelé à Londres par sa mère et sa sœur pour arbitrer une querelle familiale, ce qu'il détestait par-dessus tout, et voilà que le différend s'évanouissait dans la liesse générale. Comme de surcroît Charles semblait un brave garçon, il était heureux que sa sœur se retrouve dans des dispositions aussi favorables. Il n'avait guère participé à cette bataille, dont il n'était informé que depuis peu, si bien que son contentement était plus discret que celui d'autres invités. Cela dit, il retournerait chez lui confiant en l'avenir. Il avait été particulièrement enchanté d'entendre Charles annoncer à ses grands-pères (à la satisfaction de l'un et au désespoir de l'autre) qu'il n'abandonnerait pas sa filature de coton ni le commerce. Il engagerait un gestionnaire compétent, bien sûr, mais il se sentait un instinct pour les affaires et souhaitait poursuivre dans cette voie. Naturellement, Peregrine secoua la tête à ces ambitions contraires à ses principes, alors que Caroline n'y trouva rien à redire. Après avoir réfléchi à la question, elle était tentée de se ranger à l'avis de James Trenchard sur ce sujet, pour la première et sans doute la dernière fois de sa vie. Reggie était quant à lui trop heureux d'accueillir au sein de la famille un homme ayant le sens des affaires. Un don qu'aucun Grey n'avait possédé depuis des siècles.

Mme Pope n'avait pas dit un mot durant toute la discussion, pourtant elle était sans doute la personne la plus affectée par ces révélations. Pour cette fille et épouse de révérends de l'Église d'Angleterre, il était étrange de dîner dans le faste de Brockenhurst House, sans parler du fait qu'un jour son fils serait le maître de cette même demeure et des autres propriétés de la famille. Mais peu à peu, au fil de la soirée, il lui parut clair que son statut dans l'existence de Charles demeurerait inchangé. Son fils voulait qu'elle se félicite de sa bonne fortune, aussi décida-t-elle de célébrer l'événement avec lui. Une fois seulement elle s'invita dans la conversation, quand Lord Templemore suggéra que Charles abandonne le marché du coton. À ces mots, elle secoua la tête.

— Oh non ! Vous n'empêcherez jamais Charles de travailler. Autant interdire à un poisson de nager ou à un oiseau de voler.

Caroline avait applaudi à ces paroles et Charles porté un toast à la santé de Mme Pope.

Il était difficile de déterminer lequel des grands-pères se réjouissait le plus de la tournure des événements. James avait pour petit-fils un vicomte, qui plus est doué en affaires, avec qui il pourrait partager tout ce qu'il n'avait pas pu partager avec Oliver. Les descendants de James se retrouveraient au premier plan de la société anglaise et lui-même s'imaginait dorénavant côtoyer les grands de ce monde. Anne ne nourrissait pas de telles illusions, mais elle ne voyait aucun mal à laisser James à ses rêves de gloire pour le moment. Il pouvait savourer sa victoire. Après tout, pourquoi pas ? Tout lui avait réussi jusqu'ici. Il méritait d'en profiter le plus longtemps possible. En ce qui la concernait, elle était heureuse que le fils de Sophia soit destiné à une vie remplie d'honneurs. Elle aimait bien Maria. Elle appréciait même Caroline, plus qu'elle ne l'aurait cru possible, et s'en félicitait. Elle se voyait passer du temps à Glenville avec Oliver et Susan, ou à Lymington avec Charles et Maria, et mener une existence paisible et épanouie. Elle pourrait participer à l'élaboration des jardins de Belgravia. James l'aiderait en ce sens. Ce serait une excellente manière d'occuper son temps. Ses enfants seraient heureux en ménage, du moins suffisamment, alors que demander de plus ?

Seul Oliver, au sein de cette joyeuse compagnie, demeurait muet. À dire vrai, il avait réfléchi à ses propres actes et se sentait honteux, humilié, et choqué par son propre comportement. Même sa jalousie envers le fils de Sophia lui semblait mesquine et déshonorante, avec le recul. Ignorer que Pope était son neveu n'était pas une excuse. Il lui était pénible, sans doute, d'accepter que celui-ci soit pour James une plus grande source de bonheur que lui, mais tout était à présent pour le mieux. Gérer Glenville pendant quelques années aiderait Oliver à se sentir moins misérable. Cela dit, il était tourmenté d'avoir écrit la lettre pour Bellasis et, plus encore, par son instant d'hésitation au bord du fleuve. Cela, il ne pourrait le partager avec personne et emporterait les affres de la culpabilité dans la tombe.

Oliver était retourné chez John plus tôt dans la journée, mais on l'avait informé que M. Bellasis était parti. Ses malles avaient été chargées au petit matin dans un chariot qui accompagnait son fiacre au relais de poste, le portier ne savait pas lequel. Oliver n'avait pas été surpris et, quand il rapporta ces faits à Charles par la suite, de retour à Eaton Square, tous furent d'accord, contre l'avis de James, de ne pas donner de suite. Le scandale serait sans commune mesure, John serait pendu et aucun ne serait jamais libéré du spectre de cette terrible nuit. Faisant preuve de plus de compassion que James et Oliver n'en seraient jamais capables, Charles avait suggéré d'allouer une pension à John, qui avait vécu dans l'attente d'un héritage et ne possédait aucune qualité en propre. À l'évidence, l'anéantissement de son avenir lui avait fait totalement perdre l'esprit, mais était-ce une raison suffisante pour pendre un homme ? James finit par accepter sa proposition, mais à une condition. La pension ne serait versée que tant que John resterait hors de Grande-Bretagne.

— L'Angleterre, l'Écosse, le Pays de Galles et l'Irlande lui sont désormais interdits. Laissons-le errer sur le continent à la recherche d'un endroit où vivre en paix, ce qu'il ne trouvera pas ici.

Ainsi, il fut décidé que John Bellasis passerait le reste de sa vie en exil, ou reviendrait dans son pays vivre en indigent

Susan eut un rôle compliqué durant les réjouissances. Elle avait découvert la vérité à propos de Charles avant tous les autres, ce qu'elle ne pouvait avouer, puisqu'elle l'avait apprise dans un lit avec John Bellasis. Aussi participa-t-elle à la liesse générale, tout en sachant qu'Anne, assise en face d'elle, était au courant de l'imposture. Mais tout serait plus simple à partir de maintenant. Elles ne parleraient plus du passé de Susan, ni de la véritable origine de l'enfant qu'elle portait, ni de ce qui pourrait mettre en danger le bonheur du jeune couple Trenchard. Si Susan s'égarait de nouveau, si elle rendait Oliver malheureux, ce serait différent, mais cela n'arriverait pas. Elle s'était approchée du bord du précipice une fois et n'avait pas l'intention de refaire la même erreur. Sa belle-mère ne la trahirait pas et elle-même garderait le secret d'Oliver. Sa famille serait heureuse, elle s'en faisait le serment.

Quant à Peregrine Brockenhurst, la nouvelle l'avait totalement transformé. Il ne comprenait pas bien pourquoi Caroline lui avait caché que ce jeune homme était le fils d'Edmund, mais il s'en moquait. Il regardait sa femme avec déférence. Il admirait sa capacité à comprendre le fonctionnement du monde, à le contrôler et le commander. À présent, sa vie avait un but, l'exploitation du domaine un sens, et sa famille pouvait de nouveau envisager l'avenir. Il sentait presque l'énergie irradier dans tout son corps. Il était même impatient – une sensation si étrange qu'il peina à l'identifier la première fois qu'elle se manifesta. Il éprouvait toutefois une pointe de pitié pour John, qui avait tout misé sur l'héritage comme sur la mauvaise carte. Il consulterait Charles pour décider de la marche à suivre à son sujet. Oui, Charles saurait quoi faire. Désormais, il était confiant. Il laisserait Charles décider de tout.

La soirée terminée, les invités se dirigèrent vers le vestibule. James proposa de ramener Charles et Mme Pope à Holborn dans sa voiture, mais Charles ne voulut pas en entendre parler. Il trouverait facilement un fiacre, plaida-t-il. Au pied du grand escalier, Maria s'attarda auprès de son fiancé pour lui faire ses adieux, quand Lady Brockenhurst prit la parole.

— Si Charles doit héler un fiacre, pourquoi ne pas l'accompagner dehors, ma chère, et en chercher un ?

Tous furent éberlués que cette suggestion vienne d'une femme si soucieuse des apparences, mais Maria prit le bras de son fiancé avant que la grand-mère du jeune homme ne change d'avis. Tandis que le couple quittait la demeure, Lady Templemore interrogea son hôtesse du regard. Caroline semblait très sûre de son fait.

— Oh, je pense que nous n'avons pas grand-chose à craindre.

— En effet, approuva Anne.

Cet échange suffit à suggérer, aux yeux de la petite assemblée, les compromis que la famille allait devoir faire durant les décennies à venir avec toutes ses composantes.

Sur le trottoir, les amants scrutèrent la place en quête d'une voiture libre. Maria brisa le silence.

— Puis-je mettre ma main dans votre poche ? J'ai si froid. Je n'aurais jamais dû sortir sans châle.

Aussitôt, il ôta son manteau et l'enveloppa dedans, si bien que les doigts de Maria furent bientôt mêlés aux siens dans la poche du vêtement.

— Cela veut-il dire que je pourrai partir pour les Indes avec vous ?

Il réfléchit.

— Si vous voulez. Nous pourrions l'envisager comme notre voyage de noces. Si votre mère n'y voit pas d'objection.

— Si elle essaie de m'en empêcher, elle aura affaire à moi.

Il rit.

— Vous devez me trouver bien stupide de ne pas avoir eu de soupçons.

— Certainement pas. Un cœur pur ne voit jamais le mal. Vous n'avez pas de goût pour les intrigues, aussi ne les suspectez-vous pas dans votre entourage.

Il secoua la tête.

— L'intérêt de M. Trenchard pouvait à la rigueur s'expliquer. Il était un ami de mon père, du moins le croyais-je. On me pardonnera sans doute d'avoir accepté son aide sans me poser de questions. Mais Lady Brockenhurst ? Une comtesse qui ressent soudain le besoin d'investir dans l'affaire d'un jeune homme qu'elle connaît à peine ? N'était-ce pas un indice évident pour une personne moins aveugle que moi ?

Il soupira en songeant à sa propre crédulité.

— Balivernes ! Mieux vaut être trop crédule que trop soupçonneux, conclut Maria.

Sur ces mots, elle leva son visage vers le sien et il eut la joie de l'embrasser sur les lèvres. Ils ne le savaient pas alors, mais il l'aimerait avec la même ferveur jusqu'à la fin de ses jours. Ce qui laissait présager une issue heureuse.

Plus tard ce soir-là, Anne était assise devant sa coiffeuse pendant que Mme Frant lui brossait les cheveux. James et Oliver se trouvaient encore dans la bibliothèque au rez-de-chaussée, où ils sirotaient un verre de brandy. Charles était rentré à Holborn avec Mme Pope. Avant de se séparer, ils étaient convenus qu'ils viendraient s'installer à Brockenhurst House dès qu'ils le souhaiteraient, de sorte que cette disposition au moins était réglée. Anne n'enviait guère le sort futur de Mme Pope, qui deviendrait en quelque sorte la dame de compagnie de la comtesse. Cela dit, son existence serait moins solitaire.

— Je pense que nous devrions chercher une nouvelle femme de chambre, dit Anne.

Mme Frant avait déjà exercé ce métier par le passé et savait ce qu'elle faisait, mais les deux fonctions constituaient une charge trop lourde, toutes deux le savaient bien.

— Je vais me renseigner demain matin, madame. Vous pouvez vous en remettre à moi.

Mme Frant n'avait pas l'intention de laisser faire Mme Trenchard, qui avait choisi cette Mlle Ellis, une femme sournoise et malhonnête. Jamais une personne de ce genre n'arriverait à tromper la gouvernante.

— Puis-je faire une suggestion, madame ?

— Je vous en prie.

— Pourriez-vous confirmer Billy dans ses fonctions de majordome ? Il est un peu jeune, bien sûr, mais il connaît la maison et les habitudes de M. Trenchard, et il serait très reconnaissant qu'on lui donne sa chance.

— Si vous pensez pouvoir vous en sortir… (Anne était surprise que la gouvernante recommande un homme d'une trentaine d'années à peine.) Mais cela ne risque-t-il pas d'alourdir vos responsabilités ?

— Ne vous inquiétez pas pour ça, madame.

Elle était consciente que, en obtenant ce poste à Billy, celui-ci lui serait éternellement redevable. Si elle contrôlait le majordome et choisissait la femme de chambre, sa vie serait nettement plus simple. Et c'était ce que Mme Frant désirait. Une vie simple, sur laquelle elle aurait la mainmise.

— Bien sûr, c'est à vous de voir, madame, ajouta-t-elle en posant la brosse sur la coiffeuse. Ce sera tout ?

— Oui. Merci. Bonne nuit.

La gouvernante referma la porte derrière elle, laissant Anne à ses réflexions. Elle accepterait la suggestion de Mme Frant dans l'espoir que tous puissent reprendre le cours normal de leur vie.

Il était tard. Une bruine tombait quand John Bellasis quitta le restaurant mal famé pour regagner son hôtel miteux. Il avait laissé son employé, Roger, défaire ses valises et arranger sa chambre le mieux possible, mais c'était un bien piètre substitut à son appartement d'Albany, aussi modeste fût-il. Roger ne resterait sans doute pas longtemps à son service. Il était trop loin de ses amis et de ses lieux de prédilection. Et pour quoi ? Quel intérêt pour lui de s'exiler à Dieppe ? Que faisait John dans cette ville, du reste ? Il ne pouvait croire qu'il était en sécurité. Ce n'était pas parce que les policiers ne lui étaient pas tombés dessus aussitôt, comme il l'avait craint, qu'il était débarrassé d'eux. Il devrait continuer à se déplacer, voilà tout, et ne jamais rester très longtemps au même endroit. Mais comment s'en sortirait-il ? De quoi allait-il vivre ? Il se surprit à se demander comment on disait « prêteur sur gages » en français. Puis le crachin se transforma en pluie et il se mit à courir.

Ancien élève de l'école catholique d'Ampleforth et du Magdalene College de l'université de Cambridge, Julian Fellowes est un acteur, auteur, réalisateur et producteur couronné de nombreux prix. En tant que créateur, scénariste et producteur exécutif de la série au succès mondial *Downton Abbey*, Fellowes a gagné trois Emmys et un Golden Globe.

Julian Fellowes a remporté l'oscar du Meilleur scénario original pour *Gosford Park* (2002). Son travail a également été récompensé par la Writers Guild of America, le New York Film Critics Circle et la National Society of Film Critics pour le Meilleur scénario. Il a également participé à l'écriture des films *Picadilly Jim* (2004), *Vanity Fair* (2004), *Victoria : les jeunes années d'une reine* (2009), *The Tourist* (2010), *Romeo & Juliet* (2013), et la série dramatique en trois parties *Doctor Thorne* pour ITV. Julian Fellowes a écrit et réalisé les films primés *Separate Lies* et *Le Secret de Green Knowe.* Il est l'auteur des livrets de la comédie musicale *Mary Poppins,* et de *School of Rock : The Musical* écrit et produit par Andrew Lloyd Webber, qui a débuté à Broadway en décembre 2015.

Julian Fellowes est l'auteur de deux romans devenus des best-sellers : *Snobs* (2005) et *Passé imparfait* (2008).

En 2011, Julian Fellowes est devenu pair à vie. Il vit dans le Dorset et à Londres avec sa femme, Emma.

Conseillère éditoriale : Imogen Edwards-Jones

Auteur de best-sellers, chroniqueuse et scénariste, Imogen Edwards-Jones est probablement plus connue pour sa série de livres *Babylon*, vendus à plus d'un million d'exemplaires au Royaume-Uni, qui ont inspiré la série télévisée à succès *Hôtel Babylon*. Elle vit à Londres avec son mari et ses deux enfants.

Conseillère historique : Lindy Woodhead

Lindy Woodhead est l'auteur de deux livres acclamés par la critique, *War Paint : Madame Helena Rubinstein and Miss Elizabeth Arden, Their Lives, Their Times, Their Rivalry* (2003) et *Shopping Seduction & Mr Selfridge* (2007), qui a été adapté par Andrew Davies, et est devenu la série triomphale *Mr Selfridge*. Réalisée par ITV Studios et coproduite avec Masterpiece-PBS aux États-Unis, la première saison de *Mr Selfridge*, débutée en janvier 2013, a été suivie par huit millions de spectateurs. En juin 2016, le Goodman Theatre de Chicago jouera la première mondiale de l'adaptation musicale de *War Paint*. Mariée et mère de deux garçons, Lindy partage son temps entre l'Oxfordshire et Londres, et est membre de la Royal Society of Arts.

IMPRESSION RÉALISÉE PAR
CPI FIRMIN DIDOT
EN JUIN 2016
POUR LE COMPTE DES
ÉDITIONS JCLATTÈS 17, RUE JACOB 75006 PARIS

JC Lattès s'engage pour l'environnement en réduisant l'empreinte carbone de ses livres. Celle de cet exemplaire est de :
787 g éq. CO_2
Rendez-vous sur www.jclattes-durable.fr

N° d'édition : 01 – N° d'impression : 134191
Dépôt légal : juin 2016
Imprimé en France